中医执业（含助理）医师资格考试

命题规律之应试讲义

诊断学基础、内科学

金英杰医学教育研究院◎编

全国百佳图书出版单位
化学工业出版社
·北京·

编委会成员

目录

诊断学基础

第一单元　症状学

◆考试分值

节	年份 级别	2019	2020	2021	2022	2023
发热	执业	2	2	3	2	2
	助理	1	2	2	1	2
头痛（助理不考）	执业	1	1	2	1	2
胸痛	执业	2	3	2	2	2
	助理	1	1	2	1	2
腹痛	执业	2	1	1	2	2
	助理	2	2	1	2	2
咳嗽与咳痰	执业	3	2	2	3	2
	助理	1	1	1	1	2
咯血	执业	1	1	2	1	1
	助理	1	1	1	1	1
呼吸困难	执业	2	3	2	2	3
	助理	1	1	1	2	1
水肿	执业	1	0	1	1	1
	助理	1	0	1	1	1
恶心与呕吐（助理不考）	执业	2	1	1	1	2
呕血与黑便	执业	1	3	2	2	2
	助理	1	1	0	1	1
黄疸	执业	1	1	2	1	1
	助理	0	1	1	0	0
抽搐	执业	1	0	1	0	1
	助理	1	1	0	1	1
意识障碍（助理不考）	执业	1	1	0	1	1

第一节　发　热

一、发热的概念

发热是指机体在致热原的作用下，或各种原因引起体温调节中枢功能障碍，导致体温升高超出正常范围。

二、发热的病因

1. 感染性发热 临床上最多见，各种病原体所引起的急、慢性感染均能引起感染性发热。致病菌包括细菌、病毒、支原体、立克次体、螺旋体、真菌、寄生虫等。

2. 非感染性发热

（1）无菌性坏死物质吸收：如内出血、恶性肿瘤、大面积烧伤、急性溶血、大手术、白血病、心肌梗死或肢体坏死等。

（2）抗原 - 抗体反应：如风湿热、药物热、血清病、结缔组织疾病等。

（3）体温调节中枢功能失常：如中暑、脑出血、脑外伤、安眠药中毒等直接损害体温调节中枢，使其功能失常而发热。

（4）自主神经功能紊乱：影响正常的体温调节过程，使产热大于散热，属功能性发热，多为低热。

（5）内分泌与代谢障碍：如甲状腺功能亢进症（简称甲亢）、大量脱水等。

（6）皮肤散热减少：如慢性心功能不全、广泛性皮炎、鱼鳞癣等。

考试多以 A1 型题为主。

金题直击

1. 下列哪项属于非感染性发热

A. 肺结核　　B. 肺炎

C. 急性肾盂肾炎　　D. 伤寒

E. 中暑

【答案】E

【解题思路】

选项 A、B、C、D 属于感染性发热，选项 E 属于非感染性发热，故此题选 E。此题用排除法，只需记忆感染性发热，考试常考。

【易错点】

涉及的考点是发热的病因。感染性发热在临床上最多见，各种病原体所引起的急、慢性感染均能引起感染性发热。

三、发热的临床表现

1. 发热的临床分度 以口腔温度为标准，发热的临床分度见表 1-1。

表 1-1　发热的临床分度

热度	体温范围
低热	37.3 ～ 38℃
中等度热	38.1 ～ 39℃
高热	39.1 ～ 41℃
超高热	41℃以上

2. 热型与临床意义 发热的热型与临床意义见表 1-2。

表 1-2　发热的热型与临床意义

热型	体温曲线	常见疾病
稽留热	体温持续于 39 ～ 40℃以上，达数日或数周，24h 波动范围不超过 1℃（图 1-1）	肺炎链球菌性肺炎、伤寒、斑疹伤寒等的高热期
弛张热	体温可在 39℃以上，但波动幅度大，24h 内体温差达 2℃以上，最低时仍高于正常水平（图 1-2）	败血症、风湿热、重症肺结核、化脓性炎症

续表

热型	体温曲线	常见疾病
间歇热	高热期与无热期交替出现，体温波动幅度可达数度，无热期（间歇期）可持续 1 日至数日，反复发作（图 1-3）	疟疾、急性肾盂肾炎
回归热	体温骤然升至 39℃以上，持续数日后又骤然下降至正常水平，高热期与无热期各持续若干日后即有规律地交替一次（图 1-4）	回归热、霍奇金病、周期热
波状热	体温逐渐升高达 39℃或以上，数天后逐渐下降至正常水平，数天后再逐渐升高，如此反复多次（图 1-5）	布鲁氏菌病
不规则热	发热无一定规律（图 1-6）	结核病、风湿热、支气管肺炎、渗出性胸膜炎、感染性心内膜炎等

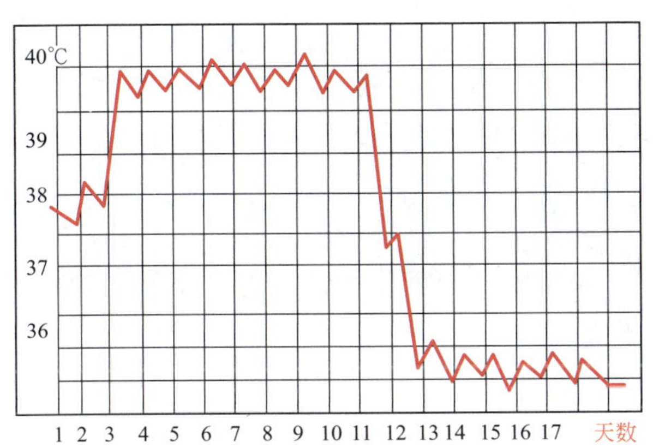

图 1-1　稽留热

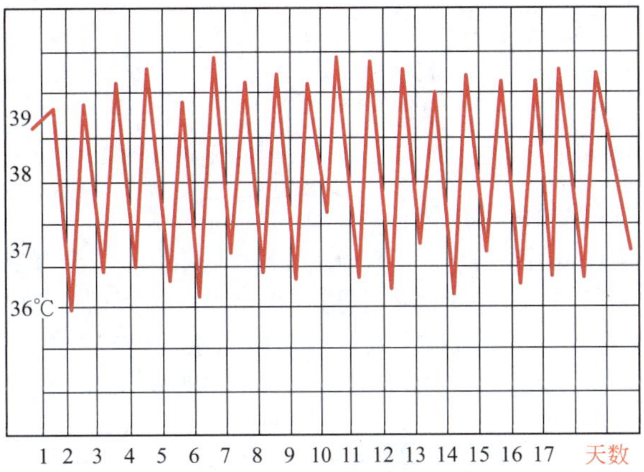

图 1-2　弛张热

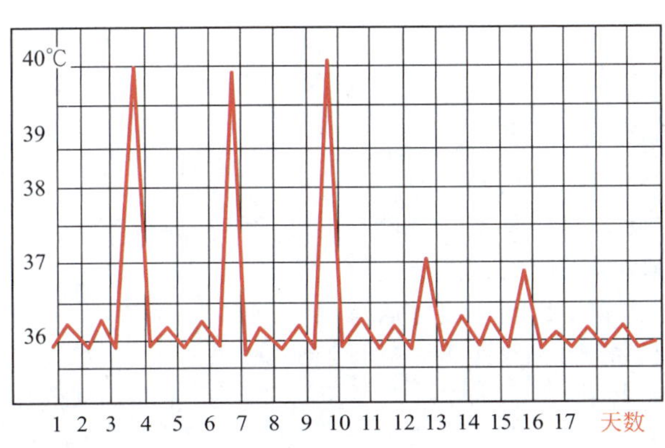

图 1-3　间歇热

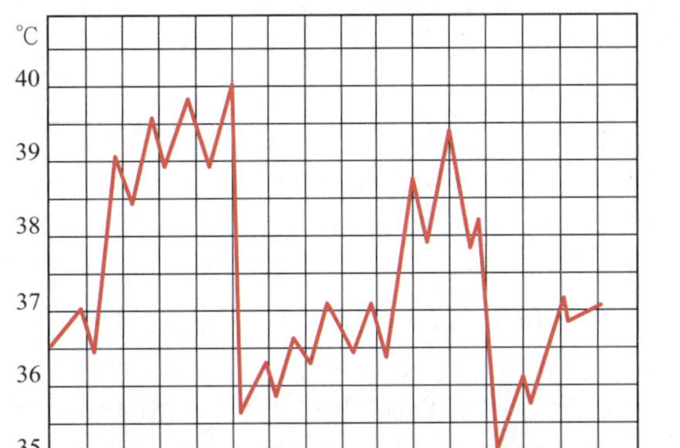

图 1-4　回归热

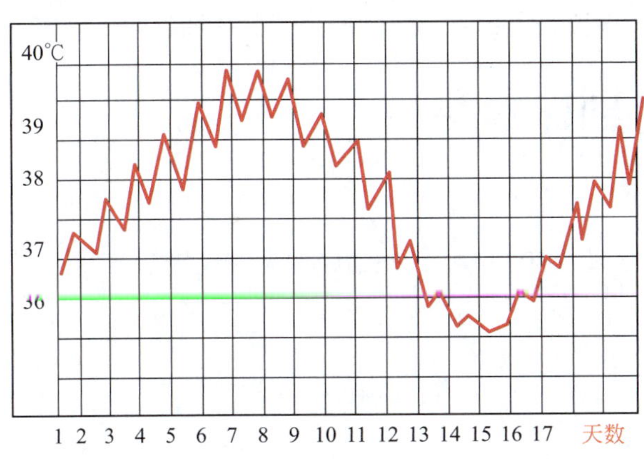

图 1-5　波状热

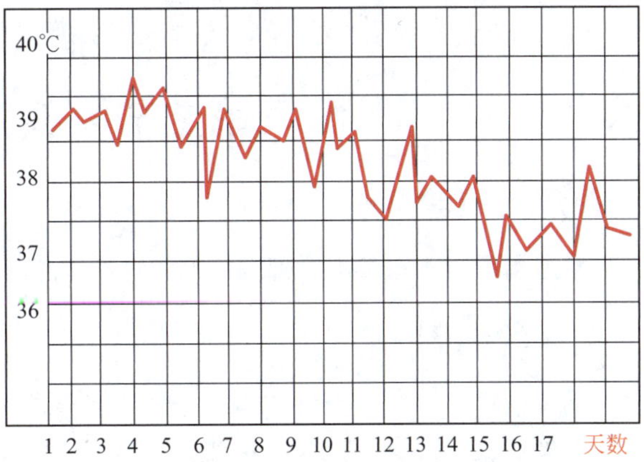

图 1-6　不规则热

命题趋势 考试多以 A1、B1 型题为主。

金题直击

2. 下列疾病，表现为弛张热的是

A. 肺炎球菌肺炎 B. 疟疾

C. 布鲁氏菌病 D. 渗出性胸膜炎

E. 风湿热

【答案】E

【解题思路】

弛张热：体温常在 39℃以上，波动幅度大，24h 内波动范围超过 2℃，但都在正常水平以内，常见于败血症、风湿热、重症肺结核及化脓性炎症等。

【易错点】

涉及考点发热的临床表现，其中弛张热和稽留热易混淆。弛张热＞ 39℃，波动＞ 2℃；稽留热＞ 39℃，波动＜ 1℃。

3. 发热的临床经过

（1）体温上升期：疲乏无力，肌肉酸痛，畏寒或寒战，皮肤苍白，干燥，无汗等。

（2）高热持续期：皮肤潮红而灼热，呼吸加快加深，心率增快，常出汗。此期可持续数小时（如疟疾）、数日（如肺炎、流感）或数周（如伤寒极期）。

（3）体温下降期：出汗多、皮肤潮湿。

四、发热的问诊要点及临床意义（助理不考）

1. 病史 有无传染病接触史、外伤史、药物或毒物接触史、手术史等。

2. 临床特点 起病缓急、持续时间、发热程度等。

3. 伴随症状

（1）伴尿频、尿急、尿痛：见于尿路感染。

（2）伴咳嗽、咳痰、胸痛：见于支气管炎、肺炎、胸膜炎、肺结核等。

（3）伴恶心、呕吐、腹痛、腹泻：见于急性胃肠炎、细菌性痢疾等。

（4）伴皮肤黏膜出血：见于病毒性肝炎、流行性出血热、急性再生障碍性贫血、急性白血病等。

（5）伴口唇单纯疱疹：见于肺炎链球菌肺炎、流行性脑脊髓膜炎、间日疟等。

（6）伴结膜充血：见于流行性出血热、斑疹伤寒、恙虫病、钩端螺旋体病等。

（7）伴寒战：见于肺炎球菌肺炎、败血症、急性溶血性疾病、急性胆囊炎、疟疾等。

（8）伴头痛、呕吐或昏迷：见于乙型脑炎、流行性脑脊髓膜炎、脑出血、蛛网膜下腔出血、脑型疟疾、中毒性痢疾等。

（9）伴关节痛：常见于结核病、结缔组织病等。

（10）伴淋巴结及肝脾大：见于血液病、恶性肿瘤、布鲁氏菌病、黑热病、传染性单核细胞增多症等。

第二节 头痛（助理不考）

一、头痛的概念

头痛是指局限于头颅上半部的疼痛，主要有额、顶、颞及枕部的疼痛，是临床常见的症状之一。

二、头痛的病因

1. 颅内病变 流行性脑脊髓膜炎、脑肿瘤、脑出血、蛛网膜下腔出血、颅脑外伤等。

2. 颅外病变 三叉神经痛、颈椎病，眼、口腔及鼻部炎症等。

3. 全身性疾病 各种感染发热、高血压、中毒、中暑、月经期及绝经期头痛等。

4. **神经症** 神经衰弱、癔症性头痛等。

三、头痛的问诊要点及临床意义

1. **病史** 有无头颅外伤史、感染、发热、中毒、高血压、青光眼、鼻窦炎、偏头痛、脑炎、脑膜炎、颅脑肿瘤、使用药物史及精神疾病史等。

2. **头痛的特点**

（1）头痛的病因及诱因：①眼疲劳性头痛：用眼过度，尤其是较长时间近距离用眼。②紧张性头痛：因过度紧张、劳累而诱发或加重。③偏头痛：女性月经期时容易发作。④高血压头痛：血压未得到控制时出现或加重。⑤头颅外伤头痛：发生在受伤后。⑥颅脑病变头痛：可发生在典型症状或诊断明确前，常与病变过程伴随。⑦感染或中毒可引发头痛。

（2）头痛的部位：①大脑半球的病变：头痛位于病变的同侧，以额部为多，并向颞部放射。②小脑幕以下病变：头痛位于后枕部。③青光眼引起的头痛：位于眼的周围或眼上部。

（3）头痛的性质：三叉神经痛主要表现是颜面部发作性电击样疼痛；舌咽神经痛常见咽后部发作性疼痛并向耳及枕部放射；血管性头痛常见搏动样头痛。

命题趋势 考试多以 A1、B1 型题为主。

金题直击

三叉神经痛的特点多是

A. 牵拉痛　　B. 紧箍感

C. 胀痛　　D. 电击痛

E. 重压感

【答案】D

【解题思路】

本题考查头痛的性质，包含三种，其中三叉神经痛是考查的重点。三叉神经痛是颜面部发作性电击样疼痛；舌咽神经痛是咽后部发作性疼痛并向耳及枕部放射；血管性头痛是搏动样头痛。

（4）头痛的时间：①鼻窦炎引起的头痛在病情较重、鼻塞不通时加重，上午重下午轻。②紧张性头痛常在下午或傍晚出现。③肿瘤引起的头痛一般早上起床时较明显。④丛集性头痛常在夜间发生。⑤药物引起的头痛一般出现在用药后 15 ～ 30min，持续时间和药物的半衰期有关。

3. **伴随症状**

（1）伴呕吐：见于脑膜炎、脑炎、脑肿瘤等引起颅内压增高；头痛在呕吐后减轻可见于偏头痛。

（2）伴发热：体温升高与头痛同时出现见于脑炎、脑膜炎等感染；先头痛后发热见于脑出血、脑外伤等。

（3）伴意识障碍：见于蛛网膜下腔出血、脑肿瘤、脑外伤、脑炎、脑膜炎、脑出血、一氧化碳中毒等。

（4）伴眩晕：见于小脑肿瘤、椎 - 基底动脉供血不足等。

（5）伴脑膜刺激征：见于脑膜炎、蛛网膜下腔出血。

第三节　胸　痛

一、胸痛的概念

胸痛是指颈部与上腹之间的不适或疼痛，主要由胸部疾病引起，有时腹腔疾病也可引起胸痛。

二、胸痛的病因

1. **胸壁疾病** 肋间神经炎、带状疱疹等肋间神经病变；蜂窝织炎、乳腺炎等皮肤及皮下组织病变；外伤、劳损、肌炎等肌肉病变；肋软骨炎、肋骨骨折等肋骨病变。

2. **心血管疾病** 心绞痛、心肌梗死；急性心包炎、肥厚型心肌病；血管病变，如胸主动脉瘤、主动脉夹层；心脏神经症等。

3. **呼吸系统疾病** 肺炎、肺结核、原发性支气管肺癌、肺梗死等支气管及肺部病变；急性胸膜炎、自发性气胸、胸膜肿瘤等胸膜病变。

4. 其他 食管炎、食管癌等食管疾病；纵隔气肿、纵隔肿瘤等纵隔疾病；肝脓肿、胆囊炎、胆石症、膈下脓肿等腹部疾病。

三、胸痛的问诊要点及临床意义

1. 发病年龄与病史 青壮年胸痛，应注意结核性胸膜炎、自发性气胸、心肌病等，40 岁以上者应考虑心绞痛、心肌梗死与肺癌等。询问患者有无高血压、心脏病、动脉硬化、肺及胸膜疾病、胸部手术史、外伤史，有无大量吸烟史等。

2. 胸痛的部位 胸壁疾病所致的胸痛常固定于病变部位，局部常有压痛。

（1）带状疱疹是成簇的水疱沿一侧肋间神经分布伴胸痛，疱疹不超过体表正中线。

（2）非化脓性肋软骨炎多侵犯第 1、2 肋软骨，患部隆起，但局部皮肤正常，有压痛。

（3）心绞痛与急性心肌梗死的疼痛部位常位于胸骨后或心前区，疼痛向左肩背、左臂内侧放射，偶尔可达无名指及小指。

（4）食管、膈和纵隔肿瘤疼痛部位常在胸骨后，伴进食或吞咽时加重。

（5）自发性气胸、急性胸膜炎和肺梗死的疼痛部位在患侧的腋前线及腋中线附近。

命题趋势 考试多以 A1 型题为主。

金题直击

1. 下列哪项不符合胸壁疾病所致胸痛的特点

A. 疼痛部位较固定　　B. 局部有压痛

C. 举臂动作时可加剧　　D. 因情绪激动而诱发

E. 深呼吸或咳嗽可加剧

【答案】D

【解题思路】

胸痛的特点是疼痛部位多固定不变，局部常有压痛，胸壁皮肤炎症在罹患处皮肤伴有红、肿、热等改变。深呼吸、咳嗽、举臂牵拉胸壁时均可加重疼痛。因绪激动诱发的胸痛一般见于心血管疾患，不符合胸壁疾患所致胸痛的特点。故排除 D 选项。

2. 下列哪种病变引起的胸痛常沿一侧肋间神经分布

A. 胸肌劳损　　B. 流行性胸痛

C. 颈椎病　　D. 带状疱疹

E. 皮下蜂窝织炎

【答案】D

【解题思路】

此题考查胸痛的部位。带状疱疹疼痛最典型的特点是成簇的水疱沿一侧肋间神经分布。非化脓性肋软骨炎多侵犯第 1、2 肋软骨。心绞痛与急性心肌梗死疼痛部位常位于胸骨后或心前区，疼痛常牵涉至左肩背、左臂内侧达无名指及小指。食管、膈和纵隔肿瘤疼痛部位位于胸骨后。自发性气胸、急性胸膜炎和肺梗死的胸痛多位于患侧的腋前线及腋中线附近。

3. 胸痛的性质 见表 1-3。

4. 胸痛持续时间

（1）平滑肌痉挛或血管狭窄缺血：阵发性疼痛。

（2）心绞痛：发作时间短暂，不超过 15min。

（3）心肌梗死：疼痛持续时间长且不易缓解。

（4）炎症、肿瘤、栓塞或梗死：持续性疼痛。

5. 胸痛的诱因与缓解因素

（1）心绞痛：因劳累、体力活动或精神紧张而诱发，含服硝酸甘油可迅速缓解；心肌梗死的胸痛含服硝酸甘油则无法缓解。

表 1-3　胸痛的性质

性质	常见疾病
阵发性的灼痛或刺痛	带状疱疹
酸痛	肌痛
刺痛	骨痛
灼痛或灼热感	食管炎
压榨样痛，可伴有窒息感	心绞痛
疼痛更为剧烈，并有恐惧、濒死感	心肌梗死
尖锐刺痛或撕裂痛，伴呼吸时加重，屏气时消失	干性胸膜炎
胸部闷痛	原发性肺癌，纵隔肿瘤
突然剧烈刺痛或绞痛，常伴有呼吸困难与发绀	肺梗死

（2）心脏神经症：体力活动后疼痛减轻。

（3）反流性食管炎：胸骨后烧灼痛在服用抗酸剂后减轻或消失。

命题趋势　考试多以 A1、B1 型题为主。

金题直击

3. 心绞痛常呈

A. 压榨样痛　　B. 酸痛

C. 灼痛　　D. 刺痛

E. 闷痛

【答案】A

【解题思路】

疼痛性质的临床意义为考查重点。压榨样痛，可伴有窒息感提示心绞痛；酸痛提示肌痛；灼痛或灼热感提示食管炎；刺痛提示骨痛；疼痛更为剧烈，并有恐惧、濒死感提示心肌梗死；胸部闷痛提示原发性肺癌、纵隔肿瘤。

6. 伴随症状

（1）伴呼吸困难：见于肺结核、心绞痛、心肌梗死、急性心包炎、主动脉夹层、肺炎链球菌肺炎、自发性气胸等。

（2）伴吞咽困难：见于食管癌等。

（3）伴咳嗽、咳痰：见于气管、支气管、肺或胸膜疾病。

（4）伴咯血：见于肺炎、肺结核、肺脓肿、肺梗死或支气管肺癌。

（5）伴大汗、面色苍白、血压下降或休克：多考虑急性心肌梗死、主动脉夹层或大块肺栓塞等严重疾病。

第四节　腹　痛

一、腹痛的概念

腹痛为临床常见症状，多由腹部脏器疾病所致，少数也可由腹腔外及全身性疾病引起。

二、腹痛的病因

1. 腹部疾病

（1）急性腹膜炎：由胃、肠穿孔引起者最常见。

（2）腹腔脏器炎症：肠炎、胰腺炎、急性或慢性胃炎等。

（3）空腔脏器痉挛或梗阻：泌尿道结石、肠梗阻、胆石症、胆道蛔虫病等。

（4）脏器扭转或破裂：肠扭转、肠系膜或大网膜扭转、急性内脏破裂（如肝脾破裂、异位妊娠破裂等）、卵巢囊肿扭转。

（5）腹膜粘连或脏器包膜牵张：手术后或炎症后腹膜粘连；实质性脏器因病变肿胀导致包膜张力增加而发生腹痛，见于肝炎、肝淤血、肝癌等。

（6）化学性刺激：消化性溃疡。

（7）肿瘤压迫与浸润：胃癌、结肠癌、直肠癌等。

（8）腹腔内血管疾病：如缺血性肠病、腹主动脉瘤及门静脉血栓形成等。

2. 胸腔疾病的牵涉痛 心绞痛、急性心肌梗死、急性心包炎、肺炎、肺梗死、胸膜炎等。

3. 全身性疾病 尿毒症、糖尿病酮症酸中毒、铅中毒。

4. 其他原因 如荨麻疹时胃肠黏膜水肿、过敏性紫癜时的肠管浆膜下出血等。

三、腹痛的问诊要点及临床意义

1. 病史及年龄

（1）病史：消化性溃疡常有反复发作的节律性上腹痛病史；胆绞痛、肾绞痛常有胆道、泌尿道结石史；腹膜粘连性腹痛常与结核性腹膜炎、腹部手术史有关。

（2）年龄：儿童腹痛常见于肠道蛔虫症及肠套叠。青壮年腹痛常见于消化性溃疡、急性阑尾炎。中老年人腹痛常见于恶性肿瘤。

2. 腹痛部位 见表 1-4。

表 1-4 腹痛的部位

腹痛部位	常见疾病
中上腹部	胃、十二指肠疾病，急性胰腺炎
右上腹部	肝脓肿、胆石症、胆囊炎
早期在脐周或上腹部，数小时后转移至右下腹部	急性阑尾炎
左下腹部或下腹部	降结肠、乙状结肠病变
脐部或脐周	小肠疾病
全腹痛	空腔脏器穿孔后引起弥漫性腹膜炎
弥漫性或不定位性疼痛	结核性腹膜炎、腹膜转移癌、腹膜粘连、结缔组织病

3. 腹痛的性质与程度 见表 1-5。

表 1-5 腹痛的性质与程度

腹痛性质与程度	可能的诊断
慢性、周期性、节律性中上腹隐痛或灼痛	消化性溃疡
有消化性溃疡病史，突然呈剧烈的刀割样、烧灼样持续性疼痛	消化性溃疡并发急性穿孔
胀痛，于呕吐后减轻或缓解	消化性溃疡并发幽门梗阻
绞痛相当剧烈	胆石症、泌尿道结石及肠梗阻
剑突下钻顶样痛	胆道蛔虫梗阻
进行性锐痛	肝癌
持续性胀痛	慢性肝炎与淤血性肝大
剧烈绞痛或持续性疼痛	肝、脾破裂，异位妊娠破裂
持续性、广泛性剧烈腹痛伴腹肌紧张或板状腹	急性弥漫性腹膜炎

4. 诱发、加重或缓解腹痛的因素

（1）胆囊炎或胆石症：发作前进食油腻食物。

（2）急性胰腺炎：发作前暴饮暴食、酗酒。

（3）十二指肠溃疡：多发生于空腹时，进食或服碱性药缓解。

（4）胃溃疡：发生在进食后半小时内，至下次进餐前缓解。

（5）反流性食管炎：直立时可减轻。

（6）肠炎引起的腹痛：排便后减轻。
（7）肠梗阻引起的腹痛：呕吐或排气后缓解。
5. 腹痛的伴随症状 见表 1-6。

表 1-6 腹痛的伴随症状

伴随症状	可能的诊断	
伴寒战、高热	急性化脓性胆管炎、肝脓肿、腹腔脏器脓肿	
伴黄疸	肝、胆、胰腺疾病，急性溶血等	
伴血尿	泌尿系统疾病（如尿路结石）	
伴休克	急性腹腔内脏大出血、急性胃肠穿孔、急性心肌梗死、中毒性菌痢	
伴腹泻	肠道炎症、急性菌痢，亦见于慢性胰腺疾病及肝脏疾病引起的吸收不良	
伴血便	急性者	急性菌痢、肠套叠、绞窄性肠梗阻、急性出血性坏死性结肠炎、过敏性紫癜
	慢性者	慢性菌痢、肠结核、结肠癌
	柏油样便	上消化道出血
	鲜血便	下消化道出血
伴里急后重	直肠病变的疼痛	
伴呕吐、腹胀、停止排便排气	胃肠梗阻（呕吐胀闭停）	

第五节 咳嗽与咳痰

一、咳嗽的概念

咳嗽是机体的防御性神经反射，有利于清除呼吸道分泌物、吸入物和异物。痰是气管、支气管的病理性分泌物或肺泡内渗出液，借助咳嗽反射将其排出体外称为咳痰。

二、咳嗽的病因

1. 呼吸道疾病
2. 胸膜疾病 胸膜炎或胸膜受刺激（如自发性气胸、胸膜炎）。
3. 心血管疾病 二尖瓣狭窄等导致肺淤血、肺水肿。
4. 中枢神经因素 脑炎、脑膜炎、脑出血、脑肿瘤等。

三、咳嗽与咳痰的问诊要点及临床意义

1. 咳嗽的性质
（1）干性咳嗽：见于急性咽喉炎、急性支气管炎初期、气管受压、支气管异物，支气管肿瘤等。
（2）湿性咳嗽：见于慢性咽喉炎、慢性支气管炎、支气管扩张、肺炎、肺脓肿、空洞型肺结核等。
2. 咳嗽的时间与节律
（1）突然发生的咳嗽：见于吸入刺激性气体所致急性咽喉炎、气管与支气管异物。
（2）阵发性咳嗽：见于支气管异物、支气管哮喘、支气管肺癌、百日咳等。
（3）长期慢性咳嗽：见于慢性支气管炎、支气管扩张、慢性肺脓肿、空洞型肺结核等。
（4）晨咳或夜间平卧时（即改变体位时）加剧并伴咳痰：见于慢性支气管炎、支气管扩张和肺脓肿等。
（5）夜间咳嗽明显：见于左心衰竭、肺结核。
3. 咳嗽的音色
（1）声音嘶哑：见于声带炎、喉炎、喉癌，以及肿物压迫喉返神经。
（2）犬吠样：见于喉头炎症水肿或气管受压。
（3）鸡鸣样吼声：见于百日咳。
（4）金属调：见于纵隔肿瘤或支气管肺癌。
（5）无声（或无力）咳嗽：见于极度衰弱或声带麻痹的患者。

考试多以 A1、B1 型题为主。

金题直击

嘶哑样咳嗽，可见于

A. 急性喉炎　　B. 肺结核

C. 百日咳　　D. 胸膜炎

E. 支气管扩张

【答案】A

【解题思路】

咳嗽的特点提示的疾病：声音嘶哑见于声带炎、喉炎、喉癌，以及肿物压迫喉返神经等；鸡鸣样吼声见于百日咳；金属调见于纵隔肿瘤或支气管肺癌。故本题选 A。

【易错点】

咳嗽的特点是考试重点，其中声音嘶哑和犬吠样咳嗽所见疾病易混淆。

4. 痰的性质与量　痰的性质可分为黏液性、浆液性、脓性、黏液脓性、浆液血性、血性等。

（1）急性呼吸道炎症时痰量较少。

（2）支气管扩张、肺脓肿等患者痰量较多，可出现分层现象：上层为泡沫，中层为浆液或浆液脓性，下层为坏死性物质。

（3）大叶性肺炎咳吐铁锈色痰，肺水肿时痰呈粉红色泡沫状，厌氧菌感染痰有恶臭味，铜绿假单孢菌感染呈黄绿色痰。

5. 伴随症状

（1）伴哮喘：见于心源性哮喘、气管与支气管异物、支气管哮喘、喘息型慢性支气管炎等。

（2）伴发热：见于胸膜炎、呼吸道感染、肺结核等。

（3）伴胸痛：见于累及胸膜的疾病，如肺炎、胸膜炎、支气管肺癌、自发性气胸等。

（4）伴呼吸困难：见于喉头水肿、喉肿瘤、慢性阻塞性肺病、重症肺炎以及重症肺结核、肺淤血、肺水肿、大量胸腔积液、气胸等。

（5）伴咯血：见于肺结核、支气管扩张、肺脓肿、支气管肺癌及风湿性二尖瓣狭窄等。

第六节　咯　血

一、咯血的概念

喉及喉部以下的呼吸道及肺脏等任何部位的出血，经咳嗽动作从口腔咯出称为咯血。

二、咯血的病因

1. 支气管疾病　慢性支气管炎、支气管扩张、支气管肺癌、支气管内膜结核等。

2. 肺部疾病　肺结核、肺炎链球菌性肺炎、肺脓肿等。我国最常见的咯血原因是肺结核。

3. 心血管疾病　风湿性心脏病、二尖瓣狭窄等。

4. 其他疾病　血小板减少性紫癜、白血病、血友病、肺出血型钩端螺旋体病、流行性出血热等。

三、咯血的问诊要点及临床意义

1. 病史及年龄　有无心、肺、血液系统疾病，有无结核病接触史、吸烟史等。中年以上，咯血痰或小量咯血，特别是有多年吸烟史者，除考虑慢性支气管炎外，应高度注意支气管肺癌的可能。

2. 咯血的量及其性状

（1）大量咯血（每日超过 500mL）：见于空洞型肺结核、支气管扩张和肺脓肿。

（2）中等量咯血（每日 100 ～ 500mL）：可见于二尖瓣狭窄。

（3）小量咯血（每日在 100mL 内）：其他原因。

（4）咳粉红色泡沫痰：急性左心衰竭。

（5）多次反复少量咯血：支气管肺癌。
（6）咯铁锈色痰：典型肺炎链球菌功肺炎。
（7）咯血量大而骤然停止：支气管扩张症。
（8）痰中带血：多见于侵润型肺结核。

3. 咯血的伴随症状

（1）伴发热：见于肺结核、肺炎链球菌性肺炎、肺脓肿、肺出血型钩端螺旋体病、流行性出血热等。
（2）伴胸痛：见于肺炎链球菌性肺炎、肺梗死、肺结核、支气管肺癌等。
（3）伴脓痰：见于支气管扩张、肺脓肿、空洞型肺结核并发感染、化脓性肺炎等。
（4）伴皮肤黏膜出血应：见于钩端螺旋体病、流行性出血热、血液病等。

考试多以 A1、B1 型题为主。

金题直击

大咯血是指一日咯血量

A. 大于 100mL　　B. 大于 200mL
C. 大于 300mL　　D. 大于 400mL
E. 大于 500mL

【答案】E

【解题思路】

咯血的量及其性状为常考点。大量咯血（每日超过 500mL）：见于空洞型肺结核、支气管扩张和肺脓肿。中等量咯血（每日 100 ～ 500mL）：可见于二尖瓣狭窄。小量咯血（每日在 100mL 内）：见于其他原因。故本题选 E。

四、咯血与呕血的鉴别

咯血与呕血的鉴别见表 1-7。

表 1-7　咯血与呕血的鉴别

	咯血	呕血
病因	肺结核、支气管扩张症、肺癌、心脏病	消化性溃疡、肝硬化
出血前症状	喉部痒感、胸闷、咳嗽	上部不适、恶心、呕吐
出血方式	咯出	呕出，可为喷射状
血色	鲜红	棕黑、暗红色，有时鲜红色
血中混有物	痰、泡沫	食物残渣、胃液
酸碱反应	碱性	酸性
黑便	没有（如咽下血液时可有）	有

第七节　呼吸困难

一、呼吸困难的概念

呼吸困难是指患者主观上感到空气不足，呼吸费力；客观上表现为呼吸频率、节律与深度的异常，严重时出现鼻翼扇动、发绀、端坐呼吸及辅助呼吸肌参与呼吸活动。

二、呼吸困难的病因

1. 胸肺疾病

（1）肺部病变：支气管哮喘、肺炎、肺结核、喘息型慢性支气管炎、阻塞性肺气肿、肺心病、肺性脑病、弥漫性肺间质纤维化、肺癌、肺栓塞、肺部疾病导致的呼吸衰竭等。

（2）呼吸道疾患：急性喉炎、喉头水肿、喉部肿瘤、双侧扁桃体肿大Ⅲ度、气道异物、气管与支气管的炎症或肿瘤等。

（3）胸膜、壁疾病：气胸、胸腔积液、胸膜肥厚、胸部外伤、肋骨骨折以及胸廓畸形等。

2. 循环系统疾病 各种原因所致的急慢性左心衰竭、心包填塞、原发性动脉高压等。

3. 全身中毒 糖尿病酮症酸中毒、一氧化碳中毒、亚硝酸盐中毒、使用镇静剂或麻醉剂过量等。

4. 血液系统疾病 重度贫血、高铁血红蛋白血症等。

5. 神经、精神及肌肉病变 中枢神经系统疾病如各种脑炎、脑膜炎、脑外伤、脑出血、脑肿瘤等；周围神经疾病如脊髓灰质炎累及颈部脊髓、急性感染性多发性神经炎等。肌肉病变如重症肌无力、药物导致的呼吸肌麻痹等。精神疾患如癔症。

6. 腹部病变 急性弥漫性腹膜炎、腹腔巨大肿瘤、大量腹水、麻痹性肠梗阻等。

三、呼吸困难的临床表现

1. 肺源性呼吸困难 见表 1-8。

表 1-8 肺源性呼吸困难

类型	时相	病因	临床特点	常见疾病
吸气性呼吸困难	吸气时间长	大气道阻塞	三凹征	急性喉炎、喉水肿、喉痉挛、白喉、喉癌、气管异物、支气管肿瘤或气管受压
呼气性呼吸困难	呼气时间长	小气道阻塞	哮鸣音，啰音	支气管哮喘、喘息性慢性支气管炎、慢性阻塞性肺气肿
混合型呼吸困难	吸气与呼气都费力，呼吸频率浅而快	重症	—	重症肺炎、重症肺结核、大面积肺不张、大块肺梗死、大量胸腔积液和气胸

2. 心源性呼吸困难 又称心源性哮喘。主要由左心衰竭引起，也见于高血压性心脏病、冠状动脉粥样硬化性心脏病、风湿性心瓣膜病、心肌炎等。临床表现特点如下。

（1）劳力性呼吸困难。

（2）端坐呼吸。

（3）夜间阵发性呼吸困难。

3. 中毒性呼吸困难

（1）代谢性酸中毒：呼吸深大而规则，称库斯莫尔（Kussmaul）呼吸，亦称酸中毒大呼吸。见于尿毒症、糖尿病酮症酸中毒。

（2）药物及中毒：吗啡、巴比妥类等药物及有机磷农药等中毒时，致呼吸减慢，也可呈潮式呼吸。一氧化碳、氰化物中毒时均可引起呼吸加快。

4. 中枢性呼吸困难 重症颅脑疾病，呼吸变慢而深。

5. 精神或心理性呼吸困难 见于癔症、抑郁症患者。其特点是呼吸非常频速和表浅，并常因换气过度而发生呼吸性碱中毒，出现口周、肢体麻木和手足搐搦，经暗示疗法可使呼吸困难减轻或消失。

命题趋势 考试多以 A1、B1 型题为主。

金题直击

1. 严重吸气性呼吸困难最主要的特点是

A. 鼻翼扇动　　B. 发绀明显

C. 哮鸣音　　D. 呼吸加深加快

E. 三凹征

【答案】E

【解题思路】

吸气性呼吸困难主要是大气道阻塞所致，最典型表现是三凹征；呼气性呼吸困难主要是小气道阻塞所致，常出现哮鸣音、啰音；混合型呼吸困难一般为重症见于重症肺炎、重症肺结核、大面积肺不张、大块肺梗死、大量胸腔积液和气胸。本题选 E。

2. 夜间阵发性呼吸困难，可见于

A. 急性脑血管疾病　　　　B. 癔症

C. 急性感染所致的毒血症　　　　D. 慢性阻塞性肺气肿

E. 左心功能不全　　　　【答案】E

【解题思路】

心源性呼吸困难由左心衰竭引起，具有以下特点：劳力性呼吸困难、端坐呼吸、夜间阵发性呼吸困难。见于高血压性心脏病、冠状动脉粥样硬化性心脏病、风湿性心瓣膜病、心肌炎等。故本题选E。

四、呼吸困难的伴随症状（助理不考）

1. 伴有午后低热、盗汗、乏力、食欲不振、消瘦　见于肺结核、结核性胸膜炎。

2. 伴有意识障碍　见于肺性脑病、肝性脑病、尿毒症、各种中毒、脑炎、脑膜炎、脑出血、脑外伤等。

3. 伴有中度以上发热、胸痛、咳嗽、咳痰或咯血　见于肺炎、肺结核、肺癌合并感染、肺栓塞、慢性支气管炎、肺脓肿、胸膜炎等。

第八节　水　肿

一、水肿的概念

人体组织间隙有过多液体积聚，导致组织肿胀称为水肿。可分为全身性水肿和局部性水肿。

二、水肿的病因

1. 全身性水肿

（1）肾源性水肿：见于肾炎、肾病综合征等。

（2）心源性水肿：见于右心衰竭、慢性缩窄性心包炎等。

（3）肝源性水肿：见于肝硬化、重症肝炎等。

（4）营养不良性水肿：见于低蛋白血症和维生素 B_1 缺乏。

（5）内分泌源性水肿：见于甲状腺功能减退症、垂体前叶功能减退症等黏液性水肿。

2. 局部性水肿　见于各种组织炎症、静脉回流受阻（静脉血栓形成、静脉炎等）、淋巴回流受阻（丝虫病、淋巴管炎、肿瘤压迫等）、血管神经性水肿。

三、水肿的临床表现

1. 全身性水肿

（1）肾源性水肿：早晨起床后眼睑或颜面水肿，以后发展为全身水肿。

（2）心源性水肿：下垂性水肿，严重者可出现胸腔积液、腹水等。

（3）肝源性水肿：腹水，也可出现下肢踝部水肿并向上蔓延，头、面部及上肢常无水肿。

（4）营养不良性水肿：有贫血、乏力、消瘦等营养不良的表现。

（5）内分泌源性水肿：见于甲状腺功能减退症等黏液性水肿，特点是非凹陷性，即按压后形成的皮肤凹陷在按压结束后很快恢复，患者常伴有精神萎靡、食欲不振。

2. 局部性水肿　水肿主要表现在病变局部或病变侧肢体，可见局部肿胀明显或伴有静脉曲张。丝虫病可引起淋巴液回流受阻，出现象皮肿，以下肢常见。

命题趋势　考试多以A1型题为主。

金题直击

1. 下列疾病，多表现为下垂性水肿的是

A. 肾小球肾炎　　　　B. 肝硬化

C. 血管神经性水肿　　　　D. 右心衰竭

E. 甲状腺功能减退症　　　　【答案】D

【解题思路】

心源性水肿见于右心衰竭、慢性缩窄性心肌炎等，其特点是下垂性水肿。A 为肾源性水肿，B 为肝源性水肿，C 为局部性水肿，E 为内分泌源性水肿。所以本题选 D。

2. 可引起全身性水肿的疾病是

A. 淋巴管炎
B. 肿瘤压迫
C. 甲状腺功能减退症
D. 静脉炎
E. 丝虫病

【答案】C

【解题思路】

水肿分为局部性水肿和全身性水肿，全身性水肿为常考点。全身性水肿分为五类，所提示疾病如下：心源性水肿见于右心衰竭、缩窄性心包炎等；肾源性水肿见于肾炎、肾病综合征等；肝源性水肿见于肝硬化、重症肝炎等；营养不良性水肿见于低蛋白血症和维生素 B_1 缺乏；内分泌源性水肿见于甲状腺功能减退症、垂体前叶功能减退症等黏液性水肿。A、B、D、E均可见局限性水肿。所以本题选C。

【易错点】

首先应该先区分全身性水肿和局部性水肿，全身性水肿中的心源性水肿、肝源性水肿、肾源性水肿常考。

四、水肿的问诊要点及临床意义（助理不考）

1. 水肿开始的部位及发展顺序。

2. 既往疾病史，尤其是心、肝、肾、内分泌及结缔组织疾病史。是否有使用肾上腺皮质激素、睾丸酮、雌激素等药物史。

3. 伴随症状

（1）伴颈静脉怒张、肝大和压痛、肝 - 颈静脉回流征阳性，为心源性水肿。

（2）伴高血压、蛋白尿、血尿、管型尿，为肾源性水肿。

（3）伴肝掌、蜘蛛痣、黄疸、腹壁静脉曲张、脾大，为肝源性水肿。

4. 女性患者应注意水肿与月经、妊娠、体位的关系。

第九节　恶心与呕吐（助理不考）

一、恶心与呕吐的概念

恶心是一种上腹部不适、欲吐的感觉，可伴有流涎、出汗、皮肤苍白、心动过缓、血压下降等迷走神经兴奋的症状；呕吐是指胃或部分小肠内容物通过胃的强烈收缩，经食管或口腔排出体外的现象。恶心常为呕吐的前奏，一般恶心后随即呕吐，但两者也可单独存在。

二、恶心与呕吐的病因

1. 反射性呕吐

（1）胃源性呕吐与肠源性呕吐：常与进食有关，常伴有恶心先兆，呕吐后感觉轻松。见于急慢性胃炎、消化性溃疡、急性肠炎、急性阑尾炎、肠梗阻等。

（2）肝、胆、胰与腹膜病变：有恶心先兆，呕吐后不觉轻松。见于急慢性肝炎、急慢性胆囊炎、急性胰腺炎、急性腹膜炎。

2. 中枢性呕吐　颅内高压呕吐常呈喷射状，无恶心先兆，吐后不感轻松。

（1）中枢神经系统疾病：①脑血管疾病，如高血压脑病、脑出血等；②颅内感染。

（2）全身疾病：①感染；②内分泌与代谢紊乱，如早孕反应、甲状腺危象、尿毒症等；③其他，如休克、缺氧、中暑等。

（3）药物反应与中毒：药物反应常见于洋地黄、吗啡等；中毒常见于有机磷中毒、毒蕈中毒、酒精中毒、食物中毒等。

3. 前庭障碍性呕吐 见于迷路炎、梅尼埃病、晕动病等。

4. 精神因素引起的呕吐 见于胃肠神经症、癔症等。

考试多以 A1 型题为主。

金题直击

1. 可引起反射性呕吐的疾病是

A. 耳源性眩晕　　B. 洋地黄中毒

C. 尿毒症　　D. 胆囊炎

E. 妊娠反应

【答案】D

【解题思路】

恶心与呕吐需区分清楚病因。A 引起前庭障碍性呕吐；B、C、E 引起中枢性呕吐；D 引起反射性呕吐。所以本题选 D。

三、恶心与呕吐的问诊要点及临床意义

1. 呕吐与进食的关系 进食后出现的呕吐为胃源性呕吐；餐后骤起而集体发病为急性食物中毒。

2. 呕吐发生的时间 晨间呕吐发生在育龄女性要考虑早孕反应；服药后呕吐考虑药物反应；乘飞机、车、船发生呕吐常提示晕动病；餐后 6h 以上呕吐多为幽门梗阻。

3. 呕吐的特点

（1）胃源性呕吐：有恶心先兆，呕吐后感轻松。

（2）颅内高压呕吐：喷射状。

（3）神经性呕吐：无恶心，呕吐不费力，全身状态较好。

4. 呕吐物的性质 呕吐物性质诊断见表 1-9。

表 1-9 呕吐物性质诊断

呕吐物的性质	提示疾病
咖啡色	上消化道出血
含胆汁	十二指肠乳头以下的十二指肠或空肠梗阻
有粪臭	低位肠梗阻
有蛔虫	胆道蛔虫、肠道蛔虫
隔餐或隔日食物，并含腐酵气味	幽门梗阻

考试多以 A1 型题为主。

金题直击

2. 上腹痛具有周期性和节律性，呕吐物呈咖啡残渣样，临床上最可能的诊断为

A. 急性胃黏膜病变　　B. 慢性胃炎

C. 胃溃疡　　D. 胃癌

E. 胃黏膜脱垂症

【答案】C

【解题思路】

当出血量较少或在胃内停留时间长时，呕吐物呈咖啡残渣样且腹痛有周期性和节律性，多提示为上消化道出血，见于消化性溃疡。消化性溃疡又分为胃溃疡和十二指肠溃疡，本题没有体现具体的节律性，故答案为胃溃疡。

5. 伴随症状

（1）伴发热：见于全身或中枢神经系统感染、急性细菌性食物中毒。

（2）伴剧烈头痛：见于颅内高压、偏头痛、青光眼。

（3）伴腹痛：见于急性胰腺炎、急性阑尾炎及空腔脏器梗阻等。

（4）伴黄疸：见于急性肝炎、胆道梗阻、急性溶血。

（5）伴贫血、水肿、蛋白尿：见于肾功能不全。

（6）伴眩晕及眼球震颤：见于前庭器官疾病。

（7）伴腹泻：见于急性胃肠炎、急性中毒、霍乱等。

第十节　呕血与黑便

一、呕血与黑便的概念

呕血是因上消化道及其邻近器官 / 组织疾病，或全身性疾病导致上消化道出血，血液经口腔呕出。黑便是血液经过肠道时，血红蛋白中的铁与肠内硫化物结合，生成硫化铁而使粪便呈黑色。呕血和黑便是上消化道出血的主要症状，呕血均伴有黑便，但黑便不一定伴有呕血。

二、呕血与黑便的病因

1. 胃及十二指肠疾病　最常见的原因是消化性溃疡。

2. 食管疾病　食管炎、食管癌、食管贲门黏膜撕裂、食管异物、食管裂孔疝等。

3. 肝、胆、胰的疾病。

4. 全身性疾病　白血病、再生障碍性贫血等血液疾病；肾综合征出血热、钩端螺旋体病、急性重型肝炎等急性传染病；尿毒症、肺心病、结节性多动脉炎等其他疾病。

上消化道出血前四位的病因包括消化性溃疡、食管与胃底静脉曲张破裂、急性胃黏膜病变及胃癌。

命题趋势　考试多以 A1 型题为主。

金题直击

1. 引起上消化道出血最常见的原因是

A. 消化性溃疡　　B. 胆道感染

C. 胃癌　　D. 血小板减少性紫癜

E. 肝硬化

【答案】A

【解题思路】

引起上消化道出血的疾病，临床上前四位病因分别为：消化性溃疡、食管与胃底静脉曲张破裂、急性胃黏膜病变及胃癌。所以本题选 A。

三、呕血与黑便的问诊要点及临床意义

1. 是否为上消化道出血

2. 出血量的估算　出血量临床诊断见表 1-10。

表 1-10　出血量临床诊断

临床表现或检查结果	估计出血量
大便隐血试验阳性	5mL 以上
黑便	60mL 以上
呕血	胃内蓄积血量达 300mL
头昏、眼花、口干、乏力、皮肤苍白、心悸不安、出冷汗，甚至昏倒	一次达 500mL 以上
周围循环衰竭	800 ～ 1000mL 以上

金题直击

2. 出血量达多少可出现黑便

A. 5mL B. 10mL

C. 20mL D. 50mL

E. 60mL

【答案】E

【解题思路】

呕血与黑便中出血量估算为考试的重点。出血量达 5mL 以上出现大便隐血试验阳性，达 60mL 出现黑便。出血量达 300mL 出现呕血。所以本题选 E。

【易错点】

各出血量对应的症状是易错点。

3. 诱因 如饮食不节、饮酒及服用某些药物、严重创伤等。

4. 既往病史 重点询问有无消化性溃疡、肝炎、肝硬化以及长期服药史。

5. 伴随症状

（1）伴黄疸、蜘蛛痣、肝掌、腹壁静脉曲张、腹水、脾大，见于肝硬化门静脉高压。

（2）伴慢性、周期性、节律性上腹痛，见于消化性溃疡。

（3）伴皮肤黏膜出血，见于血液病及急性传染病。

（4）伴右上腹痛、黄疸、寒战高热，见于急性梗阻性化脓性胆管炎。

第十一节 黄 疸

一、黄疸的概念

1. 血清总胆红素浓度升高致皮肤、黏膜、巩膜黄染称为黄疸。

2. 总胆红素在 17.1 ～ 34.2μmol/L，虽然浓度升高，但无黄疸出现，叫隐性黄疸。

3. 总胆红素浓度超过 34.2μmol/L，则可出现皮肤、黏膜、巩膜黄染，称为显性黄疸。

二、胆红素的正常代谢途径（助理不考）

1. 来源 血中胆红素主要来源于血红蛋白。

2. 肝内转变 游离胆红素在肝细胞内与葡萄糖醛酸结合形成葡萄糖醛酸胆红素，称为结合胆红素（CB）。结合胆红素为水溶性，增多时可通过肾小球滤过后从尿中排出。

3. 排泄 进入毛细胆管的结合胆红素随胆汁经胆道进入肠道，在肠道内细菌的作用下，还原为无色的尿胆原（又称粪胆原），大部分尿胆原自粪便排出，小部分尿胆原在肠内被重吸收入血液，经门静脉回肝脏，大部分在肝细胞内再变成结合胆红素，随胆汁排入肠道，形成“胆红素的肠肝循环”；其中小部分回肝脏的尿胆原则经体循环由肾脏排出。

三、各型黄疸的病因、临床表现及实验室检查特点

1. 溶血性黄疸

（1）病因：①先天性溶血性贫血：如遗传性球形红细胞增多症、珠蛋白生成障碍性贫血、蚕豆病等。②后天获得性溶血性贫血：自身免疫性溶血性贫血；同种免疫性溶血性贫血，如误输异型血、新生儿溶血；非免疫性溶血性贫血，如败血症、疟疾、毒蛇咬伤、毒蕈中毒、阵发性睡眠性血红蛋白尿等。

（2）临床表现：黄疸较轻时皮肤呈浅柠檬色。急性溶血时，起病急骤，出现寒战、高热、头痛、腰痛、呕吐，尿呈酱油色或茶色。严重者出现周围循环衰竭及急性肾衰竭。慢性溶血常有贫血、黄疸、脾大三大特征。

（3）实验室检查特点：血清总胆红素增多，以非结合胆红素为主，结合胆红素一般正常。尿胆原增多，尿胆红素阴性。

2. 肝细胞性黄疸

（1）病因：病毒性肝炎、中毒性肝炎、肝硬化、肝癌、钩端螺旋体病、败血症、伤寒等。

（2）临床表现：黄疸呈浅黄色至深黄色。有乏力、食欲下降、恶心呕吐、出血等症状及肝脾大等体征。

（3）实验室检查特点：血清结合及非结合胆红素均增多。尿中尿胆原通常增多，尿胆红素阳性。大便颜色通常改变不明显。有转氨酶升高等肝功能受损的表现。

3. 胆汁淤积性黄疸（阻塞性黄疸）

（1）病因

① 肝外梗阻：如胆道结石、胆管癌、胰头癌、胆道炎症水肿、胆道蛔虫、胆管狭窄等引起的梗阻。

② 肝内胆汁淤积：胆汁排泄障碍所致，而无机械性梗阻。常见于内科疾病，如毛细胆管型病毒性肝炎、药物性胆汁淤积、原发性胆汁性肝硬化、妊娠期特发性黄疸等。

（2）临床表现：黄疸深而色泽暗，甚至呈黄绿色或褐绿色。可见皮肤瘙痒及心动过缓。粪便颜色变浅或呈白陶土色。

（3）实验室检查特点：血清结合胆红素明显增多。尿胆原减少或阴性，尿胆红素阳性。大便颜色变浅。

关于黄疸时胆红素的规律：总胆红素都增高。结合胆红素为主是阻塞性黄疸；非结合胆红素为主是溶血性黄疸；结合胆红素与非结合胆红素都增高是肝细胞性黄疸。三种黄疸的鉴别诊断见表 1-11。

表 1-11　三种黄疸的鉴别诊断

鉴别点	溶血性黄疸	肝细胞性黄疸	阻塞（胆汁淤积）性黄疸
病史	有溶血因素可查；有类似发作史	肝炎或肝硬化病史	结石者反复腹痛伴黄疸；肿瘤者常伴消瘦
黄疸颜色	浅柠檬色	浅黄色至深黄色	深而色泽暗，甚至呈黄绿色或褐绿色
症状与体征	贫血、血红蛋白尿、脾大	肝区胀痛不适；消化道症状；肝脾大	黄疸波动或进行性加重；大便色浅、小便色深
胆红素测定	TB ↑（UCB ↑为主）	TB ↑（UCB ↑ CB ↑）	TB ↑（CB ↑为主）
尿胆红素	（-）	（+）	（++）
尿胆原	增加	轻度增加	减少或消失

注：TB（总胆红素）=UCB（非结合胆红素）+CB（结合胆红素）。

命题趋势　考试多以 A1、B1 型题为主。

金题直击

1. 下列关于溶血性黄疸的叙述，正确的是

A. 直接迅速反应阳性　　B. 尿中结合胆红素阴性

C. 血中非结合胆红素不增加　　D. 尿胆原阴性

E. 大便呈灰白色

【答案】B

【解题思路】

三种黄疸的临床表现及实验室检查是考查的重点及难点，也是必考点，需在理解基础上记忆。溶血性黄疸临床表现：黄疸较轻，呈浅柠檬色，急性溶血时，起病急骤，出现寒战、高热、头痛、腰痛、呕吐，严重者出现周围循环衰竭及急性肾衰竭。慢性溶血常有贫血、黄疸、脾大三大特征。实验室检查特点：血清总胆红素增多，以非结合胆红素为主，结合胆红素一般正常。尿胆原增多，尿胆红素阴性。如贫血、网织红细胞增多等。

2. 血液中非结合胆红素明显升高见于

A. 溶血性黄疸　　B. 肝细胞性黄疸

C. 胆汁淤积性黄疸　　D. 肝硬化

E. 以上都不是

【答案】A

【解题思路】

溶血性黄疸的实验室检查特点：血清总胆红素增多，以非结合胆红素为主，结合胆红素一般正常。

【易错点】

三种黄疸临床表现及实验室检查极易混淆，其中肝细胞性黄疸实验室检查特征性不明显，溶血性黄疸和阻塞性黄疸特征性明显，故只需记忆这两种黄疸即可。

四、黄疸的问诊要点及临床意义（助理不考）

1. 病史及诱因

2. 病程

（1）黄疸快速出现者常见于急性病毒性肝炎、急性中毒性肝炎、胆石症、急性溶血等；

（2）黄疸持续时间长者见于慢性溶血、肝硬化、肿瘤等；

（3）黄疸进行性加重者要考虑胰头癌、胆管癌、肝癌；

（4）黄疸波动较大者常见于胆总管结石等。

3. 年龄

（1）儿童或青少年时期出现的黄疸，可能与先天性或遗传性因素有关。

（2）儿童期及青年人出现黄疸，见于病毒性肝。

（3）中年人出现黄疸，以胆结石最为多见。

（4）中年以上者出现黄疸，见于癌症。

4. 伴随症状

（1）黄疸伴有右上腹绞痛，见于胆石症。

（2）黄疸伴有上腹部钻顶样疼痛，见于胆道蛔虫症。

（3）黄疸伴有乏力、食欲不振、厌油腻、肝区疼痛，见于传染性肝炎。

（4）黄疸伴有进行性消瘦，应考虑肝癌、胰头癌、胆总管癌、壶腹癌等。

（5）黄疸伴有腹痛、发热，应考虑急性胆囊炎、胆管炎等。

第十二节　抽　搐

一、抽搐的概念

抽搐是指一块或一组肌肉快速、重复性、不自主地阵挛性或强直性收缩。抽搐发作时一般是全身性的，伴有或不伴有意识丧失。

二、抽搐的病因

1. 颅脑疾病

（1）感染性疾病：各种脑炎、脑膜炎、脑脓肿、脑寄生虫病等。

（2）非感染性疾病：①外伤：产伤、脑挫伤、脑血肿等。②肿瘤：原发性肿瘤（如脑膜瘤、神经胶质瘤等）及转移性脑肿瘤。③血管性疾病：脑血管畸形、高血压脑病、脑栓塞、脑出血等。④癫痫。

2. 全身性疾病

（1）感染性疾病：中毒性肺炎、中毒性菌痢、败血症、狂犬病、破伤风、小儿高热惊厥等。

（2）非感染性疾病：①代谢性疾病：如低血糖、低钙血症等。②心血管疾病：如阿 - 斯综合征。③缺氧：如窒息、溺水等。④中毒：外源性中毒，如药物、化学物质；内源性中毒，如尿毒症、肝性脑病等。⑤物理损伤：如中暑、触电等。⑥癔症性抽搐。

三、抽搐的问诊要点及临床意义（助理不考）

1. 病史及发病年龄

2. 发作情况　有无诱因及先兆、意识丧失及大小便失禁，发作时肢体抽动次序及分布。

3. 伴随症状

（1）不伴意识丧失：见于破伤风、狂犬病、低钙抽搐、癔症性抽搐等。

（2）伴高热：见于颅内与全身的感染性疾病、小儿高热惊厥等。

（3）伴高血压：见于高血压脑病、高血压脑出血、妊娠高血压综合征、颅内高压等。

（4）伴脑膜刺激征：见于脑膜炎及蛛网膜下腔出血等。

（5）伴瞳孔散大、意识丧失、大小便失禁：见于癫痫大发作。

（6）伴肢体偏瘫：脑血管疾病及颅内占位性病变。

第十三节 意识障碍

一、意识障碍的概念

意识障碍是指当弥漫性大脑皮质或脑干网状结构发生损害或功能抑制时，机体对自身状态和客观环境的识别与觉察能力出现障碍。

二、意识障碍的病因（助理不考）

1. 颅脑疾病

（1）感染性疾病：各种脑炎、脑膜炎、脑脓肿、脑寄生虫感染等。

（2）非感染性疾病：①颅脑外伤：如颅骨骨折、脑震荡、脑挫伤、颅内血肿等。②占位性病变：如脑肿瘤、颅内血肿、囊肿等。③脑血管疾病：如脑出血、蛛网膜下腔出血、脑栓塞、脑血栓形成、高血压脑病等。④癫痫。

2. 全身性疾病

（1）感染性疾病：全身严重感染性疾病，如伤寒、中毒性菌痢，重型肝炎、流行性出血热、败血症等。

（2）非感染性疾病：①心血管疾病：阿 - 斯综合征、重度休克等。②内分泌疾病：甲状腺危象、黏液性水肿性昏迷、糖尿病酮症酸中毒、高渗性昏迷、低血糖性昏迷、垂体性昏迷等。③代谢性脑病：尿毒症昏迷、肝性脑病、肺性脑病等。④电解质及酸碱平衡紊乱等。⑤外源性中毒：严重食物或药物中毒、毒蛇咬伤、一氧化碳中毒等。⑥物理性损伤：中暑、触电、淹溺等。

三、意识障碍的临床表现

1. 嗜睡 是最轻的意识障碍，表现为持续性的睡眠状态。轻刺激可被唤醒，醒后能回答简单问题或做简单活动，反应迟钝，刺激停止后很快入睡。

2. 昏睡 是一种比嗜睡重的意识障碍。患者近乎不省人事，处于熟睡状态，不易被唤醒。强刺激可被唤醒，但不能回答问题或答非所问，而且很快又再入睡

3. 昏迷 意识丧失，任何强大的刺激都不能唤醒。是最严重的意识障碍，按程度不同可分为以下几类。

（1）浅昏迷：意识大部分丧失，强刺激不能唤醒，但对疼痛刺激有痛苦表情及躲避反应。角膜反射、瞳孔对光反射等存在。

（2）中度昏迷：意识全部丧失，对强刺激反应减弱，角膜反射、瞳孔对光反射等迟钝。

（3）深昏迷：对疼痛刺激均无反应，全身肌肉松弛，角膜反应、瞳孔对光反射等均消失，可出现病理反射。

4. 意识模糊 轻度意识障碍，意识障碍程度较嗜睡重。具有简单的精神活动，但定向力有障碍，表现为对时间、空间、人物失去正确的判断力。

5. 谵妄 以兴奋性增高为主的急性高级神经中枢活动失调状态。表现为意识模糊，定向力障碍，伴错觉、幻觉、躁动不安、谵语。谵妄见于急性感染的高热期、某些中毒（急性酒精中毒）、代谢障碍（肝性脑病）等。

命题趋势 考试多以 A1、B1 型题为主。

金题直击

表现为持续性睡眠，被唤醒后能正确回答问题，刺激停止后迅速入睡

A. 嗜睡　　B. 昏睡

C. 昏迷　　D. 谵妄

E. 意识模糊

【答案】A

【解题思路】

意识障碍的临床表现是难点，嗜睡是最轻的意识障碍，表现为持续性的睡眠状态。昏睡患者处于熟睡状态，不易被唤醒。昏迷患者意识丧失，强刺激不能被唤醒。意识模糊是轻度意识障碍，意识障碍程度较嗜睡重。谵妄表现为意识模糊，定向力障碍。所以本题选 A。

【易错点】

意识障碍的临床表现之间非常容易混淆，昏迷又分为浅、中、深度，要区分其特征性表现。

四、意识障碍的伴随症状（助理不考）

1. 伴高血压 见于脑出血、高血压脑病、肾炎等。

2. 伴心动过缓 见于颅内高血压症、房室传导阻滞、甲状腺功能减退症、吗啡类中毒等。

3. 伴瞳孔散大 见于酒精中毒、癫痫、低血糖昏迷等。

4. 伴脑膜刺激征 见于脑膜炎及蛛网膜下腔出血。

5. 伴瞳孔缩小 见于吗啡、巴比妥类药物及有机磷杀虫剂等中毒。

6. 伴呼吸缓慢 见于吗啡或巴比妥类中毒、颅内高压。

7. 伴发热 见于先发热后出现意识障碍——严重感染性疾病；先出现意识障碍后发热——脑出血、脑肿瘤、脑外伤等。

高频考点速递

1. 稽留热 ＞39℃，24h 体温波动幅度＜1℃，见于肺炎链球菌性肺炎、伤寒、斑疹伤寒等的发热极期。

2. 弛张热 ＞39℃，24h 体温波动幅度＞2℃，见于败血症、风湿热、重症肺结核及化脓性炎症等。

3. 心绞痛 压榨样伴窒息感，3～5min。

4. 心肌梗死 濒死感，＞30min。

5. 慢性、周期性、节律性中上腹隐痛或烧灼痛，服碱性药缓解诊断为消化性溃疡（速记为“肠空胃饱”）。

第二单元 问 诊

考试分值

单元	年份 级别	2019	2020	2021	2022	2023
问诊	执业	3	3	2	3	1
	助理	1	1	1	1	0

一、问诊的内容

1. 一般项目 包括姓名、性别、年龄、婚否、出生地、民族、工作单位、职业、现住址、就诊或入院日期、病史记录日期、病史叙述者等。

2. 主诉 患者最明显、最主要的症状或体征及持续时间，也是本次就诊的最主要原因。

3. 现病史

（1）起病情况，包括起病时间、起病缓急、有无病因或诱因。

（2）主要症状的特点，包括主要症状的部位、性质、持续时间、程度、缓解和加剧的因素等，是诊断疾病的主要依据。

（3）病因和诱因。
（4）病情的发展与演变过程。
（5）伴随症状。
（6）诊治经过。
（7）一般情况。

4. 既往史 包括以往健康状况的评价、外伤手术、接种和过敏史、患过何种疾病等。

5. 个人史 ①出生地及居住地：注意出生地及居住地区与某种传染病或地方病的关系。②生活与饮食习惯。③过去及现在的职业及工种。④冶游及性病史。

6. 婚姻史 询问患者的婚姻状况，是未婚、已婚，还是离异等。

7. 月经及生育史 女性应询问其月经初潮年龄、每次经期相隔日数、行经日数、闭经年龄。生育史包括妊娠、生育次数，人工或自然流产次数，有无早产、剖宫产、死胎、产褥热及计划生育情况等。

8. 家族史 询问患者家族中是否有相同疾病患者，有无遗传相关的疾病。

二、问诊的方法与注意事项

1. 问诊的方法 医生对患者首先从礼节性谈话开始，自我介绍，明确患者本次就诊目的，根据不同患者的具体情况，采用不同类型的提问方式，语言要通俗易懂，避免使用医学术语，可用开放性或直接提问，避免诱导式或暗示性、责难性、连续性提问及杂乱无章的重复提问。每一部分病史询问结束时要进行归纳总结。对危重患者询问要简明扼要，迅速，并立即进行抢救。

2. 问诊的注意事项 问诊时环境要安静；仪表、礼节和友善的举止；态度要和蔼、亲切，要有同情心和耐心，应对患者适当微笑或赞许地点头示意；交谈时采取适当的姿势表示对患者的尊重和理解；不乱解释，不要不懂装懂，也不要简单回答“不知道”，可以提供自己所知道的情况供患者参考；问诊时记录要尽量简单、快速，并与患者做必要的眼神交流；问诊结束时，应感谢患者的合作。

第三单元　检体诊断

考试分值

节	年份/级别	2019	2020	2021	2022	2023
基本检查法	执业	1	1	2	2	2
	助理	1	1	1	1	1
全身状态检查	执业	2	2	1	2	1
	助理	1	1	1	1	1
皮肤检查	执业	1	1	1	1	1
	助理	0	0	0	0	0
淋巴结检查	执业	1	1	1	1	2
	助理	1	1	1	1	1
头部检查	执业	1	1	2	1	2
	助理	1	1	1	0	1
颈部检查	执业	1	2	1	1	2
	助理	0	0	1	1	0
胸壁及胸廓检查	执业	2	2	2	3	3
	助理	2	1	1	1	1
肺和胸膜检查	执业	2	2	2	2	3
	助理	1	0	1	0	1

续表

节	年份 级别	2019	2020	2021	2022	2023
心脏、血管检查	执业	2	3	2	2	2
	助理	1	2	1	2	0
腹部检查	执业	1	2	1	1	2
	助理	1	1	1	1	1
肛门、直肠检查	执业	1	0	0	1	1
	助理	1	1	1	1	1
脊柱与四肢检查	执业	0	1	1	1	1
	助理	1	1	1	1	0
神经系统检查	执业	1	1	0	1	1
	助理	1	1	1	1	1

第一节 基本检查法

一、视诊的内容和方法

视诊是检查者用眼睛来观察被检者全身或局部表现的检查方法。视诊既能观察全身的一般状态，如年龄、发育、营养、意识状态、面容与表情、体位、姿态、步态等，又能观察局部体征，如皮肤、黏膜、五官、头颈、胸廓、腹部、脊柱、肌肉、骨骼、关节等外形特点。但对特殊部位则需借助特殊仪器进行检查。

二、常用触诊方法及其适用范围和注意事项

手的感觉以指腹和掌指关节掌面的皮肤较为敏感，指腹皮肤最为敏感，因此触诊多用于这两个部位。

1. 浅部触诊 主要用于检查体表浅在病变，如关节、软组织，浅部的动脉、静脉、神经，阴囊和精索等。

2. 深部触诊 主要用于腹腔内病变和脏器的检查。

（1）深部滑行触诊：主要适用于腹腔深部包块和胃肠病变的检查。

（2）双手触诊：适用于肝、脾、肾、子宫和腹腔肿物的检查。

（3）深压触诊：用于探测腹部深在病变部位或确定腹腔压痛点，如阑尾压痛点、胆囊压痛点等。

（4）冲击触诊（浮沉触诊法）：适用于大量腹水而肝、脾难以触及时。

三、叩诊的方法及常见叩诊音

1. 叩诊方法

（1）间接叩诊法：叩诊时左手中指第 2 指节紧贴于叩诊部位，其余手指稍微抬起，勿与体表接触；右手各指自然弯曲，以右手中指指端叩击左手中指第 2 指骨的前端。

（2）直接叩诊法：适用于胸部或腹部面积较广泛的病变，如胸膜粘连或增厚、气胸、大量胸腔积液或腹水等。

2. 常见叩诊音 见表 3-1。

表 3-1 常见叩诊音

叩诊音	生理情况	病理状态
鼓音	胃泡区及腹部的叩诊音	肺空洞、气胸或气腹
过清音	—	肺气肿
清音	正常肺部的叩诊音	—
浊音	肺的边缘所覆盖的心脏或肝脏部分的叩诊音	肺组织含气量减少（如肺炎）
实音	心脏、肝脏的叩诊音	大量胸腔积液或肺实变

四、嗅诊常见异常气味及临床意义

1. **痰液** 血腥味见于大咯血的患者；痰液恶臭提示支气管扩张或肺脓肿。

2. **脓液** 恶臭味应考虑气性坏疽。

3. **呕吐物** 粪臭味提示肠梗阻；酒味提示饮酒和醉酒；浓烈的酸味提示幽门梗阻或狭窄。

4. **呼气味** 刺激性蒜味提示有机磷农药中毒；烂苹果味提示糖尿病酮症酸中毒；氨味提示尿毒症；腥臭味提示肝性脑病。

考试多以 A1、B1 型题为主。

金题直击

急性有机磷杀虫药中毒患者呼出气的气味是

A. 酒味　　B. 烂苹果味

C. 刺激性蒜味　　D. 氨味

E. 腥臭味

【答案】C

【解题思路】

嗅诊常见异常气味及临床意义为高频考点而且具有特征性。刺激性蒜味提示有机磷农药中毒；烂苹果味提示糖尿病酮症酸中毒；氨味提示尿毒症；腥臭味提示肝性脑病。所以本题选 C。

第二节　全身状态检查

一、体温测量

1. **口腔温度** 正常值为 36.3 ～ 37.2℃。

2. **肛门温度** 正常值为 36.5 ～ 37.7℃。

3. **腋下温度** 正常值为 36 ～ 37℃。

二、脉搏检查

1. **脉率正常值** 成人 60 ～ 100 次 / 分。

（1）脉率增快：发热、疼痛、贫血、甲亢、心力衰竭、休克、心肌炎等。

（2）脉率减慢：颅内高压、病态窦房结综合征、二度以上窦房或房室传导阻滞，或服用强心苷、钙拮抗剂、β 受体阻滞剂等药时。

（3）脉率少于心率：房颤、频发期前收缩等。

2. **节律** 房颤和期前收缩时，脉律不整齐。房颤时，脉搏节律完全无规律，同时有脉搏强弱不一和脉搏短绌，称为脉搏绝对不齐。

三、血压测量

1. **直接测量法**

2. **间接测量法** 即目前临床上广泛应用的袖带加压法，采用血压计测量。血压计有水银柱式（汞柱式）、弹簧式（表式）和电子血压计，以水银柱式最常用。

根据《中国高血压防治指南》（2010 年修订版），血压水平的定义和分类见表 3-2。

3. **血压变异的临床意义**

（1）高血压：未服抗高血压药的情况下，收缩压≥ 140mmHg 和（或）舒张压力≥ 90mmHg，即为高血压。绝大多数为原发性高血压病。继发性高血压少见（约＜ 5%），见于肾脏疾病、肾上腺皮质或髓质肿瘤、肢端肥大症、甲亢、妊娠高血压综合征。

（2）低血压：血压低于 90/60mmHg。见于心力衰竭、心包填塞、休克、急性心肌梗死、肾上腺皮质功能减退，也可见于极度衰竭的患者。

（3）脉压增大和减小：①脉压＞ 40mmHg 称为脉压增大，见于主动脉瓣关闭不全、动脉导管未闭、动静脉

瘘、高热、甲状腺功能亢进症（简称甲亢）、严重贫血、主动脉硬化等。②脉压＜ 30mmHg 称为脉压减小，见于主动脉瓣狭窄、心力衰竭、低血压休克、心包积液、缩窄性心包炎等。

表 3-2　血压水平的定义和分类

类别	收缩压 /mmHg	舒张压 /mmHg	
正常血压	＜ 120	和	＜ 80
正常高值	120 ～ 139	和 / 或	80 ～ 89
高血压	≥ 140	和 / 或	≥ 90
1 级高血压（轻度）	140 ～ 159	和 / 或	90 ～ 99
2 级高血压（中度）	160 ～ 179	和 / 或	100 ～ 109
3 级高血压（重度）	≥ 180	和 / 或	≥ 110
单纯收缩期高血压	≥ 140	和	＜ 90

考试多以 A1、B1 型题为主。

金题直击

1. 下列各项，可出现脉压减小的是

A. 主动脉瓣关闭不全　　B. 缩窄性心包炎

C. 动脉导管未闭　　D. 甲状腺功能亢进症

E. 严重贫血

【答案】B

【解题思路】

脉压增大往往是考试重点，所提示疾病需要记忆。脉压＞ 40mmHg 称为脉压增大，见于主动脉瓣关闭不全、动脉导管未闭、动静脉瘘、高热、甲亢、严重贫血、主动脉硬化。脉压＜ 30mmHg 称为脉压减小，见于主动脉瓣狭窄、心力衰竭、低血压休克、心包积液、缩窄性心包炎。A、C、D、E 均见于脉压增大。此题可用排除法，所以本题选 B。

【易错点】

脉压增大及减小提示疾病易混淆。

四、发育与体型

发育正常时，年龄与体格、智力和性征的成长状态是相应的。临床上把正常人的体型分为匀称型、矮胖型、瘦长型三种。临床上病态发育与内分泌的关系尤为密切。

五、营养状态检查

1. 判定方法　营养状态的好坏，可根据皮肤、毛发、皮下脂肪、肌肉的发育情况来综合判断，临床上常用良好、中等、不良三个等级来概括。

2. 常见的营养异常状态

（1）营养不良：体重减轻到低于标准体重的 90% 时称为消瘦。见于长期慢性感染、恶性肿瘤、某些内分泌疾病以及精神性厌食。

（2）肥胖：超过标准体重 20% 以上者为肥胖。主要由于摄食过多所致，内分泌、家族遗传、生活方式与运动、精神因素等皆有影响。

六、意识状态

检查者可通过与患者交谈来了解其思维、反应、情感活动、计算能力、记忆力、注意力、定向力（即对时间、人物、地点，以及对自己本身状态的认识能力）等方面的情况。

七、面容检查

1. **急性（热）病容**　面色潮红，兴奋不安，口唇干燥，呼吸急促，表情痛苦，有时鼻翼扇动，口唇疱疹。见于急性感染性疾病，如肺炎链球菌性肺炎、流行性脑脊髓膜炎、急性化脓性阑尾炎等。

2. **慢性病容**　面容憔悴，面色晦暗或苍白无华，双目无神，表情淡漠等。见于慢性消耗性疾病，如肝硬化、严重肺结核、恶性肿瘤等。

3. **甲状腺功能亢进面容**　简称甲亢面容。眼裂增大，眼球突出，目光闪烁，呈惊恐貌，兴奋不安，烦躁易怒。见于甲状腺功能亢进症。

4. **黏液性水肿面容**　面色苍白，睑厚面宽，颜面浮肿，目光呆滞，反应迟钝，眉毛、头发稀疏，舌色淡，舌体胖大。见于甲状腺功能减退症（简称甲减）。

5. **二尖瓣面容**　面色晦暗，双颊紫红，口唇轻度发绀。见于风湿性心脏瓣膜病（简称风心病）、二尖瓣狭窄。

6. **伤寒面容**　表情淡漠，反应迟钝，呈无欲状态。见于伤寒等。

7. **苦笑面容**　发作时牙关紧闭，面肌痉挛，呈苦笑状。见于破伤风。

8. **满月面容**　面圆如满月，皮肤发红，常伴痤疮和小须。见于库欣综合征及长期应用肾上腺皮质激素的患者。

9. **肢端肥大症面容**　头颅增大，脸面变长，下颌增大并向前突出，眉弓及两颧隆起，唇舌肥厚，耳鼻增大。见于肢端肥大症。

10. **面具面容**　面部呆板、无表情，似面具样。见于帕金森病（又称震颤麻痹）、脑炎等。

11. **贫血面容**　面色苍白，口唇色淡，表情疲惫。见于各种原因所致的贫血。

12. **肝病面容**　面颊瘦削，面色灰褐，额部、鼻背、双颊有褐色色素沉着。见于慢性肝炎、肝硬化等。

13. **肾病面容**　面色苍白，眼睑、颜面浮肿。见于慢性肾炎、慢性肾盂肾炎、慢性肾功能衰竭等。

命题趋势　考试多以 A1、B1 型题为主。

金题直击

（2 ～ 3 题共用备选答案）

A. 苦笑面容　　B. 伤寒面容

C. 甲亢面容　　D. 二尖瓣面容

E. 慢性病面容

2. 消瘦，两眼球突出，兴奋不安，呈惊恐貌，多见于　【答案】C

3. 两颧紫红，口唇发绀，多见于　【答案】D

【解题思路】

面容检查考点较多，是考查重点。各面容考查知识点总结见表 3-3。

表 3-3　各面容考查知识点总结

面容	特点	可能的诊断
甲亢面容	眼球突出，目光闪烁	甲亢
黏液性水肿面容	睑厚面宽，颜面浮肿	甲减
二尖瓣面容	双颊紫红	风心病、二尖瓣狭窄
伤寒面容	表情淡漠，无欲状态	伤寒
苦笑面容	发作时牙关紧闭，面肌痉挛，呈苦笑状	破伤风
满月面容	面圆如满月，伴痤疮	库欣综合征
肢端肥大症面容	头颅增大，耳鼻增大，脸面变长	肢端肥大症
面具面容	面部呆板，无表情，似面具样	震颤麻痹

八、体位检查

1. **自动体位** 患者活动自如，不受限制。见于正常人、轻病或疾病早期。

2. **被动体位** 患者不能随意调整或变换体位，需别人帮助才能改变体位。见于瘫痪、极度衰弱或意识丧失的患者。

3. **强迫体位** 患者为了减轻疾病所致的痛苦，被迫采取的某些特殊体位。常见的体位有以下几种。

（1）强迫仰卧位：患者仰卧，双腿蜷曲，借以减轻腹部肌肉紧张程度。见于急性腹膜炎等。

（2）强迫俯卧位：俯卧位可减轻脊背肌肉的紧张程度。见于脊柱疾病。

（3）强迫侧卧位：患者侧卧于患侧，以减轻疼痛，且有利于健侧代偿呼吸。见于一侧胸膜炎及大量胸腔积液。

（4）强迫坐位：又称端坐呼吸。患者坐于床沿上，以两手置于膝盖上或扶持床边。见于急性左心衰竭。

（5）强迫蹲位：活动中因呼吸困难和心悸而采取蹲位以缓解症状。见于发绀型先天性心脏病。

（6）辗转体位：患者坐卧不安，辗转反侧。见于胆绞痛、肾绞痛、肠绞痛等。

（7）角弓反张位：患者颈及脊背肌肉强直，以致头向后仰，胸腹前凸，背过伸，躯干呈反弓形。见于破伤风及小儿脑膜炎等。

考试多以 A1、B1 型题为主。

金题直击

4. 下列各项，属被动体位的是

A. 角弓反张　　B. 翻动体位

C. 肢体瘫痪　　D. 端坐呼吸

E. 以上均非

【答案】C

【解题思路】

A、D 为强迫体位，患者为了减轻疾病所致的痛苦，被迫采取的某些特殊体位。B 为自动体位，患者活动自如，不受限制，见于正常人、轻病或疾病早期。C 为被动体位，患者不能随意调整或变换体位，需别人帮助才能改变体位。见于瘫痪、极度衰弱或意识丧失的患者。故本题选 C。

【易错点】

强迫体位和被动体位常易混淆。

九、步态检查

1. **痉挛性偏瘫步态** 瘫痪侧上肢呈内收、旋前，指、肘、腕关节屈曲，无正常摆动；下肢伸直并外旋，举步时将患侧骨盆抬高以提起瘫痪侧下肢，然后以髋关节为中心，脚尖拖地，向外划半个圆圈并跨前一步，故又称划圈样步态。见于急性脑血管疾病的后遗症。

2. **醉酒步态** 行走时重心不稳，左右摇晃，状如醉汉。见于小脑病变、酒精中毒等。

3. **剪刀步态** 双下肢肌张力增高，尤以伸肌和内收肌张力明显增高，双下肢强直内收，交叉到对侧，形如剪刀。见于双侧锥体束损害及脑性瘫痪等。

4. **共济失调步态** 起步时一脚高抬，骤然垂落，且双目向下注视，两脚间距很宽，以防身体的倾斜，闭目时不能保持平衡。见于小脑或脊髓后索病变，如脊髓痨。

5. **慌张步态** 步行时头及躯干前倾，步距较小，起步动作慢，但行走后越走越快，有难以止步之势，向前追赶身体以防止失去重心。见于震颤麻痹。

6. **蹒跚步态** 又称鸭步。走路时身体左右摇摆似鸭行。见于佝偻病、大骨节病、进行性肌营养不良或先天性双髋关节脱位等。

7. **间歇性跛行** 行走时，因下肢突发疼痛而停止前行，休息后继续前行。见于闭塞性动脉硬化、高血压动脉硬化等。

8. **跨阈步态** 患足下垂，行走时先将膝关节、髋关节屈曲，使患肢抬很高才能起步，如跨越门槛之势。见于腓总神经麻痹出现的足下垂患者。

 考试多以 A1、B1 型题为主。

金题直击

5. 震颤麻痹患者常采取的步态是

A. 蹒跚步态　　B. 醉酒步态

C. 慌张步态　　D. 剪刀步态

E. 间歇性跛行

【答案】C

【解题思路】

A 见于佝偻病、大骨节病、进行性肌营养不良或先天性双髋关节脱位。B 见于小脑病变、酒精中毒。C 见于震颤麻痹。D 见于脑瘫、双侧锥体束损害。E 见于严重下肢动脉硬化。

【易错点】

各步态所提示疾病是易错点。

第三节　皮肤检查

一、弹性、颜色、湿度检查

1. 皮肤弹性

（1）减弱：见于长期消耗性疾病或严重脱水。

（2）增加：发热。

2. 皮肤颜色　皮肤颜色诊断见表 3-4。

表 3-4　皮肤颜色诊断

皮肤颜色	原因	
发红	发热性疾病	阿托品中毒，一氧化碳中毒患者的皮肤、黏膜呈樱桃红色
	皮肤持久性发红	库欣综合征，真性红细胞增多症
苍白	贫血、寒冷、惊恐、休克、虚脱，只有肢端苍白者为雷诺病、血栓闭塞性脉管炎	
黄染	黄疸（肝细胞性、胆道阻塞性或溶血性疾病）	
发绀	还原血红蛋白增多，见于缺氧性疾病（先心病），常见部位为舌唇、耳部、面颊等	
色素沉着	全身性：肾上腺皮质功能减退、肝硬化、肝癌晚期	
	皮肤：砷剂、抗癌药、妊娠斑、老年斑	
色素脱失	白癜风、黏膜白斑、白化症等	

3. 湿度与出汗

（1）盗汗：见于肺结核活动期。

（2）冷汗：见于休克、虚脱。

（3）出汗增多：见于风湿热、结核病、甲亢、佝偻病、布鲁氏菌病等。

（4）无汗：见于维生素 A 缺乏症、黏液性水肿、硬皮病、脱水等。

二、皮疹、皮下出血、蜘蛛痣、皮下结节检查

1. 皮疹　皮疹诊断见表 3-5。

2. 皮下出血

（1）皮肤或黏膜下出血，出血面的直径小于 2mm 者，称为瘀点。

（2）皮下出血直径在 3 ～ 5mm 者，称为紫癜。

（3）皮下出血直径＞ 5mm 者，称为瘀斑。

表 3-5　皮疹诊断

分类	表现	常见疾病
斑疹	局部皮肤发红，不高出皮肤	麻疹初起、斑疹伤寒、丹毒、风湿性多形性红斑
丘疹	直径小于 1cm，除局部颜色改变外还隆起皮面	多见于药物疹、湿疹、猩红热、麻疹
斑丘疹	丘疹周围合并皮肤发红的底盘	多见于药物疹、湿疹、猩红热、风疹
玫瑰疹	鲜红色的圆形斑疹，压之褪色，松开时复现	见于伤寒或副伤寒
荨麻疹（风团块）	边缘清楚的红色或苍白色的瘙痒性皮肤损害	见于异性蛋白性食物或药物过敏

（4）片状出血并伴有皮肤显著隆起者，称为血肿。

小的出血点容易和小红色皮疹、小红痣混淆，但出血点压之不褪色，皮疹压之褪色，小红痣加压虽不褪色，但触诊时可稍高出平面，并且表面发亮。皮肤黏膜出血见于重症感染、造血系统疾病、某些血管损害的疾病，以及某些毒物或药物中毒等。

3. 蜘蛛痣　上腔静脉分布区域最常出现，如面、颈、手背、上臂、前胸和肩部等处，提示慢性肝炎、肝硬化。健康妇女妊娠期间、月经前或月经期偶尔也可出现蜘蛛痣。慢性肝病患者的手掌大、小鱼际处常发红，加压后褪色，称为肝掌。

4. 皮下结节　位于关节附近或长骨骺端的圆形硬质小结为风湿小结。位于皮下肌肉表层的豆状硬韧小结为囊蚴结节。

考试多以 A1 型题为主。

金题直击

蜘蛛痣不应出现的部位是

A. 肩部　　B. 前胸

C. 面部　　D. 腹部

E. 颈部

【答案】D

【解题思路】

蜘蛛痣检查为考试重点。蜘蛛痣是皮肤小动脉末端分支性扩张所形成的血管痣，形似蜘蛛，称为蜘蛛痣，多出现于上腔静脉分布的区域内，如面、颈、手背、上臂、前胸和肩部等处，大小不等。所以本题选 D。

三、水肿和毛发检查

1. 水肿

（1）全身性水肿：见于肾炎和肾病、心力衰竭（尤其是右心衰竭）、失代偿期肝硬化和营养不良等。

（2）局部性水肿：见于局部炎症、外伤、过敏、血栓形成所致的毛细血管通透性增加，静脉或淋巴回流受阻。

（3）黏液性水肿：见于甲状腺功能减退症。

（4）象皮肿：见于丝虫病。

2. 毛发（助理不考）　病理性毛发稀少常见的原因有：①头部皮肤疾病：如脂溢性皮炎。②神经营养障碍：如斑秃。③某些发热性疾病后：如伤寒可导致弥漫性脱发。④某些内分泌疾病：如垂体前叶功能减退、甲状腺功能减退症等。⑤理化因素性脱发：如过量的放射线影响，某类抗癌药物（如环磷酰胺等）的使用。

第四节　淋巴结检查

一、浅表淋巴结分布

浅表淋巴结分布在耳前、耳后、乳突区、枕骨下区、颌下、颏下、颈后三角、颈前三角、锁骨上窝、腋窝、滑车上、腹股沟和腘窝等部位。检查浅表淋巴结时，应按以上顺序进行触诊。

二、浅表淋巴结检查内容

当身体某部位发生炎症或癌肿时，可引起对应引流区域的淋巴结肿大。如发现有肿大的浅表淋巴结，应记录其位置、数目、大小、质地、移动度，表面是否光滑，局部皮肤有无红肿、压痛和波动，有无瘢痕、溃疡和瘘管等，同时应寻找引起淋巴结肿大的病灶。

三、局部和全身浅表淋巴结肿大

1. 局限性淋巴结肿大

（1）非特异性淋巴结炎：一般炎症所致，多有触痛，表面光滑，无粘连，质地不硬。

（2）淋巴结结核：多发性，质地较硬，大小不等，可粘连，移动性差，可触及波动感，晚期破溃后形成瘘管，愈后有瘢痕。

（3）转移性淋巴结肿大

① 左锁骨上窝淋巴结肿大：腹腔脏器癌肿（胃癌、肝癌、结肠癌等）转移等。

② 右锁骨上窝淋巴结肿大：胸腔脏器癌肿（肺癌、食管癌等）转移。

③ 颈部淋巴结肿大：鼻咽癌。

④ 腋下淋巴结肿大：乳腺癌。

2. 全身淋巴结肿大　淋巴细胞性白血病、淋巴瘤、传染性单核细胞增多症、系统性红斑狼疮等。

考试多以 A1 型题为主。

金题直击

（1～2 题共用备选答案）

A. 腹股沟淋巴结　　B. 右锁骨上窝淋巴结

C. 左锁骨上窝淋巴结　　D. 颈部淋巴结

E. 腋下淋巴结

1. 胃癌出现淋巴结转移常见的部位是　【答案】C

2. 肺癌出现淋巴结转移常见的部位是　【答案】B

【解题思路】

局限性淋巴结肿大临床意义是高频考点。分为四类：左锁骨上窝淋巴结肿大见于腹腔脏器癌肿（胃癌、肝癌、结肠癌等）转移；右锁骨上窝淋巴结肿大见于胸腔脏器癌肿（肺癌、食管癌等）转移；颈部淋巴结肿大见于鼻咽癌；腋下淋巴结肿大见于乳腺癌。

【易错点】

左、右锁骨上窝淋巴结肿大的临床意义易混淆。

第五节　头部检查

一、头颅形状、大小检查

1. 小颅　婴幼儿前囟过早闭合可引起小头畸形，同时伴有智力发育障碍（痴呆症）。

2. 方颅　常见于小儿佝偻病、先天性梅毒。

3. 巨颅　由于颅内高压，压迫眼球，形成双目下视、巩膜外露的特殊面容，称为落日现象。见于脑积水。

二、眼部检查

1. 眼睑　眼睑疾病诊断见表 3-6。

2. 结膜

（1）发红、水肿、充血：见于结膜炎、角膜炎、沙眼早期。

（2）苍白：见于贫血。

（3）发黄：见于黄疸。

表 3-6 眼睑疾病诊断

病变	临床表现	常见原因
睑内翻	瘢痕形成使睑缘向内翻转	沙眼
上睑下垂	双侧睑下垂	先天性上睑下垂、重症肌无力
	单侧上睑下垂	蛛网膜下腔出血、白喉、脑脓肿、脑炎、外伤等引起的动眼神经麻痹
眼睑闭合障碍	双侧眼睑闭合障碍	甲状腺功能亢进症
	单侧闭合障碍	面神经麻痹
眼睑水肿	眼睑皮下组织疏松，轻度或初发水肿	肾炎、慢性肝病、营养不良、贫血、血管神经性水肿

（4）有滤泡或乳头：见于沙眼。

（5）有散在出血点：见于亚急性感染性心内膜炎。

（6）结膜下片状出血：见于出血性疾病、高血压、动脉硬化。

（7）球结膜下水肿：见于脑水肿或输液过多。

3. 巩膜 黄染均匀见于黄疸。

4. 角膜 凯 - 费环（角膜色素环）见于肝豆状核变性（Wilson 病）。角膜边缘出现灰白色混浊环，称为老年环，多见于老年人或早老症。

5. 瞳孔 瞳孔疾病诊断见表 3-7。

表 3-7 瞳孔疾病诊断

内容		临床表现	常见病因
瞳孔大小	缩小	＜ 2mm	虹膜炎、有机磷农药中毒、毒蕈中毒，以及吗啡、氯丙嗪、毛果芸香碱等药物影响
	扩大	＞ 5mm	外伤、青光眼绝对期、视神经萎缩、颈交感神经刺激、完全失明、濒死状态和阿托品、可卡因等药物影响
	大小不等	双侧瞳孔大小不等	脑外伤、脑疝、脑肿瘤及中枢神经梅毒等颅内病变
直接对光反射 / 间接对光反射		存在	生理
		迟钝或消失	昏迷患者
调节反射 / 集合反射		消失	动眼神经受损

6. 眼球

（1）眼球突出：双侧眼球突出见于甲亢；单侧眼球突出见于局部炎症或眶内占位性病变，偶见于颅内病变。

（2）眼球凹陷：双侧眼球凹陷见于重度脱水；老年人由于眶内脂肪萎缩而有双侧眼球后退。单侧眼球凹陷见于 Horner 综合征和眶尖骨折。

（3）眼球运动：眼球震颤的运动方向以水平方向多见，垂直和旋转方向少见。见于耳源性眩晕及小脑疾病等。

命题趋势 考试多以 A1、B1 型题为主。

金题直击

病理性双侧瞳孔缩小，可见于

A. 有机磷农药中毒　　B. 青光眼

C. 视神经萎缩　　D. 脑肿瘤

E. 脑疝

【答案】A

【解题思路】

双侧瞳孔缩小（＜ 2mm）见于虹膜炎、有机磷农药中毒、毒蕈中毒，以及吗啡、氯丙嗪、毛果芸香碱等药物影响。双侧瞳孔扩大见于视神经萎缩等。双侧瞳孔大小不等见于脑外伤、脑疝、脑肿瘤及中枢神经梅毒等颅内病变。

【易错点】

瞳孔缩小和扩大的临床意义易混淆。

三、耳部检查（助理不考）

1. 外耳

（1）耳郭：耳郭上有触痛的小结，为尿酸盐沉积形成的痛风结节；耳郭红肿并有局部发热、疼痛，为局部感染；牵拉和触诊耳郭引起疼痛，提示炎症。

（2）外耳道：有黄色液体流出伴痒痛者为外耳道炎。外耳道有局限性红肿，触痛明显，牵拉耳郭或压迫耳屏时疼痛加剧，为外耳道疖肿。外耳道有脓性分泌物、耳痛及全身症状，见于中耳炎。外耳道有血液或脑脊液流出，多为颅底骨折。

2. 鼓膜 注意观察鼓膜有无病变。

3. 乳突 化脓性中耳炎引流不畅时可蔓延到乳突而成乳突炎，表现为耳郭后皮肤红肿，乳突压痛，有时可见瘘管或瘢痕，严重时可导致耳源性脑脓肿或脑膜炎。

四、鼻部检查

1. 鼻的外形 鼻部疾病诊断见表 3-8。

表 3-8 鼻部疾病诊断

鼻型	特征表现	常见疾病
蝶形红斑	鼻梁部皮肤出现红色斑块，病损处高出皮面且向两侧面颊扩展	系统性红斑狼疮
酒渣鼻	鼻尖及鼻翼皮肤发红，并有毛细血管扩张、组织肥厚	—
鞍鼻	鼻梁塌陷，鼻外形似马鞍状	鼻骨骨折、鼻骨发育不全、先天性梅毒
蛙状鼻	鼻腔完全阻塞，鼻梁宽平如蛙状	肥大鼻息肉患者
鼻翼扇动	吸气时鼻孔开大，呼气时鼻孔回缩	肺炎链球菌肺炎、支气管哮喘、心源性哮喘等引起的高度呼吸困难

2. 鼻中隔、鼻腔检查 正常情况下，多数人鼻中隔稍偏离中线。如果鼻中隔明显偏离中线，并产生呼吸障碍，称为鼻中隔偏曲。鼻中隔穿孔多见于外伤、鼻腔慢性炎症等。急性鼻炎时，鼻腔黏膜因充血而肿胀，伴有鼻塞、流鼻涕等症状。慢性萎缩性鼻炎时，黏膜组织萎缩，鼻甲缩小，鼻腔变大，分泌物减少，伴嗅觉减退甚至消失。

3. 鼻窦 额窦、筛窦、上颌窦和蝶窦，统称为鼻窦。鼻窦区压痛多为鼻窦炎。蝶窦因解剖位置较深，不能在体表检查到压痛。鼻窦位置见图 3-1。

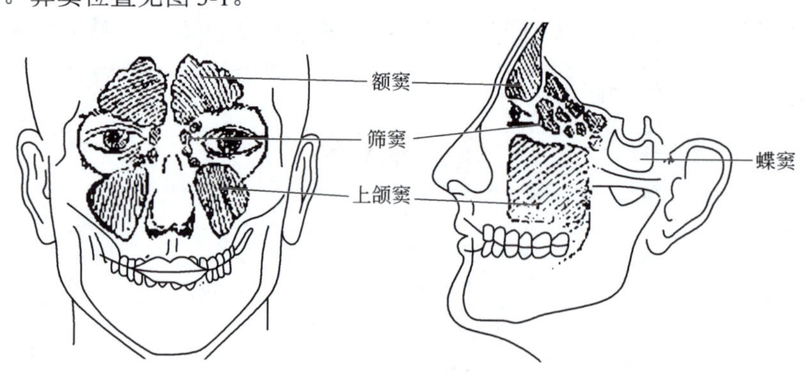

图 3-1 鼻窦位置

五、口腔、腮腺检查

1. 口唇 正常人的口唇红润、光泽。口唇疾病诊断见表 3-9。

表 3-9　口唇疾病诊断

临床表现	常见疾病
口唇苍白	贫血、主动脉瓣关闭不全或虚脱
唇色深红	急性发热性疾病
口唇干燥并有皲裂	重度脱水
口角糜烂	核黄素缺乏
口唇单纯疱疹	肺炎链球菌肺炎、感冒、流行性脑脊髓膜炎、疟疾等
口唇发绀	①心脏内外有异常动、静脉分流通道，如法洛四联症、先天性肺动静脉瘘。②呼吸衰竭、肺动脉栓塞等。③心力衰竭、休克及暴露在寒冷环境。④真性红细胞增多症

2. 口腔黏膜　正常人的口腔黏膜光洁呈粉红色。

（1）在相当于第二磨牙处的颊黏膜出现直径约 1mm 的灰白色小点，外有红色晕圈，为麻疹黏膜斑，是麻疹的早期（发疹前 24 ～ 48h）特征。

（2）黏膜下出现大小不等的出血点或瘀斑，见于各种出血性疾病或维生素 C 缺乏。

（3）口腔黏膜溃疡，见于慢性复发性口疮。

（4）无痛性黏膜溃疡，见于系统性红斑狼疮。

（5）乳白色薄膜覆盖于口腔黏膜、口角为鹅口疮（白色念珠菌感染），见于体弱重症的病儿或老年患者，或长期使用广谱抗生素的患者。

（6）黏膜出现蓝黑色的色素沉着，见于肾上腺皮质功能减退。

3. 牙齿及牙龈　检查时应注意有无龋齿、缺齿、义齿、残根，注意牙齿颜色及形状。

4. 舌　正常舌呈粉红色，大小厚薄适中，活动自如，舌面湿润并覆盖着一层薄白苔。

（1）草莓舌：舌乳头肿胀、发红如同草莓，见于猩红热或长期发热的患者。

（2）牛肉舌：舌面绛红如同生牛肉，见于糙皮病（烟酸缺乏）。

（3）镜面舌：亦称光滑舌，舌体小，舌面光滑，呈粉红色或红色，无苔。见于缺铁性贫血、恶性贫血（内因子缺乏）、慢性萎缩性胃炎。

（4）运动异常：舌体震颤见于甲状腺功能亢进症；舌体不自主偏斜见于舌下神经麻痹。

（5）其他：舌色淡红见于营养不良或贫血；舌色深红见于急性感染性疾病；舌色紫红见于心、肺功能不全。

5. 咽部及扁桃体

（1）咽部：咽部充血红肿，多见于急性咽炎；咽部充血，表面粗糙，并有淋巴滤泡呈簇状增生，见于慢性咽炎。

（2）扁桃体：扁桃体肿大分为三度。

① Ⅰ度肿大时扁桃体不超过咽腭弓。

② Ⅱ度肿大时扁桃体超过咽腭弓，介于Ⅰ度与Ⅱ度之间。

③ Ⅲ度肿大时扁桃体达到或超过咽后壁中线。

扁桃体充血红肿，并有不易剥离的假膜（强行剥离时出血），见于白喉。

6. 腮腺　腮腺肿大时可出现以耳垂为中心的隆起，并可触及包块。一侧或双侧腮腺肿大，边缘不清，有轻压痛，腮腺导管口红肿，见于流行性腮腺炎。

第六节　颈部检查

一、颈部血管检查

1. 颈静脉怒张　见于右心衰竭、缩窄性心包炎、心包积液及上腔静脉阻塞综合征等。

2. 颈动脉搏动增强（安静状态下明显搏动）　见于甲亢、高血压、主动脉瓣关闭不全或严重贫血等。

二、甲状腺检查

1. 甲状腺肿大分度　甲状腺肿大分三度。

（1）Ⅰ度：不能看出肿大但能触及。

（2）Ⅱ度：既可看出肿大又能触及，但在胸锁乳突肌以内区域。

（3）Ⅲ度：肿大超出胸锁乳突肌外缘。

2. 临床意义

（1）生理性甲状腺肿大：见于女性青春期、妊娠或哺乳期。轻度肿大，表面光滑，质地柔软，无任何症状。

（2）病理性甲状腺肿大：常见的单纯性甲状腺肿、甲亢、甲状腺肿瘤、甲状腺炎。

三、气管检查

1. 将气管推向健侧 大量胸腔积液、气胸或纵隔肿瘤及单侧甲状腺肿大。

2. 将气管拉向患侧 肺不张、肺硬化、胸膜粘连等。

命题趋势 考试多以 A1、B1 型题为主。

金题直击

下列疾病，常使气管移向患侧的是

A. 胸膜粘连　　B. 大量胸腔积液

C. 胸腔积气　　D. 肺气肿

E. 纵隔肿瘤

【答案】A

【解题思路】

气管检查为高频考点。根据气管的偏移方向可以判断病变的性质。将气管推向健侧提示大量胸腔积液、气胸或纵隔肿瘤及单侧甲状腺肿大。将气管拉向患侧提示肺不张、肺硬化、胸膜粘连等。故本题选 A。

【易错点】

气管位置是易错点。

第七节　胸壁及胸廓检查

一、胸部体表标志及分区

1. 骨骼标志

（1）胸骨角：两侧胸骨角分别与左、右第 2 肋软骨相连接，通常以此作为标记来计数前胸壁上的肋骨和肋间隙。

（2）第 7 颈椎棘突：为背部颈、胸交界部的骨性标志，其下即为第 1 胸椎棘突。

（3）肩胛下角：肩胛下角平第 7 肋骨或第 7 肋间隙，或相当于第 8 胸椎水平。

2. 胸部体表标志线 前正中线、锁骨中线、腋前线、腋后线、腋中线、肩胛线、后正中线。

3. 胸部分区 腋窝、胸骨上窝、锁骨上窝、锁骨下窝、肩胛上区、肩胛区、肩胛间区、肩胛下区。

二、常见异常胸廓

1. 桶状胸 见于慢性阻塞性肺气肿及支气管哮喘发作时。

2. 扁平胸 见于瘦长体型者，也可见于慢性消耗性疾病，如肺结核。

3. 佝偻病胸 又称鸡胸，见于佝偻病。

4. 漏斗胸 见于佝偻病、胸骨下部长期受压者。

5. 胸廓一侧或局限性变形 ①胸廓一侧膨隆多见于大量胸腔积液、气胸等；②胸廓一侧平坦或下陷见于肺不张、肺纤维化、广泛性胸膜增厚和粘连等；③胸廓局限性隆起见于心脏明显增大、大量心包积液、肋骨骨折等。

6. 脊柱畸形引起的胸廓改变 常见于脊柱结核、强直性脊柱炎、胸椎疾病等。

三、胸壁静脉检查

1. 上腔静脉受阻时，胸壁静脉的血流方向自上向下。

2. 下腔静脉受阻时，胸壁静脉的血流方向自下向上。

四、胸壁及胸骨检查

1. 用手指轻压或轻叩胸壁，正常人无疼痛感觉。

2. 胸壁炎症、肿瘤浸润、肋软骨炎、肋间神经痛、带状疱疹、肋骨骨折等，可有局部压痛。白血病患者骨髓异常增生时，常有胸骨压痛或叩击痛。

五、乳房检查

1. 视诊

（1）乳房外表发红、肿胀，伴疼痛、发热：见于急性乳腺炎。

（2）皮肤呈“橘皮样”：浅表淋巴管被乳癌细胞堵塞后局部皮肤出现淋巴性水肿所致，也可见于炎症。

（3）乳头有血性分泌物：乳管内乳头状瘤、乳腺癌。

（4）近期发生的乳头内陷或位置偏移：可能为癌变。

（5）乳房溃疡和瘘管：乳腺炎、结核和脓肿。

（6）乳房表线静脉扩张：单侧见于晚期乳癌或肉瘤；双侧见于妊娠、哺乳。

2. 触诊

（1）乳房较坚实而无弹性，提示皮下组织受肿瘤或炎症浸润。

（2）乳房压痛，多系炎症所致，恶性病变一般无压痛。

（3）乳房红、肿、热、痛，常局限于一侧乳房的某一象限，为急性乳腺炎。

（4）乳房肿块形状不规则，表面凹凸不平，边界不清，压痛不明显，可有“橘皮样”改变、乳头内陷及血性分泌物，为乳癌。

第八节　肺和胸膜检查

一、肺和胸膜视诊

1. 呼吸类型　成年女性以胸式呼吸为主，儿童及成年男性以腹式呼吸为主。

2. 呼吸频率、深度及节律

（1）呼吸频率：正常成人呼吸频率为 12 ～ 20 次 / 分。成人呼吸频率＞ 20 次 / 分，称为呼吸过速，见于剧烈体力活动、发热、疼痛、甲亢、呼吸功能障碍、心力衰竭、贫血、肺炎、胸膜炎、精神紧张等。成人呼吸频率＜ 12 次 / 分，称为呼吸过缓，见于黏液性水肿、深睡、颅内高压、吗啡和巴比妥中毒等。

（2）呼吸深度

① 呼吸加深：严重代谢性酸中毒时，患者出现节律匀齐、深而大的呼吸，称为库斯莫尔呼吸，又称酸中毒大呼吸，见于糖尿病酮症酸中毒、尿毒症等疾病。

② 呼吸浅快：可见于肺气肿、胸膜炎、胸腔积液、气胸、呼吸肌麻痹、大量腹水、鼓肠、肥胖、麻醉剂或镇静剂使用过量等。

（3）呼吸节律：正常人呼吸节律匀齐，呼吸与脉搏之比为 1∶4。

① 潮式呼吸：呼吸由浅慢逐渐变为深快，再由深快逐渐变为浅慢，直至呼吸停止片刻（5 ～ 30s），再开始上述周期性呼吸，称为潮式呼吸。见于中枢神经系统疾病和心力衰竭、缺氧、某些脑干损伤。

② 间停呼吸：有规律的深度相等的几次呼吸之后，突然停止呼吸，间隔一个短时间后又开始深度相同的呼吸，如此周而复始。周期持续时间为 10 ～ 60s。常为临终前的危急征象。

3. 呼吸运动　健康人在平静状态下呼吸运动平稳而有节律，胸廓两侧动度一致、对称。

（1）呼吸运动减弱或消失

① 一侧或局部：见于大叶性肺炎、中等量以上胸腔积液或气胸、胸膜增厚或粘连、一侧肺不张等。

② 双侧：见于慢性阻塞性肺气肿、两侧肺纤维化、双侧大量胸腔积液、呼吸肌麻痹等。

（2）呼吸运动增强

① 局部或一侧：见于健侧的代偿。

② 双侧：见于酸中毒大呼吸、剧烈运动。

二、肺和胸膜触诊

1. 触觉语颤

（1）影响因素：气流量、气道的阻塞和通畅、胸壁的厚薄、发音的强弱。

（2）语颤减弱或消失

① 肺泡内含气量增多：肺气肿、支气管哮喘发作时。

② 支气管阻塞：阻塞性肺不张、气管内分泌物增多。

③ 胸壁距肺组织距离加大：胸腔积液、气胸、胸膜增厚和粘连、胸壁水肿或皮下气肿。

④ 体质衰弱。

（3）语颤增强

① 肺实变：肺炎、肺梗死、肺结核、肺脓肿及肺癌。

② 压迫性肺不张。

③ 较浅而大的肺空洞：肺结核、肺脓肿、肺肿瘤所致的空洞。

2. 胸膜摩擦感 以腋中线第 5 ～ 7 肋间隙最易感觉到。临床意义同听诊部分的“胸膜摩擦音”。

命题趋势 考试多以 A1、B1 型题为主。

金题直击

1. 可出现触觉语颤增强的是

A. 阻塞性肺不张　　B. 压迫性肺不张

C. 胸膜高度增厚　　D. 胸腔积液

E. 皮下气肿

【答案】B

【解题思路】

触觉语颤增强可见于肺实变、压迫性肺不张、较浅而大的肺空洞；触觉语颤减弱见于阻塞性肺不张、胸膜高度增厚、胸腔积液、皮下气肿等。所以本题选 B。

【易错点】

触觉语颤增强和减弱对比性记忆。

三、肺部叩诊

1. 正常肺部叩诊音 呈清音。

2. 肺部定界叩诊

（1）肺下界：平静呼吸时，右肺下界在右侧锁骨中线、腋中线、肩胛线、分别为第 6、第 8、第 10 肋间水平。左肺下界除在左锁骨中线上变动较大，其余与右侧大致相同。

病理情况：①下移见于肺气肿、腹腔内脏下垂。②上移而膈肌下移见于胸腔积液和气胸。③不易叩出见于肺下叶实变、胸腔积液、胸膜增厚。

（2）肺下界移动度：①正常两侧肺下界移动度为 6 ～ 8cm。②减小见于肺气肿、气胸、胸腔积液、肺不张、胸膜粘连、肺炎及腹压增高。③难以叩出见于大量胸腔积液、积气或广泛胸膜增厚粘连。

（3）肺上界：即肺尖的上界。自斜方肌前缘中部叩诊为清音，逐渐叩向外侧，变为浊音时为肺上界外侧终点；然后再由中部向内侧叩，由清音变为浊音时为肺上界内侧终点。此清音带的宽度即为肺尖的宽度，正常为 4 ～ 6cm，右侧较左侧稍窄。肺上界变窄见于肺尖有结核、肿瘤、纤维化、萎缩或胸膜增厚等；肺上界增宽见于气胸、肺大泡、肺气肿等，叩诊可呈鼓音或过清音。

3. 肺部病理性叩诊音

（1）浊音或实音：①肺组织含气量减少或消失，如肺炎、肺结核、肺水肿、肺梗死、肺硬化、肺不张等疾病。②肺内不含气病变，如肺肿瘤、肺包囊虫病、未穿破的肺脓肿等疾病。③胸膜腔病变，如胸腔积液、胸膜增厚粘连等。④胸壁疾病，如胸壁水肿、肿瘤等。

（2）鼓音：见于气胸，直径大于 3 ～ 4cm 的浅表肺大疱、肺空洞，如空洞型肺结核、液化破溃了的肺脓肿或肺肿瘤。

（3）过清音：见于肺内含气量增加，且肺泡弹性减退者，如肺气肿、支气管哮喘发作时。

命题趋势 考试多以 A1、B1 型题为主。

金题直击

2. 肺部叩诊出现实音应考虑的疾病是

A. 气胸　　B. 支气管炎发作

C. 肺空洞　　D. 肺气肿

E. 大量胸腔积液

【答案】E

【解题思路】

肺部病理性叩诊音提示不同疾病：浊音或实音提示肺组织含气量减少或消失、肺内不含气病变、胸膜腔病变。鼓音提示气胸、空洞型肺结核、液化破溃了的肺脓肿或肺肿瘤。过清音见于肺气肿、支气管哮喘发作时。所以本题选 E。

四、呼吸音听诊

1. 正常呼吸音　正常呼吸音听诊部位见表 3-10。

表 3-10　正常呼吸音听诊部位

正常呼吸音	听诊部位
支气管呼吸音	喉部、胸骨上窝、背部第 6 颈椎至第 2 胸椎附近
肺泡呼吸音	正常人除了可听到支气管呼吸音及支气管肺泡音的部位外，在其余肺部任何区域都可听到
支气管肺泡呼吸音	胸骨角附近，肩胛间区的第 3、4 胸椎水平及右肺尖

2. 病理性呼吸音

（1）病理性肺泡呼吸音

① 肺泡呼吸音减弱或消失：见于呼吸运动障碍；肺顺应性降低；胸腔内肿物；胸膜疾病。

② 肺泡呼吸音增强：与呼吸运动及通气功能增强，进入肺泡的空气流量增多有关。双侧肺泡呼吸音增强见于运动、发热、甲状腺功能亢进症；肺脏或胸腔病变使一侧或一部分肺的呼吸功能减弱或丧失，则健侧或无病变部分的肺泡呼吸音可出现代偿性增强。

（2）病理性支气管呼吸音：见于肺组织实变、肺内大空洞、压迫性肺不张。

（3）病理性支气管肺泡呼吸音：见于肺实变区域较小且与正常肺组织掺杂存在，或肺实变部位较深并被正常肺组织所遮盖。

五、啰音听诊

1. 干啰音

（1）听诊特点

① 吸气和呼气都可听到，但常在呼气时更加清楚。

② 性质多变且部位变换不定。

③ 音调较高，每个音响持续时间较长。

④ 不同性质的干啰音可同时存在。

⑤ 发生于主支气管以上的干啰音，有时不用听诊器都可听到，称喘鸣，可分为鼾音、哨笛音等。

（2）临床意义：提示支气管病变。

① 局限性干啰音：是局部支气管狭窄所致，见于支气管局部结核、肿瘤、异物或黏稠分泌物附着。

② 局部而持久的干啰音：肺癌早期或支气管内膜结核。

2. 湿啰音（水泡音）

（1）听诊特点

① 吸气和呼气都可听到，以吸气终末时多而清楚。

② 部位较恒定，性质不易改变。

③ 大、中、小水泡音可同时存在。

④ 咳嗽后湿啰音可以减少、增多或消失。

（2）临床意义：提示肺与支气管病变。

①两肺散在分布：见于支气管炎、支气管肺炎、肺水肿、血行播散型肺结核。

②两肺底分布：见于支气管肺炎、肺淤血、肺水肿早期。

③一侧或局限性分布：见于肺炎、肺结核、支气管扩张症、肺脓肿、肺癌及肺出血等。

考试多以 A1、B1 型题为主。

金题直击

3. 下列哪项不是干啰音的特点

A. 吸气和呼气都可听到

B. 呼气时明显

C. 持续时间较长

D. 性质和部位固定不变

E. 音调较高

【答案】D

【解题思路】

干啰音听诊特点：①吸气和呼气都可听到，但常在呼气时更加清楚。②性质多变且部位变换不定。③音调较高，每个音响持续时间较长。④不同性质的干啰音可同时存在。⑤发生于主支气管以上的干啰音，有时不用听诊器都可听到，称喘鸣，可分为鼾音、哨笛音等。D 为湿啰音的特点。所以本题选 D。

【易错点】

干啰音和湿啰音的区别。

六、胸膜摩擦音听诊

胸膜摩擦音以吸气末或呼气开始时较为明显。屏住呼吸时胸膜摩擦音消失，可借此与心包摩擦音区别。最常见于脏层胸膜与壁层胸膜发生位置改变最大的部位——胸廓下侧沿腋中线处。

胸膜摩擦音是干性胸膜炎的重要体征，主要见于以下几种情况。

① 肺部病变累及胸膜，如肺炎、肺梗死。

② 胸膜肿瘤。

③ 胸膜高度干燥，如严重脱水。

④ 胸膜炎症，如结核性胸膜炎、化脓性胸膜炎。

⑤ 其他，如尿毒症。

七、听觉语音检查

听觉语音的发生机制及临床意义与触觉语颤相同。

八、呼吸系统常见疾病的体征

呼吸系统常见疾病的体征见表 3-11。

表 3-11 呼吸系统常见疾病的体征

疾病	视诊		触诊		叩诊	听诊	
	胸廓	呼吸动度	气管位置	触觉语颤		呼吸音	听觉语音
肺实变	对称	患侧减弱	居中	患侧增强	浊音或实音	患侧肺泡呼吸音消失，可闻及病理性支气管呼吸音	患侧增强
肺气肿	桶状	减弱	居中	减弱	过清音，肺下界下降，肺下界移动度减小	肺泡呼吸音减弱，呼气延长	减弱

续表

疾病	视诊		触诊		叩诊	听诊	
	胸廓	呼吸动度	气管位置	触觉语颤		呼吸音	听觉语音
气胸	患侧饱满	患侧减弱或消失	推向健侧	患侧减弱或消失	鼓音	患侧减弱或消失	患侧减弱或消失
胸腔积液	患侧饱满	患侧减弱或消失	推向健侧	患侧减弱或消失	浊音或实音	患侧减弱或消失，液面上方可听到病理性支气管呼吸音	患侧减弱或消失
阻塞性肺不张	患侧胸廓下陷肋间隙变窄	减弱或消失	移向患侧	减弱或消失	患侧呈浊音或实音	消失	减弱或消失

第九节　心脏、血管检查

一、心脏视诊

1. 心前区隆起

（1）某些先天性心脏病，如法洛四联症、肺动脉瓣狭窄等。

（2）儿童时期患慢性风湿性心脏瓣膜病伴右心室增大者。

2. 心尖搏动

（1）正常心尖搏动位置：正常成人心尖搏动位于左侧第 5 肋间隙、锁骨中线内侧 0.5 ～ 1cm 处，搏动范围的直径为 2 ～ 2.5cm。

（2）心尖搏动位置的改变（病理因素）：①心脏疾病：左心室增大，心尖搏动向左下移位；右心室增大，心尖搏动向左移位。②胸部疾病：肺不张、粘连性胸膜炎，心尖搏动移向患侧；胸腔积液、气胸，心尖搏动移向健侧。③腹部疾病：大量腹水、肠胀气、腹腔巨大肿瘤或妊娠，心尖搏动向上外移位。

（3）心尖搏动强度及范围的改变：①增强：甲亢、重症贫血和发热等。②减弱甚或消失：心包积液、左侧气胸或胸腔积液、肺气肿等。③减弱伴弥散：心肌炎。④减弱且与心尖浊音界不一致：大量心包积液，心尖搏动位于心尖浊音界内侧。

二、心脏触诊

1. 心尖搏动异常

（1）左心室肥大：心尖搏动呈抬举性。

（2）粘连性心包炎：负性心尖搏动。

2. 心脏震颤（猫喘） 为器质性心血管疾病的体征。心脏震颤的临床意义见表 3-12。

表 3-12　心脏震颤的临床意义

时期	部位	临床意义
收缩期	胸骨右缘第 2 肋间	主动脉瓣狭窄
	胸骨左缘第 2 肋间	肺动脉瓣狭窄
	胸骨左缘第 3、4 肋间	室间隔缺损
舒张期	心尖部	二尖瓣狭窄
连续性	胸骨左缘第 2 肋间及其附近	动脉导管未闭

命题趋势 考试多以 A1 型题为主。

金题直击

1. 在胸骨左缘第 3、4 肋间触及收缩期震颤，应考虑为

A. 主动脉瓣关闭不全　　B. 室间隔缺损
C. 二尖瓣狭窄　　D. 三尖瓣狭窄
E. 肺动脉瓣狭窄

【答案】B

【解题思路】

此题考查心脏震颤的触诊部位及所提示疾病。收缩期：胸骨右缘第 2 肋间——主动脉瓣狭窄，胸骨左缘第 2 肋间——肺动脉瓣狭窄，胸骨左缘第 3、4 肋间——室间隔缺损。

【易错点】

触诊部位震颤所提示疾病是易错点，需与其他疾病区别，①舒张期：心尖部见于二尖瓣狭窄；②连续性胸骨左缘第 2 肋间及其附近震颤见于动脉导管未闭。同时还要与心脏听诊区别和联系。

3. 心包摩擦感　是干性心包炎的体征，在胸骨左缘第 4 肋间最易触及，收缩期明显。坐位稍前倾或深呼气末更易触及。

三、心脏叩诊

1. 叩诊方法　采用间接叩诊法，沿肋间隙从外向内、自下而上叩诊，板指与肋间隙平行并紧贴胸壁。

2. 心脏浊音界改变的临床意义

（1）左心室增大：心脏浊音界向左下扩大，呈靴形，称为主动脉型心脏。见于主动脉瓣关闭不全及高血压性心脏病。

（2）右心室显著增大：心脏浊音界向左、右两侧扩大，以向左增大较为显著。常见于二尖瓣狭窄、肺心病。

（3）左心房增大或合并肺动脉段扩大：心脏浊音区外形呈梨形，称为二尖瓣型心脏。见于二尖瓣狭窄。

（4）左、右心室增大：心脏浊音界向两侧扩大，称为普大型心脏。见于扩张型心肌病等。

（5）心包积液：心脏浊音界向两侧扩大，呈三角烧瓶形。

命题趋势　考试多以 A1、B1 型题为主。

金题直击

2. X 线发现心影呈梨形增大，是由于

A. 右心室、左心室增大　　B. 左心室、左心房增大
C. 右心室、左心房增大，肺动脉干突出　　D. 右心室、右心房增大
E. 左心室增大，主动脉弓突出

【答案】C

【解题思路】

左心房增大或合并肺动脉段扩大时心脏浊音区外形呈梨形，称为二尖瓣型心脏。见于二尖瓣狭窄。此考点是重点，在配合图片理解的基础上用象形记忆法。

【易错点】

心脏叩诊：梨形心见于二尖瓣狭窄；靴形心见于主动脉瓣关闭不全；烧瓶心见于心包积液。

四、心脏瓣膜听诊区

心脏瓣膜听诊区及其临床意义见表 3-13。

五、心率听诊、心律听诊

1. 心率　正常成人心率为 60 ～ 100 次 / 分，超过 100 次 / 分为窦性心动过速，临床意义同脉率增快；低于 60 次 / 分为心动过缓，临床意义同脉率减慢。

2. 心律　正常人的心律基本规则。心房颤动（房颤）听诊特点：心律绝对不规则、S_1 强弱不等、脉搏短绌。多见于二尖瓣狭窄、冠心病、甲亢。

表 3-13 心脏瓣膜听诊区及其临床意义

心脏瓣膜	听诊位置	提示意义
二尖瓣区（M）	心尖搏动最强处，又称心尖区	—
主动脉瓣第一听诊区（A）	胸骨右缘第 2 肋间隙	主动脉瓣狭窄时的收缩期杂音在此区最响
主动脉瓣第二听诊区（E）	胸骨左缘第 3、4 肋间隙	主动脉瓣关闭不全时的舒张期杂音在此区最响
三尖瓣区（T）	胸骨下端左缘，即胸骨左缘第 4、5 肋间处	—
肺动脉瓣区（P）	胸骨左缘第 2 肋间	—

六、正常心音及其产生机制（助理不考）

正常心音有 4 个。按其在心动周期中出现的顺序，依次命名为第一心音（S_1）、第二心音（S_2）、第三心音（S_3）及第四心音（S_4）。S_1 主要是二尖瓣、三尖瓣关闭振动而产生，标志心室收缩的开始；S_2 主要是主动脉瓣、肺动脉瓣关闭振动而产生，标志心脏舒张期的开始。

七、心音听诊

1. 正常心音 如上所述，正常心音有 4 个，成年人可以听到 S_1 和 S_2，儿童和部分青少年可听到 S_3，一般听不到 S_4。

2. 心音改变及其临床意义 心音改变的临床意义见表 3-14。

表 3-14 心音改变的临床意义

心音变化	临床意义
S_1、S_2 同时增强	胸壁较薄、情绪激动、甲亢、发热、贫血等
S_1、S_2 同时减弱	肥胖、胸壁水肿、左侧胸腔积液、肺气肿、心包积液、心力衰竭等
S_1 增强	发热、甲亢、二尖瓣狭窄；完全性房室传导阻滞（大炮音）
S_1 减弱	心肌炎、心肌病、心肌梗死、二尖瓣关闭不全等
A_2 增强	高血压病、主动脉粥样硬化等
A_2 减弱	低血压、主动脉瓣狭窄和关闭不全
P_2 增强	肺动脉高压、二尖瓣狭窄、肺心病等
P_2 减弱	肺动脉瓣狭窄或关闭不全
钟摆律或胎心律	心肌有严重病变时，如大面积急性心肌梗死、重症心肌炎等
S_1 分裂	二、三尖瓣听诊区可听及，多见于二尖瓣狭窄等，偶见于儿童和青少年
S_2 分裂	肺动脉瓣区明显，右室排血时间延长，肺动脉瓣关闭明显延迟（如肺动脉瓣狭窄），或左心室射血时间缩短，主动脉关闭时间提前（如二尖瓣关闭不全、室间隔缺损等）

3. 喀喇音 心脏收缩期的额外心音。

（1）收缩早期喀喇音（收缩早期喷射音）：心底部听诊最清楚。①肺动脉瓣区：见于肺动脉高压、轻中度肺动脉瓣狭窄、室间隔缺损、房间隔缺损等疾病。②主动脉瓣区：见于高血压、主动脉瓣狭窄、主动脉瓣关闭不全、主动脉瘤等。

（2）收缩中、晚期喀喇音：在心尖部及其稍内侧最清楚。多见于二尖瓣脱垂。

4. 奔马律及开瓣音

（1）舒张早期奔马律：最常见，是病理性第三心音，以左心室奔马律占多数，在心尖部容易听到。舒张早期奔马律提示心脏有严重的器质性病变，见于各种原因的心力衰竭、急性心肌梗死、重症心肌炎等。

（2）开瓣音（二尖瓣开放拍击音）：二尖瓣狭窄而瓣膜弹性尚好时，是二尖瓣分离术适应证的重要参考条件。

 考试多以A1、B1型题为主。

3. 第一心音增强见于

A. 心肌病　　B. 心肌梗死

C. 心肌炎　　D. 二尖瓣关闭不全

E. 二尖瓣狭窄

【答案】E

【解题思路】

第一心音增强：发热、甲亢、二尖瓣狭窄等，完全性房室传导阻滞可产生极响亮的 S_1，称为“大炮音”；第一心音减弱：心肌炎、心肌病、心肌梗死、二尖瓣关闭不全等。此题为难点，历年考试所占分值较少。

【易错点】

第一心音须与第二心音改变相区别。主动脉瓣区第二心音增强：高血压病、主动脉粥样硬化等；主动脉瓣区第二心音减弱：低血压、主动脉瓣狭窄和关闭不全。肺动脉瓣第二心音增强：肺动脉高压、二尖瓣狭窄、左心功能不全、室间隔缺损、动脉导管未闭、肺心病；肺动脉瓣第二心音减弱：肺动脉瓣狭窄或关闭不全。

4. 下列哪项提示急性心肌梗死

A. 脉搏强而大　　B. 舒张早期奔马律

C. 奇脉　　D. 脉搏过缓

E. 脉搏绝对不齐

【答案】B

【解题思路】

舒张早期奔马律最常见，提示心脏有严重的器质性病变，见于各种原因的心力衰竭、急性心肌梗死、重症心肌炎等。

【易错点】

急性心肌梗死还可出现钟摆律或胎心律，提示心肌有严重病变，如大面积急性心肌梗死、重症心肌炎等。

八、心脏杂音产生机制

1. **瓣膜关闭不全**　二尖瓣关闭不全、主动脉瓣关闭不全等。
2. **大血管腔瘤样扩张**　动脉瘤。
3. **血流加速**　见于剧烈运动后、发热、贫血、甲亢等。
4. **异常通道**　室间隔缺损、动脉导管未闭、动静脉瘘等。
5. **瓣膜口狭窄**　主动脉瓣狭窄、肺动脉瓣狭窄、二尖瓣狭窄等。
6. **心腔内漂浮物**　心内膜炎时赘生物产生的杂音等。

九、心脏杂音的特征

1. **最响部位**　杂音最响的部位，就是病变所在的部位。

2. **出现的时期**　按杂音出现的时期不同，将杂音分为收缩期杂音、舒张期杂音、连续性杂音、双期杂音。收缩期杂音多为功能性，舒张期杂音及连续性杂音均属器质性。

3. **杂音的性质**　分为吹风样、隆隆样（或雷鸣样）、叹气样、机器样及乐音样等，进一步分为粗糙、柔和。

4. **收缩期杂音强度**　一般分为六级（Levine 6 级），见表 3-15。

表 3-15　收缩期杂音分级

分级	听诊特点	响度	震颤
1 级	杂音很弱，所占时间很短，需仔细听诊才能听到	最轻	无
2 级	较易听到，杂音柔和	轻度	无
3 级	中等响亮的杂音	中度	无或可能有
4 级	响亮的杂音，常伴有震颤	响亮	有
5 级	很响亮的杂音，震耳，但听诊器如离开胸壁则听不到，伴有震颤	很响	明显
6 级	极响亮，听诊器稍离胸壁时亦可听到，有强烈的震颤	最响	强烈

杂音强度的表示法：4 级杂音记为“4/6 级收缩期杂音”。一般而言，3/6 级及以上的收缩期杂音多为器质性。出现在第一心音之后的杂音为收缩期杂音，分 6 级，功能性杂音多为 3 级以下，不传导；出现在第二心音之后的杂音为舒张期杂音，舒张期杂音不论强弱均为病理性。

5. 传导方向　心脏杂音传导方向见表 3-16。

表 3-16　心脏杂音传导方向

病变	分期	最响部位	传导方向
二尖瓣关闭不全	收缩期	心尖部	左腋下及左肩胛下角处
主动脉瓣关闭不全	舒张期	主动脉瓣第二听诊区	胸骨下端或心尖部
主动脉瓣狭窄	收缩期	主动脉瓣区	胸骨上窝及颈部
肺动脉瓣关闭不全	舒张期	肺动脉瓣区	胸骨左缘第 3 肋间
二尖瓣狭窄	舒张期	常局限于心尖部	—
肺动脉瓣狭窄	收缩期	常局限于胸骨左缘第 2 肋间	—
室间隔缺损	收缩期	常局限于胸骨左缘第 3、4 肋间	—

6. 杂音与体位的关系

（1）左侧卧位：二尖瓣狭窄的舒张中晚期隆隆样杂音更明显。

（2）前倾坐位：主动脉瓣关闭不全的舒张期杂音更易于听到。

（3）仰卧位：肺动脉瓣、二尖瓣、三尖瓣关闭不全的杂音更明显。

7. 杂音与呼吸的关系

（1）深吸气时：右心相关瓣膜（三尖瓣、肺动脉瓣）的杂音增强。

（2）深呼气时：左心相关瓣膜（二尖瓣、主动脉瓣）的杂音增强。

8. 杂音与运动的关系　运动后心率加快，增加循环血量及血液流速，在一定心率范围内可使杂音增强。如运动后二尖瓣狭窄的舒张中晚期杂音增强。

十、各瓣膜区常见杂音听诊

1. 心脏杂音最响部位与病变部位的关系　见表 3-17。

表 3-17　心脏杂音最响部位与病变部位的关系

杂音听诊位置	病变部位
心尖部	二尖瓣
胸骨左缘 4、5 肋间处	三尖瓣
主动脉瓣区	主动脉瓣
肺动脉瓣区	肺动脉瓣
胸骨左缘 3、4 肋间	室间隔

2. **心脏杂音的性质与所提示的病变** 见表 3-18。

表 3-18 心脏杂音的性质与所提示的病变

听诊部位	杂音性质	分期	提示病变
心尖区	隆隆样	舒张中晚期	二尖瓣狭窄
心尖区	粗糙的吹风样	收缩期	二尖瓣关闭不全
心尖区	柔和而高调的吹风样	收缩期	相对性二尖瓣关闭不全
主动脉瓣第一听诊区	喷射样	收缩期	主动脉瓣狭窄
主动脉瓣第二听诊区	叹气样	舒张期	主动脉瓣关闭不全
主动脉瓣第一听诊区、主动脉瓣第二听诊区	音乐样，其音色如海鸥鸣或鸽鸣样	舒张期	梅毒性主动脉瓣关闭不全、感染性心内膜炎
肺动脉瓣听诊区及其附近	机器声样	连续性	动脉导管未闭

命题趋势 考试多以 A1、A2、B1 型题为主。

金题直击

5. 下列各项，可引起心尖区出现舒张期杂音的是

A. 二尖瓣狭窄　　B. 主动脉瓣狭窄

C. 肺动脉瓣狭窄　　D. 室间隔缺损

E. 动脉导管未闭

【答案】A

【解题思路】

心尖区出现舒张期杂音提示二尖瓣狭窄。联系二尖瓣狭窄的体征来学习，二尖瓣狭窄出现心尖部舒张期震颤。

【易错点】

需鉴别几个常考的心脏杂音（表 3-19），此考点是考试重点及难点，需要在理解的基础上加以记忆。

表 3-19 常见心脏杂音特点及意义

部位	杂音性质	时期	所属疾病
心尖区	隆隆样	舒张中晚期	二尖瓣狭窄
心尖区	粗糙的吹风样	收缩期	二尖瓣关闭不全
主动脉瓣第一听诊区	喷射样	收缩期	主动脉瓣狭窄
主动脉瓣第二听诊区	叹气样	舒张期	主动脉瓣关闭不全

6. 患者，女性，46 岁。心悸气短 6 年，近 1 年加重。查体：胸骨右缘第二肋间听到舒张期杂音，应诊断为

A. 风心病，二尖瓣狭窄　　B. 二尖瓣关闭不全

C. 主动脉瓣狭窄　　D. 主动脉瓣关闭不全

E. 室间隔缺损

【答案】D

【解题思路】

胸骨右缘第二肋间为主动脉瓣第一听诊区的位置，所以应先定位在主动脉瓣，出现舒张期杂音提示此时为主动脉瓣关闭时，二尖瓣开放时，所以此时是主动脉瓣关闭不全，应该选 D 选项。

十一、心包摩擦音听诊

在胸骨左缘 3、4 肋间隙处较易听到；患者采取坐位稍前倾，深呼气后屏住呼吸时易于听到。多见于结核性及化脓性心包炎、急性心肌梗死、风湿热、严重尿毒症。

十二、血管检查及周围血管征

1. 视诊

（1）肝颈静脉反流征：提示肝脏淤血，是右心功能不全的重要早期征象。也可提示渗出性或缩窄性心包炎。

（2）毛细血管搏动征：脉压增大的疾病，如主动脉瓣关闭不全、重症贫血、甲亢。

2. 触诊 各病理脉的特点及临床意义见表 3-20。

表 3-20 各病理脉的特点及临床意义

名称	特点	意义
水冲脉	脉搏骤起骤降，急促而有力	主动脉瓣关闭不全、发热、严重贫血、甲亢、动脉导管未闭
交替脉	节律正常，强弱交替	高血压心脏病、急性心肌梗死、主动脉瓣关闭不全
重搏脉	正常脉搏后均有一次较弱的脉搏可触及	伤寒、败血症、低血容量休克
奇脉	吸气时脉搏减弱或消失	心包积液、缩窄性心包炎
无脉	脉搏消失	严重休克及多发性大动脉炎

3. 听诊 枪击音与杜氏双重杂音见于主动脉瓣关闭不全、甲亢、高热、贫血。

4. 周围血管征 包括头部随脉搏呈节律性点头运动、颈动脉搏动明显、毛细血管搏动征、水冲脉、枪击音与杜氏双重杂音。病因是由脉压增大所致，常见于主动脉瓣关闭不全、发热、贫血及甲亢。

命题趋势 考试多以 A1 型题为主。

金题直击

7. 下列疾病除哪项外均可见到周围血管征

A. 主动脉瓣关闭不全　　B. 发热

C. 贫血　　D. 甲亢

E. 主动脉瓣狭窄

【答案】E

【解题思路】

周围血管征包括头部随脉搏呈节律性点头运动、颈动脉搏动明显、毛细血管搏动征、水冲脉、枪击音与杜氏双重杂音。病因是脉压增大，常见于主动脉瓣关闭不全、发热、贫血及甲亢。

十三、循环系统常见疾病的体征

循环系统常见疾病的体征见表 3-21。

表 3-21 循环系统常见疾病的体征

病变	视诊	触诊	叩诊	听诊
二尖瓣狭窄	二尖瓣面容，心尖搏动略向左移	心尖搏动向左移，心尖部触及舒张期震颤	心浊音界早期稍向左，以后向右扩大，心腰部膨出，呈梨形	心尖部 S_1 亢进，较局限的递增型舒张中晚期隆隆样杂音，可伴开瓣音，P_2 亢进、分裂，肺动脉瓣区 Graham Steell 杂音
二尖瓣关闭不全	心尖搏动向左下移位	心尖搏动向左下移位，常呈抬举性	心浊音界向左下扩大	心尖部 S_1 减弱，心尖部有 3/6 级或以上粗糙的吹风样全收缩期杂音，范围广泛，常向左腋下及左肩胛下角传导，并可掩盖 S_1
主动脉瓣狭窄	心尖搏动向左下移位	心尖搏动向左下移位，呈抬举性，主动脉瓣区收缩期震颤	心浊音界向左下扩大	主动脉瓣区高调、粗糙的递增-递减型收缩期杂音，向颈部传导，心尖部 S_1 减弱，A_2 减弱

续表

病变	视诊	触诊	叩诊	听诊
主动脉关闭不全	颜面较苍白，颈动脉搏动明显，心尖搏动向左下移位且范围较广，可见点头运动	心尖搏动向左下移位并呈抬举性，周围血管阳性	心浊音界向左下扩大心脏呈靴形	主动脉瓣第二听诊区叹气样递减型舒张期杂音，可向心尖部传导；心尖部 S_1 减弱，A_2 减弱或消失，可闻及 Austin-Flint 杂音
左心衰竭	不同程度呼吸困难，发绀，高枕卧位或端坐位，心尖搏动向左下移位	心尖搏动向左下移位（除单纯二尖瓣狭窄外），严重者有交替脉	心浊音界向左下扩大，单纯二尖瓣狭窄则表现为梨形心	心率快，S_1 减弱，可闻及舒张早期奔马律，P_2 亢进伴分裂；双肺底可闻及细湿啰音，少量哮鸣音。急性肺水肿时，全肺可满布湿啰音
右心衰竭	颈静脉怒张，口唇发绀、浮肿	肝大、压痛，肝 - 颈静脉回流征阳性，下肢或腰骶部凹陷性水肿	心界扩大，可有胸腔积液或腹水体征	心率增快，舒张期奔马律
大量心包积液	心尖搏动明显减弱或消失，颈静脉怒张	心尖搏动在心浊音界内或不能触到；肝大，压痛，肝 - 颈静脉回流征阳性；可有奇脉	心界向两侧扩大，“烧瓶状”，卧位时心底部增宽	心音遥远，心率加快

第十节　腹部检查

一、腹部视诊

1. 腹部的外形

（1）全腹膨隆：①腹内积气：肠梗阻、肠麻痹、胃肠穿孔或治疗性人工气腹。②腹腔积液：肝硬化门脉高压症、右心衰竭、缩窄性心包炎、结核性腹膜炎、腹膜转移癌、肾病综合征等。大量积液可形成蛙腹。③腹腔巨大肿块：最常见为巨大卵巢囊肿。

（2）全腹凹陷：常见于严重脱水、明显消瘦及恶病质。严重者呈舟状腹，见于恶性肿瘤、结核、糖尿病、顽固性心衰、神经性厌食等慢性消耗性疾病的晚期。

（3）局部膨隆：常见于腹部炎性包块、胃肠胀气、腹内肿瘤、腹壁肿瘤、脏器肿大和疝等。

2. 呼吸运动　腹式呼吸减弱见于各种原因的急腹症、大量腹水、腹腔巨大肿瘤等；腹式呼吸消失见于急性弥漫性腹膜炎。

3. 腹壁

（1）腹壁静脉：门静脉高压时，腹壁曲张的静脉以脐为中心向周围伸展，肚脐以上腹壁静脉血流方向从下向上，肚脐以下腹壁静脉血流方向自上向下。上腔静脉阻塞时，上腹壁或胸壁的浅静脉血流转向下方进入下腔静脉。下腔静脉阻塞时，脐以下腹壁的浅静脉血流转向上方进入上腔静脉。

（2）胃肠型及蠕动波：当胃肠道发生梗阻时，梗阻近端的胃或肠段饱满而隆起，可显出各自的轮廓，称胃型或肠型。幽门梗阻时，可见到胃蠕动波；脐部出现肠蠕动部见于小肠梗阻；结肠梗阻时，宽大的肠型多出现于腹壁周边，同时盲肠多胀大呈球形。

命题趋势　考试多以 A1、B1 型题为主。

金题直击

1. 可出现上腹部明显胃蠕动波的是

A. 食管癌　　B. 慢性胃炎

C. 贲门癌　　D. 胰头癌

E. 幽门梗阻

【答案】E

【解题思路】

正常人腹部一般看不到蠕动波及胃型或肠型，有时腹壁松弛菲薄的老年人、极度消瘦或经产妇可见。当胃肠道发生梗阻时，梗阻近端的胃或肠段饱满而隆起，可显出各自的轮廓，称胃型或肠型。幽门梗阻时，可见到胃蠕动波；脐部出现肠蠕动部见于小肠梗阻；结肠梗阻时，宽大的肠型多出现于腹壁周边，同时盲肠多胀大呈球形。所以本题选 E。

二、腹部触诊

1. 腹壁紧张度 其临床意义见表 3-22。

表 3-22 腹壁紧张度的临床意义

腹壁紧张度	常见疾病	临床表现
全腹紧张度增加	急性弥漫性腹膜炎	板状强直
	结核性腹膜炎、癌性腹膜炎	面团感或揉面感
局部腹壁紧张	急性胰腺炎	上腹或左上腹壁紧张
	急性胆囊炎	右上腹壁紧张
	急性阑尾炎	右下腹壁紧张
全腹紧张度减低	慢性消耗性疾病或刚放出大量腹水者，或身体虚弱的老年人，经产妇	—
全腹紧张度消失	脊髓损伤所致的腹肌瘫痪，重症肌无力	—

2. 压痛及反跳痛 腹壁紧张伴压痛、反跳痛称为腹膜刺激征，是急性腹膜炎的重要体征。

（1）阑尾点又称麦氏点，位于右髂前上棘与脐连线中外 1/3 交界处。

（2）胆囊点位于右侧腹直肌外缘与肋弓交界处。

命题趋势 考试多以 A1 型题为主。

金题直击

2. 腹部触诊出现反跳痛，提示的病变是

A. 胆囊炎　　B. 胃肠痉挛

C. 腹膜壁层有炎症　　D. 肠系膜动脉栓塞

E. 肠梗阻

【答案】C

【解题思路】

反跳痛提示炎症已累及腹膜壁层，腹肌紧张伴压痛、反跳痛称为腹膜刺激征，是急性腹膜炎的重要体征。所以本题选 C。

3. 液波震颤 检查时患者仰卧，医师用一只手掌面贴于患者一侧腹壁，另一只手四指并拢屈曲，用指端迅速叩击对侧腹壁，如腹腔内有大量游离液体（3000～4000mL 以上），则贴于腹壁的手掌可感到液波的冲击，称为液波震颤或波动感。为防止腹壁本身的震动传至对侧，可让另一人将手掌尺侧缘轻压于患者脐部腹中线上，即可阻止腹壁震动的传导。

三、腹内脏器触诊

1. 肝脏触诊 正常成人肝脏一般触不到，但腹壁松弛的消瘦者于深吸气时可触及肝下缘，多在肋弓下 1cm 以内，剑突下如能触及肝左叶，多在 3cm 以内。正常肝脏质地柔软，表面光滑，无压痛和叩击痛。触及肝脏后，应详细描述以下几点。

（1）大小：①病理性肝大：肝大时，肝上界正常或升高为，可分为弥漫性和局限性。弥漫性肝大见于肝炎、脂肪肝、肝硬化、肝淤血早期、白血病、血吸虫病等；局限性肝大见于肝脓肿、肝囊肿（包括肝包虫病）、肝肿瘤等，并常能触及或看到局部膨隆。②肝脏缩小：见于急性和亚急性重型肝炎、晚期肝硬化。

（2）质地：肝脏质地一般分为三级。①质软，如触口唇：正常肝脏质地。②质韧，如触鼻尖：急性肝炎及脂肪肝、慢性肝炎。③质硬，如触前额：肝硬化，肝癌质地最硬。④肝脓肿或囊肿有积液时呈囊性感，大而浅者可能触及波动感。

（3）表面形态及边缘：①表面光滑，边缘圆钝：肝炎、脂肪肝、肝淤血。②表面不光滑，呈结节状，边缘不整齐且较薄：肝硬化。③表面不光滑，呈不均匀的粗大结节状，边缘厚薄也不一致：肝癌、多囊肝。

（4）压痛：正常肝脏无压痛。①有压痛：肝包膜有炎性或因肝大被绷紧时。②轻度压痛：急性肝炎、肝淤血；③剧烈的压痛：较表浅的肝脓肿，有局限性。

肝脏常见疾病的临床表现见表 3-23。

表 3-23　肝脏常见疾病的临床表现

疾病	大小	质地	表面	边缘	压痛
急性肝炎	轻度肿大	质稍韧	光滑	钝	有
慢性肝炎	明显肿大	质韧	—	—	轻
肝硬化	早期肿大，晚期缩小	质硬	结节	薄	无
肝癌	肿大	坚硬	结节、巨块	不整	明显
脂肪肝	肿大	质软	光滑	钝	无
肝淤血	明显肿大	质韧	光滑	圆钝	有

2. 胆囊触诊

（1）墨菲征阳性：见于急性胆囊炎。

（2）库瓦济埃征阳性：当胰头癌压迫胆总管导致阻塞，出现黄疸进行性加深，胆囊显著肿大，但无压痛，又称无痛性胆囊增大征阳性。

3. 脾脏触诊　脾大分度及临床意义见表 3-24。

表 3-24　脾大分度及临床意义

分度	所在部位	形态改变	常见疾病
轻度脾大	在肋下不超过 2cm	质地较柔软	慢性肝炎、粟粒型肺结核、伤寒、感染性心内膜炎、败血症和急性疟疾等
中度脾大	超过肋下 2cm 但在脐水平线以上	质地较硬	肝硬化、慢性溶血性黄疸、慢性淋巴细胞性白血病、系统性红斑狼疮、疟疾后遗症及淋巴瘤等
高度脾大	超过脐水平线或前正中线	表面光滑	慢性粒细胞性白血病、慢性疟疾和骨髓纤维化症
		表面不平而有结节	淋巴瘤
		可触到摩擦感且压痛明显	脾脓肿、脾梗死和脾周围炎

4. 肾脏触诊

（1）肾脏肿大见于以下疾病：①肾盂积水或积脓时，其质地柔软，富有弹性，有波动感。②肾肿瘤则质地坚硬，表面凹凸不平。③多囊肾时，肾脏不规则增大，有囊性感。

（2）肾脏及尿路疾病的压痛点见表 3-25。

表 3-25　肾脏及尿路疾病的压痛点

压痛点	部位	常见疾病
季肋点	在第 10 肋骨前端	肾脏病变
上输尿管点	在脐水平线上，腹直肌外缘	输尿管有结石、化脓性或结核性炎症
中输尿管点	在两侧髂前上棘水平，腹直肌外缘，相当于输尿管第二狭窄处（入骨盆腔处）	

续表

压痛点	部位	常见疾病
肋脊点	在背部脊柱与第 12 肋所成的夹角顶点，又称肋脊角	肾脏炎症性疾病 （如肾盂肾炎、肾结核或肾脓肿等）
肋腰点	在第 12 肋与腰肌外缘的夹角顶点，又称肋腰角	

命题趋势 考试多以 A1 型题为主。

金题直击

3. 库瓦济埃征阳性可见于

A. 急性肠炎

B. 腹膜炎

C. 急性阑尾炎

D. 胰头癌

E. 急性胆囊炎

【答案】D

【解题思路】

胰头癌压迫胆总管导致阻塞，出现黄疸进行性加深，胆囊显著肿大，但无压痛，称为库瓦济埃征阳性。所以本题选 D。

【易错点】

胆囊触诊还包括墨菲征阳性，见于急性胆囊炎。

4. 下列病变中，可见肝大、压痛明显的是

A. 肝囊肿

B. 脂肪肝

C. 肝硬化

D. 慢性肝炎

E. 肝淤血

【答案】E

【解题思路】

病理性肝大见于肝炎、脂肪肝、肝硬化、肝淤血早期、肝脓肿、肝囊肿、肝肿瘤。肝脏缩小见于急性和亚急性肝坏死、晚期肝硬化。肝囊肿可见局限性肝肿大；脂肪肝所致的肝肿大，表面光滑，无压痛；肝硬化早期肝肿大，晚期则缩小变硬，表面呈结节状或巨块状，高低不平，压痛明显。慢性肝炎时肝脏肿大较明显，质韧或稍硬。压痛较轻；肝淤血时肝脏明显肿大，表面光滑，边缘圆钝，有压痛。所以本题选 E。

四、正常腹部可触及的结构和腹部肿块触诊

1. 正常腹部可触及的结构 正常腹部可触及腹主动脉、腰椎椎体与骶骨岬、横结肠、乙状结肠、盲肠等结构。

2. 腹部肿块触诊 如触及肿块须注意肿块的部位、大小、形态、质地、压痛、搏动、移动度、与邻近器官的关系等。还要鉴别其来源于何种脏器；是炎症性还是非炎症性；是实质性还是囊性；是良性还是恶性；在腹腔内还是在腹壁上。腹部肿块可见于腹腔脏器的肿大、异位、肿瘤、囊肿或脓肿、炎性组织粘连或肿大的淋巴结等。

五、腹部叩诊

1. 肝脏叩诊

（1）正常表现：匀称体型者的正常肝上界在右锁骨中线上第 5 肋间，下界位于右季肋下缘。右锁骨中线上，肝浊音区上下径之间的距离为 9 ～ 11cm；在右腋中线上，肝上界在第 7 肋间，下界相当于第 10 肋骨水平；在右肩胛线上，肝上界为第 10 肋间，下界不易叩出。瘦长型者肝上下界均可低一个肋间，矮胖型者则可高一个肋间。

（2）病理表现：肝浊音界改变的临床意义见表 3-26。

表 3-26　肝浊音界改变的临床意义

肝浊音界改变	常见疾病
向上移位	右肺不张、右肺纤维化、气腹及鼓肠
向下移位	肺气肿、右侧张力性气胸
扩大	肝炎、肝脓肿、肝淤血、肝癌和多囊肝
缩小	急性肝坏死、晚期肝硬化和胃肠胀气
消失代之以鼓音	急性胃肠穿孔，因肝表面有气体覆盖所致，亦可见于人工气腹

2. 脾脏叩诊　正常脾浊音区在左腋中线上第 9 ～ 11 肋间，宽为 4 ～ 7cm，前方不超过腋前线。脾浊音区缩小或消失见于左侧气胸、胃扩张及鼓肠等；脾浊音区扩大见于脾大。

3. 膀胱叩诊　膀胱空虚时，因小肠位于耻骨上方遮盖膀胱，故叩诊呈鼓音，叩不出膀胱的轮廓。膀胱充盈时，耻骨上方叩出圆形浊音区。妊娠的子宫、卵巢囊肿或子宫肌瘤等，该区叩诊也呈浊音。腹水时，耻骨上方可呈浊音区，但此时弧形上缘凹向脐部，而膀胱胀大的浊音区弧形上缘凸向脐部，排尿或导尿后复查，如浊音区转为鼓音，则为尿潴留而致的膀胱胀大。

六、胃泡鼓音区和移动性浊音叩诊

1. 胃泡鼓音区　胃泡鼓音区位于左前胸下部，上界为膈及肺下缘，下界为肋弓，左界为脾脏，右界为肝左缘。胃泡鼓音区变化的临床意义见表 3-27。

表 3-27　胃泡鼓音区变化的临床意义

鼓音区变化	常见疾病
明显扩大	幽门梗阻
明显缩小	胸腔积液、心包积液、脾大及肝左叶肿大
消失	急性胃扩张或溺水者

2. 移动性浊音　当腹腔内有 1000mL 以上游离液体时，患者仰卧位叩诊，腹中部呈鼓音，腹部两侧呈浊音；侧卧位时，叩诊上侧腹部转为鼓音，下侧腹部呈浊音。这种因体位不同而出现浊音区变动的现象称为移动性浊音阳性，见于肝硬化门静脉高压症、右心衰竭、肾病综合征、严重营养不良以及渗出性腹膜炎（如结核性或自发性）等引起的腹水。

命题趋势　考试多以 A1 型题为主。

金题直击

5. 腹部叩诊出现移动性浊音，游离液体量达到

A. 100mL　　B. 200mL

C. 500mL　　D. 1000mL

E. 2000mL

【答案】D

【解题思路】

当腹腔内有 1000mL 游离液体时，腹部叩诊出现移动性浊音阳性，若腹水量少，则不能叩出移动性浊音。所以本题选 D。

【易错点】

移动性浊音常与振水音易混淆，腹部听诊振水音提示胃部有大量液体。

七、腹部听诊

1. **肠鸣音** 肠鸣音诊断见表 3-28。

表 3-28 肠鸣音诊断

肠鸣音	特征性表现	常见疾病
正常	每分钟 4 ～ 5 次，在脐部或右下腹部听得最清楚	—
频繁	超过每分钟 10 次	服泻药后、急性肠炎或胃肠道大出血
亢进	肠鸣音次数多，且呈响亮、高亢的金属音	机械性肠梗阻
减弱或稀少	肠鸣音明显少于正常，或 3 ～ 5min 以上才听到一次	老年性便秘、电解质紊乱（低血钾）及胃肠动力低下
消失或静腹	持续听诊 3 ～ 5min 未闻及肠鸣音	急性腹膜炎或麻痹性肠梗阻

2. **振水音** 患者仰卧，医师用耳凑近患者上腹部或将听诊器体件放于此处，然后用稍弯曲的手指以冲击触诊法连续迅速冲击患者上腹部，如听到胃内液体与气体相撞击的声音为振水音。若空腹或餐后 6 ～ 8h 以上仍有此音，则提示胃内有液体潴留，见于胃扩张、幽门梗阻及胃液分泌过多等。正常人餐后或饮入多量液体时，振水音阳性。

3. **血管杂音**

（1）上腹部两侧收缩期血管杂音：肾动脉狭窄。

（2）脐周收缩期血管杂音：腹主动脉瘤或腹主动脉狭窄。

（3）脐周可闻及连续性杂音：肝硬化所致门静脉高压侧支循环形成。

八、腹部常见疾病的体征（助理不考）

1. **肝硬化门静脉高压** 黄疸、蜘蛛痣、肝掌，肝脏轻度肿大或缩小、质硬，无压痛，脾大，蛙状腹，移动性浊音阳性，出现液波震颤，食管下端和胃底静脉曲张，腹壁静脉曲张，肠鸣音正常。

2. **幽门梗阻** 反复呕吐大量发酵的隔日食物，空腹时上腹部饱满，出现胃型、蠕动波，并听及振水音。

3. **急性腹膜炎** 腹壁紧张、压痛及反跳痛。胃肠穿孔时，叩诊肝浊音界缩小或消失，听诊肠鸣音减弱或消失。

4. **急性阑尾炎** 右下腹部麦氏点有显著而固定的压痛及反跳痛是诊断阑尾炎的重要依据。结肠充气试验阳性提示阑尾炎。腰大肌征阳性提示盲肠后位的阑尾炎。

5. **急性胆囊炎** 右肋下胆囊区有腹壁紧张、压痛及反跳痛，墨菲征阳性。

6. **急性胰腺炎** 多有胆道病史，常于进食油腻食物或饮酒后发病。

（1）水肿型：表情痛苦，无腹壁紧张与反跳痛。上腹部或左上腹部有中度压痛，但常与主诉腹痛不相符。

（2）出血坏死型：休克，腹膜刺激征，移动性浊音阳性，腹胀，肠鸣音减弱或消失，上腹部可触及包块增加，腰肋部、下腹部可见皮肤紫斑。

7. **肠梗阻** 急性病容，腹部呼吸运动减弱，可见肠型及蠕动波。腹部膨胀，腹壁紧张，有压痛。

（1）绞窄性肠梗阻有反跳痛。

（2）机械性肠梗阻时，可见肠型及蠕动波，听诊肠鸣音亢进，呈金属性音调。

（3）麻痹性肠梗阻时，视诊无肠型，听诊肠鸣音减弱或消失（听诊与机械性肠梗阻相反）。

第十一节 肛门、直肠检查

一、肛门、直肠视诊

肛门视诊可采取肘膝位、仰卧位、截石位、左侧卧位或蹲位等体位。视诊肛门时注意观察肛门有无闭锁或狭窄、有无伤口及感染、有无肛瘘及肛裂、有无直肠脱垂、有无痔疮，并注意区分是外痔（肛门齿状线以下的紫红色包块，表面为皮肤）、内痔（肛门齿状线以上的紫红色包块，表面为黏膜），还是混合痔。

二、肛门、直肠指诊

1. **有剧烈触痛** 肛裂与感染。

2. **触痛并有波动感** 肛门、直肠周围脓肿。

3. 柔软光滑而有弹性包块　直肠息肉。

4. 质地坚硬、表面凹凸不平的包块　直肠癌。

5. 指套带有黏液、脓液或血液　炎症并有组织破坏。

第十二节　脊柱与四肢检查

一、脊柱检查

1. 脊柱弯曲度

（1）检查方法：患者取立位或坐位，先从侧面观察脊柱有无过度的前凸与后凸；然后从后面用手指沿脊椎棘突用力从上向下划压，划压后的皮肤出现一条红色充血线，观察脊柱有无侧弯。

（2）临床意义：脊柱弯曲度的临床意义见表 3-29。

表 3-29　脊柱弯曲度的临床意义

脊柱改变	发生部位及分类	常见疾病
脊柱后凸	胸段	佝偻病、脊柱结核、强直性脊柱炎、脊柱退行性变
脊柱前凸	腰段	大量腹水、腹腔巨大肿瘤、髋关节结核及髋关节后脱位
脊柱侧凸	姿势性侧凸	儿童发育期坐立位姿势不良、椎间盘突出症、脊髓灰质炎
	器质性侧凸，改变体位不能使侧凸得到纠正	佝偻病、脊椎损伤、胸膜肥厚

2. 脊柱活动度

（1）检查方法：①检查颈段活动时，固定被检查者的双肩，让其做颈部的前屈、后伸、侧弯、旋转等动作；②检查腰段活动时，固定被检查者的骨盆，让其做腰部的前屈、后伸、侧弯、旋转等动作。

（2）脊柱活动受限的原因：软组织损伤、骨质增生、骨质破坏、脊椎骨折或脱位、腰椎间盘突出等。

3. 脊柱压痛与叩击痛

（1）检查方法：①检查脊柱压痛时，嘱患者取坐位，身体稍向前倾，医师用右手拇指自上而下逐个按压脊椎棘突及椎旁肌肉。②脊柱叩击痛检查：患者取坐位，医师用手指或用叩诊锤直接叩击各个脊椎棘突，询问患者是否有叩击痛，此为直接叩诊法；或嘱患者取坐位，医师将左手掌置于患者头顶部，右手半握拳，以小鱼际肌部位叩击左手背，了解患者的脊柱是否有疼痛，此为间接叩诊法。

（2）临床意义：正常人脊柱无压痛与叩击痛，若某一部位出现压痛与叩击痛，见于椎间盘突出、脊椎结核、脊椎骨折、脊椎肿瘤等疾病。

二、四肢、关节检查

1. 四肢、关节形态改变及其临床意义

（1）匙状甲（反甲）：见于缺铁性贫血，偶见于风湿热。

（2）杵状指（趾）：见于支气管扩张、支气管肺癌、慢性肺脓肿、脓胸以及发绀型先天性心脏病、亚急性感染性心内膜炎等。

（3）指关节变形：以类风湿性关节炎引起的梭形关节最常见。

（4）膝内翻、膝外翻：膝内翻为“O”形腿，膝外翻为“X”形腿。常见于佝偻病及大骨节病。

（5）膝关节变形：常见于风湿性关节炎活动期、结核性关节炎等。

（6）足内翻、足外翻：多见于先天畸形、脊髓灰质炎后遗症等。

（7）肢端肥大：见于腺垂体功能亢进、生长激素分泌过多引起的肢端肥大症。

（8）下肢静脉曲张：多见于小腿，表现为下肢静脉如蚯蚓状怒张、弯曲，久立位更明显，严重时有小腿肿胀感，局部皮肤颜色呈暗紫红色或有色素沉着，甚至形成溃疡。常见于从事站立性工作者或栓塞性静脉炎患者。

2. 运动功能检查　关节活动障碍，见于相应部位骨折、脱位、炎症、肿瘤、退行性变等。

命题趋势　考试多以 A1、B1 型题为主。

金题直击

可见匙状甲的疾病是

A. 发绀型先天性心脏病　　B. 缺铁性贫血
C. 支气管扩张　　D. 肝硬化
E. 慢性阻塞性肺疾病　　【答案】B

【解题思路】

匙状甲多见于缺铁性贫血，偶见于风湿热。发绀型先天性心脏病、支气管扩张、肝硬化、慢性阻塞性肺疾病可见杵状指。所以本题选 B。

第十三节　神经系统检查

一、脑神经检查

1. 视神经

（1）视神经检查包括视力、视野和眼底检查。

（2）视野反映黄斑中央凹以外的视网膜及视觉通路的功能，视觉通路的任何部位受到损害，都可引起视野缺损。

（3）眼底检查需要用检眼镜，观察视乳头、视网膜、视网膜血管、黄斑有无异常。

① 视乳头水肿常见于颅内肿瘤、视神经受压迫等，如颅内出血、脑膜炎、脑炎等引起的颅内压增高。

② 视网膜出血常见于高血压、出血性疾病等。

③ 视网膜有渗出物可见于高血压、慢性肾炎、妊娠高血压综合征等。

④ 原发性视神经萎缩见于球后神经炎或肿瘤。

2. 动眼神经　动眼神经位于中脑，支配上直肌、下直肌、内直肌、下斜肌、上睑提肌、瞳孔括约肌和睫状肌。动眼神经麻痹可表现为上睑下垂；眼球转向外下方，有外斜视和复视；眼球不能向上、向下、向内转动；瞳孔扩大；对光反射、调节反射、集合反射消失。常见于颅底肿瘤、结核性脑膜炎、脑出血合并脑疝等。

3. 三叉神经　三叉神经位于脑桥，主要支配面部感觉和咀嚼运动。三叉神经刺激性病变时，可出现三叉神经痛，常表现为突然发作的一侧面部剧痛，可在眶上孔、上颌孔和颏孔三处有压痛点，且按压时可诱发疼痛。

4. 面神经

（1）面神经主要支配面表情肌和分管舌前 2/3 味觉。面神经核位于脑桥，分上、下两部分：上部受双侧大脑皮质运动区支配，下部仅受对侧大脑皮质运动区支配。

（2）中枢性面神经麻痹与周围性面神经麻痹的鉴别见表 3-30。

表 3-30　中枢性面神经麻痹与周围性面神经麻痹的鉴别

	中枢性面神经麻痹	周围性面神经麻痹
病因	核上组织（包括皮质、皮质脑干纤维、内囊、脑桥等）受损	面神经核或面神经受损
临床表现	病灶对侧颜面下部肌肉麻痹，可见鼻唇沟变浅，露齿时口角下垂（或称口角歪向病灶侧），不能吹口哨和鼓腮等	病灶同侧全部面肌瘫痪，从上到下表现为不能皱额、皱眉、闭目，角膜反射消失，鼻唇沟变浅，不能露齿、鼓腮、吹口哨，口角下垂（或称口角歪向病灶对侧）
临床意义	多见于脑血管病变、脑肿瘤和脑炎等	多见于受寒、耳部或脑膜感染、神经纤维瘤引起的周围型面神经麻痹，此外，还可出现舌前 2/3 味觉障碍等

二、感觉功能检查、感觉障碍及其常见类型

1. 感觉功能检查

（1）浅感觉：包括痛觉、触觉、温度觉。

（2）深感觉：包括运动觉、位置觉、振动觉。

（3）复合感觉（皮质感觉）：包括定位觉、两点辨别觉、立体觉和图形觉。

2. 感觉障碍　感觉障碍的形式有疼痛、感觉减退、感觉异常、感觉过敏、感觉过度和感觉分离。

3. 感觉障碍的类型　见表 3-31。

表 3-31　感觉障碍的类型

类型		表现	常见疾病
末梢型		肢体远端对称性完全性感觉缺失，呈手套状、袜子状分布	多发性神经炎
神经根型		感觉障碍范围与某种神经根的节段分布一致，呈节段型或带状	椎间盘突出症、颈椎病和神经根炎
脊髓型	脊髓横贯型	脊髓完全被横断，病变平面以上完全正常，病变平面以下各种感觉均缺失，并伴有截瘫或四肢瘫、排尿排便障碍	急性脊髓炎、脊髓外伤
	脊髓半横贯型	脊髓一半被横断，病变同侧损伤平面以下深感觉丧失及痉挛性瘫痪；对侧痛、温度觉丧失	脊髓外肿瘤和脊髓外伤
内囊型		病灶对侧半身感觉障碍、偏瘫、同向偏盲，常称为三偏征	脑血管疾病
脑干型		同侧面部感觉缺失和对侧躯干及肢体感觉缺失	炎症、肿瘤和血管病变
皮质型		上肢或下肢感觉障碍，并有复合感觉障碍	大脑皮层感觉区损害

三、运动功能检查

1. 随意运动　受意识支配的动作，由大脑皮质通过锥体束支配骨骼肌来完成。检查的重点是肌力。

（1）肌力分级：肌力分为 6 级。

0 级：无肢体活动，也无肌肉收缩，为完全性瘫痪。

1 级：可见肌肉收缩，但无肢体活动。

2 级：肢体能在床面上做水平移动，但不能抬起。

3 级：肢体能抬离床面，但不能抵抗阻力。

4 级：能做抵抗阻力的动作，但较正常差。

5 级：正常肌力。

其中，0 级为全瘫，1 ～ 4 级为不完全瘫痪（轻瘫），5 级为正常肌力。

（2）瘫痪的表现形式：①单瘫：单一肢体瘫痪，多见于脊髓灰质炎。②偏瘫：一侧肢体（上、下肢）瘫痪，常伴有同侧脑神经损害，多见于颅内病变或脑卒中。③交叉性偏瘫：为一侧偏瘫及对侧脑神经损害，病变部位在脑干（脑桥）。④截瘫：为双下肢瘫痪，是脊髓横贯性损伤，见于脊髓外伤、炎症等。

2. 被动运动　是检查肌张力强弱的方法。肌张力是肌肉在松弛状态下的紧张度和被动运动时的阻力，张力过低或缺失见于周围神经、脊髓灰质前角及小脑病变。折刀样肌张力过高见于锥体束损害；铅管样肌张力过高及齿轮样肌张力过高见于锥体外系损害（如帕金森病）。

3. 不自主运动（助理不考）

（1）震颤：①静止性震颤见于帕金森病。②动作性震颤见于小脑病变。③扑翼样震颤见于肝性脑病。

（2）舞蹈症：见于儿童脑风湿病变。

（3）手足搐搦：见于低钙血症和碱中毒。

4. 共济运动

（1）检查方法有指鼻试验、对指试验、轮替动作、跟 - 膝 - 胫试验等。

（2）动作笨拙和不协调时，称为共济失调。按病损部位分为小脑性共济失调、感觉性共济失调及前庭性共济失调。

命题趋势　考试多以 A1、B1 型题为主。

金题直击

下列各项，符合中枢性瘫痪表现特点的是

A. 瘫痪范围较局限　　B. 肌张力增高

C. 深反射减弱或消失　　D. 无病理反射

E. 肌萎缩明显

【答案】B

【解题思路】

中枢性瘫痪范围较广，肌张力过高，有病理反射，肌萎缩不明显，深反射亢进；周围性瘫痪范围较局限，以肌群为主，肌张力过低或缺失，无病理反射，肌萎缩明显，深反射减弱或消失。所以本题选B。

四、神经反射检查

神经反射临床意义见表3-32。

表3-32　神经反射临床意义

<table>
<tr><th colspan="2">名称</th><th colspan="2">临床意义</th></tr>
<tr><td rowspan="3">浅反射</td><td>角膜反射</td><td colspan="2">直接角膜反射存在，间接角膜反射消失——受刺激对侧面神经瘫痪；直接角膜反射消失，间接角膜反射存在——受刺激同侧面神经瘫痪；
直接角膜反射、间接角膜反射均消失——受刺激同侧三叉神经病变或昏迷</td></tr>
<tr><td>腹壁反射</td><td colspan="2">上、中、下腹壁反射减弱或消失分别对应于同侧胸髓7～8节、9～10节、11～12节病变；
一侧上、中、下腹壁反射同时消失——同侧锥体束受损；
双侧上、中、下腹壁反射同时消失——昏迷和急腹症</td></tr>
<tr><td>提睾反射</td><td colspan="2">双侧反射消失——腰髓1～2节病损；一侧反射消失——锥体束损害，或腹股沟疝、阴囊水肿、睾丸炎等</td></tr>
<tr><td rowspan="5">深反射</td><td>桡骨骨膜反射</td><td rowspan="2">颈髓5～6节</td><td rowspan="5">减弱或消失——相应脊髓节段或脊神经病变；
亢进——锥体束病变，如急性脑血管病、急性脊髓炎休克期过后</td></tr>
<tr><td>肱二头肌反射</td></tr>
<tr><td>肱三头肌反射</td><td>颈髓7～8节</td></tr>
<tr><td>膝反射</td><td>腰髓2～4节</td></tr>
<tr><td>踝反射</td><td>骶髓1～2节</td></tr>
<tr><td rowspan="6">病理反射</td><td>巴宾斯基征</td><td colspan="2" rowspan="6">锥体束病变。其中巴宾斯基征意义最大，霍夫曼征多见于颈髓病变（上肢）</td></tr>
<tr><td>奥本海姆征</td></tr>
<tr><td>戈登征</td></tr>
<tr><td>查多克征</td></tr>
<tr><td>霍夫曼征</td></tr>
<tr><td>肌阵挛</td></tr>
<tr><td rowspan="3">脑膜刺激征</td><td>颈强直</td><td colspan="2" rowspan="3">见于各种脑膜炎、蛛网膜下腔出血、脑脊液压力增高等。颈强直也可见于颈椎病、颈部肌肉病变。凯尔尼格征也可见于坐骨神经痛、腰骶神经根炎等</td></tr>
<tr><td>凯尔尼格征</td></tr>
<tr><td>布鲁津斯基征</td></tr>
<tr><td colspan="2">拉塞格征</td><td colspan="2">见于坐骨神经痛、腰椎间盘突出或腰骶神经根炎等</td></tr>
</table>

高频考点速递

1. 嗅诊：大蒜味——有机磷农药中毒；烂苹果味——糖尿病酮症酸中毒；氨味——尿毒症；腥臭味——肝性脑病。

2. 脉压＞40mmHg——主动脉瓣关闭不全、高热、贫血、甲亢。

3. 双侧瞳孔缩小（＜2mm）：有机磷农药中毒，以及吗啡、毛果芸香碱等药物影响。双侧瞳孔扩大（＞5mm）：青光眼绝对期、濒死状态和阿托品等药物影响。

4. 将气管推向健侧常见于大量胸腔积液、气胸或纵隔肿瘤及单侧甲状腺肿大。将气管拉向患侧常见于肺不张、肺硬化、胸膜粘连等。

第四单元　实验室诊断

考试分值

节	级别＼年份	2019	2020	2021	2022	2023
血液的一般检查	执业	1	0	1	0	0
	助理	1	0	1	0	0
血栓与止血检查	执业	0	0	1	0	0
	助理	0	0	0	0	0
骨髓检查（助理不考）	执业	0	0	0	0	0
肝脏病常用的实验室检查	执业	1	1	0	1	1
	助理	0	1	0	1	1
肾功能检查	执业	0	1	1	0	1
	助理	0	1	0	0	0
常用生化检查	执业	0	1	1	0	0
	助理	0	0	1	0	0
酶学检查	执业	0	0	0	0	1
	助理	0	0	0	1	1
免疫学检查	执业	0	0	0	0	0
	助理	0	0	0	0	0
尿液检查	执业	1	0	1	0	0
	助理	1	0	0	0	0
粪便检查	执业	0	1	0	1	0
	助理	0	0	0	0	0
痰液检查	执业	1	0	0	1	0
	助理	0	0	0	0	0
浆膜腔穿刺液检查	执业	0	0	0	0	0
	助理	0	0	1	0	0
脑脊液检查	执业	0	0	0	0	0
	助理	1	0	0	0	0

第一节　血液的一般检查

一、血红蛋白测定和红细胞计数、红细胞形态变化

1. 参考值

（1）血红蛋白：①男：130 ～ 175g/L；②女：115 ～ 150g/L。

（2）红细胞：①男：（4.3 ～ 5.8）$\times 10^{12}$/L；②女：（3.8 ～ 5.1）$\times 10^{12}$/L。

2. 临床意义　贫血分级见表 4-1。

表 4-1 贫血分级

贫血分级	血红蛋白（Hb）值 /（g/L）
轻度	男性＜ 120，但＞ 90
	女性＜ 110，但＞ 90
中度	60 ～ 90
重度	30 ～ 60
极重度	＜ 30

（1）红细胞及血红蛋白减少

① 生理性减少：见于妊娠中、后期，6 个月至 2 岁的婴幼儿，老年人。

② 病理性减少：临床意义见表 4-2。

表 4-2 红细胞病理性减少临床意义

分类	原因	常见疾病
红细胞生成减少	叶酸及（或）维生素 B_{12} 缺乏	巨幼红细胞贫血
	血红蛋白合成障碍	缺铁性贫血、铁粒幼细胞性贫血
	骨髓造血功能障碍	再生障碍性贫血、白血病
	慢性系统性疾病	慢性感染、恶性肿瘤、慢性肾病
红细胞破坏过多	各种原因引起的溶血性贫血	异常血红蛋白病、珠蛋白生成障碍性贫血、阵发性睡眠性血红蛋白尿、免疫性溶血性贫血、脾功能亢进
红细胞丢失过多	失血过多	各种失血性贫血

（2）红细胞和血红蛋白增多：单位容积循环血液中血红蛋白量、红细胞数高于参考值高限。

诊断标准：成年男性 Hb ＞ 180g/L，RBC ＞ 6.5×10^{12}/L；成年女性 Hb ＞ 170g/L，RBC ＞ 6.0×10^{12}/L。

① 相对性红细胞增多：见于大量出汗、连续呕吐、反复腹泻、大面积烧伤。

② 绝对性红细胞增多：原发性见于真性红细胞增多症。继发性的生理性见于新生儿、高山居民、登山运动员和重体力劳动者；病理性见于阻塞性肺气肿、肺心病、发绀型先天性心脏病。

3. 红细胞形态异常

（1）形态改变

① 球形红细胞：主要见于遗传性球形红细胞增多症、自身免疫性溶血性贫血。

② 椭圆形红细胞：主要见于遗传性椭圆形红细胞增多症，巨幼细胞贫血时可见巨椭圆形红细胞。

③ 靶形红细胞：常见于珠蛋白生成障碍性贫血、异常血红蛋白病，也见于缺铁性贫血等。

④ 口形红细胞：主要见于遗传性口形红细胞增多症，少量可见于 DIC 及乙醇中毒。

⑤ 镰形红细胞：见于镰形细胞性贫血（血红蛋白 S 病）。

⑥ 泪滴形红细胞：主要见于骨髓纤维化，也可见于珠蛋白生成障碍性贫血、溶血性贫血等。

（2）大小改变：见表 4-3。

表 4-3 红细胞大小改变

类型	大小改变	常见疾病
小红细胞	红细胞直径＜ 6μm	小细胞低色素性贫血
大红细胞	红细胞直径＞ 10μm	溶血性贫血、急性失血性贫血、巨幼细胞贫血
巨红细胞	红细胞直径＞ 15μm	巨幼细胞贫血
红细胞大小不均	红细胞大小悬殊，直径可相差一倍以上	增生性贫血，如溶血性贫血、失血性贫血、巨幼细胞贫血

二、白细胞计数和白细胞分类计数、中性粒细胞核象变化

1. 参考值 成人白细胞总数：（3.5 ～ 9.5）$\times 10^9$/L。

2. 临床意义

（1）白细胞数高于 $9.5\times10^9/L$ 称白细胞增多；低于 $3.5\times10^9/L$ 称白细胞减少。

（2）中性粒细胞变化的常见原因见表 4-4。中性粒细胞绝对值＜ $1.5\times10^9/L$ 称为粒细胞减少症，＜ $0.5\times10^9/L$ 称为粒细胞缺乏症。

表 4-4 中性粒细胞变化的常见原因

中性粒细胞增多常见原因	中性粒细胞减少常见原因
急性感染：化脓性感染，如流脑、肺炎、阑尾炎等；某些病毒感染、寄生虫感染	急性感染性疾病，如病毒感染、伤寒、疟疾等
严重组织损伤，如大手术后、急性心肌梗死等	血液病，如再生障碍性贫血、粒细胞缺乏症及恶性组织细胞病等
急性大出血、溶血，如脾破裂或宫外孕、急性溶血	药物及理化因素的作用，如氯霉素、抗肿瘤药物、抗结核药物、抗甲状腺药物、X 线及放射性核素等
急性中毒、恶性肿瘤、类风湿关节炎应用皮质激素	自身免疫性疾病，如系统性红斑狼疮等
异常增生性粒细胞增多见于急、慢性粒细胞性白血病，骨髓增殖性疾病等	脾功能亢进，如肝硬化引起脾大等

（3）中性粒细胞的核象变化见表 4-5。

表 4-5 中性粒细胞的核象变化

核象变化	表现	常见疾病
核左移	周围血中杆状核粒细胞增多（＞5%），并可出现晚幼粒、中幼粒及早幼粒等细胞	各种病原体所致的感染，尤其是急性化脓性感染，也可见于大出血、大面积烧伤、大手术、恶性肿瘤晚期等
核右移	中性粒细胞分叶过多，大部分为 4 ～ 5 叶或更多	巨幼细胞贫血、恶性贫血；若在疾病进行期突然发现核右移，表示预后不良

（4）其他几种细胞增多或减少的原因见表 4-6。

表 4-6 其他几种细胞增多或减少的原因

细胞种类	增多原因	减少原因
嗜酸性粒细胞	变态反应性疾病、寄生虫病、皮肤病、血液病	伤寒、副伤寒、应激状态
嗜碱性粒细胞	慢性粒细胞白血病	一般无临床意义
淋巴细胞	感染性疾病（病毒感染，如麻疹、风疹等；某些杆菌感染，如结核病、百日咳、布鲁氏菌病），某些血液病，急性传染病的恢复期	应用糖皮质激素、烷化剂，接触放射线，免疫缺陷性疾病
单核细胞	某些感染，如感染性心内膜炎、活动性结核病、疟疾及急性感染的恢复期；某些血液病，如单核细胞白血病	一般无临床意义

命题趋势 考试多以 A1 型题为主。

金题直击

1. 下列各项，可出现外周血中性粒细胞减少

A. 糖尿病酮症酸中毒　　B. 急性心肌梗死

C. 急性大出血　　D. 脾功能亢进

E. 恶性肿瘤

【答案】D

【解题思路】

中性粒细胞减少可见于感染性疾病、血液病、自身免疫性疾病、单核 - 巨噬细胞系统功能亢进（脾功能亢进）、药物及理化因素的作用。所以本题选 D。

三、网织红细胞计数

1. **参考值** 成人：0.5% ～ 1.5%。

2. **临床意义**

（1）反映骨髓造血功能状态：网织红细胞诊断意义见表 4-7。

表 4-7 网织红细胞诊断意义

网织红细胞变化	意义	常见疾病
增多	骨髓红细胞系增生旺盛	溶血性贫血、急性失血性贫血
减少	骨髓造血功能减低	再生障碍性贫血、骨髓病性贫血如急性白血病

（2）贫血疗效观察：网织红细胞增高说明贫血治疗有效，减低说明治疗无效。

（3）观察病情变化：网织红细胞逐渐减低，说明溶血或出血已得到控制。

四、血小板计数

1. **参考值** （125 ～ 350）$\times 10^9$/L。

2. **临床意义**

（1）增多：①原发性血小板增多症、慢性粒细胞性白血病、真性红细胞增多症、溶血性贫血、淋巴瘤等。②手术后、急性失血后、创伤、骨折。③某些恶性肿瘤、感染、缺氧。

（2）减少：①原发性血小板减少性紫癜、白血病、再生障碍性贫血、阵发性睡眠性血红蛋白尿、巨幼细胞贫血等。②脾功能亢进、放射病、系统性红斑狼疮、癌的骨髓转移。③某些传染病或感染，如败血症、结核、伤寒。④某些药物过敏，如氯霉素、抗癌药等。

考试多以 A1 型题为主。

金题直击

2. 正常成人血小板计数的参考值是

A.（4 ～ 10）$\times 10^9$/L
B.（50 ～ 90）< 10^9/L
C.（50 ～ 90）< 10^{12}/L
D.（125 ～ 350）$\times 10^9$/L
E.（400 ～ 600）$\times 10^9$/L

【答案】D

【解题思路】

正常成人血小板计数参考值为（125 ～ 350）$\times 10^9$/L。所以本题选 D。

3. 血小板减少，常见于

A. 脾切除术后
B. 急性胃出血后
C. 急性溶血后
D. 急性白血病
E. 以上均非

【答案】D

【解题思路】

血小板减少见于血小板减少性紫癜、脾功能亢进、再生障碍性贫血和白血病等。A 见于血小板增多，B、C 以血红蛋白减少为常见。所以本题选 D。

五、红细胞沉降率测定

1. **参考值** 成年男性 0 ～ 15mm/h；成年女性 0 ～ 20mm/h。

2. **临床意义**

（1）生理性增快：见于女性月经期、妊娠、老年人。

（2）病理性增快：①各种炎症，如细菌性急性炎症、风湿热和结核病活动期。②组织损伤及坏死，心肌梗死等。③恶性肿瘤。④各种原因导致的高球蛋白血症，如多发性骨髓瘤、感染性心内膜炎、系统性红斑狼疮、肾炎、肝硬化等。⑤贫血和高胆固醇血症。

六、C 反应蛋白（CRP）检测

CRP 是一种能与肺炎链球菌 C- 多糖发生反应的急性时相反应蛋白。主要由肝脏产生，广泛存在于血清和其他体液中，具有激活补体、促进吞噬和免疫调理的作用。CRP 测定对炎症、组织损伤、恶性肿瘤等疾病的诊断及疗效观察有重要意义。

1. 参考值　免疫扩散法：血清＜ 10mg/L。

2. 临床意义　CRP 增高见于各种急性化脓性炎症、菌血症、组织坏死、恶性肿瘤等的早期。可作为细菌感染与非细菌感染、器质性与功能性疾病的鉴别指标，一般细菌性感染、器质性疾病 CRP 增高。

第二节　血栓与止血检查

一、出血时间测定

1. 参考值　（6.9±2.1）min（测定器法），超过 9min 为异常。

2. 临床意义　出血时间延长临床意义见表 4-8。

表 4-8　出血时间延长临床意义

出血时间（BT）	临床意义
延长	血小板显著减少：血小板减少性紫癜。 血小板功能异常：血小板无力症、巨大血小板综合征。 毛细血管壁异常：维生素 C 缺乏症、遗传性出血性毛细血管扩张症。 凝血因子严重缺乏：血管性血友病、弥散性血管内凝血（DIC）

二、血小板聚集试验（助理不考）

1. 参考值　采用血小板聚集仪比浊法进行血小板聚集试验（PAgT），因加入的血小板致聚剂不同，参考值不同。

2. 临床意义

（1）PAgT 增高：反映血小板聚集功能增强，见于血栓前状态和血栓性疾病，如糖尿病、脑血管疾病、高脂血症、抗原 - 抗体复合物反应、心肌梗死、心绞痛、人工心脏和瓣膜移植术等。

（2）PAgT 减低：反映血小板聚集功能减低，见于血小板无力症、骨髓增生性疾病、原发性血小板减少性紫癜、尿毒症、肝硬化、急性白血病等。

三、凝血因子检测

（一）活化部分凝血活酶原时间（APTT）测定

APTT 是反映内源性凝血系统各凝血因子总的凝血状况的筛选试验。

1. 参考值　32 ～ 43s（手工法），较正常对照延长 10s 以上为异常。

2. 临床意义　见表 4-9。

表 4-9　APTT 临床意义

APTT 变化	原因	常见疾病
APTT 延长	血浆Ⅷ、Ⅸ、Ⅺ因子缺乏	重症 A、B 型血友病和遗传性因子Ⅺ缺乏症。
	凝血酶原严重减少	先天性凝血酶原缺乏症
	纤维蛋白原严重减少	先天性纤维蛋白缺乏症
	纤溶亢进	DIC 后期继发纤溶亢进
	—	APTT 是监测肝素治疗的首选指标
APTT 缩短	血栓性疾病和血栓前状态	DIC 早期、脑血栓形成、心肌梗死（但灵敏度、特异度差）

（二）血浆凝血酶原时间（PT）测定

1. 参考值　11～13s。应有正常对照，超过正常对照3s以上为异常。

2. 临床意义

（1）PT延长：先天性凝血因子异常见于因子Ⅱ、Ⅴ、Ⅶ、Ⅹ减少及纤维蛋白原减少；后天性凝血因子异常见于严重肝病、维生素K缺乏、DIC后期及应用抗凝药物。

（2）PT缩短：主要见于血液高凝状态，如DIC早期、脑血栓形成、心肌梗死、深静脉血栓形成、多发性骨髓瘤等。

（三）血浆纤维蛋白原（Fg）测定

1. 参考值　2～4g/L（凝血酶比浊法）。

2. 临床意义

（1）Fg增高：见于糖尿病、急性心肌梗死、急性肾炎、休克、大手术后、急性感染、妊娠高血压综合征、多发性骨髓瘤、恶性肿瘤及血栓前状态等。

（2）Fg减低：见于DIC、原发性纤维蛋白溶解症、重症肝炎和肝硬化等。

四、纤溶活性检测（助理不考）

（一）血浆D-二聚体测定

1. 参考值　0～0.256mg/L。

2. 临床意义　本试验为鉴别原发性与继发性纤溶症的重要指标。

（1）继发性纤溶症：为阳性或增高，见于DIC，恶性肿瘤，各种栓塞，心、肝、肾疾病等。D-二聚体增高对诊断肺栓塞、肺梗死有重要意义。

（2）原发性纤溶症：为阴性或不升高。

（二）血浆硫酸鱼精蛋白副凝固试验（3P试验）

1. 参考值　阴性。

2. 临床意义　阳性见于DIC的早、中期，但恶性肿瘤、上消化道出血、外科大手术后、败血症、肾小球疾病、人工流产、分娩等也可出现假阳性。阴性见于正常人、晚期DIC和原发性纤溶症。

五、口服抗凝药治疗监测（助理不考）

世界卫生组织（WHO）推荐应用国际标准化比值（INR）作为首选口服抗凝药治疗监测的指标。血浆凝血酶原时间（PT）测定是对口服抗凝药治疗监测简便、敏感、快速、实用的实验室首选指标。INR是患者凝血酶原时间与正常对照凝血酶原时间之比的ISI次方（ISI：国际敏感度指数，试剂出厂时由厂家确定的）。

1. 参考值　0.8～1.5。

2. 临床意义　WHO规定应用口服抗凝药治疗的最佳抗凝强度时INR的允许范围如下。

（1）术前两周或术中口服抗凝药，INR为1.5～3.0。

（2）原发或继发静脉血栓的预防，INR为2.0～3.0。

（3）活动性静脉血栓、肺梗死、复发性静脉血栓的预防，INR为2.0～4.0。

（4）动脉血栓栓塞的预防、心脏换瓣术后，INR为2.0～3.5。

第三节　骨髓检查（助理不考）

一、骨髓细胞学检查的临床意义

1. 诊断造血系统疾病　最有价值。如对各型白血病、恶性组织细胞病、多发性骨髓瘤、巨幼细胞贫血、再生障碍性贫血、典型缺铁性贫血等，有确定诊断的作用。

2. 诊断其他非造血系统疾病　某些感染性疾病如疟疾、黑热病、感染性心内膜炎、伤寒，某些骨髓转移癌（瘤）等，因在骨髓涂片中能查到相应的病原体或特殊细胞而可以确诊。

3. 鉴别诊断的应用　原因不明的发热，恶病质，骨痛，关节痛，肝、脾、淋巴结肿大等，行骨髓细胞学检查有助于诊断及鉴别。

二、骨髓增生程度分级

骨髓增生程度分级见表 4-10。

表 4-10 骨髓增生程度分级

增生程度	成熟红细胞：有核细胞	有核细胞 /%	常见原因
极度活跃	1∶1	＞50	各种白血病
明显活跃	10∶1	10～50	白血病、增生性贫血、骨髓增殖性疾病
活跃	20∶1	1～10	正常骨髓、某些贫血
减低	50∶1	0.5～1	非重型再障、粒细胞减少或缺乏症
极度减低	200∶1	＜0.5	重型再障

第四节 肝脏病常用的实验室检查

一、蛋白质代谢检查

（一）血清蛋白测定

1. 参考值

（1）血清总蛋白（STP）：60～80g/L。

（2）白蛋白（A）：40～55g/L。

（3）球蛋白（G）：20～30g/L。

（4）A/G：（1.5～2.5）∶1。

2. 临床意义 STP＜60g/L 或 A＜25g/L，称为低蛋白血症；STP＞80g/L 或 G＞35g/L，称为高蛋白血症或高球蛋白血症。血清总蛋白及白蛋白减低见于以下疾病。

（1）肝脏本身病变：①肝炎、肝硬化、肝癌等慢性肝病时，白蛋白减少、球蛋白增加、A/G 比值减小。②肝功能严重损害时，如重度慢性肝炎、肝硬化，A/G 比值倒置（A/G＜1）。

（2）肝外疾病：①蛋白质摄入不足或消化吸收不良，如营养不良。②蛋白质丢失过多，如肾病综合征、大面积烧伤、急性大出血等。③消耗增加，见于慢性消耗性疾病，如重症结核、甲状腺功能亢进症、恶性肿瘤等。低蛋白血症时患者易出现严重水肿及胸腔积液、腹水。

（二）血清蛋白电泳

1. 参考值 醋酸纤维素膜法：白蛋白 0.62～0.71（62%～71%）；α_1 球蛋白 0.03～0.04（3%～4%）；α_2 球蛋白 0.06～0.10（6%～10%）；β 球蛋白 0.07～0.11（7%～11%）；γ 球蛋白 0.09～0.18（9%～18%）。

2. 临床意义

（1）肝脏疾病：慢性肝炎、肝硬化、肝癌，表现为血清白蛋白及 α_1、α_2、β 球蛋白减低，γ 球蛋白增高。重度慢性肝炎和失代偿性肝硬化，γ 球蛋白增高。

（2）M 球蛋白血症：多发性骨髓瘤、原发性巨球蛋白血症等，白蛋白减低，γ 球蛋白明显增高。

（3）肾病综合征、糖尿病肾病：由于血脂增高，可致 α_2 及 β 球蛋白增高，白蛋白、γ 球蛋白减低。

（4）其他：结缔组织病伴有多克隆 γ 球蛋白增高；先天性低丙种球蛋白血症，γ 球蛋白减低。

二、胆红素代谢检查

（一）血清总胆红素、结合胆红素、非结合胆红素测定

1. 参考值

（1）血清总胆红素（STB）：3.4～17.1μmol/L。

（2）结合胆红素（CB）：0～6.8μmol/L。

（3）非结合胆红素（UCB）：1.7～10.2μmol/L。

2. 临床意义 判断有无黄疸；反映黄疸程度；鉴别黄疸类型。

（二）尿胆红素定性试验

1. 参考值　正常定性为阴性。

2. 临床意义　尿胆红素定性试验阳性提示血液中 CB 增高。肝细胞性黄疸为阳性；阻塞性黄疸为强阳性；溶血性黄疸为阴性。

（三）尿胆原检查

1. 参考值

（1）定性：阴性或弱阳性反应（阳性稀释度在 1∶20 以下）。

（2）定量：0.84 ～ 4.2μmol/24h 尿。

2. 临床意义

（1）尿胆原增高：溶血性黄疸时明显增高；肝细胞黄疸时可增高；其他，如发热、心力衰竭、肠梗阻、顽固性便秘等尿胆原也可增高。

（2）尿胆原减低：阻塞性黄疸时尿胆原减低和缺如；新生儿及长期应用广谱抗生素者，由于肠道菌群受抑制，使肠道尿胆原生成减少。

三种类型黄疸实验室检查鉴别见表 4-11。

表 4-11　三种类型黄疸实验室检查鉴别

类型	STB	CB	UCB	CB/STB	尿胆原	尿胆红素
溶血性黄疸	↑↑	轻度↑或正常	↑↑	＜ 20%	强（+）	（-）
阻塞性黄疸	↑↑	↑↑	轻度↑或正常	＞ 50%	（-）	强（+）
肝细胞性黄疸	↑↑	↑	↑	20% ～ 50%	（+）或（-）	（+）

三、血清酶及同工酶检查

（一）血清氨基转移酶

1. 参考值　丙氨酸氨基转移酶（ALT）5 ～ 40U/L；天门冬氨酸氨基转移酶（AST）8 ～ 40U/L。ALT/AST ≤ 1。

2. 临床意义

（1）肝脏疾病：①急性病毒性肝炎：ALT 与 AST 均显著升高，以 ALT 升高更加明显。②急性重症肝炎：AST 明显升高，但在病情恶化时，黄疸进行性加深，酶活性反而降低，即出现胆 - 酶分离现象，提示肝细胞严重坏死，预后不良。

（2）急性心肌梗死：急性心肌梗死发生后 6 ～ 8h，AST 增高。

（二）碱性磷酸酶（ALP）

1. 参考值　成人 40 ～ 110 U/L，儿童＜ 250 U/L。

2. 升高的临床意义

（1）胆道阻塞性疾病。

（2）肝炎肝硬化。

（3）阻塞性黄疸（ALP 明显增高）。

（4）骨骼疾病如纤维性骨炎、佝偻病、骨软化症、成骨细胞瘤等。

（三）γ- 谷氨酰转移酶（γ-GT）

1. 参考值　＜ 50U/L。

2. 升高的临床意义

（1）胆道阻塞性疾病。

（2）肝脏疾病：肝癌，γ-GT 明显升高；急性肝炎，γ-GT 呈中等度升高，慢性肝炎、肝硬化，γ-GT 持续升高，提示病变活动或病情恶化；急性和慢性酒精性肝炎、药物性肝炎，γ-GT 明显或中度以上升高。

（3）其他疾病：脂肪肝、胰腺炎、胰腺肿瘤、前列腺肿瘤等。

（四）乳酸脱氢酶（LDH）

1. 参考值

（1）LDH 总活性：连续检测法为 104 ～ 245 U/L，速率法（30℃）为 95 ～ 200 U/L。

（2）LDH 同工酶：正常人 LDH_2 > LDH_1 > LDH_3 > LDH_4 > LDH_5。

（3）圆盘电泳法：LDH_1 32.7%±4.6%；LDH_2 45.1%±3.53%；LDH_3 18.5%±2.69%；LDH_4 2.9%±0.89%；LDH_5 0.85%±0.55%。

2. 升高的临床意义

（1）肝脏疾病，如肝炎、肝癌，尤其是转移性肝癌时 LDH 显著升高。

（2）急性心肌梗死。

（3）其他疾病，如恶性肿瘤和恶性贫血。

四、甲、乙、丙型病毒性肝炎标志物检查

（一）甲型肝炎病毒标志物检测

1. 抗 HAV-IgM 是早期诊断甲肝的特异性抗体。

2. 抗 HAV-IgG 代表着抗 HAV 总抗体，是保护性抗体，一般在感染 HAV 3 周后出现在血清中，2 ～ 3 个月达高峰，病愈后可长期存在，是获得免疫力的标志，提示既往感染，对流行病学调查和接种疫苗效果的观察有重要意义。

（二）乙型肝炎病毒标志物检测

1. 乙肝病毒的检测项目及阳性意义　见表 4-12。

表 4-12　乙肝病毒的检测项目及阳性意义

检测项目	阳性意义
HBsAg（表面抗原）	感染 HBV，见于 HBV 携带者或乙肝患者，无传染性
抗 -HBs（表面抗体）	注射过乙肝疫苗或曾感染过 HBV，目前 HBV 已被清除者，为保护性抗体
HBeAg（e 抗原）	有 HBV 复制，传染性强
抗 -HBe（e 抗体）	HBV 大部分被清除或抑制，传染性降低
抗 -HBc（核心抗体）	曾经或正在感染 HBV，是诊断急性乙肝和判断病毒复制活跃的重要指标

2. 大三阳与小三阳的临床意义　见表 4-13。

表 4-13　大三阳与小三阳的临床意义

大三阳			小三阳		
HBsAg（表面抗原）	阳性	HBV 正在大量复制，有较强的传染性	HBsAg（表面抗原）	阳性	HBV 复制减少，传染性降低
HBeAg（e 抗原）			抗 -HBe（e 抗体）		
抗 -HBc（核心抗体）			抗 -HBc（核心抗体）		

命题趋势　考试多以 A1、B1 型题为主。

金题直击

作为机体获得对 HBV 免疫力及乙型肝炎患者痊愈的指标是

A. HBsAg（+）　　B. 抗 -HBs（+）

C. HBeAg（+）　　D. 抗 -HBc（+）

E. 抗 -HBe（+）

【答案】B

【解题思路】

乙肝五项检测项目阳性意义：HBsAg（表面抗原）提示感染 HBV，见于 HBV 携带者或乙肝患者，无

传染性；抗 -HBs（表面抗体）提示注射过乙肝疫苗或曾感染过 HBV，目前 HBV 已被清除者，为保护性抗体；HBeAg（e 抗原）提示有 HBV 复制，传染性强；抗 -HBe（e 抗体）提示 HBV 大部分被清除或抑制，传染性降低；抗 -HBc（核心抗体）提示曾经或正在感染 HBV，是诊断急性乙肝和判断病毒复制活跃的重要指标。

【易错点】

抗原与抗体的英文缩写要记住，阳性意义易混淆。

（三）丙型肝炎病毒标志物检测

丙型肝炎抗体是有传染性的标志而不是保护性抗体（与乙肝抗体的本质区别）。

1. 丙型肝炎抗体 抗 HCV-IgM 阳性见于急性丙型肝炎患者。抗 HCV-IgG 阳性表明已有 HCV 感染。输血后有 80% ～ 90% 的肝炎患者抗 HCV-IgG 阳性。

2. HCV-RNA 的检测 阳性提示 HCV 复制活跃，传染性强，治愈后很快消失。

第五节　肾功能检查

一、肾小球功能检测

（一）内生肌酐清除率（Ccr）测定

内生肌酐清除率大致等于肾小球滤过率，是测定肾小球滤过功能较为有效的方法。

1. 参考值 成人 80 ～ 120mL/min。

2. 临床意义

（1）判断肾小球损害的敏感指标。能较早地反映肾小球滤过功能，当 Ccr 降低到 50mL/min 时，大部分患者血尿素氮、血肌酐仍在正常范围。

（2）评估肾功能损害的程度。肾功能损害程度分期见表 4-14。

（3）指导临床用药。

表 4-14　肾功能损害程度分期

肾功能损害程度分期	Ccr 值 /（mL/min）
肾衰竭代偿期	51 ～ 80
肾衰竭失代偿期	20 ～ 50
肾衰竭期	10 ～ 19
肾衰竭终末期（尿毒症期）	＜ 10

（二）血清肌酐（Cr）测定

血 Cr 可反映肾小球的滤过功能，敏感性优于血尿素氮，是评价肾功能损害程度的重要指标。血 Cr 增高的程度与慢性肾衰竭呈正相关。

1. 参考值 全血 Cr：88 ～ 177μmol/L。血清或血浆 Cr：男性 53 ～ 106μmol/L，女性 44 ～ 97μmol/L。

2. 临床意义

（1）评估肾功能损害程度：肾衰竭分期见表 4-15。

表 4-15　肾衰竭分期

分期	Cr 值 /（μmol/L）
代偿期	＜ 178
失代偿期	178 ～ 445
衰竭期	＞ 445

（2）鉴别肾前性和肾实质性少尿：①肾前性少尿，血 Cr 增高≤ 200μmol/L；②肾实质性少尿，血 Cr 增高＞ 200μmol/L。

（三）血清尿素氮（BUN）测定

BUN 能反映肾小球滤过功能，各种肾脏疾病都可以使 BUN 增高，而且常受肾外因素的影响。

1. 参考值 成人 3.2 ～ 7.1mmol/L。

2. 临床意义 血清尿素氮增高的临床意义见表 4-16。

表 4-16 血清尿素氮增高的临床意义

分类	疾病
肾前性因素	肾血流量减少：脱水、心功能不全、休克、水肿、腹水等； 蛋白质分解过盛：急性传染病、脓毒血症、上消化道出血、大面积烧伤、大手术后和甲亢等
肾性因素	慢性肾炎、肾动脉硬化症、严重肾盂肾炎、肾结核和肾肿瘤的晚期
肾后性因素	尿路结石、前列腺增生、泌尿生殖系统肿瘤等
BUN/Cr 意义	肾前性少尿，BUN/Cr ＞ 10 ∶ 1；器质性肾衰竭，BUN/Cr ＜ 10 ∶ 1

（四）血 β_2- 微球蛋白（β_2-MG）测定

β_2-MG 主要分布在血浆、尿、脑脊液、唾液及初乳中。正常人血中 β_2-MG 浓度很低。在 GFR 下降时，血中 β_2-MG 增高，故 β_2-MG 测定可反映肾小球的滤过功能。

1. 参考值 正常人血中 β_2-MG 为 1 ～ 2mg/L。

2. 临床意义

（1）β_2-MG 测定是反映肾小球滤过功能减低的敏感指标。在评估肾小球滤过功能上，β_2-MG 增高比血 Cr 更灵敏，在 Ccr ＜ 80mL/min 时即可出现，而此时血 Cr 浓度多无改变。若同时出现血和尿 β_2-MG 增高，但血 β_2-MG ＜ 5mg/L，则说明肾小球和肾小管功能可能均受损。

（2）任何使 β_2-MG 合成增多的疾病也可导致 β_2-MG 增高，如恶性肿瘤、IgG 肾病及各种炎症性疾病。

（3）近端肾小管功能受损时，对 β_2-MG 重吸收减少，尿液中 β_2-MG 排出量增加。

（五）肾小球滤过率（GFR）测定

1. 参考值 男性：（125±15）mL/min；女性：约低 10%。

2. 临床意义

（1）GFR 减低：见于各种原发性、继发性肾脏疾病。GFR 是反映肾功能最灵敏、最准确的指标。

（2）GFR 增高：常见于肢端肥大症、巨人症、糖尿病肾病早期等。

二、肾小管功能检测

（一）尿 β_2- 微球蛋白（β_2-MG）测定

正常人 β_2-MG 可自由经肾小球滤过入原尿，但原尿中 99.9% 的 β_2-MG 在近端肾小管内被重吸收，仅微量自尿中排出。尿 β_2-MG 测定可反映近端肾小管的重吸收功能。

1. 参考值 正常成人尿 β_2-MG ＜ 0.3mg/L。

2. 临床意义

（1）尿 β_2-MG 增高，见于肾小管 - 间质性疾病、药物或毒物所致的早期肾小管损伤、肾移植后急性排斥反应早期。

（2）应同时检测血 β_2-MG 和尿 β_2-MG，只有血 β_2-MG ＜ 5mg/L 时，尿 β_2-MG 增高才反映肾小管损伤。

（二）昼夜尿比密试验（莫氏试验）

莫氏试验可了解肾脏的稀释 - 浓缩功能，是反映远端肾小管和集合管功能状态的敏感试验。

1. 参考值 成人尿量（1000 ～ 2000）mL/24h；昼尿量 / 夜尿量比值（3 ～ 4）∶1；夜尿量＜ 750mL；至少 1 次尿比密＞ 1.018；昼尿中最高与最低尿比密差值＞ 0.009。

2. 临床意义 莫氏试验用于诊断各种疾病对远端肾小管稀释 - 浓缩功能的影响。

（1）尿少、比密高：肾前性少尿，见于各种原因引起的肾血容量不足；肾性少尿，见于急性肾炎及其他影响 GFR 的情况。

（2）夜尿多、比密低：提示肾小管功能受损，见于慢性肾炎、间质性肾炎、高血压肾病等。由于慢性肾脏病变致肾小管稀释 - 浓缩功能受损，患者夜尿量增多，尿最高比密＜ 1.018，尿最高与最低比密差＜ 0.009。

（3）尿比密低而固定：尿比密固定在 1.010 ～ 1.012，称为等渗尿，见于肾脏病变晚期，提示肾小管重吸收功能很差，浓缩稀释功能丧失。

（4）尿量明显增多（＞ 4L/24h），尿比密均＜ 1.006，为尿崩症的典型表现。

三、血尿酸测定（助理不考）

血尿酸（UA）可自由经肾小球滤过入原尿，但原尿中 90% 左右的 UA 在近端肾小管处被重吸，血尿酸浓度受肾小球滤过功能和肾小管重吸收功能的影响。

1. 参考值　男性 149 ～ 416μmol/L；女性 89 ～ 357μmol/L。

2. 临床意义

（1）血 UA 增高：①肾小球滤过功能损伤，见于急性或慢性肾炎、肾结核等。在反映早期肾小球滤过功能损伤方面，血 UA 比血 Cr 和 BUN 敏感。②痛风。血 UA 明显增高是诊断痛风的主要依据，主要是由于嘌呤代谢紊乱而使体内 UA 生成异常增多所致。③恶性肿瘤、糖尿病、长期禁食等，血 UA 也可增高。

（2）血 UA 减低：①各种原因所致的肾小管重吸收 UA 功能损害。②肝功能严重损害所致的 UA 生成减少。

第六节　常用生化检查

一、糖代谢检查

（一）空腹血糖（FPG）测定

1. 参考值　葡萄糖氧化酶法：3.9 ～ 6.1mmol/L（70 ～ 110mg/L）。

2. 临床意义

（1）FPG ＞ 7.0mmol/L 称为高糖血症。

（2）FPG ＞ 9.0mmol/L 时尿糖阳性。

（3）FPG ＜ 3.9mmol/L 时为血糖减低。

（4）FPG ＜ 2.8mmol/L 称为低糖血症。

空腹血糖测定诊断见表 4-17。

表 4-17　空腹血糖测定诊断

FBG	生理性	疾病种类	常见疾病
增高	餐后 1 ～ 2h、高糖饮食、剧烈运动、情绪激动等	—	各型糖尿病
		内分泌疾病	如甲状腺功能亢进症、肢端肥大症、巨人症、嗜铬细胞瘤、肾上腺皮质功能亢进症、胰高血糖素瘤等
		应激性因素	如颅脑外伤、急性脑血管病、中枢神经系统感染、心肌梗死、大面积烧伤等
		肝脏和胰腺疾病	如严重肝损害、坏死性胰腺炎、胰腺癌等
		其他	如呕吐、脱水、缺氧、麻醉等
减低	饥饿、长时间剧烈运动等	胰岛素分泌过多	如胰岛 β 细胞增生或肿瘤、胰岛素用量过大、口服降糖药等
		对抗胰岛素的激素缺乏	如生长激素、肾上腺皮质激素、甲状腺激素缺乏等
		肝糖原储存缺乏	如重型肝炎、肝硬化、肝癌等严重肝病
		—	急性酒精中毒
		消耗性疾病	如严重营养不良、恶病质

（二）葡萄糖耐量试验（GTT）

GTT 是检测葡萄糖代谢功能的试验，主要用于诊断症状不明显或血糖增高不明显的可疑糖尿病。现多采用 WHO 推荐的 75g 葡萄糖标准口服葡萄糖耐量试验（OGTT）。

1. OGTT 的适应证

（1）无糖尿病症状，随机血糖或 FPG 异常。

（2）无糖尿病症状，但有糖尿病家族史。

（3）有糖尿病症状，但 FPG 未达到诊断标准。

（4）有一过性或持续性糖尿者。

（5）分娩巨大胎儿的女性。

（6）原因不明的肾脏疾病或视网膜病变。

2. 参考值

（1）FPG：3.9 ～ 6.1mmol/L。

（2）服糖后 0.5 ～ 1h 血糖达高峰，一般在 7.8 ～ 9.0mmol/L，峰值＜ 11.1mmol/L。

（3）服糖后 2h 血糖（2hPG）＜ 7.8mmol/L。

（4）服糖后 3h 血糖恢复至空腹水平。

（5）每次尿糖均为阴性。

3. 临床意义

（1）诊断糖尿病：FPG ≥ 7.0mmol/L；OGTT 2hPG ≥ 11.1mmol/L，随机血糖＞ 11.1mmol/L。

（2）判断糖耐量异常：FPG ＜ 7.0 mmol/L，2h PG7.8 ～ 11.1mmol/L，且血糖到达高峰时间延长至 1h 后，血糖恢复正常时间延长至 2 ～ 3h 后，同时伴尿糖阳性者为糖耐量异常，其中 1/3 最终转为糖尿病。糖耐量异常常见于 2 型糖尿病、肢端肥大症、甲状腺功能亢进症等。

（3）确定空腹血糖受损（IFG）：FPG6.1 ～ 6.9 mmol/L，2hPG ＜ 7.8 mmol/L。

（三）血清糖化血红蛋白（GHb）检测

GHb 是血红蛋白 A_1（HbA_1）与糖类非酶促反应的产物。GHb 分为 3 种，其中 HbA_1c（HbA_1 与葡萄糖结合）含量最高，占 60% ～ 80%，是临床最常检测的部分。GHb 不受血糖浓度暂时波动的影响，是糖尿病诊断和监控的重要指标。GHb 对高血糖，特别是血糖和尿糖波动较大时有特殊的诊断意义。

1. 参考值　HbA_1 5% ～ 8%，HbA_1c 4% ～ 6%。

2. 临床意义　GHb 水平取决于血糖水平、高血糖持续时间，其生成量与血糖浓度成正比，且反映的是近 2 ～ 3 个月的平均血糖水平。

（1）评价糖尿病的控制程度：GHb 增高提示近 2 ～ 3 个月糖尿病控制不良，故 GHb 水平可作为糖尿病长期控制程度的监控指标。

（2）鉴别诊断：糖尿病性高血糖 GHb 增高，应激性高血糖 GHb 则正常。

命题趋势　考试多以 A1、B1 型题为主。

金题直击

1. 糖尿病患者糖化血红蛋白的控制范围是

A. 2% ～ 3%　　B. 4% ～ 6%

C. 5% ～ 8%　　D. 8% ～ 10%

E. 10% ～ 12%

【答案】B

【解题思路】

糖化血红蛋白是糖尿病诊断和监控的重要指标。其正常值为 4% ～ 6%。所以本题选 B。

2. 引起病理性血糖升高的原因不包括下列哪种疾病

A. 甲状腺功能亢进症　　B. 嗜铬细胞瘤

C. 糖尿病　　D. 肾上腺皮质功能亢进症

E. 胰岛细胞瘤

【答案】E

【解题思路】

血糖病理性增高见于各型糖尿病；内分泌疾病，如甲状腺功能亢进症、巨人症、肢端肥大症、皮质醇增多症、嗜铬细胞瘤和胰高血糖素瘤等；应激性因素，如颅内压增高、颅脑损伤、中枢神经系统感染、心肌梗死、大面积烧伤、急性脑血管病等；药物影响，如噻嗪类利尿剂、口服避孕药、泼尼松等；肝脏和胰腺疾病；如严重的肝病、坏死性胰腺炎、胰腺癌等；其他，如高热、呕吐、腹泻、脱水、麻醉和缺氧等。所以本题选 E。

二、血脂测定

血脂是血清中脂质的总称，包括总胆固醇、甘油三酯、磷脂、游离脂肪酸等。血脂检测的适应证是早期识别动脉粥样硬化的危险性、使用降脂药物治疗的监测。

（一）血清总胆固醇（TC）测定

1. 参考值

（1）合适水平：＜ 5.18mmol/L。

（2）边缘水平：5.18 ～ 6.19mmol/L。

（3）增高：＞ 6.22mmol/L。

2. 临床意义

（1）TC 增高：① TC 增高是动脉粥样硬化的危险因素之一，常见于动脉粥样硬化所致的心、脑血管疾病。②长期高脂饮食、精神紧张、吸烟、饮酒等。③各种高脂蛋白血症、甲状腺功能减退症、糖尿病、肾病综合征、阻塞性黄疸、类脂性肾病等。

（2）TC 减低：①严重肝脏疾病，如急性重型肝炎、肝硬化等。②严重贫血、营养不良和恶性肿瘤。③甲状腺功能亢进症等。

（二）血清甘油三酯（TG）测定

1. 参考值

（1）合适范围：＜ 1.70mmol/L（150mg/dL）。

（2）边缘升高：1.70 ～ 2.25mmol/L（150 ～ 199mg/dL）。

（3）升高：≥ 2.26mmol/L（200mg/dL）。

2. 临床意义

（1）TG 增高：是动脉粥样硬化的危险因素之一，常见于动脉粥样硬化症、糖尿病、肾病综合征、甲状腺功能减退症、冠心病、原发性高脂血症、肥胖症、痛风、阻塞性黄疸和高脂饮食等。

（2）TG 减低：见于肾上腺皮质功能减退症、甲状腺功能亢进症、严重肝脏疾病等。

（三）血清脂蛋白测定

1. 高密度脂蛋白（HDL）测定　临床上通过检测高密度脂蛋白 - 胆固醇（HDL-C）的含量来反映 HDL 水平。

（1）参考值

① 合适范围：≥ 1.04 mmol/L（40mg/dL）。

② 升高：≥ 1.55 mmol/L（60mg/dL）。

③ 降低：＜ 1.04 mmol/L（40mg/dL）。

（2）临床意义：① HDL-C 增高：HDL-C 水平增高有利于外周组织清除胆固醇，防止动脉粥样硬化的发生。HDL-C 与 TG 呈负相关，也与冠心病发病呈负相关，故 HDL-C 水平高的个体患冠心病的危险性小。② HDL-C 减低：常见于动脉粥样硬化症、心脑血管疾病、糖尿病、肾病综合征等。

2. 低密度脂蛋白（LDL）测定　临床上通过检测低密度脂蛋白 - 胆固醇（LDL-C）的含量来反映 LDL 水平。

（1）参考值

① 合适范围：＜ 3.37mmol/L（130mg/dL）。

② 边缘升高：3.37 ～ 4.12mmol/L（130 ～ 159mg/dL）。

③ 升高：≥ 4.12mmol/L（159mg/dL）。

（2）临床意义：① LDL-C 增高：判断发生冠心病的危险性，LDL-C 是动脉粥样硬化的危险因素之一，

LDL-C 水平增高与冠心病发病呈正相关；还可见于肥胖症、肾病综合征、甲状腺功能减退症、阻塞性黄疸等。② LDL-C 减低：见于无 β- 脂蛋白血症、甲状腺功能亢进症、肝硬化和低脂饮食等。

三、电解质检查

（一）血清钾测定

1. **参考值** 3.5 ～ 5.3mmol/L。

2. **临床意义**

（1）血清钾降低：①丢失过多，如严重呕吐、腹泻或胃肠减压，长期应用排钾利尿剂及肾上腺皮质激素。②摄入不足，如长期低钾饮食、禁食或厌食等。③分布异常：细胞外液稀释，如心功能不全、肾性水肿等；细胞外钾内移，如大量应用胰岛素、碱中毒等。

（2）血清钾增高：①肾脏排钾减少，如急、慢性肾功能不全及肾上腺皮质功能减退等。②摄入或注射大量钾盐，超过肾脏排钾能力。③严重溶血或组织损伤，红细胞或组织的钾大量释放入细胞外液。④组织缺氧或代谢性酸中毒时大量细胞内的钾转移至细胞外。

（二）血清钠测定

1. **参考值** 137 ～ 147mmol/L。

2. **临床意义**

（1）血清钠降低：临床上较常见。①胃肠道失钠：如幽门梗阻、呕吐、腹泻，胃肠道、胆道、胰腺手术后造瘘、引流等。②尿钠排出增多：见于严重肾盂肾炎、肾小管严重损害、肾上腺皮质功能不全、糖尿病及应用利尿剂治疗等。③皮肤失钠：如大量出汗、大面积烧伤。④消耗性低钠：如肺结核、肿瘤等慢性消耗性疾病等。

（2）血清钠增高：临床上较少见，可因过多地输入含钠盐的溶液、肾上腺皮质功能亢进、脑外伤或急性脑血管病等所致。

（三）血清氯测定

1. **参考值** 96 ～ 108mmol/L。

2. **临床意义**

（1）血清氯减低：见于消化道液体大量丢失、呕吐、胃肠造瘘、急性肾功能不全等。

（2）血清氯增高：见于急性或慢性肾衰竭少尿期、尿路梗阻、呼吸性碱中毒、氯化物摄入过多、高渗性脱水等。

（四）血清钙测定

1. **参考值** 血清总钙为 2.2 ～ 2.7mmol/L；离子钙为 1.10 ～ 1.34mmol/L。

2. **临床意义**

（1）血清钙降低：①钙摄入不足和吸收不良。②成骨作用增强，如甲状旁腺功能减退等。③钙吸收障碍，如维生素 D 缺乏症。④肾脏疾病，如慢性肾炎累及肾小管时影响钙的重吸收，血磷升高而血钙降低。⑤急性坏死性胰腺炎、代谢性碱中毒等。

（2）血清钙增高：①摄入钙过多，如静脉用钙过量。②溶骨作用增强，如甲状旁腺功能亢进症、多发性骨髓瘤、骨转移癌及骨折后。③吸收增加，如大量应用维生素 D。

（五）血清磷测定

1. **参考值** 0.97 ～ 1.61mmol/L。

2. **临床意义**

（1）血清磷减低：可由于小肠磷吸收减低、肾排磷增加、磷向细胞内转移等原因引起。可见于下述情况。①原发性或继发性甲状旁腺功能亢进：都可使无机磷随尿排出增多，造成低磷血症。②维生素 D 缺乏：可使小肠磷吸收降低，尿排磷增加，导致低磷血症，可见于佝偻病、软骨病等。③肾小管病变：如 Fanconi 综合征，肾小管重吸收功能障碍，尿磷排泄量增加，血磷下降。

（2）血清磷升高：①甲状旁腺功能减退：可见于原发性甲状旁腺功能减退、继发性甲状腺功能减退（如甲状腺手术不慎伤及甲状旁腺）以及假性甲状旁腺功能低下，由于尿磷排出减少，使血磷升高。②慢性肾功能不全：肾小球滤过率下降，肾排磷量减少，血磷上升，血钙降低。③维生素 D 中毒：由于维生素 D 的活性促进溶骨，并促进小肠对钙、磷的吸收，以及肾对磷的重吸收，因此维生素 D 中毒时伴有高血磷。④其他：血磷升高还可见于甲状腺功能亢进、肢端肥大症、酮症酸中毒、乳酸酸中毒、严重急性病、饥饿等情况。

四、血清铁及其代谢物测定

（一）血清铁测定

血清铁即与转铁蛋白（Tf）结合的铁，受血清中铁含量和 Tf 含量的影响。

1. 参考值　男性 10.6 ～ 36.7μmoL/L，女性 7.8 ～ 32.2μmoL/L。

2. 临床意义　血清铁改变的临床意义见表 4-18。

表 4-18　血清铁改变的临床意义

血清铁改变	原因	所见疾病
增高	铁利用障碍	再生障碍性贫血、铁粒幼细胞性贫血、铅中毒
	铁释放增多	溶血性贫血、急性肝炎、慢性活动性肝炎
	铁蛋白增多	反复输血、白血病、含铁血黄素沉着症
	摄入过多	铁剂治疗过量
减低	铁缺乏	缺铁性贫血
	慢性失血	月经过多、消化性溃疡、慢性炎症、恶性肿瘤
	机体需铁量增加，而摄入不足	生长发育期的婴幼儿、青少年，生育期、妊娠期及哺乳期的女性

（二）血清转铁蛋白饱和度（Tfs）测定

血清转铁蛋白饱和度简称铁饱和度，可以反映达到饱和铁结合力的转铁蛋白（Tf）所结合的铁量，以血清铁占总铁结合力（TIBC）的百分率表示。

1. 参考值　33% ～ 55%。

2. 临床意义

（1）Tfs 减低见于：①缺铁或缺铁性贫血：Tfs ＜ 15% 并结合病史即可诊断缺铁或缺铁性贫血，其准确性仅次于铁蛋白，但较血清铁和 TIBC 灵敏。②慢性感染性贫血。

（2）Tfs 增高见于：①铁利用障碍：如再生障碍性贫血、铁粒幼细胞性贫血。②血色病：Tfs ＞ 70% 为诊断血色病的可靠指标。

（三）血清铁蛋白（SF）测定

铁蛋白是铁的贮存形式，其含量变化可作为判断是否缺铁或铁负荷过量的指标。

1. 参考值　男性 15 ～ 200μg/L，女性 12 ～ 150μg/L。

2. 临床意义

（1）SF 减低见于：①体内贮存铁减少，如缺铁性贫血、大量出血、长期腹泻、营养不良。②铁蛋白合成减少，如维生素 C 缺乏等。

（2）SF 增高见于：①体内贮存铁释放增加，如急性肝细胞损害、坏死性肝炎等。②铁蛋白合成增加，如炎症、肿瘤、甲状腺功能亢进症。③贫血，如溶血性贫血、再生障碍性贫血、恶性贫血。④铁的吸收率增加，如血色沉着症、含铁血黄素沉着症、反复输血或肌内注射铁剂引起急性中毒症等。

第七节　酶学检查

一、血、尿淀粉酶测定

1. 参考值　Somogyi 法：血清 800 ～ 1800U/L，尿液 1000 ～ 12000U/L。

2. 临床意义　淀粉酶（AMS）活性增高见于以下几种情况。

（1）急性胰腺炎：发病后 2 ～ 3h 血清 AMS 开始增高，12 ～ 24h 达高峰，2 ～ 5 天后恢复正常。如达 3500U/L

应怀疑此病，超过 5000U/L 即有诊断价值。尿 AMS 于发病后 12 ～ 24 小时开始增高，尿中 AMS 活性可高于血清中的 1 倍以上，多数患者 2 ～ 10 天后恢复到正常。

（2）其他胰腺疾病：如慢性胰腺炎急性发作、胰腺囊肿、胰腺癌早期、胰腺外伤等。

（3）非胰腺疾病：急性胆囊炎、流行性腮腺炎、胃肠穿孔、胆管梗阻等。

需注意淀粉酶的高低与胰腺炎的病情轻重不平行。

考试多以 A1、B1 型题为主。

金题直击

下列各项，对急性胰腺炎有诊断价值的是

A. 血清淀粉酶＞ 800U/L　　B. 血清淀粉酶＞ 1800U/L

C. 血清淀粉酶＞ 3000U/L　　D. 血清淀粉酶＞ 5000U/L

E. 血清淀粉酶＜ 800U/L

【答案】D

【解题思路】

大多数急性胰腺炎患者于发病后 6 ～ 12h 血清淀粉酶开始升高，超过 5000U/L 即有诊断价值。所以本题选 D。

二、心肌损伤常用酶检测

心肌酶包括血清肌酸激酶（CK）及其同工酶（CK-MB）、乳酸脱氢酶（LDH）及其同工酶。

（一）血清肌酸激酶（CK）测定

CK 主要存在于骨骼肌、心肌，其次存在于脑、平滑肌等细胞的胞质和线粒体中。正常人血清中 CK 含量甚微，当上述组织受损时血液中的 CK 含量可明显增高。

1. 参考值　酶偶联法（37℃）：男性 38 ～ 174U/L。女性 26 ～ 140U/L。

2. 临床意义　CK 活性增高见于以下几种情况。

（1）急性心肌梗死（AMI）：CK 在发病后 3 ～ 8h 开始增高，10 ～ 36h 达高峰，3 ～ 4 天后恢复正常，是 AMI 早期诊断的敏感指标之一。在 AMI 病程中，如果 CK 再次升高，提示心肌再次梗死。

（2）心肌炎和肌肉疾病：病毒性心肌炎时 CK 明显增高。各种肌肉疾病，如进行性肌营养不良、多发性肌炎、骨骼肌损伤、重症肌无力时 CK 明显增高。

（二）血清肌酸激酶同工酶测定

CK 有 3 种同工酶，其中 CK-MB 主要存在于心肌，CK-MM 主要存在于骨骼肌和心肌，CK-BB 主要存在于脑、前列腺、肺、肠组织中。正常人血清中以 CK-MM 为主，CK-MB 少量，CK-BB 极少。CK-MB 对 AMI 的诊断具有重要意义。

1. 参考值　① CK-MM：94% ～ 96%。② CK-MB：＜ 5%。③ CK-BB：极少。

2. 临床意义　CK-MB 增高见于以下几种情况。

（1）AMI：CK-MB 对 AMI 早期诊断的灵敏度明显高于 CK，且具有高度的特异性，阳性检出率达 100%。CK-MB 一般在 AMI 发病后 3 ～ 8h 增高，9 ～ 30h 达高峰，2 ～ 3 天恢复正常，因此对诊断发病较长时间的 AMI 有困难。

（2）其他心肌损伤：如心肌炎、心脏手术、心包炎、慢性心房颤动等 CK-MB 也可增高。

（三）乳酸脱氢酶（LDH）及其同工酶

乳酸脱氢酶（LDH）及其同工酶的详细内容见肝脏病实验室检查部分。

三、心肌蛋白检测

（一）心肌肌钙蛋白 T（cTnT）测定

1. 参考值　0.02 ～ 0.13μg/L。0.2μg/L 为诊断临界值；＞ 0.5μg/L 可诊断 AMI。

2. 临床意义

（1）诊断 AMI：cTnT 是诊断 AMI 的确定性标志物。AMI 发病后 3 ～ 6h 开始增高，10 ～ 24h 达高峰，10 ～ 15 天恢复正常。对诊断 AMI 的特异性优于 CK-MB 和 LDH；对亚急性及非 Q 波性心肌梗死或 CK-MB 无法诊断的心肌梗死患者更有诊断价值。

（2）判断微小心肌损伤：用于判断不稳定型心绞痛是否发生了微小心肌损伤，这种心肌损伤只有检测 cTnT 才能确诊。

（3）其他：对判断 AMI 后溶栓治疗是否出现再灌注，以及预测血液透析患者心血管事件的发生都有重要价值。

（二）心肌肌钙蛋白 I（cTnI）测定

1. 参考值　＜ 2μg/L；＞ 1.5μg/L 为诊断临界值。

2. 临床意义

（1）诊断 AMI。

（2）用于判断是否有微小心肌损伤，如不稳定型心绞痛、急性心肌炎。

四、脑钠肽测定

脑钠肽（BNP）主要为心肌细胞分泌的利尿钠肽家族的成员，又称 B 型利钠肽，具有排钠、排尿，舒张血管作用。心功能障碍能够极大地激活利钠肽系统，心室负荷增加导致 BNP 释放，形成 BNP 前体（pro-BNP），再裂解为无活性的、半衰期为 60 ～ 120 分钟的氨基末端 BNP 前体（NT-pro-BNP）和有活性的、半衰期仅为 20 分钟的 BNP，释放入血。BNP 的释放与心力衰竭程度密切相关。

1. 参考值　BNP 1.5 ～ 9.0pmol/L，判断值＞ 22pmol/L（100ng/L）；NT-pro-BNP ＜ 125pg/mL。

2. 临床意义

（1）心力衰竭的诊断、监测和预后评估：BNP 升高对心力衰竭具有极高的诊断价值。临床上，NT-pro-BNP ＞ 2000pg/mL，可以确定心力衰竭。治疗有效时，BNP 水平可明显下降。若 BNP 水平持续升高或不降，提示心力衰竭未得到纠正或进一步加重。

（2）鉴别呼吸困难：通过测定 BNP 水平可以准确筛选出非心力衰竭患者（如肺源性）引起的呼吸困难，BNP 在心源性呼吸困难升高，肺源性呼吸困难不升高。

（3）指导心力衰竭的治疗：BNP 对心室容量敏感，半衰期短，可以用于指导利尿剂及血管扩张剂的临床应用；还可以用于心脏手术患者的术前、术后心功能的评价，帮助临床选择最佳手术时机。

第八节　免疫学检查

一、血清免疫球蛋白及补体测定

（一）血清免疫球蛋白测定

1. 参考值　成人血清 IgG 7.0 ～ 16.0g/L；IgA 0.7 ～ 5.0g/L；IgM 0.4 ～ 2.8g/L；IgD 0.6 ～ 2mg/L；IgE 0.1 ～ 0.9mg/L。

2. 临床意义

（1）Ig 减低：见于各类先天性和获得性体液免疫缺陷、联合免疫缺陷的患者及长期使用免疫抑制剂的患者。

（2）Ig 增高：①单克隆性增高表现为五种 Ig 中仅有某一种增高，而其他不增高或可降低，主要见于免疫增殖性疾病。如原发性巨球蛋白血症时，表现为 IgM 单独明显增高；多发性骨髓瘤时可分别见到 IgG、IgA、IgD、IgE 增高，并据此分为 IgG、IgA、IgD 和 IgE 型多发性骨髓瘤；过敏性皮炎、外源性哮喘及某些寄生虫感染可表现为 IgE 增高。②多克隆性增高表现为 IgG、IgA、IgM 均增高。常见于各种慢性感染、慢性肝病、肝癌、淋巴瘤，以及系统性红斑狼疮、类风湿关节炎等自身免疫性疾病。

（二）血清补体的测定

1. 总补体溶血活性（CH_{50}）测定

（1）参考值：试管法 50 ～ 100kU/L。

（2）临床意义：① CH_{50} 增高：见于各种急性炎症、组织损伤和某些恶性肿瘤等。② CH_{50} 减低：见于补体成分大量消耗，如血清病、链球菌感染后肾小球肾炎、系统性红斑狼疮、自身免疫性溶血性贫血、类风湿关节炎及同种异体移植排斥反应等。

2. 补体 C3 测定

（1）参考值：单向免疫扩散法 0.85 ～ 1.7g/L。

（2）临床意义：① C3 增高：C3 作为急性时相反应蛋白，增高见于各种急性炎症、传染病早期、某些恶性肿瘤（以肝癌最明显）患者及发生排异反应时。② C3 减低：可作为肾脏病诊断与鉴别诊断依据，如急性肾炎、链球菌感染后肾炎、狼疮性肾炎。

二、感染免疫检测

（一）抗链球菌溶血素“O”（ASO）测定

1. 参考值 乳胶凝集法（LAT）：＜ 500U。

2. 临床意义 增高见于 A 群溶血性链球菌感染及感染后免疫反应所致的疾病，如感染性心内膜炎及扁桃体炎、风湿热、链球菌感染后急性肾小球肾炎等。

（二）肥达反应

1. 参考值 直接凝集法：伤寒“O”＜ 1∶80，“H”＜ 1∶160；副伤寒甲、乙、丙均＜ 1∶80。

2. 临床意义

（1）血清抗体效价：“O”＞ 1∶80、“H”＞ 1∶160，考虑伤寒；血清抗体效价“O”＞ 1∶80，副伤寒甲＞ 1∶80，考虑诊断副伤寒甲；血清抗体效价“O”＞ 1∶80，副伤寒乙＞ 1∶80，考虑诊断副伤寒乙；血清抗体效价“O”＞ 1∶80，副伤寒丙＞ 1∶80，考虑诊断副伤寒丙。

（2）“O”不高、“H”增高：可能曾接种过伤寒疫苗或既往感染过。

（3）“O”增高、“H”不高：可能为感染早期或其他沙门菌感染。

三、肿瘤标志物检测

（一）血清甲胎蛋白（AFP）测定

AFP 是人胎儿时期肝脏合成的一种特殊的糖蛋白，出生后 1 个月降至正常成人水平。在肝细胞或生殖腺胚胎组织恶变时，血中 AFP 含量明显升高，因此 AFP 测定常用于肝细胞癌及滋养细胞癌的诊断。

1. 参考值 放射免疫法（RIA）、化学发光免疫测定（CLIA）、酶联免疫吸附试验（ELISA）：血清＜ 25μg/L。

2. 临床意义

（1）原发性肝癌：AFP 是目前诊断原发性肝细胞癌最特异的标志物，血清中 AFP ＞ 300μg/L 可作为诊断阈值。

（2）病毒性肝炎、肝硬化：AFP 可有不同程度的增高，但常＜ 300μg/L。

（3）生殖腺胚胎肿瘤、胎儿神经管畸形：AFP 可增高。

（二）癌胚抗原（CEA）测定

CEA 是一种富含多糖的蛋白复合物，胚胎期主要存在于胎儿的消化管、胰腺及肝脏，出生后含量极低。CEA 测定有助于肿瘤的诊断及预后判断。

1. 参考值 RIA、CLIA、ELISA：血清＜ 5μg/L。

2. 临床意义

（1）用于消化器官癌症的诊断：CEA 增高见于结肠癌、胃癌、胰腺癌等，但无特异性。

（2）鉴别原发性和转移性肝癌：原发性肝癌 CEA 增高者不超过 9%，而转移性肝癌 CEA 阳性率高达 90%，且绝对值明显增高。

（3）其他：肺癌、乳腺癌、膀胱癌、尿道癌、前列腺癌等 CEA 也可增高。

（三）血清癌抗原 125（CA125）测定

CA125 为一种糖蛋白性肿瘤相关抗原，存在于上皮性卵巢癌组织及患者的血清中。CA125 有助于卵巢癌的诊断及疗效观察。

1. 参考值 RIA、ELISA：男性及 50 岁以上女性＜ 2.5 万 U/L；20 ～ 40 岁女性＜ 4.0 万 U/L（RIA）。

2. 临床意义

（1）卵巢癌：其对卵巢癌诊断有较大的临床价值，卵巢癌患者血清 CA125 明显增高。手术和化疗有效者，CA125 水平很快下降；若有复发时，CA125 增高先于临床症状出现之前，故 CA125 是观察疗效、判断有无复发的良好指标。

（2）其他癌症：如宫颈癌、乳腺癌、胰腺癌、肝癌、胃癌、结肠癌、肺癌等，也有一定的阳性率。

（四）血清前列腺特异抗原（PSA）测定

PSA 是一种由前列腺上皮细胞分泌的单链糖蛋白，正常人血清中 PSA 含量极微。前列腺癌时血清 PSA 水平明显增高，临床上已广泛用于前列腺癌的辅助诊断。

1. 参考值　RIA、CLIA、ELISA：血清＜ 4.0μg/L。

2. 临床意义

（1）前列腺癌：前列腺癌患者血清 PSA 明显增高，是前列腺癌诊断最有价值的肿瘤标志物。PSA 测定也是监测前列腺癌病情变化和疗效的重要指标。

（2）其他恶性肿瘤：如肾癌、膀胱癌、肾上腺癌、乳腺癌等，PSA 也可有不同程度的阳性率。

（五）糖链抗原 19–9（CA19–9）测定

CA19-9 又称为胃肠癌相关抗原（GICA），是一种糖蛋白，正常人唾液腺、前列腺、胰腺、乳腺、胃、胆管、胆囊的上皮细胞存在微量 CA19-9。检测血清 CA19-9 可作为胰腺癌、胆囊癌等恶性肿瘤的辅助诊断指标，对监测病情变化和复发有较大的价值。

1. 参考值　RIA、CLIA、ELISA：血清＜ 3.7 万 U/L。

2. 临床意义

（1）胰腺癌、胆囊癌、胆管癌等血清 CA19-9 水平明显增高，尤其是诊断胰腺癌的敏感性和特异性较高，是重要的辅助诊断指标。

（2）胃癌、结肠癌、肝癌等也有一定的阳性率。

（六）肿瘤标志物检测小结

1. 血清甲胎蛋白（AFP）　原发性肝细胞癌最特异的标志物。
2. 癌胚抗原（CEA）　消化器官癌 + 转移性肝癌。
3. 血清癌抗原 125（CA125）　卵巢癌。
4. 前列腺特异抗原（PSA）　前列腺癌。
5. 糖链抗原 19-9（CA19-9）　胰腺癌。

命题趋势　考试多以 A1、B1 型题为主。

金题直击

诊断卵巢癌首选的检验项目是

A. 前列腺特异性抗原（PSA）　　B. 血清甲胎蛋白（AFP）
C. 血清癌抗原 125（CA125）　　D. 血清癌胚抗原（CEA）
E. 血清糖链抗原 19-9（CA19-9）

【答案】C

【解题思路】

肿瘤标记物为考试常考点，需记住提示的疾病。血清甲胎蛋白（AFP）：原发性肝细胞癌最特异的标志物。癌胚抗原（CEA）：消化器官癌 + 转移性肝癌。血清癌抗原 125（CA125）：卵巢癌。前列腺特异抗原（PSA）：前列腺癌。糖链抗原 19-9（CA19-9）：胰腺癌。

四、自身抗体检查

（一）类风湿因子（RF）测定

RF 是变性 IgG 刺激机体产生的一种自身抗体，主要存在于类风湿关节炎患者的血清和关节液内。

1. 参考值　乳胶凝集法：阴性；血清稀释度＜ 1∶10。

2. 临床意义

（1）类风湿关节炎：未经治疗的类风湿性关节炎患者，RF 阳性率 80%，且滴度≥ 1∶160。临床上动态观察滴定度变化，可作为病变活动及药物治疗后疗效的评价。

（2）其他自身免疫性疾病：如多发性肌炎、硬皮病、干燥综合征、系统性红斑狼疮等，RF 也可呈阳性。

（3）某些感染性疾病：如传染性单核细胞增多症、结核病、感染性心内膜炎等，RF 也可呈阳性。

（二）抗核抗体（ANA）测定

ANA 是血清中存在的一组抗多种细胞核成分的自身抗体的总称，无器官和种族特异性。

1. 参考值　免疫荧光测定（IFA）：阴性；血清滴度＜ 1∶40。

2. 临床意义

（1）ANA 阳性：①多见于未经治疗的系统性红斑狼疮（SLE），阳性率可达 95% 以上，但特异性较差。②药物性狼疮、混合性结缔组织病、原发性胆汁性肝硬化、全身性硬皮病、多发性肌炎等患者的阳性率也较高。③其他自身免疫性疾病，如类风湿关节炎等。

（2）荧光类型：根据细胞核染色后的荧光类型，ANA 可分为均质型、边缘型、颗粒型、核仁型 4 种。

（三）可提取性核抗原（ENA）抗体谱测定

抗可提取性核抗原多肽（ENA）抗体是针对细胞核中可提取性核抗原的自身抗体，主要为抗核糖核蛋白（RNP）抗体、抗酸性核蛋白（Sm）抗体和抗 SSA 抗体等。对这些自身抗体的检测，可用于自身免疫性疾病的诊断和鉴别诊断。

1. 参考值　免疫印迹试验（IBT）：阴性。

2. 临床意义

（1）抗 Sm 抗体阳性：抗 Sm 抗体为 SLE 所特有，疾病特异性达 99%，但敏感性低。

（2）抗 SSA 抗体阳性：干燥综合征中阳性率最高，敏感性达 96%；在亚急性皮肤性狼疮、新生儿狼疮等疾病中也有很高的阳性率；还可见于类风湿关节炎、SLE 等。

（四）抗双链 DNA（dsDNA）抗体测定

抗 dsDNA 抗体的靶抗原是细胞核中 DNA 的双股螺旋结构。测定抗 dsDNA 抗体对 SLE 的诊断有重要意义。

1. 参考值　间接免疫荧光法：阴性。

2. 临床意义　抗 dsDNA 抗体阳性见于活动期 SLE，阳性率达 70%～90%，特异性达 95%。类风湿关节炎、慢性肝炎、干燥综合征等也可呈阳性。

第九节　尿液检查

一、一般性状检查

1. 尿量　正常成人尿量为 1000～2000mL/24h。尿量诊断见表 4-19。

表 4-19　尿量诊断

分类	诊断标准
多尿	尿量＞ 2500mL/24h
少尿	尿量＜ 400mL/2h(或 17mL/h）
无尿（尿闭）	成人：尿量＜ 100mL/24h
	小儿：尿量＜ 50mL/24h

命题趋势　考试多以 A1、B1 型题为主。

金题直击

1. 无尿是指成人 24h 尿量不足

A. 150mL　　B. 100mL

C. 80mL D. 50mL

E. 0mL 【答案】B

【解题思路】

正常成人尿量 1000 ～ 2000mL/24h；超过 2500mL/24h 为多尿；少于 400mL/24h 为少尿；少于 100mL/24h 为无尿或尿闭。所以本题选 B。

2. 颜色和透明度 尿液的一般性状及临床意义见表 4-20。

表 4-20 尿液的一般性状及临床意义

一般性状	临床意义
血尿	泌尿系统的炎症、结核、结石、肿瘤及出血性疾病
血红蛋白尿（浓茶色或酱油色）	蚕豆病、阵发性睡眠性血红蛋白尿、血型不合的输血反应及恶性疟疾
胆红素尿	肝细胞性及阻塞性黄疸
乳糜尿	丝虫病
脓尿和菌尿	泌尿系统感染，如肾盂肾炎、膀胱炎

3. 气味 烂苹果样气味见于糖尿病酮症酸中毒；蒜臭味见于有机磷中毒。

4. 比重 尿比重的高低，主要取决于肾小管的浓缩稀释功能。正常人尿比重波动在 1.015 ～ 1.025。

（1）增高：见于急性肾小球肾炎、糖尿病、蛋白尿、失水等。

（2）减低：见于尿崩症、慢性肾小球肾、慢性肾衰竭和肾小管间质疾病等。

（3）固定：常在 1.010 左右，称为等张尿，见于肾实质严重损害。

二、化学检查

1. 尿蛋白 尿蛋白呈阳性或定量检查超过 150mg/24h 者，称为蛋白尿。

（1）生理性蛋白尿：见于剧烈运动、寒冷、精神紧张等，为暂时性，尿中蛋白含量少。

（2）病理性蛋白尿：①肾脏疾病：肾小球肾炎、肾病综合征、肾盂肾炎、肾结核、肾肿瘤等。②肾外疾病：发热、高血压、妊娠、中毒、心功能不全等。③继发性肾损害：糖尿病肾病、狼疮肾病等。

2. 尿糖 当血糖升高超过肾糖阈值或血糖正常而肾糖阈值降低时，尿糖定性检测呈阳性，称为糖尿。

（1）血糖增高性糖尿：最常见于糖尿病，也见于肢端肥大症、甲状腺功能亢进症、嗜铬细胞瘤、库欣综合征等。

（2）血糖正常性糖尿：由于肾小管对葡萄糖的重吸收功能减退，肾糖阈值降低所致的糖尿，又称肾性糖尿。见于慢性肾小球肾炎、肾病综合征、妊娠等。

（3）暂时性糖尿：见于强烈精神刺激、全身麻醉、颅脑外伤、急性脑血管病等，可出现暂时性高血糖和糖尿（应激性糖尿）。

3. 尿酮体 糖尿病酮症酸中毒时尿酮体呈强阳性反应；妊娠呕吐、重症不能进食等可导致脂肪分解加强，均可致尿酮体阳性。

三、显微镜检查

1. 细胞

（1）红细胞

① 镜下血尿：尿外观无血色，每高倍镜视野红细胞超过 3 个以上。

② 肉眼血尿：尿内含血量较多，外观呈红色。

血尿常见于肾小球肾炎、急性膀胱炎、肾结核、肾结石、肾盂肾炎、狼疮性肾炎、紫癜性肾炎、血液病及肿瘤等。

（2）白细胞和脓细胞：每高倍镜视野超过 5 个白细胞或脓细胞，称镜下脓尿，多为泌尿系统感染，见于肾盂肾炎、膀胱炎、尿道炎及肾结核等。

（3）上皮细胞

① 扁平上皮细胞：大量出现或片状脱落伴白细胞、红细胞、见于尿道炎。

② 大圆上皮细胞：偶见于正常人，大量出现见于膀胱炎。

③ 尾形上皮细胞：见于肾盂肾炎、输尿管炎。

2. 管型 尿管型分类见表 4-21。

表 4-21 尿管型分类

分类		常见疾病
透明管型		正常人也可偶有；肾实质病变时，明显增多
细胞管型	红细胞管型	急性肾炎、慢性肾炎急性发作、狼疮性肾炎、肾移植术后急性排斥反应等
	白细胞管型	肾盂肾炎、间质性肾炎
	肾小管上皮细胞管型	急性肾小管坏死、肾病综合征、慢性肾炎晚期、高热、妊娠高血压综合征等
颗粒管型		慢性肾炎、肾盂肾炎或药物中毒引起的肾小管损伤
脂肪管型		肾病综合征、慢性肾炎急性发作、中毒性肾病
蜡样管型		肾小管病变严重，预后较差，见于慢性肾炎晚期、慢性肾衰竭、肾淀粉样变性
肾衰竭管型		常出现于慢性肾衰竭少尿期，提示预后不良，急性肾衰竭多尿早期也可出现

3. 菌落计数 无菌操作取清洁中段尿，做尿液直接涂片镜检或细菌定量培养是尿液中病原体的主要检测手段。尿细菌定量培养，尿菌落计数≥ 10^5/mL 为尿菌阳性，提示尿路感染；菌落计数＜ 10^4/mL 为污染（称假阳性）；菌落计数在 10^4 ～ 10^5/mL 者不能排除感染，应复查或结合临床判断。

命题趋势 考试多以 A1、B1 型题为主。

金题直击

A. 透明管型　　B. 蜡样管型

C. 白细胞管型　　D. 红细胞管型

E. 脂肪管型

2. 肾盂肾炎患者尿中常出现的管型是 【答案】C

3. 急性肾炎患者尿中常出现的管型是 【答案】D

【解题思路】

尿液管型为考查重点，A 见于正常人、肾实质病变时。B 见于肾小管病变严重。C 见于肾盂肾炎、间质性肾炎。D 见于急性肾炎等。E 见于肾病综合征、慢性肾小球肾炎急性发作、中毒性肾病。

四、尿沉渣计数

尿沉渣计数，指 1h 尿细胞计数。

1. 参考值

（1）红细胞：男性＜ 3×10^4/h，女性＜ 4×10^4/h。

（2）白细胞：男性＜ 7×10^4/h，女性＜ 14×10^4/h。

2. 临床意义 白细胞数增多见于肾盂肾炎、急性膀胱炎；红细胞数增多见于急、慢性肾炎。

第十节 粪便检查

一、粪便标本采集

1. 粪便标本应新鲜，盛器要洁净干燥，不可混入尿液、消毒液或其他杂物。

2. 一般检查留取指头大小的粪便即可，如孵化血吸虫毛蚴最好留取全份粪便。采集标本应选取黏液、脓血部位。

3. 检查痢疾中的阿米巴滋养体时，应于排便后立即取材送检，寒冷季节标本注意保温。

4. 对某些寄生虫及虫卵的初筛检测，应三送三检，以提高检出率。检查蛲虫卵需用透明胶纸拭子，于清晨排便前自肛周皱襞处拭取标本镜检。

5. 无粪便而又必须检查时，可经肛门指诊或采便管获取粪便。

二、一般性状检查

1. **量**　正常成人每日排便 1 次，为 100 ～ 300g。

2. **颜色及性状**　粪便颜色或性状及其临床意义见表 4-22。

表 4-22　粪便颜色或性状及其临床意义

大便颜色或性状	临床意义
水样或粥样	腹泻，如急性胃肠炎、甲状腺功能亢进症
米泔样	霍乱
黏液脓样或脓血便	痢疾、溃疡性结肠炎、直肠癌
果酱样	阿米巴痢疾
冻状便	肠易激综合征、慢性菌痢
鲜血便	肠道下段出血
柏油样	上消化道出血
灰白色	阻塞性黄疸
细条状	直肠癌
绿色	乳儿消化不良
羊粪样	老年人及经产妇排便无力

3. **气味**　粪便气味及临床意义见表 4-23。

表 4-23　粪便气味及临床意义

粪便气味	临床意义
恶臭味	慢性肠炎、胰腺疾病、结肠或直肠癌溃烂
腥臭味	阿米巴痢疾
酸臭味	脂肪和糖类消化或吸收不良

命题趋势　考试多以 A1、B1 型题为主。

金题直击

上消化道大出血时，大便的特点是

A. 水样稀便　　B. 黏液脓血便

C. 米泔样便　　D. 柏油样便

E. 鲜血便

【答案】D

【解题思路】

A 见于各种感染性或非感染性腹泻，如急性胃肠炎等；B 常见于痢疾、溃疡性结肠炎、直肠癌等；C 见于霍乱；D 见于各种原因引起的上消化道出血；E 见于肠道下段出血，如痔疮、肛裂、直肠癌等。所以本题选 D。

三、显微镜检查

1. **细胞**

（1）白细胞：大量出现见于急性细菌性痢疾、溃疡性结肠炎。

（2）红细胞：肠道下段炎症或下消化道出血时可见。
（3）巨噬细胞：见于细菌性痢疾和溃疡性结肠炎。
2. 寄生虫 肠道有寄生虫时可在粪便中找到相应的病原体。

四、化学检查

1. 隐血试验 隐血试验阳性常见于消化性溃疡的活动期、胃癌、钩虫病以及消化道炎症、出血性疾病等。口腔出血被咽下后粪便隐血试验也可呈阳性。粪便隐血试验阳性临床意义见表4-24。

表4-24 粪便隐血试验阳性临床意义

类型	提示疾病
间断阳性	消化性溃疡
持续阳性	消化道癌症
假阳性	服用铁剂，食用动物血或肝脏、瘦肉以及大量绿叶蔬菜时

2. 胆色素检查
（1）粪胆红素检查：正常粪便中无胆红素。乳幼儿或成人于应用大量抗生素后，胆红素定性试验阳性。
（2）粪胆原及粪胆素检查：正常粪便中可有粪胆原及粪胆素。阻塞性黄疸时含量明显减少或缺如，粪便呈淡黄色或灰白色；溶血性黄疸时含量增多，粪色加深。

五、细菌学检查（助理不考）

肠道致病菌的检测主要通过粪便直接涂片镜检和细菌培养，用于菌痢、霍乱等的诊断。

第十一节　痰液检查

一、痰液标本的收集方法

以清晨第一口痰为宜。

二、一般性状检查

1. 痰量 增多见于肺脓肿、慢性支气管炎、支气管扩张症、肺结核等。
2. 颜色 痰液颜色及临床意义见表4-25。

表4-25 痰液颜色及临床意义

颜色	临床意义
黄绿色	绿脓杆菌感染、干酪性肺炎
红色	肺结核、支气管扩张、肺癌
粉红色泡沫痰	急性肺水肿
铁锈色	肺炎链球菌肺炎
咖啡色	阿米巴肺脓肿
黄色	呼吸道化脓性感染

3. 性状 痰液性状及临床意义见表4-26。

表4-26 痰液性状及临床意义

性状	临床意义
黏液性痰	支气管炎、肺炎早期、支气管哮喘
浆液性痰	肺水肿、肺淤血
脓性痰	支气管扩张症、肺脓肿
血性痰	肺结核、支气管扩张症、肺癌

三、显微镜检查

1. 直接涂片检查 正常人痰液内可有少量白细胞及上皮细胞。

（1）白细胞

①中性粒细胞（或脓细胞）增多：见于呼吸系统化脓性感染。②嗜酸粒细胞增多：见于支气管哮喘、过敏性支气管炎、肺吸虫病等。③淋巴细胞增多：见于肺结核。

（2）红细胞：呼吸道疾病及出血性疾病，痰中可见大量红细胞。

（3）上皮细胞：①鳞状上皮细胞增多：见于急性喉炎和咽炎。②柱状上皮细胞增多：见于支气管炎、支气管哮喘等。

2. 染色涂片检查 主要用于检查癌细胞和细菌。

四、病原体检查

疑为呼吸道感染性疾病时，可分别做细菌、真菌、支原体等培养。

第十二节　浆膜腔穿刺液检查

一、浆膜腔积液分类及形成原因

浆膜腔包括胸腔、腹腔和心包腔。根据浆膜腔积液的形成原因及性质不同，可分为漏出液和渗出液。

1. 漏出液 漏出液为非炎症性积液。形成的主要原因如下。

（1）血浆胶体渗透压降低：如肝硬化、肾病综合征、重度营养不良等。

（2）毛细血管内压力增高：如慢性心功能不全、静脉栓塞等。

（3）淋巴管阻塞：常见于肿瘤压迫或丝虫病引起的淋巴回流受阻。

2. 渗出液 渗出液为炎性积液。形成的主要原因如下。

（1）感染性：如胸膜炎、腹膜炎、心包炎等。

（2）化学因素：如血液、胆汁、胃液、胰液等化学性刺激。

（3）恶性肿瘤。

（4）风湿性疾病及外伤等。

二、渗出液与漏出液的鉴别

渗出液与漏出液的鉴别见表 4-27。

表 4-27　渗出液与漏出液的鉴别

对比项	漏出液	渗出液
原因	非炎症所致	炎症、肿瘤或物理、化学性刺激
外观	淡黄，浆液性	不定，可为黄色、脓性、血性、乳糜性
透明度	透明或微浑	多浑浊
比重	＜ 1.018	＞ 1.018
凝固性	不自凝	能自凝
黏蛋白定性	阴性	阳性
蛋白质定量	25g/L 以下	30g/L 以上
葡萄糖定量	与血糖相近	常低于血糖水平
细胞计数	常＜ 100×10^6/L	常＞ 500×10^6/L
细胞分类	以淋巴细胞为主	不同病因，分别以中性粒细胞或淋巴细胞为主
细菌检查	阴性	可找到致病菌
细胞学检查	阴性	可找到肿瘤细胞
乳酸脱氢酶	＜ 200IU	＞ 200IU

金题直击

漏出液的细胞总数为

A. $< 90\times10^6$/L　　B. $< 100\times10^6$/L

C. $< 200\times10^6$/L　　D. $> 500\times10^6$/L

E. $> 600\times10^6$/L

【答案】B

【解题思路】

漏出液的细胞计数常$< 100\times10^6$/L，渗出液的细胞计数常$> 500\times10^6$/L。所以本题选 B。

【易错点】

漏出液一般是阴性指标，渗出液一般是阳性指标，但葡萄糖定量漏出液与血糖水平接近，渗出液常低于血糖水平。

第十三节　脑脊液检查

一、脑脊液检查的适应证、禁忌证

1. 适应证

（1）有脑膜刺激症状需明确诊断者。

（2）疑有颅内出血。

（3）疑有中枢神经系统恶性肿瘤。

（4）有剧烈头痛、昏迷、抽搐及瘫痪等表现而原因未明者。

（5）中枢神经系统手术前的常规检查。

2. 禁忌证

（1）颅内压明显增高或伴显著视乳头水肿者。

（2）有脑疝先兆者。

（3）处于休克、衰竭或濒危状态者。

（4）局部皮肤有炎症者。

（5）颅后窝有占位性病变者。

二、常见中枢神经系统疾病的脑脊液特点

常见中枢神经系统疾病的脑脊液特点见表 4-28。

表 4-28　常见中枢神经系统疾病的脑脊液特点

疾病	压力/kPa	外观	蛋白质	葡萄糖/(mmol/L)	氯化物/(mmol/L)	细胞计数（$\times10^6$/L）及分类	细菌
正常	0.69～1.76	无色、透明	(-)	2.5～4.5	120～130	(0～8)，多为淋巴细胞	(-)
化脓性脑膜炎	↑↑↑	浑浊，脓性，可有脓块	(+++)以上	↓↓↓	↓	显著增加，数千，以中性粒细胞为主	(+)
结核性脑膜炎	↑↑	微浊，呈毛玻璃样，静置后有薄膜形成	(+)～(+++)	↓↓	↓↓	增加，数十或数百，以淋巴细胞为主	抗酸染色可找到结核杆菌
病毒性脑膜炎	↑	清晰或微浊	(+)～(++)	正常或稍高	正常	增加，数十或数百，以淋巴细胞为主	(-)
脑脓肿(未破裂)	↑↑	无色或黄色微浊	(+)	正常	正常	稍增加，以淋巴细胞为主	有或无

续表

疾病	压力/kPa	外观	蛋白质	葡萄糖/(mmol/L)	氯化物/(mmol/L)	细胞计数($\times10^6$/L)及分类	细菌
脑肿瘤	↑↑	无色或黄色	(+)～(++)	正常	正常	正常或稍增加，以淋巴细胞为主	(-)
蛛网膜下腔出血	↑	血性为主	(+)～(++)	↑	正常	增加，以红细胞为主	(-)

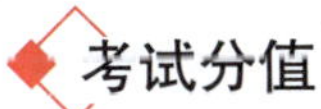

高频考点速递

1. 抗-HBc（核心抗体）提示曾经或正在感染HBV，是诊断急性乙肝和判断病毒复制活跃的重要指标。
2. 血肌酐（Cr）测定反映肾小球的滤过功能，敏感性优于血尿素氮，是评价肾功能损害程度的重要指标。
3. 糖化血红蛋白不受血糖浓度暂时波动的影响，是糖尿病诊断和监控的重要指标。
4. CK-MB对AMI的诊断具有重要意义。
5. 心肌肌钙蛋白T（cTnT）对判断AMI后溶栓治疗是否出现再灌注，以及预测血液透析患者心血管事件的发生都有重要价值。

第五单元　心电图诊断

考试分值

节	级别＼年份	2019	2020	2021	2022	2023
心电图基本知识	执业	1	1	1	1	0
	助理	0	0	1	0	0
心电图测量及正常心电图	执业	1	0	1	0	1
	助理	2	1	2	1	0
常见异常心电图	执业	1	1	1	2	1
	助理	1	1	0	2	1

第一节　心电图基本知识

一、常用心电图导联

1. 肢体导联　包括标准导联Ⅰ、Ⅱ、Ⅲ及加压单极肢体导联。标准导联为双极肢体导联，反映两个肢体之间的电位差。加压单极肢体导联为单极导联，基本上代表检测部位的电位变化。

（1）标准导联：①Ⅰ导联：正极接左上肢，负极接右上肢。②Ⅱ导联：正极接左下肢，负极接右上肢。③Ⅲ导联：正极接左下肢，负极接左上肢。

（2）加压单极肢体导联：①加压单极右上肢导联（aVR）：探查电极置于右上肢并与心电图机正极相连，左上、下肢连接构成无关电极并与心电图机负极相连。②加压单极左上肢导联（aVL）：探查电极置于左上肢并与心电图机正极相连，右上肢与左下肢连接构成无关电极并与心电图机负极相连。③加压单极左下肢导联（aVF）：探查电极置于左下肢并与心电图机正极相连，左、右上肢连接构成无关电极并与心电图机负极相连。

2. 胸导联　胸导联属单极导联，包括V_1～V_6导联。将负极与中心电端连接，正极与放置在胸壁一定位置的探查电极相连。

（1）V_1：胸骨右缘第 4 肋间。

（2）V_2：胸骨左缘第 4 肋间。

（3）V_3：V_2 与 V_4 两点连线的中点。

（4）V_4：左锁骨中线与第 5 肋间相交处。

（5）V_5：左腋前线 V_4 水平处。

（6）V_6：左腋中线 V_4 水平处。

临床上为诊断后壁心肌梗死，需加做 V_7 ～ V_9 导联；诊断右心病变，需加做 V_3R ～ V_6R 导联。

二、心电图各波段的意义

每个心动周期在心电图上表现为四个波（P 波、QRS 波群、T 波和 U 波）、三个段（PR 段、ST 段和 TP 段）、两个间期（P-R 间期和 Q-T 间期）和一个 J 点（即 QRS 波群终末部与 ST 段起始部的交接点）。

（1）P 波：是心房除极波，反映左、右心房除极过程的电位和时间变化。

（2）PR 段：是电激动过程在房室交界区以和希氏束、室内传导系统所产生的微弱电位变化，一般呈零电位，显示为等电位线（基线）。

（3）P-R 间期：自 P 波的起点至 QRS 波群的起点，反映激动从窦房结发出后经心房、房室交界、房室束、束支及普肯耶纤维网传到心室肌所需时间。

（4）QRS 波群：为左、右心室除极的波，反映左、右心室除极过程的电位和时间变化。

（5）ST 段：从 QRS 波群终点至 T 波起点的一段平线，反映心室早期缓慢复极的电位和时间变化。

（6）T 波：是心室复极波，反映心室晚期快速复极的电位和时间变化。

（7）Q-T 间期：从 QRS 波群的起点至 T 波终点，代表左、右心室除极与复极全过程的时间。

（8）U 波：为 T 波后的一个小波，产生机制未明。

第二节　心电图测量及正常心电图

一、心率计算及各波段测量（助理不考）

1. 心率计算　心率（次 / 分）=60/(R-R)（或 P-P）间距值（s）。心律不齐者，取 5 ～ 10 个 R-R 或 P-P 间距的平均值，然后算出心率。心电图各波段见图 5-1。

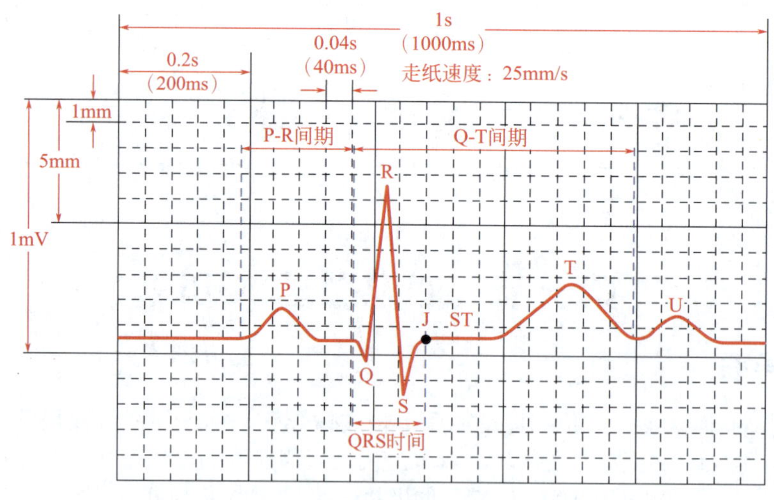

图 5-1　心电图各波段

2. 心电图各波段测量

（1）测量时间：一般规定，测量各波时距应自波形起点的内缘起测至波形终点的内缘。

（2）测量振幅（电压）：测量正向波形的高度，以基线上缘至波形顶点之间的垂直距离为准；测量负向波形的深度，以基线的下缘至波形底端的垂直距离为准。

（3）测量室壁激动时间（VAT）：从 QRS 波群起点量到 R 波顶点与等电位线的垂直线之间的距离。有切迹或 R′ 波，则以 R′ 波顶点为准。一般只测 V_1 和 V_5。

（4）测量间期：① P-R 间期：应选择有明显 P 波和 Q 波的导联（一般多选Ⅱ导联），自 P 波的起点量至 QRS 波群起点。② Q-T 间期：选择 T 波比较清晰的导联，测量 QRS 波起点到 T 波终点的间距。

（5）ST 段移位的测量：ST 段是否移位，一般应与 TP 段相比较；如因心动过速等原因而 TP 不明显时，可与 PR 段相比较；亦可以前后两个 QRS 波群起点的连线作为基线与之比较。斜行向上的 ST 段，以 J 点作为判断 ST 段移位的依据；斜行向下的 ST 段，以 J 点后 0.06 ～ 0.08s 处作为判断 ST 段移位的依据。

① ST 段抬高：从等电位线上缘垂直量到 ST 段上缘。

② ST 段下移：从等电位线下缘垂直量到 ST 段下缘。

二、心电轴测定

1. 测量方法

（1）目测法：根据Ⅰ、Ⅲ导联 QRS 波群的主波方向进行判断。如果Ⅰ、Ⅲ导联 QRS 波群的主波方向均向上，则电轴不偏；若Ⅰ导联 QRS 波群的主波方向向上，而Ⅲ导联 QRS 波群的主波方向向下，则心电轴左偏；若Ⅰ导联 QRS 波群的主波方向向下，而Ⅲ导联 QRS 波群的主波方向向上，则为心电轴右偏；如果Ⅰ、Ⅲ导联 QRS 波群的主波方向均向下，则为心电轴极度右偏。

（2）振幅法：分别测算出Ⅰ、Ⅲ导联 QRS 波群振幅的代数和（R 波为正，Q 与 S 波为负），然后将其标记于六轴系统中Ⅰ、Ⅲ导联轴的相应位置，并由此分别做出与Ⅰ、Ⅲ导联轴的垂直线，两垂直线相交点与电偶中心点的连线即为所求之心电轴。测量该连线与Ⅰ导联轴正侧段的夹角即为心电轴的度数。

（3）查表法：根据计算出来的Ⅰ、Ⅲ导联 QRS 振幅的代数和直接查表，即可得出心电轴的度数。

2. 临床意义　正常心电轴一般在 0°～ +90°。心电图在 +30°～ +90°表示电轴不偏，0°～ +30°为电轴左偏，0°～ −30°为中度左偏，−30°～ −90°为电轴显著左偏，+90°～ +120°为电轴轻度或中度右偏，+120°～ +180°为电轴显著右偏，−90°～ −180°为不确定性电轴。心电轴轻度、中度左偏或右偏不一定是病态。左前分支阻滞、左心室肥大、大量腹水、肥胖、妊娠、横位心脏等，可使心电轴左偏。左后分支阻滞、右心室肥大、广泛心肌梗死、肺气肿、垂直位心脏等，可使心电轴右偏。

三、心电图各波段正常范围及其变化的临床意义

1. P 波　正常 P 波在多数导联呈钝圆形，有时可有切迹，但切迹双峰之间的距离＜ 0.04s。正常 P 波在 aVR 导联倒置，Ⅰ、Ⅱ、aVF、V_3 ～ V_6 导联直立，其余导联（Ⅲ、aVL、V_1、V_2）可直立、低平、双向或倒置。正常 P 波的时间≤ 0.11s；电压在肢导联＜ 0.25mV，胸导联＜ 0.2mV。

P 波在 aVR 导联直立，Ⅱ、Ⅲ、aVF 导联倒置时，称为逆行型 P′ 波，表示激动自房室交界区逆行向心房传导。P 波时间＞ 0.11 s，且切迹双峰间的距离≥ 0.04s，提示左心房肥大；P 波电压在肢导联≥ 0.25mV、胸导联≥ 0.2 mV，常表示右心房肥大；低平无病理意义。

2. P-R 间期　正常成年人 P-R 间期为 0.12 ～ 0.20s。P-R 间期受年龄和心率的影响，年龄小或心率快时 P-R 间期较短，反之较长。

P-R 间期固定且超过 0.20s，见于Ⅰ度房室传导阻滞。P-R 间期＜ 0.12s，而 P 波形态、方向正常，见于预激综合征；P-R 间期＜ 0.12s，同时伴有逆行型 P′ 波，见于房室交界区心律。

3. QRS 波群

（1）时间：正常成人 QRS 波群时间为 0.06 ～ 0.10s，V_1 导联 VAT ＜ 0.03s，V_5 导联 VAT ＜ 0.05s。QRS 波群时间或 VAT 延长，见于心室肥大、心室内传导阻滞及预激综合征。

（2）形态与电压：正常人 V_1、V_2 导联为 rS 型，R/S ＜ 1、R_{V_1} ＜ 1.0mV，是右心室壁去极的电位变化反映，如超过这些值可能为右心室肥大。V_3、V_4 导联为过渡区图形，呈 RS 型，R/S 比值接近于 1。V_5、V_6 导联呈 qR、qRs、Rs 型，R/S ＞ 1、R_{V_5} ＜ 2.5mV，如超过这些值可能为左心室肥大。正常人的胸导联，自 V_1 至 V_5，R 波逐渐增高至最大，S 波逐渐变小甚至消失。如果过渡区图形出现于 V_1、V_2 导联，表示心脏有逆钟向转位；如果过渡区图形出现在 V_5、V_6 导联，表示心脏有顺钟向转位。

（3）Q 波：正常人除 aVR 导联可呈 QS 或 Qr 型外，其他导联 Q 波的振幅不得超过同导联 R 波的 1/4，时间＜ 0.04s。正常情况下，V_1、V_2 导联不应有 Q 波，但可呈 QS 型，V_3 导联极少有 Q 波。超过正常范围的 Q 波称为异常 Q 波，常见于心肌梗死。

4. J 点　QRS 波群的终末与 ST 段起始的交接点称为 J 点。J 点大多在等电位线上，通常随着 ST 段的偏移而发生移位。

5. ST 段　正常情况下，ST 段表现为一等电位线。在任何导联，ST 段下移不应超过 0.05mV；ST 段抬高

在 V_2 ～ V_3 导联，男性不超过 0.2mV，女性不超过 0.15mV；其他导联均不应超过 0.1mV。

ST 段水平型及下垂型压低见于心肌缺血；ST 段压低也见于低钾血症、洋地黄作用、心室肥厚及束支传导阻滞等。相邻 ST 段上抬超过正常且弓背向上见于急性心肌梗死，弓背向下的抬高见于急性心包炎。ST 段上抬亦可见于变异型心绞痛和室壁膨胀瘤。

6. T 波　正常 T 波是一个不对称的宽大而光滑的波，前支较长，后支较短；T 波的方向与 QRS 波群主波方向一致；在 R 波为主的导联中，T 波电压不应低于同导联 R 波的 1/10。

在 QRS 波群主波向上的导联中，T 波低平、双向或倒置见于心肌缺血、心肌损害、低钾血症、低钙血症、洋地黄效应、心室肥厚及心室内传导阻滞等。T 波高耸见于急性心肌梗死早期和高钾血症。

7. Q-T 间期　Q-T 间期的正常范围为 0.32 ～ 0.44s。通常情况下，心率越快，Q-T 间期越短，反之越长。Q-T 间期延长见于心肌损害、心肌缺血、心室肥大、心室内传导阻滞、心肌炎、心肌病、低钙血症、低钾血症、Q-T 间期延长综合征以及药物（如奎尼丁、胺碘酮）作用等；Q-T 间期缩短见于高钙血症、高钾血症、洋地黄效应。

8. U 波　在胸导联上（尤其 V_3），U 波较清楚，方向与 T 波方向一致。U 波增高常见于低钾血症。

第三节　常见异常心电图

一、心房、心室肥大

1. 心房肥大和心电图表现　心电图上反映心房的是 P 波，时间反映左心房，振幅反映右心房。

（1）右心房肥大：“高尖 P”，P 波高尖，电压≥ 0.25mV，Ⅱ、Ⅲ、aVF 导联突出。常见于慢性肺源性心脏病，故称“肺型 P 波”，也见于各种原因引起的左心衰竭、心房内传导阻滞等。右心房肥大心电图表现见图 5-2。

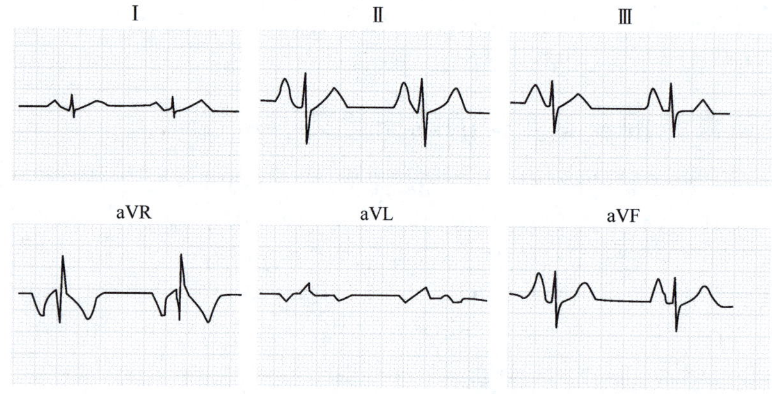

图 5-2　右心房肥大心电图表现

（2）左心房肥大：“增宽 P”，P 波增宽，时间＞ 0.11s，双峰间距≥ 0.04s，Ⅰ、Ⅱ、aVL 导联明显。多见于二尖瓣狭窄，故称“二尖瓣型 P 波”，也见于各种原因引起的左心衰竭、心房内传导阻滞等。左心房肥大心电图表现见图 5-3。

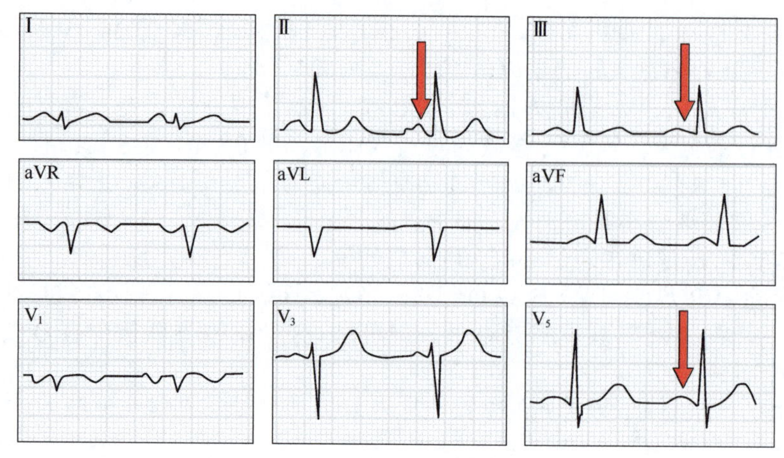

图 5-3　左心房肥大心电图表现

（3）双房肥大：P 波异常高大、明显增宽呈双峰型。

2. 心室肥大的心电图表现 心室在心电图上主要表现为 R 波，V_1 在右，V_5 在左。

（1）左心室肥大：① QRS 波群电压增高：R_{V_5} 或 R_{V_6} > 2.5mV；R_{V_5} 或 $R_{V_6}+S_{V_1}$ > 4.0mV（男）或 3.5mV（女）。②心电轴轻、中度左偏。③ QRS 波群时间延长到 0.10 ～ 0.11s，V_5 或 V_6 导联 R 峰时间> 0.05s。④ ST-T 改变：以 R 波为主的导联，ST 段下移> 0.05mV，T 波低平、双向或倒置。左心室肥大常见于高血压心脏病、二尖瓣关闭不全、主动脉瓣病变、心肌病等。左心室肥大心电图表现见图 5-4。

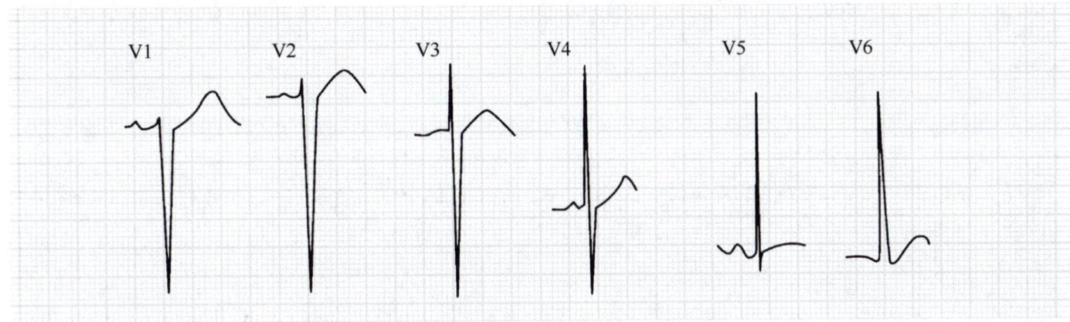

图 5-4 左心室肥大心电图表现

（2）右心室肥大：① QRS 波群形态改变：V_1R/S > 1，V_5R/S < 1，V_1 或 V_3R 的 QRS 波群呈 RS、rSR′、R 或 qR 型。②心电图右偏> +90°，重症可> +110°。③ $R_{V_1}+S_{V_5}$ > 1.05mV（重症> 1.2mV）；R_{aVR} > 0.5mV。④ V_1 或 V_3R 等右胸导联 ST 段下移> 0.05mV，T 波低平、双向或倒置。⑤ V_1 导联 R 峰时间> 0.03s。右心室肥大常见于慢性肺源性心脏病、风心病二尖瓣狭窄、先天性心脏病等。右心室肥大心电图表现见图 5-5。

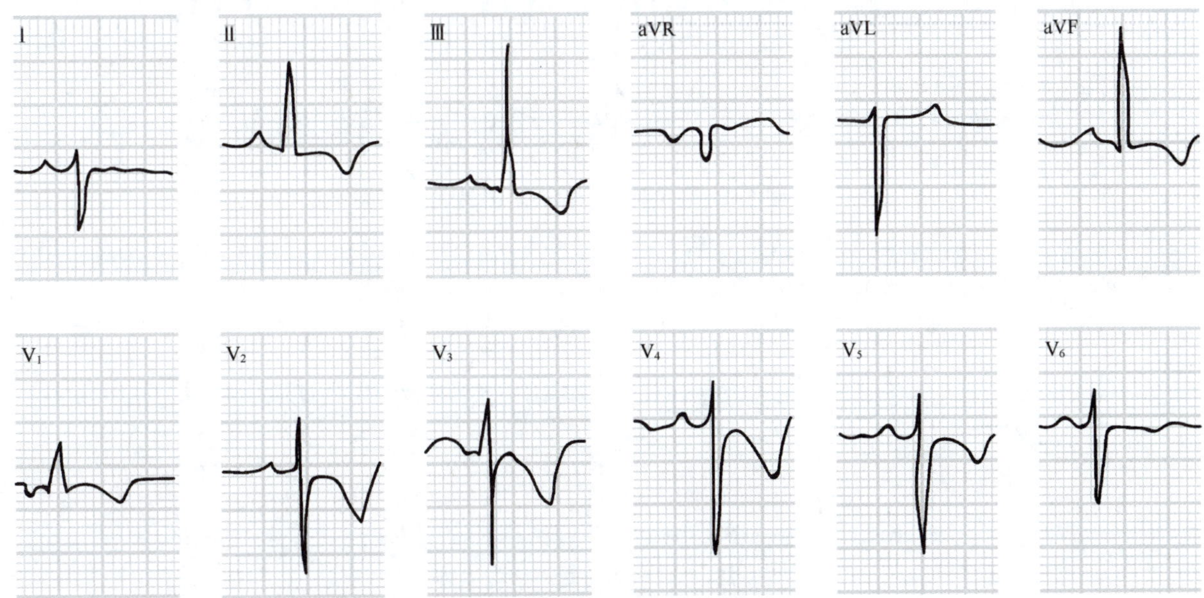

图 5-5 右心室肥大心电图表现

二、心肌梗死及心肌缺血

1. 心肌梗死

（1）心肌梗死基本图形：心肌供血主要靠冠状动脉，冠脉充盈在舒张期，而心电图上反映舒张期改变的是 ST 段和 T 波。①缺血型 T 波改变：“冠状 T 波”，两支对称的尖深倒置 T 波。②损伤型 ST 段移位：呈弓背向上的 ST 段抬高，明显时可形成单向曲线。③坏死型 Q 波改变：梗死区的导联上 Q 波异常加深、增宽（宽度≥ 0.04s，深度≥ 1/4R）或者呈 QS 波。

（2）心肌梗死的定位诊断：根据坏死图形（异常 Q 波或 QS 波）出现于哪些导联而作出定位诊断，见表 5-1。

2. 心肌缺血

（1）稳定型心绞痛：面对缺血区的导联上出现 ST 段水平型或下垂型压低≥ 0.1mV，T 波倒置、低平或双向，时间一般小于 15min。稳定型心绞痛心电图表现见图 5-6。

表 5-1 心肌梗死的定位诊断

部位	特征性 ECG 改变导联	对应性改变导联
前间壁	$V_1 \sim V_3$	—
前壁	$V_3 \sim V_5$	—
广泛前壁	$V_1 \sim V_6$	—
下壁	Ⅱ、Ⅲ、aVF	Ⅰ、aVL
右室	$V_3R \sim V_6R$	多伴下壁梗死

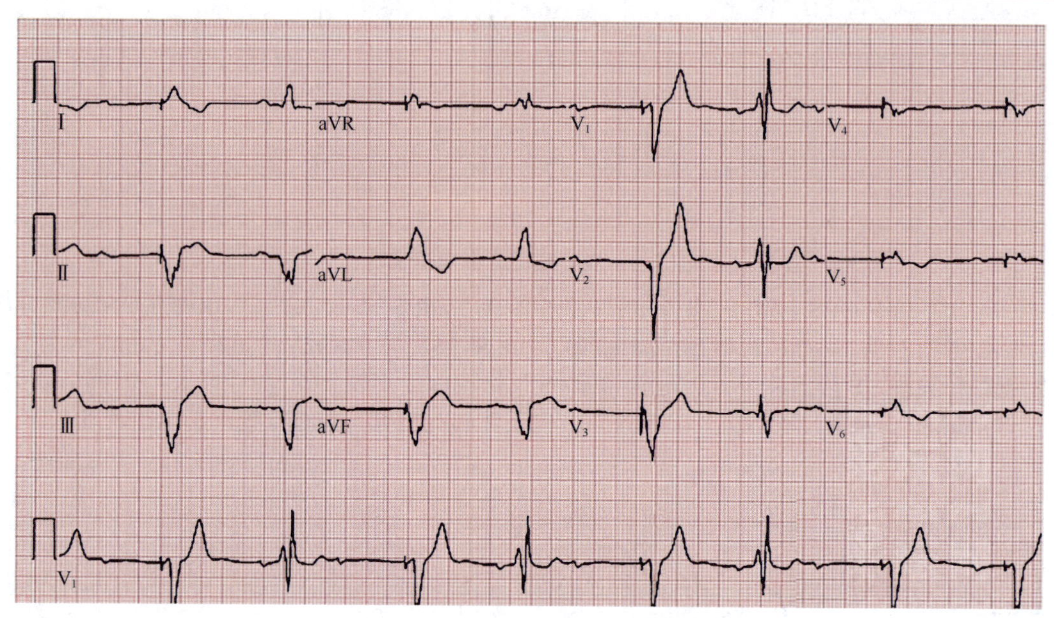

图 5-6 稳定型心绞痛心电图表现

（2）变异型心绞痛：常于休息或安静时发病，心电图可见 ST 段抬高，常伴有 T 波高耸，对应导联 ST 段下移。变异型心绞痛心电图表现见图 5-7。

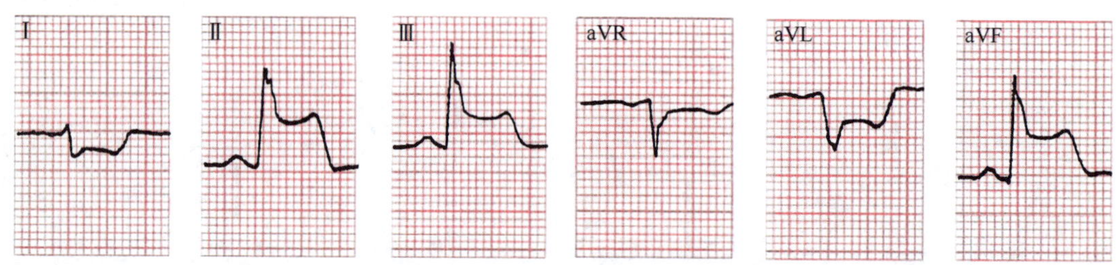

图 5-7 变异型心绞痛心电图表现

（3）慢性冠状动脉供血不足：在 R 波占优势的导联上，ST 段呈水平型或下垂型压低≥ 0.05mV；T 波低平、双向或倒置。

命题趋势 考试多以 A1、B1 型题为主。

金题直击

（1 ～ 2 题共用备选答案）

A. ST 段下移

B. ST 段明显上抬，呈弓背向上的单向曲线

C. T 波低平

D. T 波倒置

E. 异常深而宽的 Q 波

1. 急性心肌梗死心肌损伤的心电图改变是 【答案】B

2. 急性心肌梗死心肌坏死的心电图改变是 【答案】E

【解题思路】

心肌梗死心电图表现：①缺血型 T 波改变："冠状 T 波"，两支对称的尖深倒置 T 波。②损伤型 ST 段移位：呈弓背向上的 ST 段抬高，明显时可形成单向曲线。③坏死型 Q 波改变：梗死区的导联上 Q 波异常加深、增宽（宽度≥ 0.04s，深度≥ 1/4R）或者呈 QS 波。

【易错点】

与心绞痛心电图表现常混淆，心绞痛心电图表现为：①稳定型心绞痛：ST 段水平型或下垂型压低≥ 0.1mV，T 波倒置、低平或双向，时间一般小于 15min。②变异型心绞痛：ST 段抬高，常伴 T 波高耸（只在发作时出现，与心肌梗死鉴别）。

三、心律失常

1. 房性期前收缩的心电图表现（图 5-8） 房性期前收缩与 P 波和 P-R 间期有关，与 QRS 绝对无关。

（1）提早出现的房性 P′ 波，形态与窦性 P 波不同。

（2）P′-R 间期≥ 0.12s。

（3）房性 P′ 波后有正常形态的 QRS 波群。

（4）代偿间歇不完全。

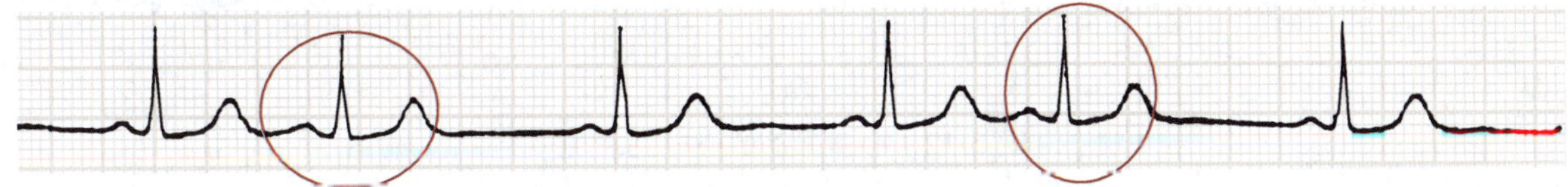

图 5-8　房性期前收缩的心电图表现

2. 室性期前收缩的心电图表现（图 5-9） 室性期前收缩与 QRS 有关。

（1）提早出现的 QRS 波群，其前无提早出现的异位 P 波。

（2）QRS 波群形态宽大畸形，QRS ≥ 0.12s。

（3）T 波方向与 QRS 主波方向相反。

（4）常有完全性代偿间歇。

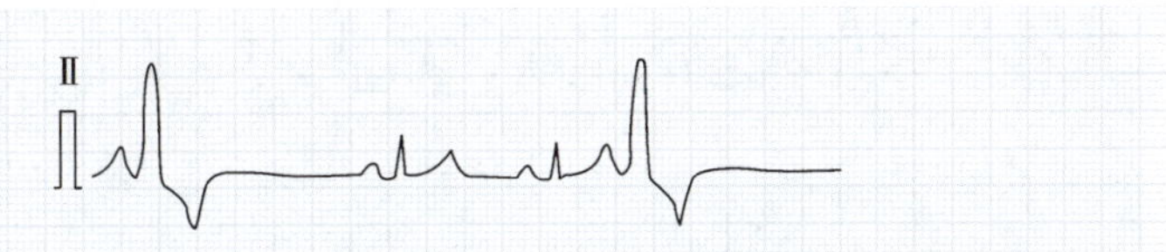

图 5-9　室性期前收缩的心电图表现

3. 交界性期前收缩的心电图表现（图 5-10） 与 QRS 基本无关，有逆行 P′ 波。

（1）提早出现的 QRS 波群，形态基本正常。

（2）提早出现的 QRS 波群之前或之后可有逆行 P′ 波，也可见不到逆行 P′ 波。若逆行 P′ 波在 QRS 波群之前，P′-R 间期＜ 0.12s；若逆行 P′ 波在 QRS 波群之后，R-P′ 间期＜ 0.20 s。

（3）常有完全性代偿间歇。

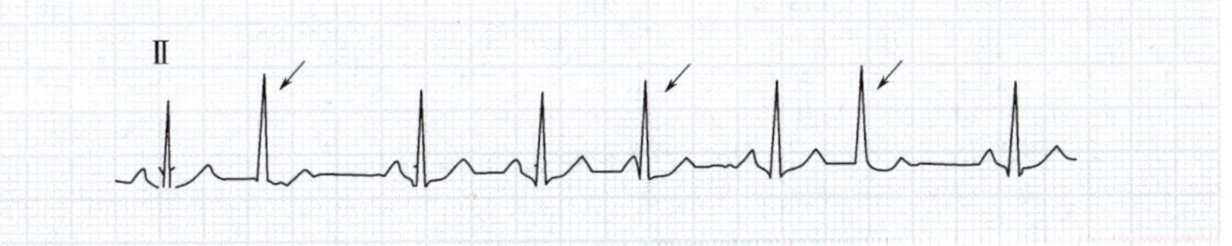

图 5-10　交界性期前收缩的心电图表现

4. 阵发性室上性心动过速的心电图表现（图 5-11） 只是心率增快，与 QRS 波群无关。

（1）QRS 波群频率 150 ～ 250 次 / 分，节律规则。

（2）QRS 波群形态基本正常，时间≤ 0.10s。

（3）ST-T 无变化，或发作时 ST 段下移和 T 波倒置。

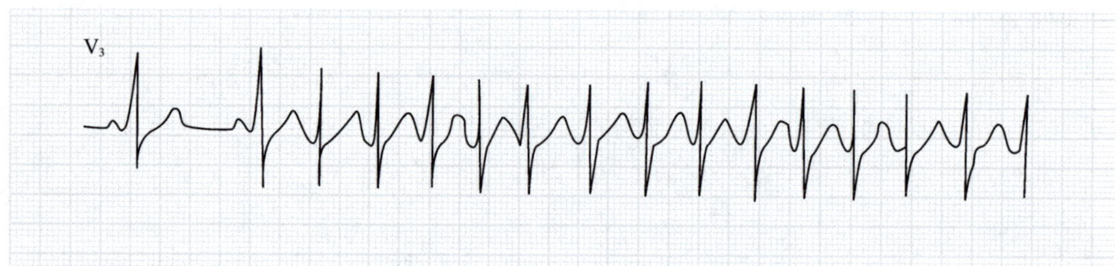

图 5-11　阵发性室上性心动过速的心电图表现

5. 心房颤动的心电图表现（图 5-12） 一定与 P 波有关，心律绝对不齐。

（1）P 波消失，代之以一系列大小不等、间距不均、形态各异的心房颤动波（f 波），其频率为 350 ～ 600 次 / 分。

（2）R-R 间距绝对不匀齐。心室率通常在 120 ～ 180 次 / 分之间。

（3）QRS 波群形态一般正常。

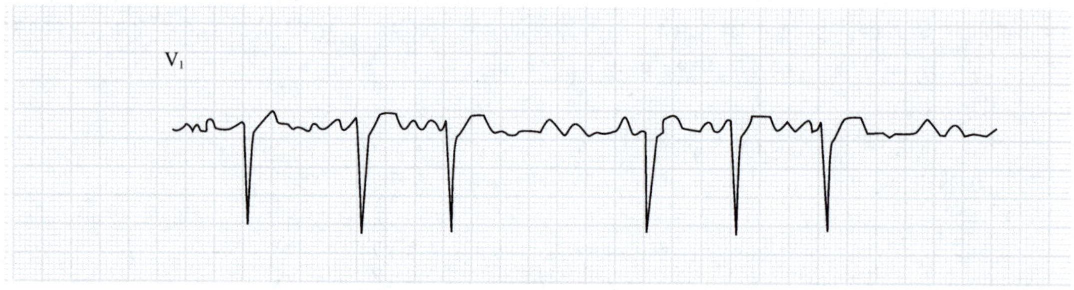

图 5-12　心房颤动的心电图表现

6. 房室传导阻滞的心电图表现 一定与 P-R 间期有关。P-R 间期正常值是 0.12 ～ 0.20s。

（1）一度房室传导阻滞的心电图表现（图 5-13）：P-R 间期固定延长，但没有影响 QRS 波群（没有脱漏）。①窦性 P 波之后均伴随有 QRS 波群。② P-R 间期固定的延长≥ 0.21s。

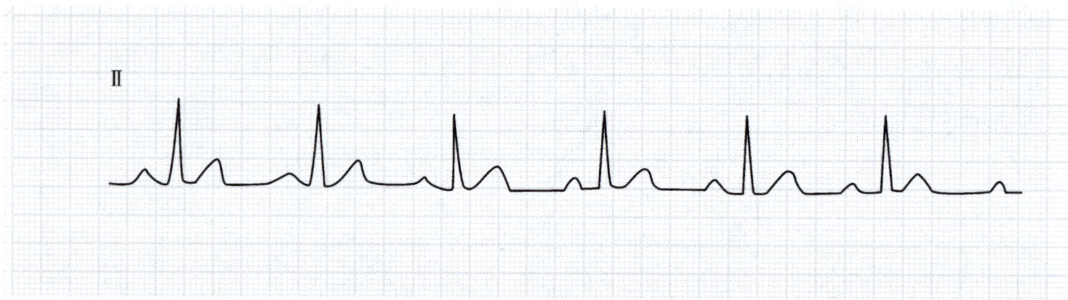

图 5-13　一度房室传导阻滞的心电图表现

（2）二度房室传导阻滞的心电图表现：部分 P 波后 QRS 波群脱漏。

①二度Ⅰ型又称莫氏Ⅰ型（图 5-14）：P-R 间期呈进行性延长（而 R-R 间距则进行性缩短），直至出现一次心室漏搏，其后 P-R 间期又恢复为最短，再逐渐延长，直至又出现心室漏搏。这种周而复始的现象，称为房室传导的文氏现象。

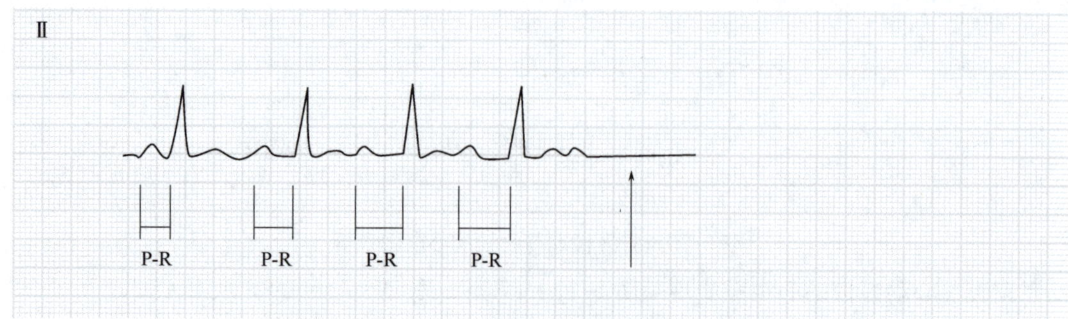

图 5-14　二度Ⅰ型房室传导阻滞的心电图表现

②二度Ⅱ型又称莫氏Ⅱ型（图 5-15）：P-R 间期恒定（正常或延长）。QRS 波群成比例地脱漏。

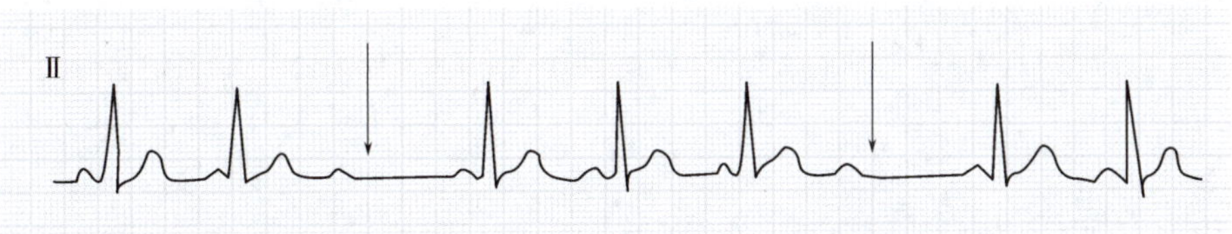

图 5-15　二度Ⅱ型房室传导阻滞的心电图表现

（3）三度房室传导阻滞的心电图表现（图 5-16）：① P 波与 ORS 波群无固定关系，P-P 与 R-R 间距各有其固定的规律性。②心房率＞心室率。③ QRS 波群形态正常或宽大畸形。

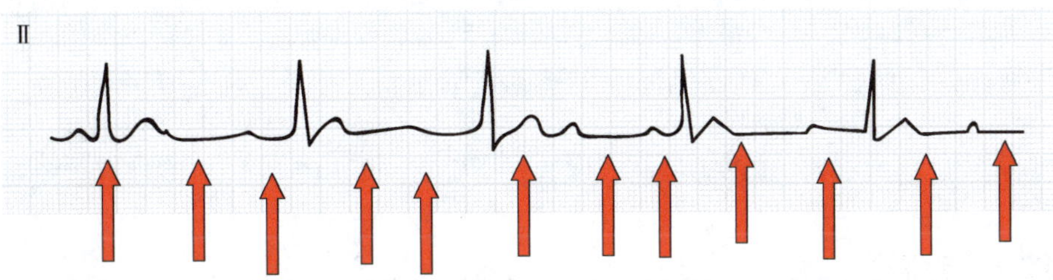

图 5-16　三度房室传导阻滞的心电图表现

命题趋势　考试多以 A1、B1 型题为主。

金题直击

3. 心电图诊断之一为“Ⅰ度房室传导阻滞（房室传导延缓）”，其心电图表现应为

A. P 波增　　　　B. P-R 间期延长

C. QRS 波群时限延　　　　D. ST 段延长

E. Q-T 间期延长　　　　【答案】B

【解题思路】

房室传导阻滞的心电图表现如下。

（1）一度房室传导阻滞：P-R 间期固定延长，但没有影响 QRS（没有脱漏）。

（2）二度房室传导阻滞：①二度Ⅰ型：P-R 间斯呈进行性延长，直至出现一次心室漏搏。②二度Ⅱ型：P-R 间期恒定（正常或延长），QRS 波群成比例地脱漏。

（3）三度房室传导阻滞：P 波与 ORS 波群无固定关系；心房率＞心室率。故选 B。

7. 预激综合征　目前认为，预激综合征的发生是由于在正常房室传导系统外还存在着“房室旁路”，主要有 3 种旁路：Kent 束、James 束、Mahaim 纤维。

经典型预激综合征的心电图表现如下：① P-R 间期＜ 0.12 s。② QRS 波群增宽，QRS 波群时间≥ 0.11s。③ QRS 波群起始部粗钝，形成预激波（Delta 波），此为心室预激在心电图上的主要表现。④可有继发性 ST-T 改变。

四、血钾异常

1. 高钾血症的心电图表现

（1）早期出现 QT 时间缩短，T 波高尖，双支对称，基底部变窄，即“帐篷状”T 波。

（2）随着高钾血症的加重，可出现 QRS 波增宽，幅度下降，P 波形态逐渐消失，可出现“窦性传导”。

（3）ST 段下降＞ 0.05 mV。

（4）严重高钾血症时，可出现房室传导阻滞、室内传导阻滞、窦性停搏、室速、室扑、室颤及心脏停搏等。

2. 低钾血症的心电图表现

（1）ST 段压低，T 波低平或倒置。

（2）U 波增高，以 V_2、V_3 导联上最明显，可＞ 0.1mV。U 波振幅可与 T 波等高，呈驼峰状，或 U ＞ T，或 T、U 波融合。

（3）T 波与 U 波融合时，QU 间期明显延长。

（4）严重低钾血症时，可出现各种心律失常，如房室传导阻滞，频发、多源室性期前收缩、甚至室速和尖端扭转性室速等。

五、心电图的临床应用价值

1. 分析与鉴别各种心律失常。
2. 确诊心肌梗死及急性冠状动脉供血不足。
3. 协助诊断慢性冠状动脉供血不足、心肌炎及心肌病。
4. 判断有无心房、心室肥大，从而协助某些心脏病的诊断，如风湿性、肺源性、高血压性及先天性心脏病等。
5. 协助诊断心包疾病，包括急性及慢性心包炎。
6. 观察某些药物对心肌的影响，包括治疗心血管病的药物（如强心苷、抗心律失常药物）及对心肌有损害的药物。
7. 对某些电解质紊乱（如血钾、血钙的过高或过低）不仅有助于诊断，还对治疗有重要参考价值。
8. 心电图监护。

高频考点速递

1. 缺血型心肌梗死："冠状 T 波"。损伤型心肌梗死：ST 段抬高。坏死型心肌梗死：Q 波异常加深。

2. 心肌梗死的定位：前间壁 V_1 ～ V_3；前壁 V_3 ～ V_5；下壁Ⅱ、Ⅲ、aVF。

3. 典型心绞痛：ST 段压低；变异型心绞痛：ST 段抬高。

4. 房室传导阻滞

（1）一度房室传导阻滞：P-R 间期固定延长，但没有影响 QRS（没有脱漏）。

（2）二度房室传导阻滞

① 二度Ⅰ型：P-R 间斯呈进行性延长，直至出现一次心室漏搏。

② 二度Ⅱ型：P-R 间期恒定（正常或延长）。QRS 波群成比例地脱漏。

（3）三度房室传导阻滞：P 波与 ORS 波群无固定关系；心房率＞心室率。

第六单元　影像诊断

考试分值

节	级别＼年份	2019	2020	2021	2022	2023
超声诊断	执业	1	1	0	1	1
	助理	1	0	0	1	1
放射诊断	执业	1	1	1	1	1
	助理	0	1	1	0	0
放射性核素诊断（助理不考）	执业	0	0	1	0	0

第一节　超声诊断

一、超声诊断的临床应用

1. 检测实质性脏器（如肝、肾、脾、胰腺、子宫及卵巢等）的大小、形态、边界及脏器内部回声等，帮助判断有无病变及病变情况。

2. 检测某些囊性器官（如胆囊、膀胱、胃等）的形态、走向及功能状态。

3. 检测心脏、大血管和外周血管的结构、功能及血流动力学状态，包括对各种先天性和后天性心脏病、血管畸形及闭塞性血管病等的诊断。

4. 鉴别脏器内局灶性病变的性质，是实质性还是囊性，还可鉴别部分病例的良、恶性。

5. 检测积液（如胸腔积液、腹腔积液、心包积液、肾盂积液及脓肿等）的存在与否，对积液量的多少作出初步估计。

6. 对一些疾病的治疗后动态随访。如急性胰腺炎、甲状腺肿块、子宫肌瘤等。

7. 介入性诊断与治疗。如超声引导下进行穿刺，或进行某些引流及药物注入治疗等。

二、二尖瓣狭窄、主动脉瓣关闭不全的异常声像图

1. 二尖瓣狭窄的异常声像图

（1）二维超声心动图表现：①二尖瓣增厚，回声增强，以瓣尖为主，有时可见赘生物形成的强光团。②二尖瓣活动僵硬，运动幅度减小。③二尖瓣口面积缩小（正常二尖瓣口面积约 $4cm^2$，轻度狭窄时，瓣口面积 $1.5 \sim 2.0cm^2$；中度狭窄时，瓣口面积 $1.0 \sim 1.5cm^2$；重度狭窄时，瓣口面积 $< 1.0cm^2$）。④腱索增粗缩短，乳头肌肥大。⑤左心房明显增大，肺动脉高压时则右心室增大，肺动脉增宽。

（2）M 型超声心动图表现：①二尖瓣曲线增粗，回声增强。②二尖瓣前叶曲线双峰消失，呈城墙样改变，EF 斜率减低。③二尖瓣前、后叶呈同向运动，后叶曲线套人前叶。④左心房增大。

（3）多普勒超声心动图表现：①彩色多普勒血流量显像（CDFI）：二尖瓣口见五彩镶嵌的湍流信号。②频谱多普勒：二尖瓣频谱呈单峰宽带充填形，峰值血流速度大于 1.5m/s，可达 6 ～ 8m/s。

2. 主动脉瓣关闭不全的异常声像图

（1）二维超声心动图表现：在左心室长轴及主动脉根部短轴切面上，可见主动脉瓣反射增强、舒张期主动脉瓣闭合不良、左心室容量负荷过重的表现。

（2）M 型超声心动图表现：①心底部探查，主动脉根部前后径增宽，运动幅度增大，舒张期闭合线呈双线，距离 > 2mm。若闭合线出现扑动现象，是血液反流的有力证据。②左心室探查，可见左心室容量负荷过重的改变，表现为左心室内径扩大，流出道增宽，室间隔和左心室后壁呈反向运动。

（3）多普勒超声心动图表现：舒张期可见五彩反流束自主动脉瓣口流向左心室流出道。

三、胆囊结石、泌尿系结石的异常声像图

1. 胆囊结石的异常声像图　典型胆囊结石的特征如下。

① 胆囊内见一个或数个强光团、光斑，其后方伴声影或彗星尾。

② 强光团或光斑可随体位改变而依重力方向移动。但当结石嵌顿在胆囊颈部，或结石炎性粘连在胆囊壁中（壁间结石）时，看不到光团或光斑随体位改变。不典型者如充填型胆结石，胆囊内充满大小不等的结石，声像图上看不见胆囊回声，胆囊区见一条强回声弧形光带，后方伴直线形宽大声影。

2. 泌尿系结石的异常声像图　泌尿系结石超声可见结石部位有强回声光团或光斑，后伴声影或彗星尾征。输尿管结石多位于输尿管狭窄处；膀胱结石可随体位依重力方向移动。膀胱结石的检出率最高，肾结石次之，输尿管结石因腹腔内肠管胀气干扰而显示较差。肾结石、输尿管结石时，可伴有肾盂积水。

四、脂肪肝、肝硬化的异常声像图

1. 脂肪肝的异常声像图

（1）弥漫性脂肪肝的声像图表现：整个肝均匀性增大，表面圆钝，边缘角增大；肝内回声增多增强，前半细而密，呈一片云雾状改变。彩色多普勒超声显示肝内血流的灵敏度降低，尤其对于较深部位的血管，血流信号较正常减少。

（2）局限性脂肪肝的声像图表现：通常累及部分肝叶或肝段，超声表现为脂肪浸润区部位的高回声区与正常肝组织的相对低回声区，两者分界较清，呈花斑状或不规则的片状。彩色多普勒超声显示不均匀回声区内无明显彩色血流，或正常肝内血管穿入其中。

2. 肝硬化的异常声像图

（1）肝体积缩小，逐步向右上移行。

（2）肝包膜回声增强，呈锯齿样改变；肝内光点增粗增强，分布紊乱。

（3）脾大。

（4）胆囊壁增厚毛糙，有腹水时可呈双边。

（5）可见腹水的无回声暗区。

（6）门静脉内径增宽＞ 1.3cm，门静脉血流信号减弱，血流速度常在 15 ～ 25cm/s 以下。

（7）可见脐静脉重新开放。

（8）癌变时在肝硬化基础上出现肝癌声像图特征，以弥漫型为多见。

第二节　放射诊断

一、X 线的特性（助理不考）

（1）穿透性。

（2）荧光效应。

（3）感光效应。

（4）电离效应。

二、X 线的检查方法

1. 普通检查　包括透视和摄影。

（1）透视：最常用的检查方法。透视的缺点是不能显示细微病变，不能留下永久记录，不便于复查对比。

（2）X 线摄影（又称平片）：这是目前最常用的 X 线检查方法。优点是影像清晰，对比度及清晰度均较好，其缺点是不能观察人体器官的动态功能改变。

2. 特殊检查

（1）软 X 线摄影：用钼作靶面的 X 线管所产生的 X 线波长较长，穿透力较弱，称为软 X 线。主要用以检查软组织（如乳腺）。

（2）其他特殊检查：如放大摄影、荧光摄影等。

3. 造影检查　指将密度高于或低于受检器官的物质引入需要检查的体内器官，使之产生对比，以显示受检器官的形态与功能的办法。引入的物质称为对比剂或造影剂，常用的造影剂如下。

（1）高密度造影剂：常用的为钡剂和碘剂。钡剂主要用于食管和胃肠造影。碘剂分离子型和非离子型。非离子型造影剂性能稳定，毒性低，适用于血管造影、CT 增强；离子型如泛影葡胺，用于肾盂及尿路造影。

（2）低密度造影剂：如空气、二氧化碳、氧等，常用于关节囊、腹腔造影等。

三、CT、磁共振成像（MRI）的临床应用

1. CT 的临床应用　随着 CT 成像技术的不断改进，其影像学效果越来越好，许多过去靠普通 X 线检查难以发现的疾病，目前通过 CT 检查多可以明确诊断，尤其是癌症及微小病变的早期发现和诊断，因此，在临床被广泛运用。CT 对头颅病变、脊椎与脊髓、纵隔、肺脏、肝、胆、胰、肾与肾上腺及盆部器官的疾病诊断都有良好的运用价值。双源 CT 下的冠脉造影，可以帮助判断冠状动脉有无狭窄及狭窄程度，指导临床治疗；CT 对中枢神经系统疾病的诊断价值更高，对颅内肿瘤、脓肿与肉芽肿、寄生虫病、外伤性血肿与脑损伤、脑梗死与脑出血、椎管内肿瘤等疾病诊断效果很好，结果可靠；对脊椎病变及椎间盘脱出也有良好的诊断价值；对眶内占位病变、鼻窦早期癌、中耳小的胆脂瘤、听骨破坏与脱位、内耳骨迷路的轻微破坏以及早期鼻咽癌的发现都有帮助；对肺癌、纵隔肿瘤以及腹部及盆部器官肿瘤的早期发现也有重要意义。

2. MRI 诊断的临床应用　与 CT 相比，MRI 检查具有无 X 线辐射、无痛苦、无骨性伪影的特点，非常适用于多次随访检查。MRI 具有高度的软组织分辨能力，不用对比剂就能清楚显示心脏、血管、体内腔道、肌肉、韧带以及脏器之间的关系，是颅脑、体内脏器、脊髓、骨与关节软骨、肌肉、滑膜、韧带等部位病变的首选检查方法，临床适应证广泛。但 MRI 对钙化与颅骨病变的诊断能力较差；难以发现新鲜出血，不能显示外伤性蛛网膜下腔出血；MRI 检查时间长，容易产生运动伪影；体内有金属植入物或金属异物者（如安装有心脏起搏器的患者），以及身体带有监护仪的患者不能做 MRI 检查。

四、呼吸系统常见病的影像学表现

（一）呼吸系统病变的基本 X 线表现

1. 渗出与实变　片状阴影，边缘模糊。

2. 纤维化　局限为索条状影；弥漫为紊乱的条状、网状、蜂窝状影。

3. **肿块** 致密块影。

4. **空洞与空腔** 有完整洞壁的透明区。

（二）常见呼吸系统疾病的影像诊断

1. **慢性支气管炎** X 线典型表现为肺纹理增多、增粗、扭曲，肺纹理伸展至肺野外带。

2. **支气管扩张症**

（1）CT 检查可见肺纹理增多、增粗、紊乱或网状，柱状扩张时可见“轨道征”或“戒指征”，囊状扩张时可见葡萄串样改变（图 6-1）。

（2）支气管造影可确定支气管扩张类型和部位。

（3）CT 可确诊支气管扩张。

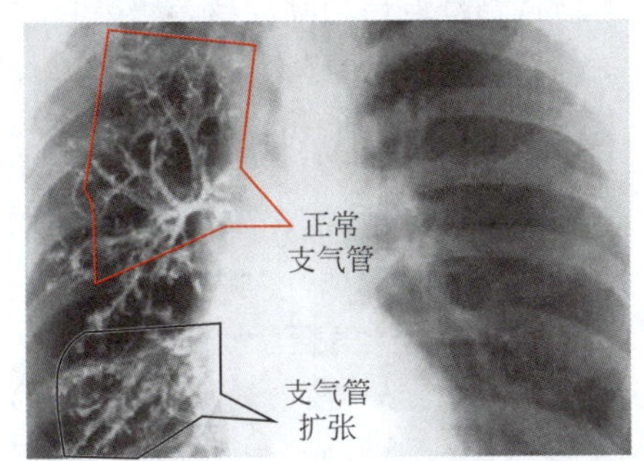

图 6-1 支气管扩张症影像诊断

3. **肺炎**

（1）大叶性肺炎

① 实变期：X 线可见均匀性密度增高的片状阴影，病变范围呈肺段性或大叶性分布，在大片密实阴影中常可见到透亮的含气支气管影，即支气管充气征。CT 支气管充气征较 X 线检查更清楚。

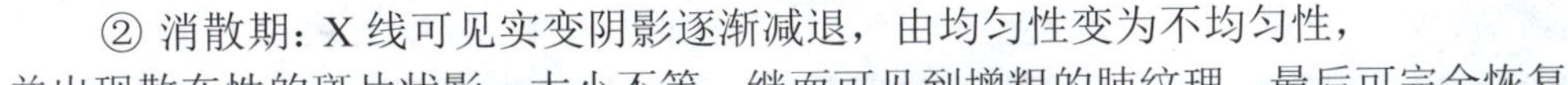

② 消散期：X 线可见实变阴影逐渐减退，由均匀性变为不均匀性，并出现散在性的斑片状影，大小不等，继而可见到增粗的肺纹理，最后可完全恢复正常（图 6-2）。

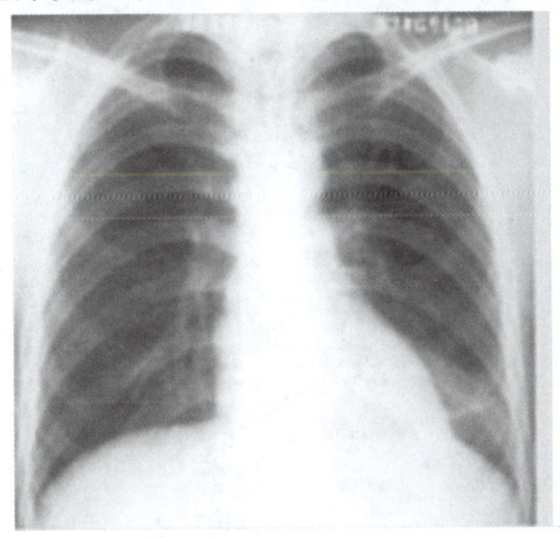
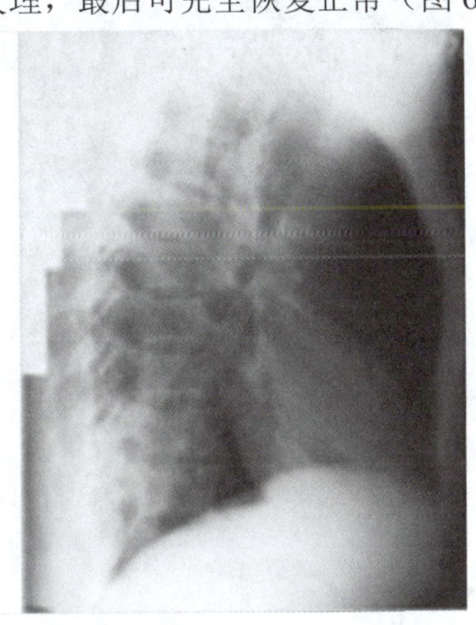

图 6-2 大叶性肺炎消散期 X 线表现

（2）支气管肺炎：病变常见于两肺下野的中、内带。X 线肺表现为沿增粗的肺纹理分布有散在的、多数密度不均匀的、边界模糊的小斑片状阴影（图 6-3）。CT 见两中下肺支气管血管束增粗，有大小不等的结节状见片状阴影，边缘模糊。

（3）间质性肺炎：常同时累及两肺，以中、下肺野显著。X 线表现为肺纹理增粗、模糊，可交织成网状，并伴有小点状影（图 6-4）。病变早期 HRCT 可见两侧支气管血管束增粗、不规则、伴磨玻璃样阴影。

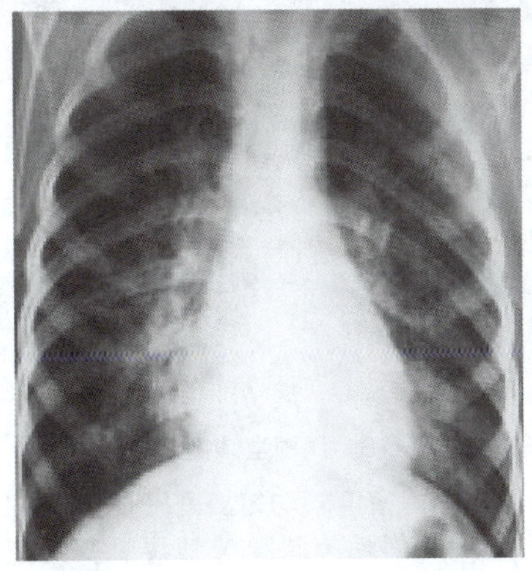

图 6-3 支气管肺炎的 X 线表现

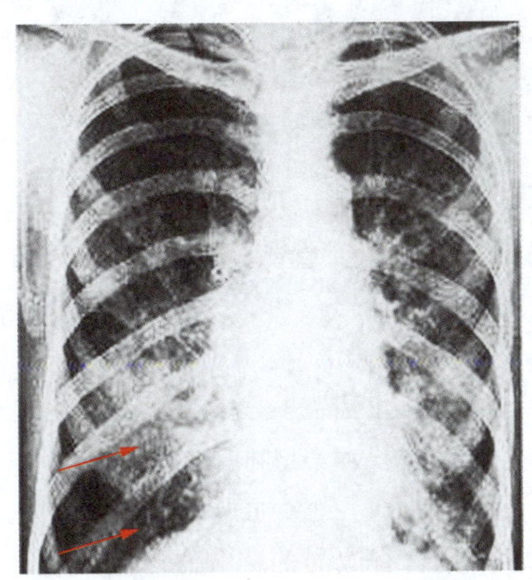

图 6-4 间质性肺炎的 X 线表现

4. 肺结核

（1）原发型肺结核（Ⅰ型）

① 原发综合征：肺内原发病灶、淋巴管炎及肺门淋巴结炎，三者组成的哑铃状双极现象。

② 胸内淋巴结结核：肺门和（或）纵隔淋巴结肿大而突向肺野。

（2）血行播散型肺结核（Ⅱ型）

① 急性粟粒型肺结核：X 线可见两肺大小一致、密度均等、分布均匀的粟粒样（直径 1 ～ 3mm）致密阴影。

② 亚急性或慢性血行播散型肺结核：X 线可见大小不等、新旧不一、分布不均的病灶。

（3）继发性肺结核（Ⅲ型）：X 线可见病变大多为肺尖或锁骨下区浸润性阴影，还可形成慢性纤维空洞。

（4）结核性胸膜炎（Ⅳ型）

① 干性结核性胸膜炎：X 线检查无异常表现或有膈肌运动受限。

② 渗出性结核性胸膜炎：多为一侧胸腔积液。

5. 原发性支气管肺癌

（1）X 线表现

① 中心型肺癌：多数表现为在相应部位反复发作、吸收缓慢的实变，如肿瘤同时向腔外生长和 / 或伴有肺门淋巴结转移时则可在肺门形成肿块影（图 6-5）。

② 周围型肺癌：为密度增高、轮廓模糊的结节状或球形病灶，逐渐发展可形成分叶状肿块（图 6-6）。

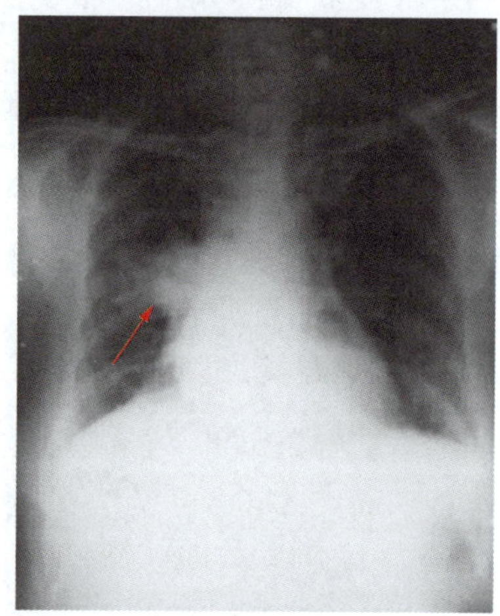

图 6-5　中心型肺癌 X 线表现

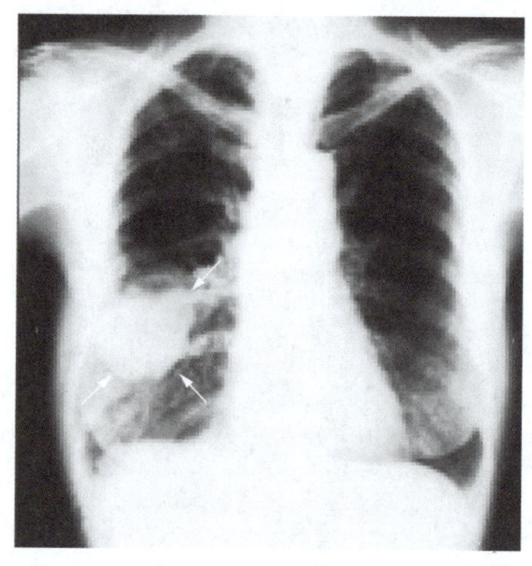

图 6-6　周围型肺癌 X 线表现

（2）CT 表现

① 中心型肺癌：支气管腔狭窄；肺门肿块，表现为分叶状或边缘不规则，常同时伴有阻塞性肺炎或肺不张；侵犯纵隔结构；纵隔淋巴结转移（图 6-7）。

② 周围型肺癌：肿块边缘可有分叶征、毛刺征，密度均匀（图 6-8）。增强扫描时可呈密度均匀的中等增强。

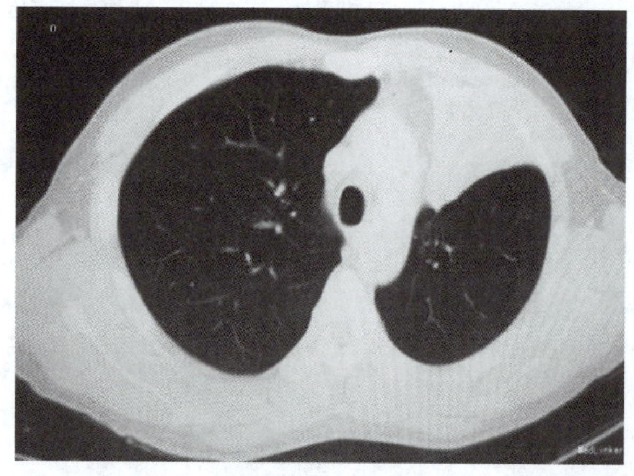

图 6-7　中心型肺癌 CT 影像

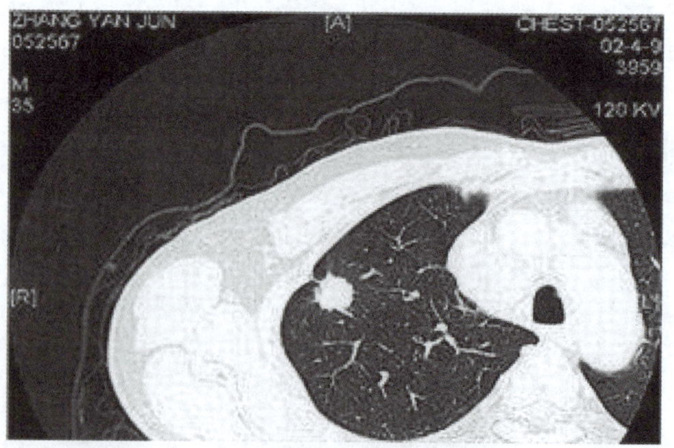

图 6-8　周围型肺癌 CT 影像

6. 肺脓肿　急性肺脓肿 X 线可见肺内大片致密影，边缘模糊，密度较均匀，可侵及一个肺段或一叶的大部；在致密的实变区中可见含有液面的空洞，内壁不规整（图 6-9）。慢性肺脓肿 X 线可见空洞壁变薄，周围有较多紊乱的纤维条索状阴影。多房性空洞 X 线则显示为多个大小不等的透亮区。

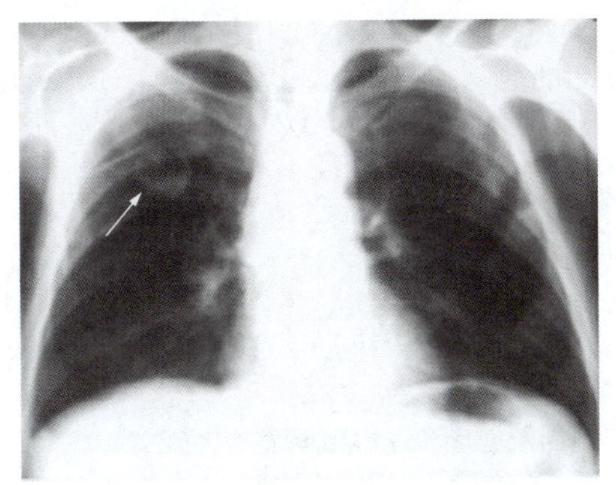

图 6-9　急性肺脓肿 X 线表现

7. 胸膜病变

（1）胸腔积液

① 游离性胸腔积液：当积液达 250mL 左右时，站立位 X 线检查可见外侧肋膈角变钝（图 6-10）；中等量积液时，患侧胸中、下部呈均匀性致密影，其上缘形成自外上斜向内下的凹面弧形，同侧膈和心缘下部被积液遮蔽（图 6-11）；大量积液时，除肺尖外，患侧全胸呈均匀的致密增高阴影，与纵膈连成一片，患侧肋间隙增宽，膈肌下降，气管、纵隔移向健侧（图 6-12）。

② 包裹性胸腔积液：X 线表现为圆形或半圆形密度均匀影，边缘清晰。

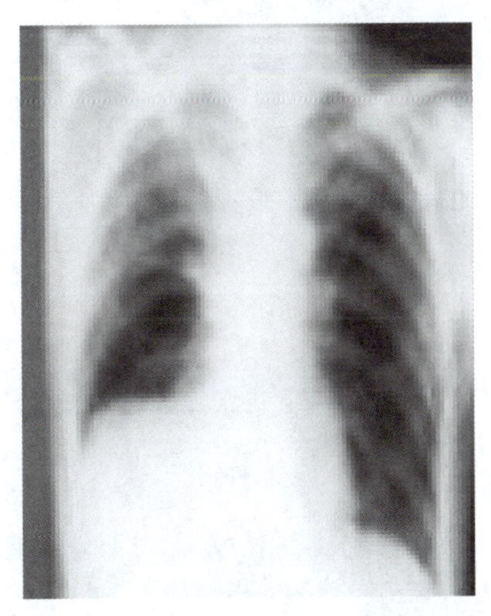

图 6-10　少量积液 X 线表现

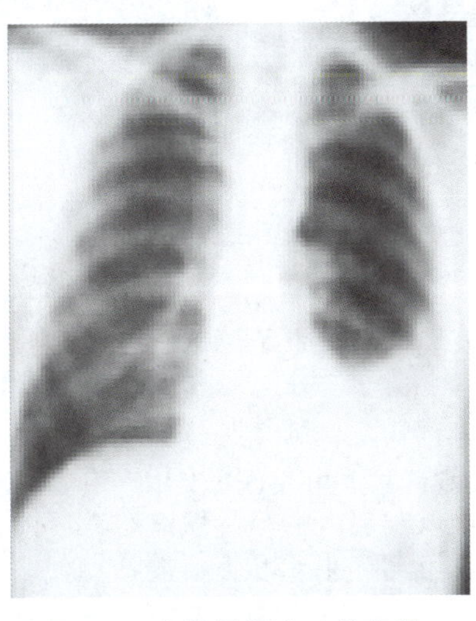

图 6-11　中等量积液 X 线表现

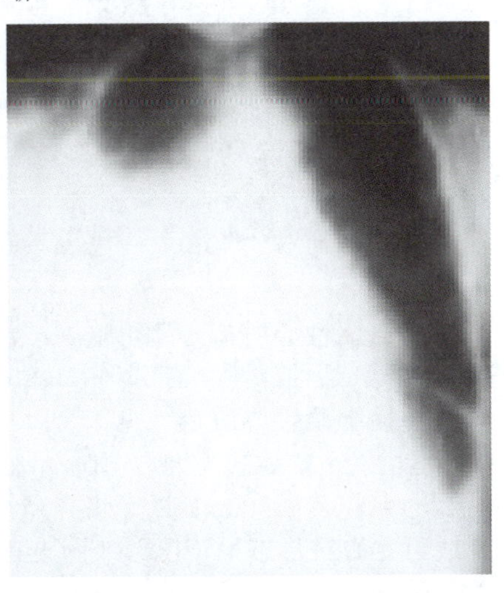

图 6-12　大量积液 X 线表现

（2）气胸及液气胸：气胸时 X 线显示胸腔顶部和外侧高度透亮，其中无肺纹理，透亮带内侧可见被压缩的肺边缘（图 6-13）。液气胸时，立位检查可见上方为透亮的气体影，下方为密度增高的液体影，且随体位改变而流动（图 6-14）。

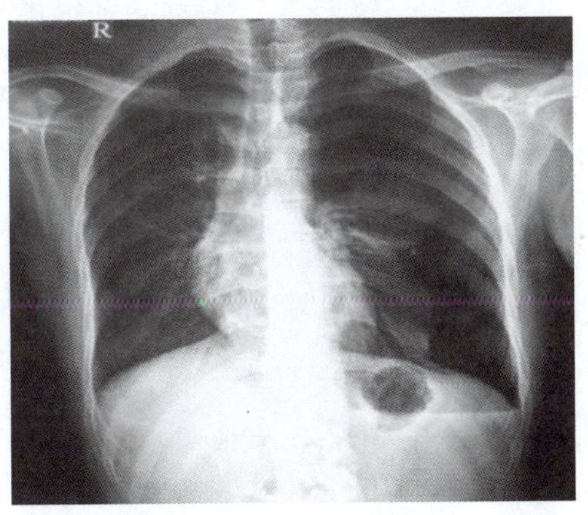

图 6-13　气胸 X 线表现

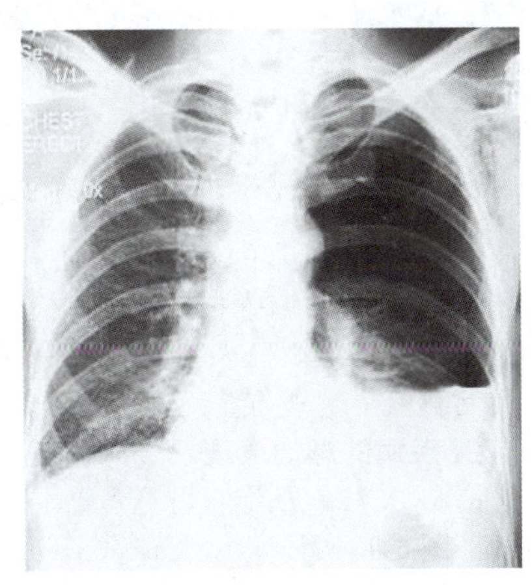

图 6-14　液气胸 X 线表现

（3）胸膜肥厚、粘连、钙化：胸膜轻度增厚时，X线表现为肋膈角变钝或消失，沿胸壁可见密度增高或条状阴影，还可见膈上幕状粘连，膈运动受限。广泛胸膜增厚则呈大片不均匀性密度增高影，患侧肋间隙变窄或胸廓塌陷，纵隔向患侧移位，膈肌升高，活动减弱，严重时可见胸部脊柱向健侧凸起。胸膜钙化的X线表现为斑块状、条状或片状高密度钙化影。

五、循环系统常见病的影像学表现

1. 风湿性心脏病

（1）单纯二尖瓣狭窄：梨形心（图6-15）。X线表现为心影增大呈二尖瓣型，左心房及右心室增大，左心耳部凸出，肺动脉段突出，主动脉结及左心室变小。

（2）二尖瓣关闭不全：X线表现为左心房和左心室明显增大。

（3）主动脉瓣狭窄：X线可见左心室增大，或伴左心房增大，升主动脉中段局限性扩张，主动脉瓣区可见钙化。

（4）主动脉瓣关闭不全：X线表现为左心室明显增大，升主动脉、主动脉弓普遍扩张，心脏呈靴形（图6-16）。

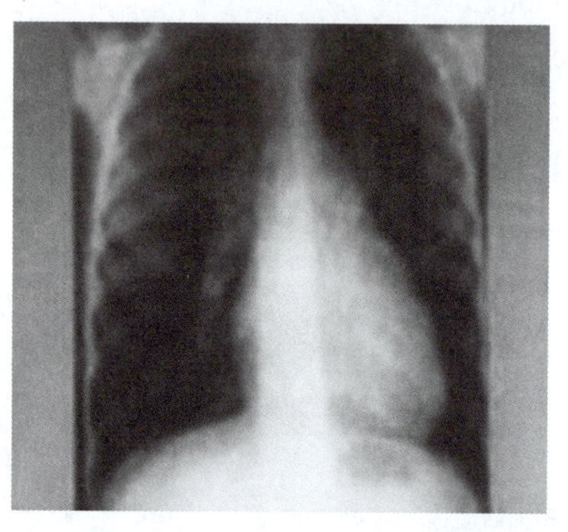

图6-15　梨形心

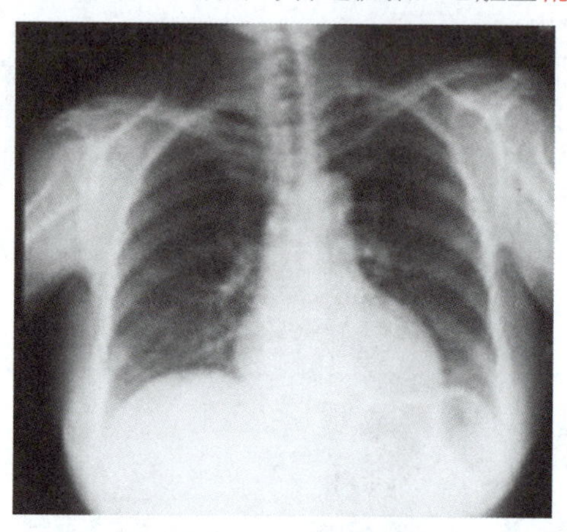

图6-16　靴形心

2. 高血压性心脏病　靴形心。X线表现为左心室肥厚增大及主动脉增宽、延长、迂曲。

3. 慢性肺源性心脏病　见于慢性肺胸部病变、肺气肿、肺动脉高压和右心室增大。X线表现为右下肺动脉增宽≥1.5mm，右心室增大等。

4. 心包积液　300mL以下者，X线难以发现。中等量积液时，后前位X线可见心脏形态呈烧瓶形（图6-17），上腔静脉增宽，心脏搏动减弱或消失等。

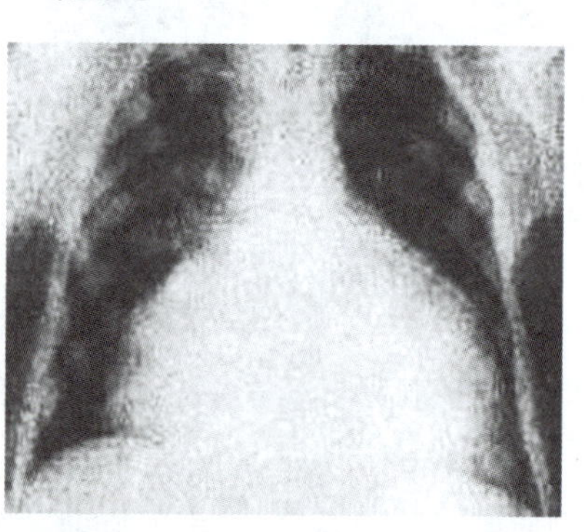

图6-17　烧瓶心

六、消化系统疾病影像学检查及常见疾病的影像学表现

1. 检查方法

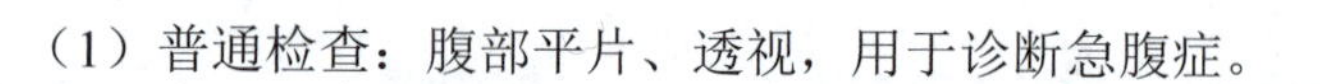

（1）普通检查：腹部平片、透视，用于诊断急腹症。

（2）造影（气钡双重检查）：①食道吞钡检查：观察食管黏膜、轮廓、蠕动和食管扩张度及通畅性。②上消化道钡剂检查：检查范围包括食管、胃、十二指肠和上段空肠。③小肠：钡剂造影。④结肠造影：常以钡剂灌肠方式造影。

（3）肝、胆、胰的影像检查方法：①肝脏：CT平扫；CT增强扫描；MRI检查。②胆道系统：X线检查有无不透X线的结石、钙化或异常的气体影；造影检查有口服胆囊造影、静脉胆道造影、内镜逆行性胆胰管造影（ERCP）；CT检查有平扫、增强扫描；MRI检查。③胰腺检查：X线平片检查有无钙化、结石，逆行性胆胰管内镜造影对诊断慢性胰腺炎、胰头癌和壶腹癌有一定帮助；CT检查可显示胰腺的大小、形态、密度和结构，是胰腺疾病最重要的影像学检查方法；MRI检查。

2. 消化系统常见疾病的影像表现

（1）食管静脉曲张：X线钡剂造影可见食管中、下段黏膜皱襞明显增宽、迂曲，呈蚯蚓状或串珠状充盈缺损，管壁边缘呈锯齿状（图6-18）。

（2）食管癌：X线钡剂造影可见：①正常皱襞消失、中断、破坏，表面杂乱不规则；②管腔狭窄；③腔内充盈缺损；④不规则的龛影；⑤受累食管呈局限性僵硬（图 6-19）。

（3）消化性溃疡

① 胃溃疡：X 线钡剂造影检查直接征象为龛影，多见于胃小弯（图 6-20）；间接征象为痉挛性改变，分泌增加，胃蠕动增强或减弱。

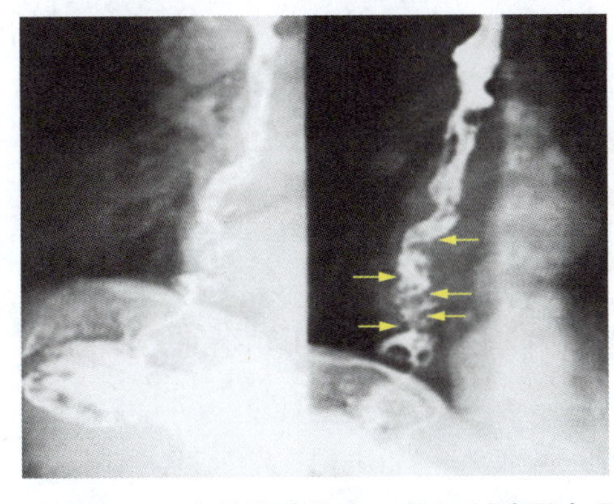

图 6-18 食管静脉曲张 X 线钡剂造影表现

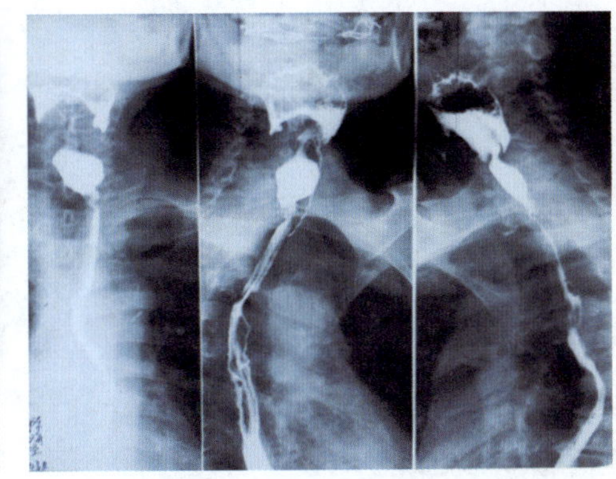

图 6-19 食管癌 X 线钡剂造影表现

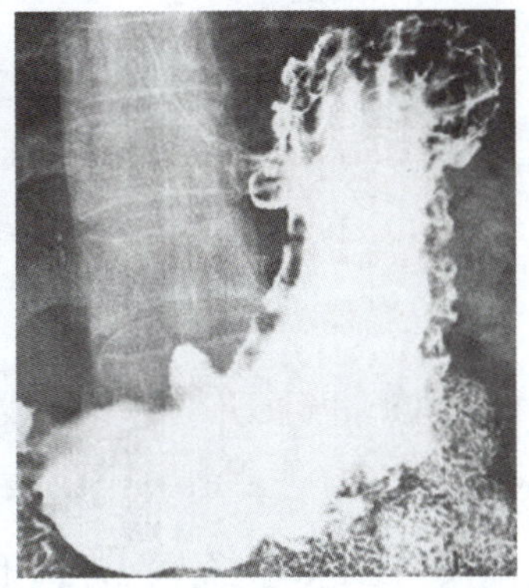

图 6-20 胃溃疡 X 线钡剂造影表现

② 十二指肠溃疡：溃疡易造成球部变形，多见于球部。间接征象为激惹征；幽门痉挛，开放延迟；胃分泌增多和胃张力及蠕动方面的改变；球部固定压痛。

命题趋势 考试多以 A1、B1 型题为主。

金题直击

1. X 线钡餐见到龛影，提示的疾病是

A. 急性胃穿孔　　B. 幽门梗阻

C. 消化性溃疡　　D. 上消化道出血

E. 慢性胃炎

【答案】C

【解题思路】

A 表现为膈下游离气体，双侧膈下线条状或新月状透光影；B 表现为梗阻上段扩张、积液；C 直接征象表现为龛影；上消化道出血、慢性胃炎因 X 线钡餐特异性不高，临床检查不作为首选。所以本题选 C。

【易错点】

龛影须与充盈缺损鉴别。溃疡影像表现为龛影。癌症影像表现为充盈缺损。

（4）胃癌：上消化道钡剂造影检查可见：①充盈缺损；②胃腔狭窄，胃壁僵硬；③龛影多见于溃疡型癌，龛影形状不规则；④黏膜皱襞破坏、消失或中断；⑤肿瘤区蠕动消失。

（5）溃疡性结肠炎：肠气钡双重对比造影检查可见：①病变肠管结肠袋变浅、消失；②黏膜皱襞多紊乱，粗细不一，其中可见溃疡龛影；③慢性晚期病例表现为肠管从下向上呈连续性的向心性狭窄，边缘僵直，同时肠管明显缩短，肠腔舒张或收缩受限，形如硬管状。

（6）结肠癌：结肠气钡双重对比造影检查可见：①肠腔内可见肿块，轮廓不规则，黏膜皱襞消失，该处肠壁僵硬平直、结肠袋消失；②较大的龛影，形状多不规则，边缘多不整齐；③肠管狭窄，肠壁僵硬。

（7）胃肠道穿孔：最多见于胃或十二指肠，立位 X 线透视或腹部平片可见两侧膈下有弧形或半月形透亮气体影（图 6-21）。

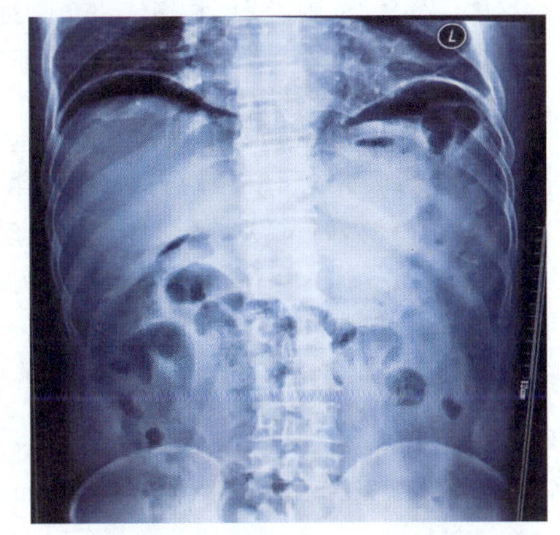

图 6-21 胃肠道穿孔 X 线表现

命题趋势 考试多以 A1、B1 型题为主。

金题直击

2. 下列疾病，立位 X 线透视可见膈下游离气体影的是

A. 急性胃穿孔　　B. 肠梗阻

C. 肠套叠　　D. 肝破裂

E. 结肠肿瘤

【答案】A

【解题思路】

膈下游离气体影见于胃肠道穿孔。B 可见肠道扩张，胀气，有团块影；C 可见杯口状影；D 可见肝区影模糊，下腹部可有高密度影；E 可见结肠区有团块影。所以本题选 A。

（8）肠梗阻：典型 X 线表现为梗阻上段肠管扩张，积气、积液，呈阶梯状气液平。梗阻以下的肠管闭合，无气体或仅有少量气体。

七、泌尿系统常见病的影像学表现

1. 泌尿系结石　约 90% 的肾、输尿管、膀胱结石可由 X 线平片显示，称为阳性结石。少数结石，如尿酸盐结石，难在平片显影，故称阴性结石。

2. 肾癌

① X 线表现：平片上较大肾癌可致肾轮廓局限性外突。

② 尿路造影检查：由于肿瘤的压迫包绕，可使肾盏伸长、狭窄和受压变形，也可使肾盏封闭或扩张。

③ CT 表现：平扫时肾癌表现为肾实质肿块，呈类圆形或分叶状。

八、骨与关节常见病的影像学表现

1. 长骨骨折　X 线检查是诊断骨折最常用、最基本的方法，可见骨皮质连续性中断、骨小梁断裂和歪曲，有边缘光滑锐利的线状透亮阴影，即骨折线（图 6-22）。

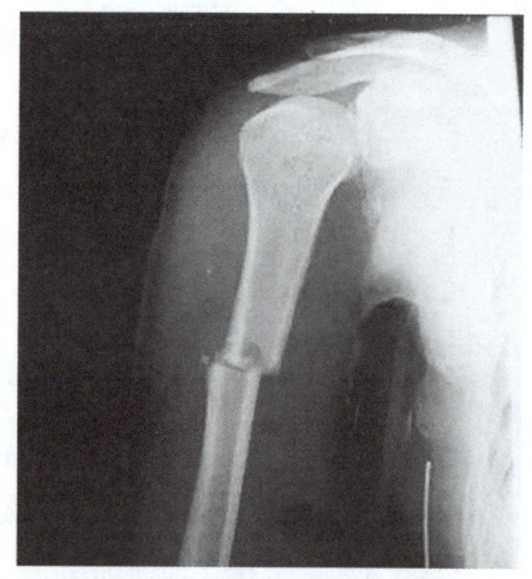

图 6-22　长骨骨折 X 线表现

2. 脊柱骨折　X 线可见骨折椎体压缩呈楔形，前缘骺质嵌压。

3. 椎间盘突出

（1）X 线平片：①椎间隙变窄或前窄后宽。②椎体后缘唇样肥大增生、骨桥形成或游离骨块。③脊柱生理曲度变直或侧弯。

（2）CT 检查：根据椎间盘变形的程度，分为椎间盘变性、椎间盘膨出、椎间盘突出 3 种，以椎间盘突出最为严重。

① CT 直接征象是椎间盘后缘变形，有局限性突出，其内可有钙化。

② 间接征象包括硬膜外脂肪层受压、变形甚至消失，两侧硬膜外间隙不对称；硬膜囊受压变形和移位；一侧神经根鞘受压。

（3）MRI 检查：能很好地显示各部位椎间盘突出的图像，是诊断椎间盘突出的最好方法。

4. 急性化脓性骨髓炎

（1）X 线表现：发病 2 周后可见骨干骺端骨松质中出现骨质疏松，进一步出现骨质破坏，破坏区边缘模糊；骨皮质供血障碍时可发生骨质坏死，出现沿骨长轴形成的长条形死骨，有时可引起病理性骨折。

（2）CT 表现：清晰显示软组织感染、骨膜下脓肿以及骨破坏和死骨，尤其有助于发现平片不能显示的小的破坏区和死骨。

（3）MRI 检查：对显示骨髓腔内改变和软组织感染优于 X 线和 CT。

5. 慢性化脓性骨髓炎

（1）X 线表现：X 线可见明显的修复，即在骨破坏周围有骨质增生硬化现象；骨膜的新生骨增厚，并同骨皮质融合，呈分层状，外缘呈花边状；骨干增粗，轮廓不整，骨密度增高，甚至骨髓腔发生闭塞；可见骨质破坏和死骨。

（2）CT 表现：与 X 线表现相似，并容易发现 X 线不能显示的死骨。

6. 骨关节结核　X 线主要表现为骨质疏松和骨质破坏，部分可出现冷脓肿。

（1）长骨结核：①好发于骺和干骺端。X 线早期可见骨质疏松；在骨松质中可见局限性类圆形、边缘较清楚的骨质破坏区，邻近无明显骨质增生现象；骨质破坏区有时可见“泥沙”状死骨；② CT 检查可显示低密度的骨质破坏区，内部可见高密度的小斑片状死骨影。

（2）关节结核：①骨型关节结核的 X 线表现较为明显，即在原有病变征象的基础上，又有关节周围软组织肿胀、关节间隙不对称性狭窄或关节骨质破坏等。② CT 检查可见肿胀的关节囊、关节周围软组织和关节囊内积液，骨关节面毛糙，可见虫蚀样骨质缺损。③ MRI 检查：滑膜型结核早期可见关节周围软组织肿胀，肌间隙模糊。

（3）脊椎结核：好发于腰椎，可累及相邻的两个椎体，附件较少受累。① X 线表现：病变椎体骨松质破坏，发生塌陷变形或呈楔形变，椎间隙变窄或消失，严重时椎体互相嵌入融合而难以分辨；病变椎体旁因大量坏死物质流入而形成冷脓肿，表现为病变椎体旁软组织梭形肿胀，边缘清楚；病变部位脊柱后突畸形。② CT 对显示椎体及其附件的骨质破坏、死骨、冷脓肿均优于平片。③ MRI 对病变部位、大小、形态和椎管内病变的显示优于平片和 CT。

7. 骨肿瘤　骨肿瘤分为原发性和转移性两种，转移性骨肿瘤在恶性骨肿瘤中最为常见。X 线检查不仅可以发现骨肿瘤，还可帮助鉴别肿瘤的良恶以及是原发还是转移。一般原发性骨肿瘤好发于长骨，转移性骨肿瘤好发于躯干骨与四肢近侧骨的近端。原发性骨肿瘤多为单发，转移性骨肿瘤常为多发。良性骨肿瘤多无骨膜增生，恶性骨肿瘤常有骨膜增生，并且骨膜新生骨可被肿瘤破坏，形成恶性骨肿瘤的特征性 X 线表现——Codman 三角。

（1）骨巨细胞瘤（破骨细胞瘤）：多见于 20 ～ 40 岁的青壮年，股骨下端、胫骨上端以及桡骨远端多发，良性多见。① X 线平片：在长骨干骺端可见到偏侧性的膨胀性骨质破坏透亮区，边界清楚。多数病例破坏区内可见数量不等的骨嵴，将破坏区分隔成大小不一的小房征，称为分房型；少数破坏区无骨嵴，称为溶骨型。当肿瘤边缘出现筛孔状或虫蚀状骨破坏，骨嵴残缺紊乱，环绕骨干出现软组织肿块影时，提示恶性骨巨细胞瘤。② CT 平扫：可见骨端的囊性膨胀性骨破坏区，骨壳基本完整，骨破坏与正常骨小梁的交界处多没有骨增生硬化带。骨破坏区内为软组织密度影，无钙化和骨化影。增强扫描肿瘤组织有较明显的强化，而坏死囊变区无强化。

（2）骨肉瘤：多见于 11 ～ 20 岁的男性，好发于股骨下端、胫骨上端及肱骨上端的干骺端。① X 线主要表现为骨髓腔内不规则的骨破坏和骨增生，骨皮质破坏。② CT 表现为松质骨的斑片状缺损，骨皮质内表面的侵蚀或全层的虫蚀状、斑片状破坏或大片缺损。骨质增生表现为松质骨内不规则斑片状高密度影和骨皮质增厚。软组织肿块围绕病变骨骼生长或偏于一侧，边缘模糊，与周围正常组织界限不清，其内常见大小不等的坏死囊变区；CT 发现肿瘤骨较平片敏感，并能显示肿瘤与邻近结构的关系。③ MRI 能清楚地显示骨肿瘤与周围正常组织的关系，以及肿瘤在髓腔内的情况等；但对细小、淡薄的骨化或钙化的显示不如 CT。一般典型骨肉瘤平片即可诊断，而判断骨髓病变 MRI 更好。

（3）转移性骨肿瘤：①根据 X 线表现的不同将其分为溶骨型、成骨型和混合型三种，以溶骨型最为多见。② CT 显示骨转移瘤不仅比普通平片敏感，而且还能清楚显示骨外局部软组织肿块的范围、大小、与相邻脏器的关系等。③ MRI 对骨髓中的肿瘤组织及其周围水肿非常敏感，比 CT 能更早地发现骨转移瘤，从而为临床诊断、治疗等提供更早而可靠的依据。

8. 颈椎病　X 线表现为颈椎生理曲度变直或向后反向成角，椎体前缘唇样骨质增生或后缘骨质增生、后翘，相对关节面致密，椎间隙变窄，椎间孔变小，钩突关节增生、肥大、变尖，前、后纵韧带及项韧带钙化。CT、MRI 对颈椎病的诊断优于普通 X 线平片，尤其对平片不能确诊的颈椎病，MRI 诊断更具有优势。

9. 类风湿性关节炎　X 线表现为：早期手、足小关节多发对称性梭形软组织肿胀，关节间隙可因积液而增宽，出现软骨破坏后关节间隙变窄；发生在关节边缘的关节面骨质侵蚀，是类风湿性关节炎的重要早期征象；进一步发展可见骨性关节面模糊、中断，常有软骨下囊性病灶，呈多发、边缘不清楚的小透亮区；骨质疏松早期发生在受累关节周围，以后可累及全身骨骼；晚期可见四肢肌肉萎缩，关节半脱位或脱位，指间、掌指间关节半脱位明显，常造成手指向尺侧偏斜、畸形。

10. 退行性骨关节病　依靠普通平片就可诊断。

九、常见中枢神经系统疾病的影像学表现

（一）脑血管病

1. 脑出血　高血压性脑出血是最常见的病因，出血部位多为基底节、丘脑、脑桥和小脑。根据血肿演变分为急性期、吸收期和囊变期。CT、MRI 可以确诊。CT 表现如下。①急性期血肿呈圆形、椭圆形或不规则形均匀密度增高影，边界清楚；周围有环形密度减低影（水肿带）；局部脑室受压移位；血液进入脑室或蛛网膜下腔时，可见脑室或蛛网膜下腔内有积血影。②吸收期（发病后 3 ～ 7 天）可见血肿缩小、密度降低，小的血

肿可以完全吸收，血肿周围变模糊，水肿带增宽。③发病 2 个月后进入囊变期，较大的血肿吸收后常留下大小不等的囊腔，同时伴有不同程度的脑萎缩。见图 6-23。

2. 蛛网膜下腔出血 CT 表现为脑沟、脑池、脑裂内密度增高影，脑沟、脑裂、脑池增大，少数严重病例周围脑组织受压移位。出血一般 7 天左右吸收，此时 CT 检查无异常发现，但 MRI 仍可见高信号出血灶痕迹。

3. 脑梗死 常见的原因有脑血栓形成、脑栓塞、低血压和凝血状态等。病理上分为缺血性脑梗死、出血性脑梗死、腔隙性脑梗死。

（1）CT 表现

① 缺血性脑梗死：发病 12 ～ 24h 之内，CT 无异常所见；少数病例在血管闭塞 6h 即可显示大范围低密度区，其部位、范围与闭塞血管供血区一致，皮质与髓质同时受累，多呈三角形或扇形，边界不清，密度不均，在等密度区内散在较高密度的斑点影代表梗死区内脑质的相对无损害区（图 6-24）；2 ～ 3 周后，病变处密度越来越低，最后变为等密度而不可见；1 ～ 2 个月后可见边界清楚的低密度囊腔。

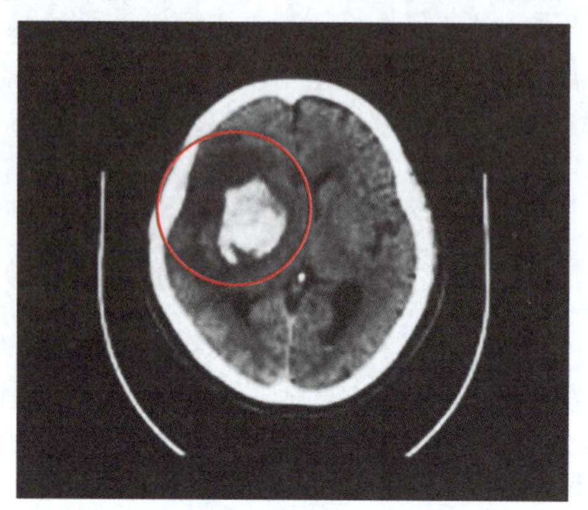

图 6-23 脑出血 CT 影像

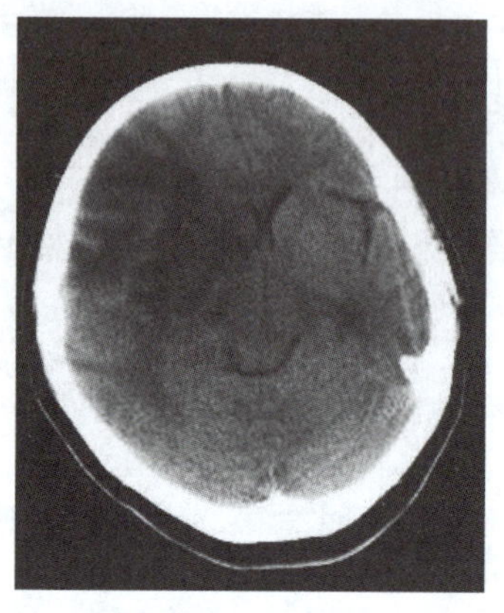

图 6-24 缺血性脑梗死 CT 影像

② 出血性脑梗死：在密度减低的脑梗死灶内，见到不规则斑点状或片状高密度出血灶影；由于占位，脑室轻度受压，中线轻度移位；2 ～ 3 周后，病变处密度逐渐变低。

③ 腔隙性脑梗死：发病 12 ～ 24h 之内，CT 无异常所见；典型者可见小片状密度减低影，边缘模糊；无占位效应。

（2）MRI 检查：MRI 对脑梗死灶发现早、敏感性高，发病后 1h 即可见局部脑回肿胀，脑沟变浅。

（二）脑肿瘤

影像检查的目的在于确定肿瘤的有无，并对其作出定位、定量乃至定性诊断。颅骨平片的诊断价值有限，CT、MRI 是主要的诊断手段。

（三）颅脑外伤

1. 脑挫裂伤 CT 可见低密度脑水肿区内散在斑点状高密度出血灶，伴有占位效应。有的表现为广泛性脑水肿或脑内血肿。

2. 颅内出血 包括硬膜外、硬膜下、脑内、脑室和蛛网膜下腔出血等。CT 可见相应部位的高密度影。

第三节 放射性核素诊断（助理不考）

1. 甲状腺素测定

（1）总三碘甲状腺原氨酸（TT_3）：TT_3 是诊断甲状腺功能亢进症的灵敏指标，对甲状腺功能亢进症前期及治疗后复发患者，TT_3 测定较 TT_4 测定灵敏。

（2）总甲状腺原氨酸（TT_4）：TT_4 是甲状腺功能测定的基本方法，在甲状腺结合球蛋白（TBg）浓度正常情况下，对未经治疗的甲状腺功能亢进症及甲状腺功能减退症的诊断符合率均为 96% 以上。

（3）游离 T_3（FT_3）、游离 T_4（FT_4）：FT_3 和 FT_4 是诊断甲状腺功能的灵敏指标，早期或出现复发先兆甲状腺功能亢进症时，FT_3 升高早于 FT_4。

2. 促甲状腺激素（TSH）测定 TSH 测定是甲状腺功能体外试验的首选项目。甲状腺功能亢进症时 TSH 降低，甲状腺功能减退症时 TSH 增高。

3. C 肽测定临床意义 ①帮助糖尿病分型。②鉴别糖尿病患者发生低血糖的原因。③了解移植后胰岛 β

细胞的分泌功能。④了解肝、肾功能。⑤胰岛素瘤的诊断及手术的效果评定。

4. 胰岛素测定临床意义 ①血清胰岛素水平降低，见于1型糖尿病患者，空腹胰岛素水平低于参考值，口服葡萄糖后无高峰出现。②血清胰岛素水平正常或稍高，见于2型糖尿病患者，口服葡萄糖后高峰延迟至2～3h出现。

1. 急性粟粒型肺结核影像　可见大小一致、密度均等、分布均匀的粟粒样致密阴影。
2. 溃疡　龛影。
3. 癌症　充盈缺损。
4. 胃肠道穿孔　膈下有弧形或半月形透亮气体影。
5. 肠梗阻　阶梯状气液平。
6. 脑出血　高密度影。
7. 脑梗死　低密度影。

第七单元　病历与诊断方法

考试分值

单元	年份/级别	2019	2020	2021	2022	2023
病历与诊断方法	执业	1	0	1	0	0
	助理	1	1	1	1	0

一、病历书写的格式与内容

1. 门诊病历

（1）首页要逐项填写，注明科别，如有错误或遗漏应予更正及补充。

（2）每次诊疗均填写明年、月、日。急诊时注明时刻。

（3）初诊病历的书写要注意以下事项。

① 病史内容连贯书写，不必冠以“主诉”等字。病历重点为主诉、现病史，其他扼要记录与此次发病有关的内容。

② 系统体格检查（一般情况、心、肺、肝、脾、四肢、神经反射等），逐项简要记载，对病人的阳性体征及有关的阴性体征，应重点记载。对专科情况，应详细记载。

③ 辅助检查要根据病情而选择进行。

④ 结合病史、体检、辅助检查，提出初步诊断。

⑤ 写明所有药品（品名、剂量、用法及所给总量）、特殊治疗、生活注意点、休息方式及期限、预约诊疗日期及随访要求等。

（4）复诊病历重点记录上次就诊后病情变化、治疗效果与反应、送检结果。复查上次曾发现的阳性体征及有无新的变化。诊断无改变者不再填写。最后为复诊后的处理。

（5）每次记录医师均需签署全名。

（6）危、急、重症患者就诊时，必须记录就诊日期和时间。除简要病史和重要体征外，应记录诊断及救治措施等。门诊抢救无效而死亡的病例，应记录抢救经过、死亡时间和死亡原因。

2. 住院病历 实习医师一律书写完整的住院病历，并应在24h内完成。

（1）完整住院病历包括以下几项。

① 一般项目：姓名、性别、年龄、婚姻、民族、职业、籍贯、住址、工作单位、入院日期、记录日期、病史陈述者以及可靠程度。

② 病史：包括主诉、现病史、既往史、个人史、婚姻史、月经及生育史、家族史。

③ 体格检查。
④ 实验室及其他检查。
⑤ 摘要。
⑥ 初步诊断。
⑦ 记录者签名。

（2）入院记录内容同住院病历，但重点要突出，更简要。

（3）病程记录。

（4）会诊记录。

（5）转科记录。

（6）出院记录。

（7）死亡记录。

二、确立诊断的步骤及原则

确立诊断一般要经过“调查研究，搜集资料”“综合分析，初步诊断”“反复实践，验证诊断”3 个步骤。

1. 调查研究，搜集临床资料 正确诊断来源于周密的调查研究。包括询问病史、体格检查、实验室及其他检查等，了解和搜集资料，并做到真实、全面、系统。

2. 分析整理，得出初步诊断 在分析、判断和推理过程中必须注意：现象与本质、局部与整体、共性与个性、动态的观点等思维方法。

3. 反复实践，验证诊断

三、诊断内容及书写

1. 诊断内容 完整的诊断应能反映患者所患的全部疾病，其内容应包括病因诊断、病理形态诊断和病理生理诊断。患多种疾病，则应分清主次，顺序排列，主要疾病排在前面，次要疾病则根据其重要性依次后排。在发病机制上与主要疾病有密切关系的疾病称为并发症，列于主要疾病之后。与主要疾病无关而同时存在的疾病称为伴发病，应依序后排。一般本科疾病在前，他科疾病在后。

2. 病历书写的基本要求

（1）病历书写必须态度认真，实事求是地反映病情和诊治经过。

（2）病历书写应内容确切、系统完整、条理清楚、重点突出、层次分明、词句精练、标点正确、字迹清楚，不得随意涂改和剪贴。

（3）各项、各次记录要注明记录日期，危、急、重患者的病历还应注明记录时间。记录结束时须签全名并易辨认。凡修改和补充之处，应用红色墨水书写并签全名。

（4）病历摘要必须简练，有概括性与系统性，能确切反映病情的特点，无重要遗漏或差错，可作为初步诊断的依据。

内科学

第一单元　呼吸系统疾病

考试分值

节	年份/级别	2019	2020	2021	2022	2023
慢性阻塞性肺疾病	执业	1	2	2	1	1
	助理	1	0	1	1	1
慢性肺源性心脏病	执业	1	0	2	1	0
	助理	1	1	1	0	0
支气管哮喘	执业	1	2	2	1	1
	助理	1	0	1	1	0
肺炎	执业	1	1	0	1	2
	助理	0	1	0	0	1
原发性支气管肺癌	执业	2	0	1	1	1
	助理	0	1	1	1	1
慢性呼吸衰竭	执业	—	—	—	—	—
	助理	—	—	—	—	—

第一节　慢性阻塞性肺疾病

一、概念

慢性阻塞性肺疾病（COPD，简称慢阻肺）是一种以持续存在的气流受限为特征的肺部疾病，气流受限不完全可逆，呈进行性发展，主要累及肺部，也可引起肺外各器官的损害。COPD 的病因至今尚未完全明了。COPD 是我国导致慢性肺心病及慢性呼吸衰竭的最常见病因，严重影响患者的生活质量。

二、病因与发病机制

1. **吸烟**　为最主要的病因，发病与吸烟的时间长短、吸烟量、吸烟的种类等有一定的关系。烟草燃烧时产生大量有毒有害的化学物质，损伤气道黏膜上皮细胞及自身防御机制，导致气道慢性炎症性损伤。

2. **职业粉尘和化学物质**　如反复或大量接触工作环境中的粉尘、烟雾、工业废气等，可促进 COPD 发病。

3. **环境污染**　COPD 与显著暴露于有害颗粒或气体环境关系密切，环境污染导致气道自身防御能力下降，易发生细菌感染。

4. **感染因素**　是 COPD 发病与病情发展的重要因素，包括细菌、病毒等病原体感染。

5. **其他**　蛋白酶 - 抗蛋白酶失衡、氧化应激、自主神经功能失调、营养不良、气温变化等均与 COPD 发病有关。

慢性阻塞性肺疾病肺泡变化示意图见图 1-1。

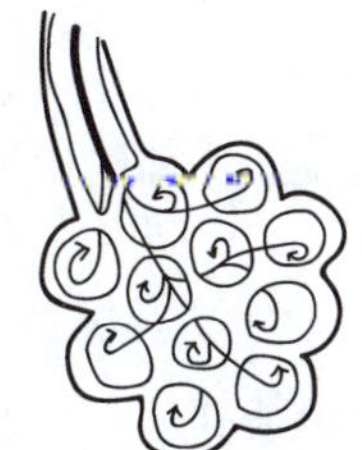
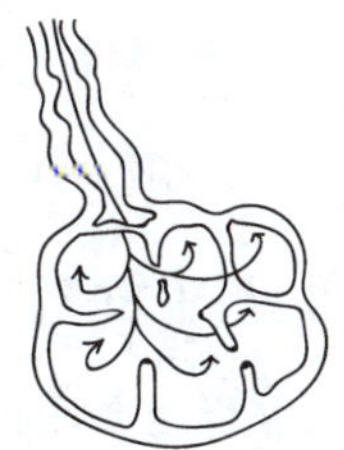

图 1-1　慢性阻塞性肺疾病肺泡变化示意图

命题趋势 病因是 COPD 常见的考点，多以 A1 型题或 B1 型题为主。

金题直击

（1～2 题共用备选答案）

A. 吸烟　　B. 营养不良

C. 感染　　D. 过敏

E. 应激反应

1. COPD 最主要的病因是　　【答案】A

2. 诱使 COPD 发作的重要因素是　　【答案】C

【解题思路】

主要病因是吸烟，主要诱因是感染。

三、临床表现

1. 症状　起病缓慢，病程漫长并逐渐加重。

（1）慢性咳嗽：随病程发展可导致终身不愈，晨间咳嗽明显，夜间有阵咳或排痰。

（2）咳痰：一般为白色黏液或浆液泡沫状痰，偶可带血丝，清晨排痰较多。急性发作时痰量增多，可有脓性痰。

（3）气短及呼吸困难：为 COPD 的典型症状。早期仅在体力活动时出现，后逐渐加重，尤其出现肺气肿时，日常活动甚至休息时也有气短、呼吸困难，为呼气性呼吸困难，伴呼气延长。

（4）喘息和胸闷：部分患者特别是重度患者或急性加重时出现喘息。

（5）其他：晚期可出现体重下降、食欲减退等。

2. 体征　早期可无异常，随疾病进展出现桶状胸，呼吸变浅、频率增快，呼气延长，呼吸音减弱，双肺语颤减弱，叩诊呈过清音，心浊音界缩小，肺下界、肝浊音界下移，部分患者可闻及干啰音和（或）湿啰音。

命题趋势 体征是 COPD 诊断的关键信息，多在 A2、A3 型题中以关键信息出现。

金题直击

3. 患者，男，60 岁。慢性支气管炎病史 10 年。时常咳嗽、咳痰。近日感冒后出现上述症状加重，并伴喘息、胸闷。查体：呼吸音减弱，双肺叩诊呈过清音，听诊两肺散在干、湿啰音，胸廓前后径增宽，应首先考虑的是

A. 肺炎　　B. COPD

C. 肺心病　　D. 支气管哮喘

E. 肺癌

【答案】B

【解题思路】

慢性支气管炎患者出现桶状胸、过清音（肺气肿）即可诊断慢阻肺，故本题选 COPD。选项 A 病程短，一般不会出现胸廓改变，且多以发热咳嗽为主要表现。选项 C 伴随心脏的症状、体征。选项 D 哮喘的特性是发作性，可逆性的呼吸困难，发作时多可闻及哮鸣音，与本题并不符合。选项 E 的表现多为痰中带血、迅速消瘦、影像学表现占位等，与本题不符。

【易错点】

注意区分肺心病的表现，肺心病是慢阻肺的下一个病理过程。

四、并发症

1. 慢性呼吸衰竭　多由肺部感染诱发，确诊依赖于动脉血气分析，PaO_2＜60mmHg 伴有 PaO_2＜50mmHg，并出现缺氧及高碳酸血症的一系列表现，可以确定发生呼吸衰竭。

2. 自发性气胸　为 COPD 的急性并发症，出现用力后突发一侧撕裂样胸痛，呼吸困难加重，胸片显示患

者透光度增加，并可见被压缩肺边缘。

3. **慢性肺源性心脏病** 为 COPD 的最终结局。

体征是 COPD 诊断的关键信息，多在 A2、A3 型题中以关键信息出现。

金题直击

4. 患者，男，60 岁。慢性支气管炎病史 10 年。时常咳嗽、咳痰。近日感冒后出现上述症状加重，并伴喘息、胸闷。查体：呼吸音减弱，双肺叩诊呈过清音，听诊两肺散在干、湿啰音，胸廓前后径增宽。若患者突发严重呼吸困难，一侧呼吸音减弱，并叩诊呈鼓音，首先考虑

A. 急性呼吸衰竭
B. 慢性呼吸衰竭
C. 自发性气胸
D. 肺心病
E. 肺性脑病

【答案】C

【解题思路】

COPD 最常考查的并发症就是气胸，当气胸发生时多见叩诊鼓音，呼吸困难，病侧呼吸减弱。A、B、D、E 都不会出现叩诊呈鼓音，鼓音说明叩诊区域几乎充斥的都是气体，唯独气胸会导致胸腔病变区域被气体完全占据。

五、实验室检查及其他检查

1. **肺功能检查** 是判断气流受限的主要客观指标，对诊断 COPD、评估严重程度、疾病进展、预后及对治疗的反应等有重要意义。其中主要指标为第一秒用力呼气容积（FEV_1）出现减少，且 $FEV_1/FVC < 70\%$。

2. **胸部 X 线检查** 早期可无变化，随病情进展可出现肺纹理增粗、紊乱等非特异性改变。肺气肿时出现双肺透光度增加、肋间隙增宽、心影狭长、外带肺纹理减少或消失等改变。胸片可作为确定肺部并发症及排除其他肺部疾病的检查。

3. **动脉血气分析** 可确定是否发生呼吸衰竭及其类型。

六、诊断

不完全可逆的气流受限是 COPD 诊断的必备条件，吸入支气管扩张剂后 $FEV_1/FVC < 70\%$，即可诊断。

七、病情评估

（一）稳定期病情严重程度评估

包括肺功能评估、症状评估及急性加重风险评估。

1. **肺功能评估** 根据 FEV/FVC、$FEV_1\%$ 预计值和症状可对 COPD 患者气流受限严重程度作出分级诊断 COPD 的临床分级见表 1-1。

表 1-1 COPD 的临床分级

分级	临床表现	分级标准	
Ⅰ（轻度）	有或无慢性咳嗽、咳痰症状	$FEV_1/FVC < 70\%$	$FEV_1 \geqslant 80\%$ 预计值
Ⅱ（中度）			$50\% \leqslant FEV_1 < 80\%$ 预计值
Ⅲ（重度）			$30\% \leqslant FEV_1 < 50\%$ 预计值
Ⅳ（极重）	伴有呼吸衰竭		$FEV_1 < 30\%$ 预计值

2. **症状评估** 一般根据慢性阻塞性肺疾病评估测试调查问卷进行评估。

3. **急性加重风险评估** 根据患者上一年发生急性加重的次数以及需要住院治疗的急性加重的次数进行评估。

（二）疾病分期评估

1. **急性加重期** 急性加重期指在疾病过程中，短期内咳嗽、咳痰、气短和（或）喘息加重，痰量增多，呈脓性或黏液脓性，可伴发热等症状。

2. **稳定期** 稳定期则指患者咳嗽、咳痰、气短等症状稳定或症状较轻。

八、治疗与预防

（一）稳定期治疗

1. **健康教育与管理** 戒烟是COPD的病因治疗措施，应积极劝导患者戒烟，注意防护污染环境及职业环境污染等。

2. **应用支气管扩张药** 缓解气短症状，提高生活质量，是COPD稳定期最主要的治疗措施。

（1）β_2肾上腺素受体激动剂：常用沙丁胺醇、特布他林气雾剂等。

（2）抗胆碱能药：常用异丙托溴铵气雾剂。噻托溴铵为长效抗胆碱能药，作用长达24h以上。

（3）茶碱类药：常用氨茶碱、缓释型或控释型茶碱等。

3. **应用祛痰药** 可使用盐酸氨溴索、N-乙酰半胱氨酸、羧甲司坦和稀化黏素等。

4. **应用糖皮质激素** 长期规律的吸入糖皮质激素较适用于$FEV_1\% < 50\%$且有临床症状，以及反复加重的COPD患者。联合吸入糖皮质激素和长效β_2受体激动剂，效果优于单药治疗。

5. **长期家庭氧疗** 应用指征：①$PaO_2 \leqslant 55mmHg$或$SaO_2 \leqslant 88\%$，有或没有高碳酸血症。②PaO_2 55～60mmHg，或$SaO_2 < 89\%$，并有肺动脉高压、心力衰竭或红细胞增多症。多经鼻导管给氧，氧流量1～2L/min，持续时间10～15 h/d，使患者在静息状态下，$PaO_2 \geqslant 60mmHg$和（或）$SaO_2 > 90\%$。

6. **其他** 康复治疗、免疫调节治疗等。

（二）急性加重期治疗

首先确定急性发作的原因，并进行病情严重程度评估，以决定门诊或住院治疗。

1. **控制感染** 细菌感染是导致COPD急性加重最重要的原因，选用敏感抗生素最为重要的治疗措施。应根据COPD严重程度及相应的细菌分层情况，结合当地常见致病菌类型、耐药趋势和药敏情况，针对性选用敏感抗生素。如对初始治疗反应欠佳，应及时根据细菌培养及药敏试验结果调整。

2. **扩张支气管** 短效β_2受体激动剂较适用于COPD急性加重期的治疗，常用沙丁胺醇等。若效果不显著，加用抗胆碱能药物，常用异丙托溴铵等。对于较为严重的COPD患者，可考虑静脉滴注茶碱类药物。

3. **控制性氧疗** 是住院患者的基础治疗。无严重合并症患者，氧疗后易达到满意的氧合水平（$PaO_2 > 60mmHg$或$SaO_2 > 90\%$）。但吸入氧浓度不宜过高，需注意可能发生潜在的CO_2潴留及呼吸性酸中毒。

4. **应用糖皮质激素** 住院患者适宜在应用支气管扩张剂的基础上，口服或静脉滴注糖皮质激素。

5. **其他** 祛痰；维持水、电解质平衡，保证营养供给；并发严重呼吸困难时给予机械通气治疗；积极治疗伴发疾病及并发症等。

（三）预防

戒烟是最重要的预防措施，同时又是病因治疗措施；改善环境污染，通过适当的防护措施，尽量避免有害粉尘、气体的吸入；发生呼吸道感染时积极合理治疗；加强体育锻炼，增强抗寒能力。对于已经确诊的COPD患者，预防呼吸道感染，积极进行呼吸生理治疗及呼吸肌锻炼，进行长期家庭氧疗。

命题趋势 治疗是COPD的高频考点，重点在于掌握原则，多在A2、A3型题中出现。

金题直击

5. 患者，男，60岁。慢性支气管炎病史10年。时常咳嗽、咳痰。近日感冒后出现上述症状加重，并伴喘息、胸闷。查体：呼吸音减弱，双肺叩诊呈过清音，听诊两肺散在干、湿啰音，胸廓前后径增宽，应首选的治疗方式是

A. 吸氧　　B. 使用激素

C. 祛痰　　D. 抗感染

E. 使用支气管扩张剂

【答案】D

【解题思路】

患者有慢性支气管炎病史，又表现出胸廓前后径增宽（桶状胸），双肺叩诊过清音提示肺气肿，那么此时可以判断患者处在COPD加重期（发作期），最主要的治疗方式为抗感染。

第二节　慢性肺源性心脏病

一、概念

慢性肺源性心脏病（简称肺心病）是指由慢性肺、胸廓疾病或肺血管病变引起肺循环阻力增加、肺动脉高压，进而引起右心室肥厚、扩大，甚至发生右心衰竭的一类心脏病。

二、病因与发病机制

1. 病因　COPD 最多见，占 80% 以上，其次为重症支气管哮喘、支气管扩张症、间质性肺病等。严重的胸廓畸形、睡眠呼吸暂停低通气综合征，肺血管疾病如特发性肺动脉高压、慢性栓塞性肺动脉高压等也是本病的病因。

2. 发病机制（助理不考）

（1）肺动脉高压形成：肺动脉高压的形成与长期缺氧、高碳酸血症、肺血管慢性炎症、毛细血管床减损、肺血管收缩、肺血管重塑、血栓形成、血容量增多和血液黏稠度增加等因素有关。其中，长期缺氧与高碳酸血症是导致肺血管收缩继而形成肺动脉高压的主要机制。

（2）右心功能的改变：肺动脉高压早期，右心功能尚可代偿。随着病情进展，尤其是急性呼吸道 - 肺感染时，肺动脉压持续显著升高，右心功能失代偿，右心射血量下降，舒张末期压增高，发生右心衰竭。

命题趋势　病因和发病机制是肺心病的常见考点，出题多以 A1 型题为主。

金题直击

1. 慢性肺源性心脏病最主要的病因是

A. 睡眠呼吸暂停综合征　　B. 慢阻肺

C. 胸廓畸形　　D. 肺血管病变

E. 神经肌肉疾病

【答案】B

【解题思路】

肺心病是 COPD 的终末状态，换言之，引起肺心病的主要病因就是 COPD。

2. 肺心病肺动脉高压形成的主要机制是

A. 长期缺氧　　B. 肺血管玻璃样改变

C. 血容量增加　　D. 右心室肥大

E. 左心衰竭

【答案】A

【解题思路】

长期缺氧与高碳酸血症是导致肺血管收缩继而形成肺动脉高压的主要机制。

三、临床表现

（一）肺、心功能代偿期（缓解期）

1. 原发疾病表现　COPD 病史最常见。

（1）长期慢性咳嗽、咳痰或喘息病史，逐渐出现乏力、呼吸困难，活动后心悸、气促加重。

（2）肺气肿体征：桶状胸，双肺语颤减弱，叩诊呈过清音，心浊音界缩小，肺下界和肝浊音界下降，呼吸音减弱，呼气延长。

（3）肺部听诊常有干、湿啰音。

2. 肺动脉高压和右心室肥大体征

（1）肺动脉高压：肺动脉区第二心音（P_2）亢进。

（2）右心室肥大：心浊音界向左扩大，剑突下心脏搏动，三尖瓣区闻及收缩期杂音。

3. **其他** 肺气肿显著的患者可出现颈静脉充盈、肝下缘肋下可触及。

（二）肺、心功能失代偿期（急性加重期）

多由急性呼吸道感染所诱发。除上述症状加重外，相继出现呼吸衰竭和心力衰竭。

1. **呼吸衰竭**

（1）低氧血症：表现为胸闷、心悸、心率增快和发绀，严重者可出现头晕、头痛、烦躁不安、谵妄、抽搐甚至昏迷等症状。

（2）二氧化碳潴留：表现为头痛、多汗、失眠、夜间不眠、日间嗜睡。严重者出现幻觉、神志恍惚、烦躁不安、精神错乱和昏迷等精神神经症状，甚至发生死亡。

2. **心力衰竭** 以右心衰竭为主。心悸、呼吸困难及发绀进一步加重，出现上腹胀痛、食欲不振、少尿。主要体征为颈静脉怒张、肝大伴有触痛、肝颈静脉反流征阳性、下肢水肿，并可出现腹水。因右心室肥大使三尖瓣相对关闭不全，在三尖瓣区可听到收缩期杂音，严重者可出现舒张期奔马律，也可出现各种心律失常，以房性心律失常多见。病情严重者可发生休克。

命题趋势 疾病的临床表现依然是肺心病最常见的考点，题目多以A2、A3为主。

金题直击

3. 患者，男，57岁。慢性支气管炎病史20年。近半年活动后心悸，气短。查体：双肺叩诊过清音，胸廓前后径增宽，两肺散在干、湿啰音，剑突下可见心尖搏动，肺动脉瓣区第二心音亢进。应首先考虑的是

A. 冠心病　　B. 肺心病

C. 风心病　　D. 高心病

E. 先心病

【答案】B

【解题思路】

肺心病=COPD+心脏表现。患者有慢性支气管炎病史，又表现出胸廓前后径增宽（桶状胸），双肺叩诊过清音提示肺气肿，那么此时可以判断患者有COPD，但患者在COPD的基础上还表现出了一系列心脏的症状，这意味着长期的COPD已经损及心脏，COPD已经发展成慢性肺源性心脏病。选项A多以突发胸痛及心电图改变为主。选项C多有风湿病史，表现上以心脏的瓣膜杂音为主。选项D需要患者有明确的高血压问题。选项E即先天性心脏病，联系患者年龄及发病表现，显然与题目不符。

【易错点】

注意区分肺心病与COPD的表现，肺心病是慢性阻塞性肺疾病的下一个病理过程，所以肺心病的患者也可有COPD的表现，但它会在COPD的基础上进一步发生心脏问题的各种相关表现。

四、并发症

1. **肺性脑病** 由于严重缺氧及二氧化碳潴留导致中枢神经功能紊乱，出现谵妄、意识模糊甚至昏迷等一系列神经及精神表现，称为肺性脑病，是慢性肺心病患者首要死亡原因。

2. **酸碱平衡失调及电解质紊乱** 是最常见并发症，其中以呼吸性酸中毒常见，合并感染时并发代谢性酸中毒，大量应用利尿剂可并发代谢性碱中毒。

3. **心律失常** 以室上性心律失常多见，如房性期前收缩、室上性心动过速等。

4. **休克** 可由严重感染、上消化道出血、心力衰竭等诱发。

5. **消化道出血** 上消化道出血多见，胃肠黏膜因缺氧、酸中毒而受损出血。

命题趋势 并发症是肺心病的高频考点，考查方式灵活，A1、A2、A3型题中都可出现。

金题直击

4. 患者，男，57岁。慢性支气管炎病史20年。近半年活动后心悸，气短。查体：双肺叩诊过清音，胸廓前后径增宽，两肺散在干、湿啰音，剑突下可见心尖搏动，肺动脉瓣区第二心音亢进。近几日感冒后上述症状加重，今日突发谵妄继而昏迷，首先考虑

A. 室上性心动过速

B. 肺梗死

C. 肺性脑病

D. 电解质紊乱

E. 自发性气胸

【答案】C

【解题思路】

对于肺心病并发症的考查最多见的即是肺性脑病，由于严重缺氧及二氧化碳潴留导致中枢神经功能紊乱，出现谵妄、意识模糊甚至昏迷等一系列神经及精神表现，称为肺性脑病，也是肺心病最主要的死因。故本题选 C。

五、实验室检查及其他检查

1. 胸部 X 线 除肺、胸原发疾病及急性肺部感染的影像表现外，尚有：①肺动脉高压征：右下肺动脉干扩张，横径≥ 15mm；肺动脉段明显突出或其高度≥ 3mm。②右心室肥大：心界向左扩大。

2. 心电图 主要表现为右心室肥大，出现电轴右偏，重度顺钟向转位及肺型 P 波等。

3 超声心动图和肺动脉压力测定 出现右心室内径增大，右心室流出道增宽及肺动脉内径增大、右心室前壁厚度增加。多普勒超声心动图显示三尖瓣反流和右心室收缩压增高。肺动脉压力＞ 20mmHg。

4. 动脉血气分析 合并呼吸衰竭时，PaO_2 ＜ 60mmHg 和（或）$PaCO_2$ ＞ 50mmHg。血 pH 值因机体对酸、碱代偿情况不同而异，可正常、降低或升高。

5. 血液一般检查 可见继发性红细胞增多、血红蛋白升高，合并感染时出现白细胞总数和中性粒细胞升高。

6. 血液生化检查 可出现血电解质紊乱如低钾血症、低钠血症、低氯血症等；缺氧严重者可出现一过性肝酶升高及氮质血症等。

六、诊断与鉴别诊断

（一）诊断

在慢性肺、胸疾病的基础上，一旦发现有肺动脉高压、右心室肥大的体征或右心功能不全的征象，同时排除其他引起右心病变的心脏病，即可诊断本病。若出现呼吸困难、发绀或神经、精神症状，为肺心病呼吸衰竭表现；若出现颈静脉怒张、下肢或全身水肿、腹胀、肝区疼痛，则提示肺心病右心衰竭。

（二）鉴别诊断

肺心病需与冠心病相鉴别：两者均多见于中老年患者，均可出现心脏增大、肝大、下肢水肿及发绀。慢性肺心病心电图 V_1 ～ V_3 可呈 QS 型，又酷似心肌梗死的心电图改变，但冠心病患者多有心绞痛或心肌梗死病史，心脏增大以左心室为主，X 线检查显示心界向左下扩大，心电图显示缺血型 ST-T 改变，比如 ST 段明显压低，T 波低平或倒置，或有异常 Q 波等。

七、治疗与预防

（一）急性加重期治疗

1. 控制感染 为治疗慢性肺心病的关键措施。如果感染不去除，无论如何治疗均无法改变肺动脉高压。慢性肺心病并发的感染多为混合性感染，故应联合用药，一般可选用青霉素类、氨基糖苷类、氟喹诺酮类及头孢菌素类等。根据痰培养和药物敏感试验选用抗生素更合理。多采用静脉用药。长期应用抗生素要防止真菌感染。

2. 控制心力衰竭 在积极控制感染、改善呼吸功能后，多数患者心功能可改善，尿量增多，水肿消退，肝肿大缩小或恢复正常，多不需使用利尿剂和强心剂。但较重患者或经以上治疗无效者应适当选用利尿剂和强心剂。

（1）利尿剂：有减少血容量、减轻右心负荷，以及消肿的作用。原则上应选用作用缓和的利尿剂，联合保钾利尿剂，小剂量、短疗程使用。

（2）强心剂：肺心病患者由于慢性缺氧、感染、低钾血症，对洋地黄类药物耐受性很低，易发生心律失常，故应用剂量宜小，并选用作用快、排泄快的制剂。如毛花苷 C（西地兰），或毒毛花苷 K 加葡萄糖液稀释后缓慢静脉推注。

（3）血管扩张剂：可减轻心脏前、后负荷，降低心肌耗氧量，增加心肌收缩力。

3. 改善呼吸功能，控制呼吸衰竭 采取综合措施，包括缓解支气管痉挛、清除痰液、通畅呼吸道、持续低浓度给氧、应用呼吸中枢兴奋剂等。必要时施行机械通气。慢性肺心病呼吸衰竭应进行控制性氧疗，吸入氧浓度为25%～33%，氧流量为1～3L/min。

4. 控制心律失常 房性异位心律随病情好转多迅速消失，如经治疗仍不能消失时，未经洋地黄制剂治疗者，可在密切观察下选用小量毛花苷C或地高辛治疗。另外，要注意避免应用β受体阻滞剂，以免诱发支气管痉挛加重病情。

5. 应用糖皮质激素 糖皮质激素可解除支气管痉挛、改善通气、降低肺泡内压力、减轻右心负荷，在有效控制感染的情况下，短期应用糖皮质激素，有利于纠正呼吸衰竭和心力衰竭。

6. 抗凝治疗 应用低分子肝素，防止肺微小动脉原位血栓形成。

7. 其他并发症的处理 ①并发肺性脑病时，除上述治疗措施外，应注意纠正酸碱失衡和电解质紊乱；出现脑水肿时，可快速静脉滴注甘露醇；肺性脑病出现兴奋、躁动时慎用镇静剂。②其他：并发酸碱失衡和电解质紊乱、消化道出血、休克、肾衰竭、弥散性血管内凝血等，积极进行相应治疗。

（二）缓解期治疗

呼吸锻炼、增强机体免疫力和家庭长期氧疗。

（三）预防

慢性肺心病是慢性阻塞性肺疾病的最终结局，因此，其预防主要是有效预防慢性呼吸系统疾病的发生，尤其是COPD；一旦确诊为慢性肺心病，通过增强体质及抗寒能力，预防急性呼吸道感染，是预防患者由缓解期进入急性加重期的重要措施。

命题趋势 肺心病的治疗是高频考点，重点在于掌握原则，多在A2、A3型题中出现。

金题直击

5. 患者，男，57岁。慢性支气管炎病史20年。近半年活动后心悸，气短。查体：双肺叩诊过清音，胸廓前后径增宽，两肺散在干、湿啰音，剑突下可见心尖搏动，肺动脉瓣区第二心音亢进。首要的治疗方式是

A. 控制感染　　B. 应用利尿剂

C. 应用强心苷　　D. 应用血管扩张剂

E. 低流量给氧

【答案】A

【解题思路】

肺心病的发作、加重同样也是由感染所引起的，故最主要的治疗措施仍是抗感染治疗，感染得到控制，其余症状多随之缓解。故选项B、C、D、E不作为首选。

【易错点】

注意：肺心病虽然可伴有心衰，但肺心病的心衰诱因是感染，感染得到控制，心衰症状多可转复，所以首要的治疗手段是积极控制感染。

第三节　支气管哮喘

一、概念

支气管哮喘是一种由肥大细胞、嗜酸性粒细胞、淋巴细胞等多种炎症细胞介导的气道慢性炎症。本病常存在气道高反应性和广泛的、可逆性气流阻塞。临床以反复发作的喘息、呼气性呼吸困难、胸闷或咳嗽为特征，常于夜间及（或）清晨加重。

二、病因与发病机制（助理不考）

1. 病因 支气管哮喘的病因包括遗传因素与环境激发因素。遗传因素为发病的基础，已证实支气管哮喘为多基因遗传性疾病；环境因素包括吸入性致敏原、食入性致敏原及感染、运动、药物等因素，其中吸入性致

敏原为常见激发因素。

2. 发病机制 机制复杂，主要有下列几种学说。

（1）变态反应学说：主要为Ⅰ型（速发型）变态反应。

（2）气道炎症学说：为支气管哮喘最重要的发病机制，是导致气道高反应性及气道重构、阻塞的病理基础。

（3）神经 - 受体失衡学说：肾上腺素能神经兴奋性降低，胆碱能神经兴奋性增加。

（4）其他机制：如呼吸道病毒感染、服用某些解热镇痛药或应用含碘造影剂、运动过程中的过度换气、胃 - 食管反流、心理因素以及遗传因素等。

支气管哮喘发作示意图见图 1-2。

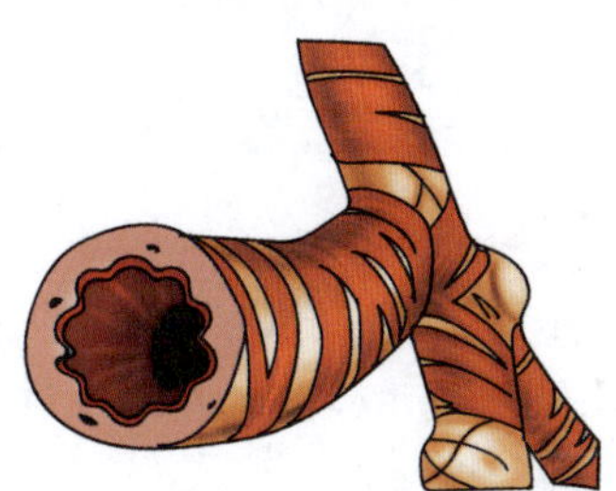

图 1-2 支气管哮喘发作示意图

命题趋势 病因和发病机制是支气管哮喘常见考点，出题多以 A1 型题为主。

金题直击

1. 支气管哮喘常见的激发因素是

A. 遗传因素　　B. 吸入性致敏原

C. 食入性致敏原　　D. 感染

E. 运动

【答案】B

【解题思路】

吸入性致敏原为支气管哮喘常见激发因素。

2. 支气管哮喘发病的主要机制是

A. 变态反应　　B. 气道炎症

C. 心理因素　　D. 病毒感染

E. 过度换气

【答案】B

【解题思路】

气道炎症学说为支气管哮喘最重要的发病机制，是导致气道高反应性及气道重构、阻塞的病理基础。

【易错点】

注意气道炎症学说才是支气管哮喘最重要的发病机制，而不是变态反应。此处容易混淆的是把病因中的吸入性致敏原视作主要发病机制。

三、临床表现

（一）症状

1. 典型表现 主要表现为发作性带有哮鸣音的呼气性呼吸困难，其发作常与吸入外源性变应原有关，大多呈季节性，春秋易发且日轻夜重（夜间、清晨加重）。

2. 特殊表现

（1）咳嗽变异性哮喘（CAV）：以发作性胸闷或顽固性咳嗽为唯一的临床表现，无喘息症状，易漏诊或误诊为支气管炎。

（2）运动性哮喘：多发生于运动后，多见于青少年，冷天户外跑步时最易发生。

（3）药物性哮喘：药物诱发的哮喘，临床少见。可引起哮喘的药物有阿司匹林等解热镇痛药、含碘造影剂等。

3. 危重哮喘 严重哮喘发作，表现为呼吸困难、发绀、大汗淋漓、四肢湿冷、脉细数，两肺满布哮鸣音，有时因支气管高度狭窄或被大量痰栓堵塞，肺部哮鸣音反而减弱或消失，称为“沉默肺”，此时病情危急，经治疗不能缓解者，可导致呼吸衰竭甚至死亡。

（二）体征

发作时胸部呈过度充气状态，两肺可闻及弥漫性哮鸣音，以呼气相为主，严重者呈强迫端坐位，甚至出现发绀、心率增快、奇脉、胸腹反常运动等。

哮喘的体征是考试中用以诊断哮喘的最常见关键信息，多以 A2、A3 为主。

金题直击

3. 患者，女，25 岁。2h 前打扫室内卫生时突然出现咳嗽、胸闷、呼吸困难，追问病史近 3 年来每年秋季常有类似发作。查体：两肺满布哮鸣音，心脏无异常。X 线胸片显示心肺无异常。该例的诊断应为

A. 慢性阻塞性肺疾病　　B. 慢性肺源性心脏病

C. 自发性气胸　　D. 支气管哮喘

E. 心源性哮喘

【答案】D

【解题思路】

患者表现为突然发作的呼吸困难，且有季节性，并伴有“哮鸣音”，符合哮喘的典型表现。COPD 多于中年后起病，症状缓慢进展，逐渐加重，多有长期吸烟史或有害气体、颗粒接触史，气流受限基本为不可逆，换言之，它的呼吸困难是持续性的，而肺心病患者本身基本都有 COPD 的问题，所以选项 A、B 的呼吸困难是持续性的，不符合。选项 C 虽然也是突发呼吸困难，但不会有季节性，且不会是双肺发作。选项 E 实际是左心衰竭，多有高血压、冠心病、心脏瓣膜病等病史和体征，体检心界扩大，心率增快，心尖部可闻及舒张期奔马律，也没有季节性。

四、实验室检查及其他检查

1. 痰液检查 涂片镜检可见嗜酸性粒细胞增多。

2. 肺功能检查

（1）支气管舒张试验（BDT）（金标准）：测定气道气流受限的可逆性，吸入 β_2 受体激动剂较用药前 FEV_1 增加≥ 12%，且其绝对值≥ 200mL，为舒张试验阳性。

（2）支气管激发试验（BTP）（银标准）：吸入组胺、乙酰甲胆碱或过敏原后，FEV_1 下降≥ 20%，激发试验阳性。

3. 动脉血气分析 哮喘发作程度较轻，PaO_2 和 $PaCO_2$ 正常或轻度下降；中度哮喘发作，PaO_2 下降而 $PaCO_2$ 正常；重度哮喘发作，PaO_2 明显下降而 $PaCO_2$ 升高，并可出现呼吸性酸中毒和（或）代谢性酸中毒。

4. X 线检查 哮喘发作期可见两肺透亮度增加，并发呼吸道感染，可见肺纹理增加及炎性浸润阴影。

5. 特异性变应原的检测 IgE 增高。

6. 血液检查 可有嗜酸性粒细胞增多，并发感染者有白细胞总数升高和中性粒细胞百分比升高。

五、诊断与鉴别诊断

（一）诊断

1. 诊断标准

（1）反复发作的喘息、气急、胸闷或咳嗽，多与接触变应原、物理性和化学性刺激、冷空气，以及病毒性上呼吸道感染、运动等有关。

（2）发作时在双肺可闻及散在或弥漫性、以呼气相为主的哮鸣音，呼气相延长。

（3）上述症状经治疗可缓解或自行缓解。

（4）除外其他疾病所引起的喘息、气急、胸闷和咳嗽。

（5）临床表现不典型者（如无明显喘息或体征）应有下列 3 项中至少 1 项阳性：①支气管激发试验阳性。②支气管舒张试验阳性。③昼夜 PEF 变异率≥ 20%。

符合（1）～（4）条或（4）、（5）条者，即可诊断。

2. 哮喘急性发作的分级 可分为轻度、中度、重度、危重 4 度。轻度发作时，精神状态尚安静，语言连续成句；中度发作时，精神状态时有焦虑或烦躁，说话方式以单词为主；重度发作时，精神状态常有焦虑、烦躁，说话只能以单字为主；危重哮喘表现为嗜睡或意识模糊，不能讲话。

3. 哮喘的分期诊断

（1）急性发作期：指喘息、气急、胸闷或咳嗽等症状突然发生或加重，伴有呼气流量下降，常因接触变应原等激发物或治疗不当所致。

（2）非急性发作期：即慢性持续期，指虽无急性发作，但在相当长的时间内仍有不同程度和频度的喘息、胸闷、咳嗽等症状，伴有肺通气功能下降，可分为间歇性、轻度持续、中度持续、重度持续四级。

（二）鉴别诊断（助理不考）

1. 心源性哮喘 左心衰竭临床表现为呼吸困难、发绀、咳嗽、咳白色或粉红色泡沫痰，与支气管哮喘症状相似。但心源性哮喘多有高血压、冠心病、心脏瓣膜病等病史和体征，两肺不仅可闻及哮鸣音，还可闻及广泛的水泡音，体检心界扩大，心率增快，心尖部可闻及舒张期奔马律。影像学表现为以肺门为中心的蝶状或片状模糊阴影。

2. 慢性阻塞性肺疾病 COPD 多于中年后起病，症状缓慢进展，逐渐加重，多有长期吸烟史或有害气体、颗粒接触史，气流受限基本上为不可逆性；哮喘则多在儿童或青少年期起病，呈发作性，常伴过敏体质、过敏性鼻炎和（或）湿疹等，部分患者有哮喘家族史，气流受限多为可逆性。

3. 支气管肺癌 中央型支气管肺癌肿瘤压迫支气管引起支气管狭窄，或伴有感染时，也可出现喘鸣音或哮喘样呼吸困难，但肺癌的呼吸困难及喘鸣症状呈进行性加重，常无明显诱因，伴咳嗽咳痰、痰中带血。痰找癌细胞、胸部影像学或纤维支气管镜检查可明确诊断。

六、治疗

（一）脱离变应原环境

立即使患者脱离变应原的接触是防治哮喘最有效的方法。

（二）药物治疗

1. β_2 受体激动剂 是缓解哮喘症状的首选药物。有短效 - 速效 β_2 受体激动剂如沙丁胺醇、特布他林气雾剂，短效 - 迟效 β_2 受体激动剂如沙丁胺醇、特布他林片剂，长效 - 迟效 β_2 受体激动剂如沙美特罗气雾剂，长效 - 速效 β_2 受体激动剂如福莫特罗干粉吸入剂等。

2. 茶碱（黄嘌呤）类药物 茶碱缓释或控释片，适于夜间发作的哮喘的治疗。氨茶碱血药浓度个体差异大，使用时应监测血清或唾液中茶碱浓度，及时调整用量。

3. 抗胆碱能药 吸入型抗胆碱能药如溴化异丙托品，与 β_2 受体激动剂联合吸入有协同作用，尤适用于夜间哮喘及多痰患者。

4. 糖皮质激素 是最有效的控制气道炎症的药物，吸入型糖皮质激素是长期治疗哮喘的首选药物。常用二丙酸倍氯米松吸入剂、布地奈德吸入剂、丙酸氟替卡松吸入剂等。主要不良反应有咽部不适、声音嘶哑及局部念珠菌感染等。为减少吸入大剂量糖皮质激素的不良反应，可与长效 β_2 受体激动剂、控释茶碱或白三烯受体拮抗剂等联合使用。

5. 白三烯调节剂 通过调节白三烯的生物活性而发挥抗炎作用，同时可舒张支气管平滑肌，为控制轻度哮喘的较好选择，常用孟鲁司特和扎鲁司特等，不良反应相对轻微。

6. 其他 如钙拮抗剂（维拉帕米、硝苯地平等）、酮替芬、曲尼司特、肥大细胞膜稳定剂色甘酸钠、血栓烷 A_2 受体拮抗剂等。钙拮抗剂可用于治疗运动性哮喘；酮替芬对过敏性哮喘有效；曲尼司特、色甘酸钠主要用于哮喘的预防。

（三）危重哮喘的处理

1. 氧疗与辅助通气 使 $PaO_2 > 60mmHg$。

2. 解痉平喘 联合应用解痉平喘药。

3. 纠正水、电解质紊乱及酸碱失衡 ①补液：危重哮喘患者多伴有脱水，每天补液量一般为2500～3000mL，补液原则为先快后慢、先盐后糖、见尿补钾。②纠正酸中毒。③纠正电解质紊乱。

4. 控制感染 静脉应用广谱抗生素。

5. 应用糖皮质激素

6. 处理并发症 出现张力性气胸、痰栓阻塞、呼吸肌衰竭时，应及时诊断处理。

（四）缓解期治疗

加强体育锻炼，增强体质。注射哮喘菌苗及脱敏疗法。可使用吸入性糖皮质激素等预防药物以减少复发。

治疗用药是支气管哮喘的高频考点，考查方式灵活，各种题型均可见到，多在A2、A3型题中出现。

金题直击

4. 患者，女，25岁。2h前打扫室内卫生时突然出现咳嗽、胸闷、呼吸困难，追问病史近3年来每年秋季常有类似发作。查体：两肺满布哮鸣音，心脏无异常。X线胸片显示心肺无异常。为缓解症状，该患者首选的治疗用药是

A. 氨茶碱　　B. 沙丁胺醇

C. 色苷酸钠　　D. 布地奈德

E. 沙美特罗

【答案】B

【解题思路】

支气管哮喘急性发作时用于缓解症状短效 β_2 受体激动剂沙丁胺醇、特布他林。故本题选B。

【易错点】

缓解急性症状首选沙丁胺醇、特布他林，而最有效控制气道炎症、减少发作的是糖皮质激素，注意适用情况不要混淆。

第四节　肺　炎

一、概述

（一）概念

肺炎是指包括终末气道、肺泡腔及肺间质等在内的肺实质的急性炎症。细菌性肺炎是最常见的肺炎类型。

（二）分类

1. 按解剖分类

（1）大叶性肺炎：肺实质炎症，致病菌多见肺炎链球菌。

（2）小叶性肺炎：致病菌主要为肺炎链球菌、葡萄球菌等。

（3）间质性肺炎：以肺间质为主的炎症。

2. 按患病环境分类

（1）社区获得性肺炎：致病菌以革兰氏阳性球菌多见，最常见的为肺炎链球菌。

（2）医院内获得性肺炎：革兰阴性杆菌多见，常见的有绿脓杆菌、肺炎克雷白杆菌等。

3. 按病因分类

（1）细菌性肺炎：如肺炎链球菌肺炎等。

（2）非典型病原体所致的肺炎：如支原体肺炎等。

（3）病毒性肺炎：如腺病毒肺炎等。

（4）肺真菌病：如念珠菌肺炎等。

（5）其他病原体所致的肺炎：如立克次体肺炎等。

（6）理化因素导致的肺炎：如放射性肺炎、化学性肺炎等。

肺炎概述的内容相对常见，考查简单直观，多以 A1 型题出现。

金题直击

1. 引起肺炎的病原体主要是

A. 细菌 B. 病毒

C. 支原体 D. 真菌

E. 立克次体 【答案】A

【解题思路】

肺炎可分为细菌性和其他病原体肺炎，最常见的是细菌性肺炎。

2. 下列各项肺炎按病因分类的是

A. 大叶性肺炎 B. 细菌性肺炎

C. 院内获得性肺炎 D. 小叶性肺炎

E. 间质性肺炎 【答案】B

【解题思路】

肺炎按病因可分为细菌性肺炎、非典型病原体所致的肺炎、病毒性肺炎、肺真菌病、其他病原体所致的肺炎、理化因素导致的肺炎。选项 A、D、E 皆是按解剖分类的，即形态分类。选项 C 是按患病环境分类的。

【易错点】

不要把患病环境与病因混淆。

二、肺炎链球菌肺炎

（一）病因与发病机制

1. 病因 肺炎链球菌为革兰氏阳性球菌（图 1-3），可分为 86 个血清型。成人致病菌多属 1～9 及 12 型，其中以第 3 型毒力最强。

2. 发病机制 肺炎链球菌为上呼吸道正常菌群，仅在机体免疫防御功能降低时致病。肺炎链球菌不产生毒素，一般不引起肺组织坏死和空洞形成，病变消散后肺组织的结构和功能大多恢复正常。易累及胸膜，引起渗出性胸膜炎。

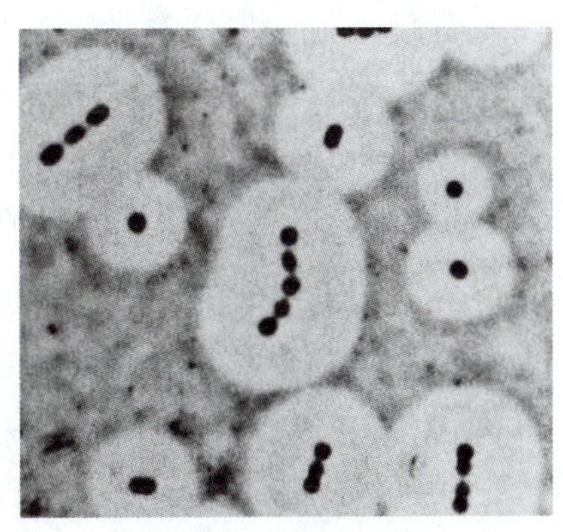

图 1-3 肺炎链球菌

（二）临床表现

1. 症状 发病前患者常有受凉、淋雨、病毒感染或上呼吸道感染病史。起病急骤，有畏寒、寒战、高热，体温迅速上升到 39～40℃，下午与傍晚体温达高峰，可呈稽留热。患者常有脉搏增快，呼吸急促。肺炎累及胸膜时有患侧胸部疼痛，咳嗽或深呼吸时胸痛可加剧。可咳出黏液血性或铁锈色痰，也可呈脓性痰，进入消散期痰量增多，痰黄而稀薄。

2. 体征 患者呈急性热病容，呼吸加快，口角或鼻周可出现单纯性疱疹，有败血症者可出现皮肤和黏膜出血点。胸部检查早期肺部可无明显异常体征或仅有病变部位呼吸音减弱和少许湿啰音。肺实变范围较大时才有典型肺实变体征，如叩诊呈浊音、触觉语颤增强和支气管呼吸音。消散期可闻及湿啰音。当病变累及胸膜时，听诊可有胸膜摩擦音。自然病程大致 1～2 周，使用有效的抗生素后体温可在 1～3 天内恢复正常。

临床表现是肺炎链球菌肺炎的高频考点，考查方式灵活，各种题型均可见到，多在 A2、A3 型题中以关键信息出现。

金题直击

3. 患者，女，28 岁。5 日前淋雨后出现高热，体温达 39℃，咳嗽，咳痰，痰液铁锈色。右侧胸痛，深呼

吸或咳嗽时加重。体检：患者呈急性重病容，面部充血，口角有疱疹，右中下肺闻及支气管呼吸音，最可能的诊断是

A. 支气管哮喘　　B. 大叶性肺炎
C. 支原体肺炎　　D. 慢性阻塞性肺疾病
E. 急性肺水肿

【答案】B

【解题思路】

患者青壮年，有淋雨病史，出现高热、胸痛、咳嗽，并出现铁锈痰及口唇疱疹，是典型的肺炎链球菌肺炎的表现，肺炎链球菌肺炎往往也称为大叶性肺炎，故本题选 B。选项 A 一般不伴有发热胸痛问题，呈发作性，由吸入性致敏原引起。选项 C 一般以干咳为主，也不伴随口唇疱疹。选项 D 患者年龄偏大，且有慢性支气管炎病史，以慢性支气管炎症状及肺气肿体征为主要表现，与题干不符。选项 E 一般由急性左心衰引起，主要表现是心排血量减少、肺循环淤血，有标志性的粉红色泡沫痰，也与题干不符。

（三）并发症

严重败血症或毒血症患者可发生感染性休克，尤其是老年人。其他并发症有胸膜炎、脓胸、心肌炎、脑膜炎、关节炎等。

（四）实验室检查及其他检查

1. 血常规　血白细胞计数（10 ～ 20）$\times 10^9$/L，中性粒细胞百分比多在 80% 以上，并可有核左移或细胞内可见中毒颗粒。

2. 病原学检查　痰直接涂片发现典型的革兰染色阳性、带荚膜的球菌，即可初步作出病原学诊断。痰培养 24 ～ 48h 可确定病原体。对病情危重者，应在使用抗生素前做血培养。

3. 胸部 X 线检查　肺实变期可见呈段、叶分布的大片致密实变阴影，在实变阴影中可见支气管充气征，肋膈角可见少量胸腔积液（图 1-4）。多数病例约在 3 周后完全消散。老年肺炎病灶消散缓慢易成为机化性肺炎。

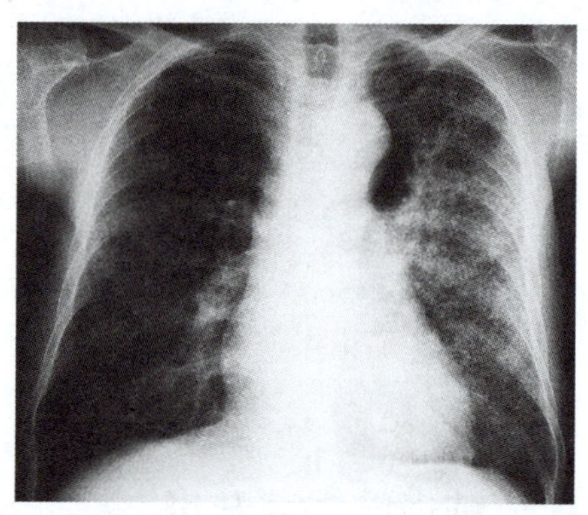

图 1-4　大叶性肺炎 X 线表现

命题趋势　实验室检查是大叶性肺炎的常见考点，多在 A2、A3 型题中作为答案出现。

金题直击

4. 患者，女，28 岁。5 日前淋雨后出现高热，体温达 39℃，咳嗽，咳痰，痰液铁锈色。右侧胸痛，深呼吸或咳嗽时加重。体检：患者呈急性重病容，面部充血，口角有疱疹，右中下肺闻及支气管呼吸音，首选的检查方式是

A. 血常规　　B. 血气分析
C. 胸部 X 线片　　D. 肺功能测定
E. 支气管舒张试验

【答案】C

【解题思路】

患者青壮年，有淋雨病史，出现高热、胸痛、咳嗽，并出现铁锈痰及口唇疱疹，是典型的肺炎链球菌肺炎的表现，呼吸系统疾病首选的检查方式基本都是胸部 X 线。

（五）诊断与鉴别诊断

1. 诊断　根据寒战、高热、咳嗽、咳铁锈色痰或血性黏液伴病侧胸痛等典型症状，出现急性病容、肺实变体征等典型体征，结合胸部 X 线检查，可作出初步诊断。对于临床表现不典型者，需认真加以鉴别并进行病原学检查。确诊有赖于病原菌检查（痰 / 血培养）。

2. 鉴别诊断

（1）肺结核：肺结核中的干酪性肺炎临床表现与肺炎链球菌肺炎相似，X 线检查亦有肺实变改变，但肺结

核常有低热、乏力、消瘦，痰中可找到结核菌。X 线检查显示病变多在肺尖或锁骨上下，密度不均，历久不消散，且可形成空洞和肺内播散，一般抗生素治疗无效，抗结核治疗有效。

（2）支气管肺癌：起病缓慢，常有刺激性咳嗽和少量咯血，无明显全身中毒症状，血白细胞计数升高不显著，若痰中发现癌细胞可确诊，肺部影像学检查可助于鉴别诊断。

（3）急性肺脓肿：早期临床表现与肺炎链球菌肺炎相似，但随着病程进展，咳出大量脓臭痰为特征表现。X 线检查可见脓腔及气液平面，可资鉴别。

（六）治疗

1. 一般治疗 卧床休息，多饮水，食用易消化食物。高热、食欲不振者应静脉补液，注意补充足够蛋白质、热量及维生素。密切观察呼吸、脉搏、血压等变化，防止休克发生。

2. 对症治疗 高热者采用物理降温；如有气急发绀者应吸氧；咳痰困难者可给予溴己新口服；剧烈胸痛者，可酌用少量镇痛药如可卡因或局部热敷等；如有麻痹性肠梗阻，应暂禁食、禁饮，肠胃减压。烦躁不安、谵妄者酌用地西泮或水合氯醛，禁用抑制呼吸中枢的镇静药。

3. 抗菌药物治疗 一经确诊即应予抗生素治疗，不必等待细菌培养结果。首选青霉素 G，用药途径及剂量视病情轻重及有无并发症而定。对青霉素过敏者，可用红霉素或阿奇霉素、林可霉素等；重症患者可用氟喹诺酮类、头孢菌素类等。抗生素疗程通常为 5 ～ 7 天，或在退热后 3 天由静脉用药改为口服，维持数日，不依赖于 X 线检查炎症完全吸收而停药。

4. 感染性休克的处理 ①一般处理：取平卧位，吸氧，监测生命体征等。②补充血容量：是抢救感染性休克的重要措施。③纠正水、电解质和酸碱平衡紊乱：主要是纠正代谢性酸中毒。④应用糖皮质激素。⑤应用血管活性药物：一般不作为首选，根据病情应用多巴胺、间羟胺等。⑥控制感染：加大抗生素用量，必要时选用二、三代头孢菌素。⑦防治心肾功能不全及其他并发症。

治疗用药同样是大叶性肺炎的高频考点，多在 A2、A3 型题中出现。

金题直击

5. 患者，女，28 岁。5 日前淋雨后出现高热，体温达 39℃，咳嗽，咳痰，痰液铁锈色。右侧胸痛，深呼吸或咳嗽时加重。体检：患者呈急性重病容，面部充血，口角有疱疹，右中下肺闻及支气管呼吸音，首选的治疗药物是

A. 万古霉素　　B. 糖皮质激素

C. 沙丁胺醇　　D. 青霉素

E. 氨茶碱

【答案】D

【解题思路】

患者青壮年，有淋雨病史，出现高热、胸痛、咳嗽，并出现铁锈痰及口唇疱疹，是典型的肺炎链球菌肺炎的表现。治疗肺炎链球菌首选的药物即青霉素 G。

三、肺炎支原体肺炎（助理不考）

（一）病因与发病机制

肺炎支原体肺炎是由肺炎支原体引起的呼吸道和肺部的急性炎症性疾病，约占各种原因引起的肺炎的 10%。肺炎支原体是介于细菌和病毒之间、兼性厌氧、能独立生活的最小微生物，主要通过呼吸道传播。健康人吸入患者咳嗽、打喷嚏时喷出的口、鼻分泌物而感染，引起散发呼吸道感染或小流行。支原体肺炎以儿童及青年人居多，婴儿间质性肺炎亦应考虑本病的可能。

（二）临床表现

肺炎支原体肺炎潜伏期 2 ～ 3 周，通常起病较缓慢。症状主要有乏力、咽痛、头痛、咳嗽、发热、食欲不振、腹泻、肌痛、耳痛等。干咳为本病最突出的症状，咳嗽多为阵发性剧咳，咳少量黏液痰。发热可持续 1 ～ 3 周，体温恢复正常后可仍有咳嗽，咳嗽一般持续 6 周左右。少数病例伴有胸骨后疼痛。肺外表现更为常见，如皮炎（斑丘疹和多形红斑）等。胸部可无明显体征。

（三）实验室检查及其他检查

1. **胸部X线检查** 显示肺部多种形态的浸润影，呈节段性分布，以肺下野为多见，可自肺门附近向外伸展。病变常经3～4周后自行消散。部分患者出现少量胸腔积液。

2. **血常规** 白细胞总数正常或略增高，以中性粒细胞为主。

3. **血清学检查** 起病2周后，约2/3的患者冷凝集试验阳性，滴度大于1∶32，如果滴度逐步升高，更有诊断价值。约半数患者链球菌MG凝集试验阳性。血清支原体IgM抗体的测定可进一步确诊。

4. **病原体检查** 直接检测呼吸道标本中肺炎支原体抗体，可早期快速诊断。

（四）诊断与鉴别诊断

1. **诊断** 需综合临床症状、X线表现及血清学检查结果作出诊断。培养分离出肺炎支原体虽对诊断有决定性意义，但需要时间长，技术要求高。血清学检查有一定参考价值，尤其血清抗体有4倍增高者。

2. **鉴别诊断** 本病应与病毒性肺炎、军团菌肺炎等鉴别，鉴别诊断主要依赖于病原学检查。

（五）治疗

肺炎支原体肺炎多具有自限性，多数病例不经治疗可自愈。大环内酯类抗菌药为首选，如红霉素、罗红霉素和阿奇霉素等。其他如氟喹诺酮类（左氧氟沙星、加替沙星和莫西沙星等）及四环素类也用于肺炎支原体肺炎的治疗。疗程一般2～3周。对剧烈呛咳者，应适当给予镇咳药。

第五节 原发性支气管肺癌

一、概念

原发性支气管肺癌是指原发于各级支气管黏膜或腺体的恶性肿瘤。

二、病因

1. **吸烟** 为最重要原因，85%以上的肺癌是由于主动吸烟或被动吸“二手烟”所致，吸烟者肺癌的死亡率是不吸烟者的4～10倍。烟雾中的尼古丁、苯并芘、亚硝胺等均有致癌作用。

2. **空气污染** 室外大环境污染有汽车尾气、工业废气等，主要致癌物质为苯并芘等；室内小环境污染有煤烟、煤焦油、烹调时的油烟等。

3. **职业致癌因子** 已确定的职业性致癌物质有石棉、铬、砷、镍、煤烟、煤焦油、芥子气等。

4. **其他** 如某些癌基因的活化及抗癌基因的丢失、电离辐射、病毒感染、β胡萝卜素和维生素A缺乏、机体免疫功能低下、内分泌失调以及家族遗传等。

命题趋势 病因是肺癌的常见考点，题目难度不大，出题多以A1型题为主。

金题直击

1. 原发性支气管肺癌最主要的病因是

A. 空气污染　　B. 电离辐射

C. 吸烟　　D. 病毒感染

E. 职业因素

【答案】C

【解题思路】

原发性支气管肺癌的最主要病因就是吸烟因素，选项A、B、D、E均是次要原因。

三、病理与分类

呼吸系统示意图见图1-5。

（一）按解剖学分类

1. **中央型肺癌** 为生长在段支气管以上位于肺门附近者，约占肺癌的3/4，以鳞状上皮细胞癌和小细胞肺

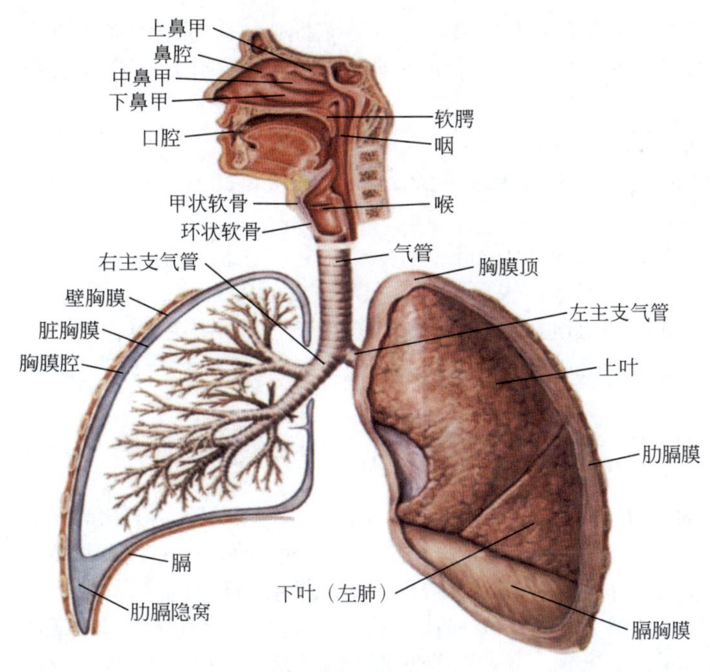

图 1-5　呼吸系统示意图

癌较常见。

2. **周围型肺癌**　为生长在段支气管及其分支以下者，约占肺癌的 1/4，以腺癌较为常见。

（二）按组织病理学分类

1. **非小细胞肺癌（NSCLC）**　包括鳞状上皮细胞癌（简称鳞癌）、腺癌、大细胞癌和其他肺癌（腺鳞癌、类癌、肉瘤样癌等）。

（1）鳞状上皮细胞癌：多发于老年男性，与吸烟关系密切。多起源于段及亚段支气管黏膜，易引起支气管狭窄而出现阻塞性肺炎，癌组织易发生坏死、形成空洞。生长较慢，转移晚，5 年存活率较高。对放疗和化疗的敏感性低于小细胞肺癌。

（2）腺癌：是肺癌常见的类型，女性多见，与吸烟关系不密切。主要起源于支气管黏液腺，多呈周围型肺癌。对化疗及放疗均不敏感。

（3）大细胞癌：发生转移较小细胞肺癌晚，手术切除机会较大。

2. **小细胞肺癌（SCLC）**　在原发性肺癌中恶性程度最高，较早发生淋巴及血行转移。患者年龄较轻，多有吸烟史。

命题趋势　肺癌的分类是肺癌的高频考点，考查方式灵活多样，各种题型均可见到。

金题直击

（2～3 题共用备选答案）

A. 小细胞肺癌　　B.鳞状上皮细胞癌

C. 腺癌　　D. 大细胞癌

E. 腺鳞癌

2. 原发性支气管肺癌最多见的是　　【答案】C

3. 肺癌分类中，恶性程度最高的是　　【答案】A

【解题思路】

肺癌的分型中，最常见的类型是鳞癌，多为中央型，男性多见；恶性程度最高的是小细胞癌。

四、临床表现

1. **原发肿瘤引起的表现**　咳嗽是常见的早期症状，多呈刺激性干咳或伴少量黏液痰。如肿瘤压迫导致支气管狭窄，呈持续性高音调金属音咳嗽。继发感染时，则咳脓性痰。因癌组织血管丰富，痰中常间断或持续带血，如侵及大血管可导致大咯血。如肿瘤引起支气管部分阻塞，可引起局限性喘鸣，并有胸闷、气急等。全身症状有体重下降、发热等。

2. 肿瘤局部扩展引起的表现

（1）肿瘤侵犯胸膜或纵隔，可产生不规则钝痛；侵入胸壁、肋骨或压迫肋间神经时可致剧烈胸痛，于呼吸、咳嗽时加重。

（2）肿瘤压迫大气道，出现吸气性呼吸困难。

（3）肿瘤侵及食管可表现咽下困难，也可引起支气管 - 食管瘘。

（4）癌肿压迫或转移性淋巴结压迫喉返神经时（左侧多见），则出现声音嘶哑。

（5）肿瘤侵犯纵隔，压迫阻滞上腔静脉回流，导致上腔静脉压迫综合征，出现头、颈、前胸部及上肢水肿淤血等。

（6）肺上沟瘤（Pancoast 瘤）易压迫颈部交感神经引起 Horner 综合征，出现同侧眼睑下垂、眼球内陷、瞳孔缩小、额部少汗等。

3. 肿瘤远处转移引起的表现　如肺癌转移至肝、脑、骨、肾上腺、皮肤等可出现相应的表现。锁骨上淋巴结是肺癌常见的转移部位，多位于前斜角肌区，无痛感，固定而坚硬，逐渐增大、增多并融合。

4. 肺外表现　包括内分泌、神经肌肉、结缔组织、血液系统和血管的异常改变，又称为副癌综合征。表现多样，包括：杵状指（趾）和肥大性骨关节病；高钙血症；分泌促性激素引起男性乳房发育；分泌促肾上腺皮质激素样物质可引起 Cushing 综合征；分泌抗利尿激素引起稀释性低钠血症；神经肌肉综合征，包括小脑皮质变性、脊髓小脑变性、周围神经病变、重症肌无力和肌病等。此外，可有类癌综合征，表现为哮鸣样支气管痉挛、阵发性心动过速、水样腹泻、皮肤潮红等。

五、实验室检查及其他检查

1. 影像学检查

（1）胸部 X 线检查

① 中央型肺癌：其典型征象是倒 S 状影像，是因肺不张伴有肺门淋巴结肿大形成的。

② 周围型肺癌：呈圆形或类圆形，边缘常呈分叶状，伴有脐凹或细毛刺。

③ 肺泡细胞癌：属于腺癌，有结节型和弥漫型两种。结节型肺癌与周围型肺癌圆形病灶的影像学表现相似。弥漫型表现为两肺大小不等的播散病灶，边界清楚，密度较高，随病情发展可增多、增大。

（2）胸部 MRI 检查：与 CT 相比，在明确大血管和肿瘤直接的关系上具有优越性，而发现小病灶方面则不如 CT 敏感。

2. 内镜检查　纤维支气管镜检查是原发性支气管肺癌诊断中最重要的检查手段，总的确诊率可达 95% 左右。对肺癌支气管侵犯的定位、手术方案设计有极为重要的指导作用。

3. 痰细胞学检查　是简单而有效的早期诊断方法；痰中混有脓性分泌物可引起恶性细胞液化。

4. 活体组织学检查　该方法可明确获得病理组织学的定性诊断。

（1）转移淋巴结的活检。

（2）B 超或 CT 引导下的经皮肺穿刺针吸活检。

（3）经纤维支气管镜的活检。

（4）皮下转移结节的活检。

（5）胸膜活检。

（6）开胸探查、术中冰冻切片活检等。

5. 肿瘤标志物检测

（1）癌胚抗原（CEA）：30% ～ 70% 肺癌患者血清中有异常高水平的 CEA。

（2）神经特异性烯醇化酶（NSE）：为小细胞肺癌首选标志物。

（3）CYFRA21-1：为非小细胞肺癌的首选标记物，对肺鳞癌诊断的敏感性可达 60%。

命题趋势　肺癌的确诊手段一直是肺癌的高频考点，考查方式灵活多样，各种题型均可见到。

金题直击

（4 ～ 5 题共用备选答案）

A. 经纤维支气管镜的活检　　B. 痰细胞学检查

C. 经皮针吸细胞学检查　　　　D. 淋巴结活检

E. 胸部 X 线检查

4. 对中央型肺癌的诊断率较高的检查是　　【答案】A

5. 对周围型肺癌的诊断率较高的检查是　　【答案】C

【解题思路】

根据肺癌解剖学分类的不同，选择的确诊手段也不同，中央型肺癌首选的确诊手段为纤维支气管镜检查，周围型肺癌首选的确诊手段为经皮针吸细胞学检查。

【易错点】

肺癌首选的检查手段是 X 线，但 X 线只能完成初步诊断，无法完成确诊。

六、诊断与鉴别诊断

（一）诊断

肺癌的早期诊断最为重要。影像学、细胞学和病理学检查是诊断肺癌的重要方法。对 40 岁以上长期大量或过度吸烟者，有下列情况者应进行排查肺癌的检查：①刺激性咳嗽持续 2 ～ 3 周，治疗无效。②原有慢性呼吸道疾病，咳嗽性质改变者。③持续痰中带血而无其他原因可解释者。④反复发作的同一部位的肺炎，特别是段性肺炎。⑤原因不明的肺脓肿，无中毒症状，无大量脓痰，且抗感染治疗效果不显著者。⑥原因不明的四肢关节疼痛及杵状指（趾）。⑦ X 线检查显示局限性肺气肿或段、叶性肺不张，孤立性圆形病灶和单侧性肺门阴影增大者。⑧原有肺结核病灶已稳定，而形态或性质再次发生改变者。⑨无中毒症状的胸腔积液，尤其呈血性积液者、积液量进行性增加者。

（二）鉴别诊断（助理不考）

1. 肺结核　多见于青壮年，病程长，常有持续性发热及全身中毒症状，可有反复咯血，痰液可检出结核菌，X 线检查有结核病灶的特征，抗结核药物治疗有效。

2. 肺炎　多见于青壮年，急性起病，寒战高热，咳铁锈色痰，血白细胞增高，抗生素治疗有效。若起病缓慢，无毒血症状，抗生素治疗效果不明显，或在同一部位反复发生的肺炎等，需注意排查肺癌。

3. 肺脓肿　起病急，中毒症状明显，伴咳大量脓臭痰，血白细胞和中性粒细胞增高，胸部 X 线呈薄壁空洞，内壁光整，内有液平，周围有炎症改变。而癌性空洞常先有肿瘤症状，然后出现继发感染的症状。纤维支气管镜等检查可资鉴别。

命题趋势　诊断是肺癌的常见考点，出题多以 A2、A3 型题为主。

金题直击

6. 患者，男，58 岁。咳嗽 2 个月，痰中带血，不发热，抗感染治疗效果不明显。3 次 X 线检查均显示右肺中叶炎症。首先考虑

A. 慢性支气管炎　　　　B. COPD

C. 支气管哮喘　　　　D. 原发性支气管肺癌

E. 肺梗死　　【答案】D

【解题思路】

患者年龄偏大，咳嗽 2 个月并痰中带血，多次 X 线显示相同位置肺炎，但抗感染治疗效果不明显，符合肺癌的典型表现。选项 A 是明确的感染，抗生素有效。选项 B 一般不引起咯血且抗生素治疗有效。选项 C 表现为发作性呼吸困难，且不引起咯血。选项 E 主要表现为胸痛、胸闷，与题干不符。

七、治疗

1. **手术治疗**　为非小细胞肺癌的主要治疗方法，主要适用于Ⅰ期、Ⅱ期患者。根治性手术切除是首选的

治疗措施，除Ⅰ期患者，Ⅱ～Ⅲ期的患者实施根治手术后需辅助化疗。

2. 化学药物治疗（简称化疗） 小细胞肺癌对化疗最敏感，鳞癌次之，腺癌最差。

3. 免疫增强治疗 香菇多糖、云芝多糖、溶链菌等均为非特异性免疫增强剂，白细胞介素 -2 为代表的细胞因子传输治疗均可改善患者症状，提高患者生存质量，延长生存时间。

4. 靶向治疗 主要适用于表皮生长因子受体（EGFR）敏感突变的晚期非小细胞肺癌，化疗失败或无法接受化疗的非小细胞肺癌。此外还有以肿瘤血管生成为靶点的靶向治疗。

5. 放射治疗（简称放疗） 分根治性放疗和姑息性放疗两种。根治性放疗用于病灶局限、因解剖原因不便手术或患者不愿意手术者，联合化疗可提高疗效。姑息性放疗目的在于抑制肿瘤的发展，延迟肿瘤扩散和缓解症状，常用于控制骨转移性疼痛、上腔静脉压迫综合征、支气管阻塞及脑转移引起的症状。放疗对小细胞肺癌效果较好，其次为鳞癌和腺癌，其放射剂量以腺癌最大，小细胞肺癌最小。

6. 生物反应调节剂治疗 是小细胞肺癌的一种新的治疗手段，如小剂量干扰素、转移因子、左旋咪唑、集落刺激因子（CSF）等，在肺癌的治疗中能增加机体对化疗、放疗的耐受性，提高疗效。

7. 抗癌中药治疗 可作为综合治疗的措施之一，适用于一些不适合手术和放、化疗或手术后复发的患者。

命题趋势 治疗是肺癌的高频考点，重点在于掌握不同分型对应的治疗方式，多在 A2、A3 型题中出现。

金题直击

（7～8 题共用备选答案）

A. 手术治疗　　B. 化疗

C. 靶向治疗　　D. 放射治疗

E. 生物反应调节剂治疗

7. 鳞癌首选的治疗方式是 【答案】A

8. 小细胞癌首选的治疗方式是 【答案】B

【解题思路】

根据肺癌组织病理学分类的不同，选择的治疗手段也不同，鳞癌属于非小细胞癌，转移较晚，首选手术根治；小细胞癌恶性程度最高，早期即发生转移，对化疗敏感，故首选化疗。

第六节　慢性呼吸衰竭

一、概念与分类

慢性呼吸衰竭是各种原因引起的肺通气和（或）换气功能严重障碍，以致在静息状态下亦不能维持足够的气体交换，导致机体缺氧伴或不伴二氧化碳潴留，从而引起一系列生理功能和代谢紊乱的临床综合征。呼吸衰竭的诊断有赖于动脉血气分析，表现为在海平面正常大气压、静息状态、自主呼吸空气的条件下，动脉血氧分压（PaO_2）低于 60mmHg，伴或不伴二氧化碳分压（$PaCO_2$）超过 50mmHg，排除心内解剖分流和原发心排血量降低等因素。

呼吸衰竭按血气分析分为两类。

Ⅰ型：缺氧而无二氧化碳潴留，即 $PaO_2 < 60mmHg$，$PaCO_2$ 正常或降低。主要发生机制为换气功能障碍正常或降低，见于严重肺部感染性疾病、急性肺栓塞等。

Ⅱ型：缺氧伴二氧化碳潴留，即 $PaO_2 < 60mmHg$，$PaCO_2 > 50mmHg$，主要发生机制为肺泡通气不足，见于慢性阻塞性肺疾病等。

二、病因与发病机制

（一）病因

1. 支气管 - 肺疾病 为主要病因，常见于慢性阻塞性肺疾病、重症肺结核、肺间质纤维化、肺尘埃沉着病等。

2. 胸廓和神经肌肉病变 如胸部手术、外伤、广泛胸膜增厚、胸廓畸形、脊髓侧索硬化症等。

（二）发病机制

1. 肺通气不足 见于慢性阻塞性肺疾病，严重胸膜、胸廓疾病，肺间质纤维化及神经肌肉疾病等，常导致缺氧伴二氧化碳潴留。

2. 通气 / 血流比例失调 通气 / 血流比例失调通常导致缺氧，一般无二氧化碳潴留。

3. 肺动 - 静脉样分流 由于肺泡萎陷、肺不张、肺水肿、严重肺炎等，肺泡丧失通气但血流仍存在，使静脉血未进行气体交换直接流入肺静脉造成缺氧。

4. 弥散障碍 由于广泛肺实质病变、严重肺气肿、肺不张等使弥散面积减少，以及肺间质纤维化、肺水肿等使弥散膜增厚，气体弥散功能障碍，以缺氧为主。

5. 机体耗氧量增加 寒战、高热、呼吸困难等均可增加机体耗氧量，耗氧量增加使肺泡氧分压降低，同时伴有通气功能障碍，则出现严重的低氧血症。耗氧量增加是加重缺氧的常见原因之一。

三、病理生理

主要为低氧血症与高碳酸血症对机体的影响。

1. 中枢神经系统 低氧血症对中枢神经系统的影响与缺氧发生的速度有关。高碳酸血症导致脑脊液 H^+ 浓度增加，脑细胞代谢障碍，患者常出现头痛、头晕、烦躁不安、精神错乱、扑翼样震颤，甚至昏睡、昏迷。慢性呼吸衰竭患者因缺氧及高碳酸血症出现的精神神经功能障碍综合征，称为肺性脑病，是导致患者死亡的首要原因。

2. 循环系统 严重者出现血压下降、血管扩张、心律失常等严重后果。

3. 呼吸系统 慢性呼吸衰竭患者受 PaO_2 降低及 $PaCO_2$ 升高共同影响。

4. 消化系统 出现消化功能障碍，如食欲不振、腹胀等，严重时出现消化道黏膜糜烂、溃疡形成和出血。

5. 肝肾功能 可出现一过性肝肾功能不全，病情好转后可恢复至发病前状态。

6. 代谢及电解质 $PaCO_2$ 明显升高导致呼吸性酸中毒；严重缺氧因乳酸及无机磷生成增多，可出现代谢性酸中毒。

四、临床表现

除原发病表现外，主要为呼吸困难、发绀及神经精神症状。

（1）原发病表现。

（2）缺氧表现：①呼吸困难是最早出现的症状；②发绀是缺氧严重的表现；③精神神经症状常见注意力不集中，甚至昏迷；④循环系统表现为早期血压升高、心动过速，严重者出现心动过缓等；⑤消化道表现有上消化道出血、黄疸等；⑥泌尿系统表现为出现蛋白尿、氮质血症等。

（3）二氧化碳潴留表现：①早期出现睡眠习惯改变，昼睡夜醒，严重时出现抽搐、昏迷等二氧化碳麻痹的表现；②早期血压升高，呼吸、心率增快，严重者血压下降甚至发生休克。

五、实验室检查及其他检查

1. 动脉血气分析

（1）典型的动脉血气改变是 $PaO_2 < 60mmHg$，伴或不伴 $PaCO_2 > 50mmHg$，以伴有 $PaCO_2 > 50mmHg$ 的Ⅱ型呼吸衰竭为常见。

（2）pH 值改变不如 $PaCO_2$ 改变明显，当 $PaCO_2$ 增高伴有 pH 值超过 7.35 时，称为代偿性呼吸性酸中毒，如 pH 值低于 7.35 则称为失代偿性呼吸性酸中毒。

（3）呼吸性酸中毒合并代谢性酸中毒见于低氧血症、血容量不足、心排血量减少和周围循环障碍、肾功能损害等，在呼吸性酸中毒的基础上可并发代谢性酸中毒。

（4）呼吸性酸中毒合并代谢性碱中毒常见于慢性呼吸性酸中毒的治疗过程中，由于机械通气不当或补充碱性药物过量，导致代谢性碱中毒。

2. X 线检查 用于进一步明确原发病，了解肺部感染情况，随访治疗效果等。

六、诊断与鉴别诊断

（一）诊断

有慢性支气管 - 肺疾病如慢性阻塞性肺疾病、重症肺结核、肺间质纤维化等导致呼吸功能障碍的原发疾病史。有缺氧和二氧化碳潴留的临床表现，如呼吸困难、发绀、精神神经症状等。动脉血气分析 $PaO_2 < 60mmHg$，或伴有 $PaCO_2 > 50mmHg$，即可确立诊断。

（二）鉴别诊断

应注意与急性呼吸衰竭进行鉴别，两者的鉴别诊断重点是病史及原有呼吸功能状态。急性呼吸衰竭原有呼吸功能正常，无慢性支气管 - 肺疾病史。

七、病情评估

1. 明确呼吸衰竭的病变部位。
2. 明确呼吸衰竭类型。
3. 判断严重程度及预后，其中并发肺性脑病是最主要的死亡原因。

八、治疗与预防

（一）治疗原则

积极处理原发病，去除诱因；保持呼吸道通畅，纠正缺氧、二氧化碳潴留和代谢紊乱；维持心、脑、肾等重要脏器功能，防治并发症。

（二）治疗措施

1. 保持气道通畅　治疗呼吸衰竭的首要措施是保持呼吸道通畅。给予祛痰药；应用支气管扩张剂；气道阻塞不易解除时，应及时建立人工气道，保持气道通畅。

2. 氧疗　慢性阻塞性肺疾病是导致慢性呼吸衰竭的最常见病因，以Ⅱ型呼吸衰竭为主。吸入氧流量的计算方法：吸入氧浓度（%）=［21+4× 吸入氧流量（L/min）］/100。

3. 增加通气量　这是解除二氧化碳潴留的主要治疗措施。

4. 纠正酸碱失衡和电解质紊乱

5. 防治感染　呼吸道感染为常见诱因，应根据痰菌培养及药敏试验，选择有效抗菌药物控制感染。

6. 治疗并发症　有明显脑水肿的患者应采取脱水降颅压治疗，常用甘露醇、山梨醇等；上消化道出血患者可适当应用质子泵抑制剂。

（三）预防

有效控制原发病如慢性阻塞性肺疾病、慢性肺心病等，有效预防呼吸衰竭发生的关键措施是防治呼吸道感染。缓解期应进行适当的耐寒锻炼，有慢性呼吸衰竭发作病史的患者应进行有效的规范的家庭氧疗，并达到家庭氧疗的目标要求。

高频考点速递

1. 慢性阻塞性肺疾病最主要的病因是吸烟。
2. 感染因素是 COPD 发病与病情发展的重要因素。
3. 慢性阻塞性肺疾病特征性体征是桶状胸 + 叩诊呈过清音。
4. 慢性肺源性心脏病的病因以 COPD 最多见。
5. 慢性肺源性心脏病肺、心功能代偿期的临床表现是肺动脉高压和右心室肥大体征。
6. 肺性脑病是慢性肺心病首要死亡原因。
7. 支气管哮喘主要表现为发作性带有哮鸣音的呼气性呼吸困难。
8. $β_2$ 受体激动剂是缓解哮喘症状的首选药物。有短效 - 速效 $β_2$ 受体激动剂如沙丁胺醇、特布他林气雾剂等。
9. 肺炎链球菌肺炎实变期可见呈段、叶分布的大片致密实变阴影。
10. 中央型肺癌以鳞状上皮细胞癌和小细胞肺癌较常见。
11. 手术治疗为非小细胞肺癌的主要治疗方法。

第二单元　循环系统疾病

考试分值

节	年份/级别	2019	2020	2021	2022	2023
急性心力衰竭	执业	0	1	0	1	0
	助理	0	0	0	0	0
慢性心力衰竭	执业	1	1	0	1	2
	助理	1	0	1	1	1
心律失常	执业	0	0	0	0	0
	助理	0	0	0	0	0
快速性心律失常	执业	0	0	1	2	1
	助理	0	0	0	0	1
缓慢性心律失常（助理不考）	执业	0	0	0	0	1
心脏骤停与心肺复苏	执业	0	0	0	0	2
	助理	0	0	0	0	0
原发性高血压	执业	1	1	1	0	1
	助理	0	1	0	1	1
冠状动脉粥样硬化性心脏病	执业	0	0	0	0	0
	助理	0	0	0	0	0
心绞痛	执业	1	1	1	1	2
	助理	0	1	1	1	1
急性心肌梗死	执业	1	1	1	1	2
	助理	1	1	0	1	2
心脏瓣膜病	执业	1	2	2	1	4
	助理	—	—	—	—	—

第一节　急性心力衰竭

一、概念与分类

心力衰竭（HF）简称心衰，是指各种心脏疾病导致心脏收缩和（或）舒张功能异常，心室充盈和（或）射血能力障碍，引起以组织血流灌注不足伴有体循环或肺循环淤血的临床综合征。

心力衰竭的分类：

1. 按照病理改变以及发生功能障碍的部位 分为左心衰、右心衰和全心衰。

（1）左心衰竭：临床上较为常见，以肺循环淤血为特征。

（2）右心衰竭：以体循环淤血为主要表现。

（3）全心衰竭：左心衰竭后肺动脉压力增高，使右心负荷加重，病理改变进一步加重，右心衰竭也继之出现。

2. 按照心力衰竭的病因及发病缓急 分为急性心衰和慢性心衰。

（1）急性心衰：临床上以急性左心衰常见，表现为急性肺水肿或心源性休克。

（2）慢性心衰：多见于器质性心脏病患者，为绝大多数器质性心脏病的最终结局。

3. 按照发生病理改变的心脏功能 分为收缩性心衰和舒张性心衰。

（1）收缩性心衰：心脏收缩射血为其主要生理功能，也是临床上常见的心衰。

（2）舒张性心衰：严重的舒张期心衰见于原发性限制型心肌病、原发性肥厚型心肌病等。

二、病因与发病机制

急性心力衰竭（AHF）是指由于急性心脏病变引起心排血量急骤降低，导致组织器官灌注不足和急性淤血的一类心力衰竭。急性右心衰主要见于大面积肺梗死。临床上以急性左心衰较为常见，表现为急性肺水肿或心源性休克，是严重的急危重症。

（一）病因

1. 急性心肌缺血事件 与冠心病有关的急性广泛前壁心肌梗死、乳头肌梗死断裂、室间隔破裂穿孔等，均可导致急性心力衰竭。

2. 感染性心内膜炎 可导致瓣膜急性穿孔、腱索断裂，通过瓣膜性急性反流诱发急性心力衰竭。

3. 其他 高血压心脏病血压急剧升高，原有心脏病的基础上发生快速性心律失常或严重缓慢性心律失常，输液过多过快等，均可通过急性心脏负荷加重导致急性心力衰竭。

（二）发病机制

主要病理生理基础为心脏收缩功能突然发生严重障碍，或左室瓣膜急性反流，心排血量急剧减少，左室舒张末压迅速升高，导致肺静脉回流障碍。由于肺静脉压快速升高，肺毛细血管压随之升高，使肺毛细血管出现高压力性通透性增加，大量液体渗入到肺间质和肺泡内，形成急性肺水肿。肺水肿早期可因交感神经激活，血压可升高，但随着病情持续进展，血压将逐步下降，出现一系列临床表现。

三、临床表现

急性心力衰竭起病急，为临床急危重症，临床以急性肺水肿的表现为主。

1. 突发严重呼吸困难，呼吸频率常达 30 ～ 40 次 / 分。
2. 强迫坐位，面色灰白，发绀，大汗，烦躁不安。
3. 频繁咳嗽，咳粉红色泡沫状痰。
4. 听诊两肺满布湿啰音和哮鸣音。
5. 危重患者可因脑缺氧而致神志模糊甚至昏迷。

命题趋势 临床表现是急性心衰最常考查的内容，考查方式灵活，各题型均可出现。

金题直击

1. 诊断急性肺水肿最具有特征意义的依据是

A. 严重的呼吸困难，发绀　　B. 心尖部舒张早期奔马律

C. 交替脉　　D. 两肺干湿性啰音

E. 严重呼吸困难伴咳粉红色泡沫样痰

【答案】E

【解题思路】

急性肺水肿是急性左心衰的典型表现，最特征性的症状即是咳粉红色泡沫痰。

四、诊断与鉴别诊断

（一）诊断

根据病史、典型症状与体征，一般不难作出诊断。

（二）鉴别诊断

急性心力衰竭主要应与支气管哮喘急性发作相鉴别；肺水肿并存的心源性休克应与其他原因所致的休克鉴别。

五、病情评估

急性心力衰竭均属临床急危重症，尤其是急性左心衰竭的病情严重程度，首先与原发病关系密切，临床上由于急性广泛前壁心肌梗死、急性重症心肌炎等广泛心肌损伤甚至坏死引起的急性左心衰竭病情危重，预后不良。

AHF 的临床严重程度常用 Killip 分级。

Ⅰ级：无 AHF。

Ⅱ级：有 AHF，肺部中下肺野可闻及湿啰音，有舒张期奔马律，胸片见肺淤血征象。

Ⅲ级：严重 AHF，严重肺水肿，双肺满布湿啰音。

Ⅳ级：心源性休克。

六、治疗与预防

（一）治疗

1. 一般治疗

（1）患者取坐位，双下肢下垂，以减少静脉回流。

（2）高流量吸氧。

2. 有效镇静 常用吗啡皮下或静脉注射。

3. 快速利尿 可用呋塞米、布美他尼等静脉注射。

4. 扩张血管

（1）硝酸甘油：以 10μg/min 开始静脉滴注，每 10min 调整 1 次，每次增加 5 ～ 10μg，以收缩压控制在 90 ～ 100mmHg 为度。

（2）硝普钠：起始剂量 0.3μg/（kg・min）静脉滴注，根据血压逐步增加剂量。

5. 应用正性肌力药

（1）多巴酚丁胺：短期应用，主要目的是缓解症状。

（2）毛花苷 C：心房颤动伴有快速心室率并已知有心室扩大伴左心室收缩功能不全者，可考虑使用毛花苷 C 静脉注射，首剂 0.4 ～ 0.8mg。禁用于急性心肌梗死早期、急性心肌炎、低钾血症、房室传导阻滞等。

6. 机械辅助治疗 危重患者可实施主动脉内球囊反搏（IABP）和应用临时心肺辅助系统。

7. 病因治疗 急性症状缓解后，应对诱因及基本病因进行治疗。

命题趋势 治疗是急性心衰的常见考点，出题方式灵活，近几年主要以 A2、A3 型题为主。

金题直击

2. 患者，男，52 岁。冠心病史 12 年，平素时有心悸、乏力、气短，活动后明显加重。近日感冒后上述症状明显加重。现症：心慌、焦虑、呼吸困难、咳嗽、咳粉红色泡沫痰。查体：心率 120 次 / 分，呼吸 32 次 / 分，双肺满布湿啰音。为求缓解症状，首选的药物是

A. 呋塞米　　B. 毛花苷 C

C. 吗啡　　D. ACEI

E. 硝普钠

【答案】C

【解题思路】

患者是典型的急性肺水肿表现，此时需快速对症处理患者的急性症状，快速镇静，使用药物为吗啡。

【易错点】

心衰的处置大原则是利尿、强心、扩血管，但首先处理急性症状的药物是吗啡。

（二）预防

急性心力衰竭为临床急危重症，其预防的关键在于对原发器质性心脏病的有效管理与随访，除积极治疗原发病外，通过限盐、限制体力活动等措施预防心功能进一步恶化。另外，应注意规避一些医源性因素导致的心力衰竭病情突然加重，如注意输液量与输液速度，避免过多过快输液输血，避免使用负性肌力药等，并应注意监测患者的血电解质。

循环系统示意图见图 2-1。

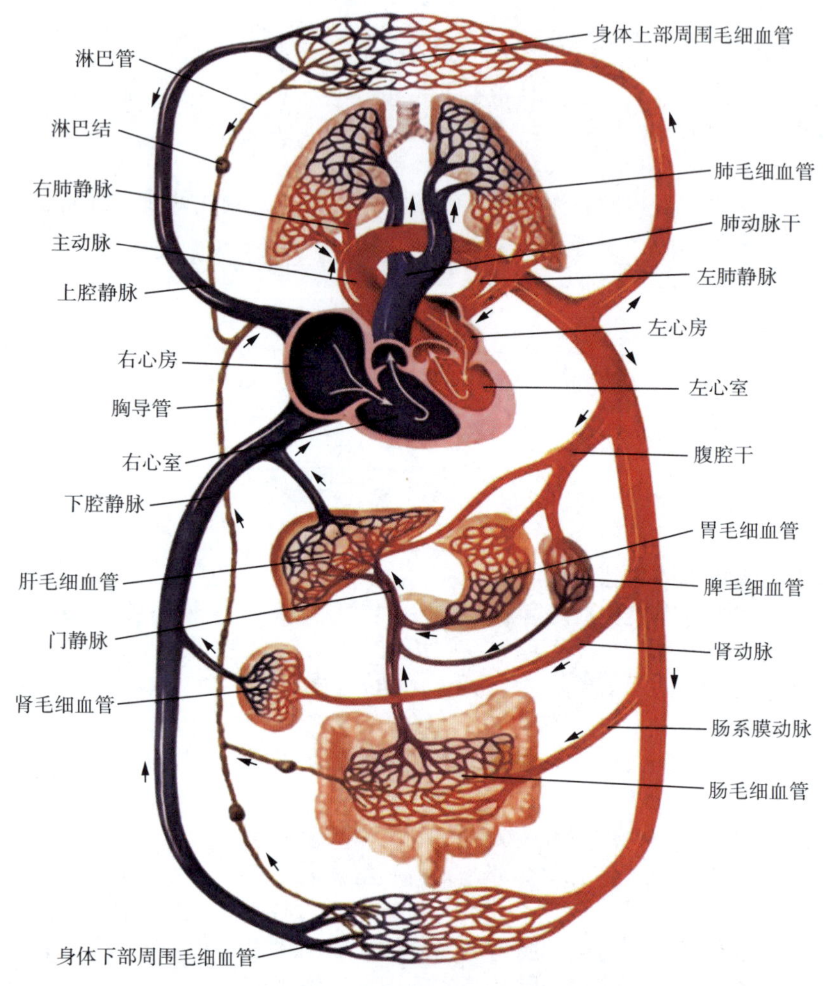

图 2-1　循环系统示意图

第二节　慢性心力衰竭

一、概念

慢性心力衰竭（CHF）是大多数心血管疾病的最终归宿，也是最主要的死亡原因。引起 CHF 的基础心脏病，近年来冠心病、高血压性心脏病的比例明显上升，已跃居病因的第一、二位。

二、病因

（一）基本病因

1. 原发性心肌损害

（1）缺血性心肌损害：冠心病是最常见的病因之一。

（2）心肌炎和心肌病：以病毒性心肌炎和原发性扩张型心肌病多见。

（3）心肌代谢障碍性疾病：以糖尿病心肌病多见。

2. 心脏负荷过重

（1）压力负荷过重：左心室收缩期压力负荷增加常见于高血压、主动脉瓣狭窄；右心室收缩期压力负荷增加常见于肺动脉高压、肺动脉瓣狭窄等。

（2）容量负荷过重：①心脏瓣膜关闭不全如二尖瓣关闭不全、主动脉瓣关闭不全等。②左、右心或动静脉分流性先天性心血管病如室间隔缺损、动脉导管未闭等。

（二）诱因

1. 感染 为最主要、最常见诱因，尤其是肺部感染（呼吸系统）。

2. 心律失常 常见心房颤动、快速性心律失常，以及严重的缓慢性心律失常。

3. 血容量增加 静脉输液过多、过快等。

4. 过度体力活动或情绪激动 如劳累、妊娠后期及分娩、暴怒等。

5. 治疗不当 以洋地黄类强心剂应用不当常见。

6. 其他 原有心脏病变加重或并发其他疾病时。

命题趋势 病因是慢性心衰的常见考点，出题多以 A1 型题为主。

金题直击

1. 慢性心力衰竭最常见的病因是

A. 心肌代谢障碍　　B. 高血压

C. 血容量过多　　D. 冠心病

E. 心脏瓣膜病

【答案】D

（三）发病机制

因心功能不全引发心排血量下降时，激发机体产生多种代偿机制，使心功能在一定时间内维持在相对正常的水平，当病理因素的作用超过代偿能力，发生失代偿，出现心力衰竭的相应临床表现。

三、病理生理

（一）心脏代偿机制

1. Frank-Starling 机制 为心脏的主要代偿机制。

2. 心肌肥厚

3. 神经 - 体液的代偿机制

（二）体液因子的改变

1. 心钠肽（ANP）和脑钠肽（BNP） 正常情况下，ANP 主要储存于心房，心室肌内也有少量表达。血浆中 ANP 及 BNP 水平升高时，其增高的程度与心衰的严重程度呈正相关，因此，血浆 ANP 及 BNP 水平可作为评定心衰的进程和判断预后的指标。

2. 精氨酸加压素（AVP） 由垂体分泌，具有抗利尿和周围血管收缩的生理作用，对维持血浆渗透压起关键作用。AVP 的释放受心房牵张受体的调控，心力衰竭时心房牵张受体的敏感性下降，使 AVP 的释放不能受到相应的抑制，血浆 AVP 水平升高。心衰早期，AVP 的效应有一定的代偿作用，而长期的 AVP 增加，其负面效应加重心力衰竭。

3. 内皮素（ET） 是由血管内皮释放的肽类物质，具有很强的收缩血管的作用。心力衰竭时，受血管活性物质如去甲肾上腺素、血管紧张素、血栓素等的影响，血浆内皮素水平升高，且直接与肺动脉压力特别是肺血管阻力升高相关。

（三）心肌损害和心室重塑

原发性心肌损害和心脏负荷过重使心脏功能受损，心腔扩大、心室肥厚的过程中，心肌细胞、胞外基质、胶原纤维网等均有相应变化，表现为心室重塑过程，是心力衰竭发生发展的基本机制。

四、临床表现

（一）左心衰竭

主要为肺淤血和心排血量降低的表现，症状明显，但体征不具特征性。

1. 症状

（1）肺瘀血的表现：表现为劳力性呼吸困难（最早出现）、夜间阵发性呼吸困难（心源性哮喘）和端坐呼吸，严重时可出现急性肺水肿。

（2）咳嗽、咳痰：咳粉红色泡沫痰（或者白色泡沫痰）。

（3）心排血量不足的表现：体能下降、乏力、疲倦、记忆力减退、焦虑、失眠、尿量减少等。

2. 体征

（1）两肺底常可闻及湿啰音（中小水泡音）和哮鸣音。

（2）心脏听诊可闻及肺动脉瓣区第二心音亢进（P_2 亢进），心尖区可闻及舒张期奔马律（心衰特有体征之一）。

（二）右心衰竭

主要为体循环淤血的表现。

1. 症状 胃肠道及肝脏淤血。临床表现可有食欲不振、恶心、呕吐、腹胀、腹痛和尿少、夜尿增多等。

2. 体征 肝颈静脉回流征阳性，颈静脉充盈或怒张；下垂性对称性水肿（双下肢），可出现三尖瓣关闭不全的反流性杂音，肝脏亦因淤血肿大伴压痛。

（三）全心衰竭

左、右心衰的临床表现同时存在应考虑全心衰。继发于左心衰而形成的全心衰，当右心衰出现后，左心衰肺淤血的症状反而相较单纯性左心衰时减轻。

命题趋势 慢性心衰的症状及体征表现是极高频的考点，出题方式灵活多样，可以以 A1 型题的方式直接考查，也可以于 A2、A3 型题中作为关键信息出现。

金题直击

2. 患者，48 岁。风心病 3 年，近半月来胃纳差，恶心，呕吐，肝区疼痛，尿少。查体：颈静脉怒张，心尖区可闻及舒张期杂音，三尖瓣区可闻及收缩期杂音，肝肋下 2cm。应首先考虑的是

A. 肝炎　　B. 右心衰竭

C. 左心衰竭　　D. 肝硬化

E. 全心衰竭

【答案】B

【解题思路】

颈静脉怒张是体循环淤血的表现，引起体循环淤血的是右心衰竭。选项 A 显然与题干中的各种心脏表现不符。选项 C 引起肺循环淤血，表现以各种呼吸困难为主。选项 D 会造成门静脉高压、腹腔脏器淤血，但不会影响整体体循环回流。选项 E 缺少肺循环淤血的表现，无法诊断。

五、实验室检查及其他检查

1. 常规实验室检查 包括血液一般检查、尿常规、血液生化检查等。

2. 血浆脑钠肽（BNP）检测 有助于心衰的诊断并可判断预后。BNP ＜ 100pg/mL，不支持心衰的诊断；BNP ＞ 400pg/mL，支持心衰的诊断。

3. 胸部 X 线检查 是确诊左心衰竭肺水肿的主要依据，主要改变有：①心影增大。②肺纹理增粗，早期主要表现为肺门血管影增强。急性肺泡性肺水肿时肺门呈蝴蝶状，肺野可见大片融合阴影。

4. 超声心动图 是诊断心力衰竭最有价值的方法，可确切提供各心腔大小变化、心瓣膜结构及功能情况，估算心脏功能：①收缩功能：左心室射血分数（LVEF）≤ 40% 为收缩性心力衰竭的诊断标准。②舒张功能：舒张功能不全时，E/A 比值降低。

5. 其他 ①放射性核素检查：有助于判断心室腔大小，反映 EF 值及舒张功能等。②有创性血流动力学检查：对重症心力衰竭患者必要时采用漂浮导管经静脉插管直至肺小动脉，可直接反映左心功能。

命题趋势 慢性心衰的实验室检查是常见的考点，近些年多见于A3题型中。

金题直击

3. 患者，48岁。风心病3年，近半月来胃纳差，恶心，呕吐，肝区疼痛，尿少。查体：颈静脉怒张，心尖区可闻及舒张期杂音，三尖瓣区可闻及收缩期杂音，右心奔马律，肝肋下2cm。为求确诊，应首选的实验室检查是

A. 血常规　　B. 超声检查

C. 血浆脑钠肽检测　　D. 胸部MRI检查

E. 胸部X线检查

【答案】B

【解题思路】

患者有颈静脉怒张，右心奔马律，说明应是右心衰引起体循环淤血，而超声心动图是诊断心力衰竭最有价值的方法。

【易错点】

血浆脑钠肽是心衰的特异性检查，但最有价值的是超声心动图，不要混淆。

六、诊断与鉴别诊断

（一）诊断

心力衰竭的诊断首先应有明确其器质性心脏病的诊断，结合患者症状、体征、实验室及其他检查即可作出诊断。左心衰竭因肺淤血引起不同程度的呼吸困难，右心衰竭因体循环淤血引起的颈静脉怒张、肝大、水肿等体征是诊断的重要依据。

（二）鉴别诊断（助理不考）

1. 心源性哮喘与支气管哮喘　年龄层次不同，前者多见于老年人，有心脏病症状及体征，后者多见于青少年，有过敏史；前者发病时肺部有干、湿啰音，甚至咳粉红色泡沫痰，后者发作时双肺可闻及典型哮鸣音，咳出白色黏痰后呼吸困难常可缓解。血浆BNP水平对鉴别诊断有较重要的参考价值。

2. 心包积液、缩窄性心包炎　两者皆可见由于腔静脉回流受阻引起颈静脉怒张、肝大、下肢水肿等表现，应根据病史、心脏及周围血管体征进行鉴别，超声心动图检查最有鉴别意义。

七、病情评估

（一）心功能分级

目前通用的是美国纽约心脏病学会（NYHA）的分级方法，NYHA心功能分级见表2-1。

表2-1　NYHA心功能分级

分级	表现
Ⅰ级	患者有心脏病但活动不受限制，日常一般活动不引起疲乏、心悸、呼吸困难或心绞痛。为心功能代偿期
Ⅱ级	心脏病患者的体力活动轻度受限，休息时无自觉症状，但日常活动下即出现疲乏、心悸、呼吸困难或心绞痛发作等
Ⅲ级	心脏病患者的体力活动明显受限，低于日常活动即出现上述症状
Ⅳ级	心脏病患者不能从事任何体力活动，休息时即有心力衰竭的症状，体力活动后显著加重

（二）临床分期

A期：前心衰阶段，存在心衰的高危因素，尚无心脏结构或功能异常，也无心衰的症状与体征，包括高血压、冠心病、2型糖尿病、代谢综合征等疾病，以及使用心肌毒性药物史、酗酒史、风湿热病史、心肌病家族史等，可发展为心脏病的高危因素。

B 期：前临床心衰阶段，无心衰的症状与体征，已有器质性心脏病变，如左心室肥厚、LVEF 降低、无症状的心脏瓣膜病、陈旧性心肌梗死等。

C 期：临床心衰阶段，有器质性心脏病，既往或目前有心衰症状。

D 期：难治性终末期心衰阶段，经严格优化的内科治疗，仍然有心衰的症状与体征，需要特殊干预治疗的难治性心力衰竭。

八、治疗

（一）治疗目的

主要目的在于防止和延缓心力衰竭的发生；缓解临床症状，提高运动耐量，改善生活质量；阻止或延缓心肌损害进一步加重；降低死亡率。

（二）治疗措施

1. 病因治疗

（1）治疗原发病：如冠心病、心肌炎、心肌病等。

（2）消除诱因：如及时有效控制肺部感染、避免过多过快补液、避免洋地黄中毒等。

2. 一般治疗

（1）休息，监测体重。

（2）控制钠盐摄入。

3. 药物治疗

（1）利尿剂：应长期使用，水肿消失后，应以最小剂量长期维持。常用利尿剂有噻嗪类利尿剂、袢利尿剂、保钾利尿剂。

（2）肾素 - 血管紧张素 - 醛固酮系统抑制剂

① 血管紧张素转换酶抑制剂（ACEI）：阻断心肌、小血管重塑，以达到维护心肌功能，延缓心力衰竭进展的治疗效果。

② 血管紧张素Ⅱ受体拮抗剂（ARB）：作用与 ACEI 相同。

③ 醛固酮受体拮抗剂：对抑制心血管重构、改善慢性心力衰竭的远期预后有较好的作用。

（3）β 受体阻滞剂：可对抗交感神经激活，阻断心肌重塑，长期应用可延缓病情进展、减少复发和降低猝死率。

（4）正性肌力药

① 洋地黄类药物：可明显改善症状，减少住院率，提高运动耐量，增加心排血量：地高辛，适用于中度心力衰竭的维持治疗；毛花苷 C，适用于急性心力衰竭或慢性心衰加重时，特别适用于心力衰竭伴快速心房颤动者。但大量临床研究表明，洋地黄类药物的应用对于患者死亡率无实际影响。

洋地黄类药物的适应证：在利尿剂、ACEI 和 β 受体阻滞剂治疗过程中，持续有心力衰竭症状的患者，可考虑加用地高辛。如同时伴有心房颤动则更应使用洋地黄制剂。

洋地黄中毒及其处理：低血钾、肾功能不全以及与其他药物的相互作用都是引起洋地黄中毒的因素。洋地黄中毒最重要的毒性反应是出现各类心律失常，以室性心律失常多见，还可加重心力衰竭，还可出现胃肠道反应如恶心、呕吐，以及中枢神经的症状如视力模糊、黄绿视、倦怠等。发生洋地黄中毒时应立即停药，并进行对症处理。

② 肾上腺素能受体兴奋剂：小剂量多巴胺可增强心肌收缩力，扩张血管，特别是扩张肾小动脉，且心率加快不明显。

③ 磷酸二酯酶抑制剂：仅用于重症心力衰竭，实施心力衰竭的各项治疗措施后症状仍不能控制时短期使用。

（5）血管扩张药物：适用于中、重度慢性心力衰竭。常用的有：①小静脉扩张剂如硝酸酯类药。②小动脉扩张剂如酚妥拉明等。③同时扩张动、静脉药如硝普钠等。

4. 舒张性心力衰竭的治疗

（1）药物治疗：应用利尿剂、β 受体阻滞剂、钙通道阻滞剂、血管紧张素转换酶抑制剂等。

（2）维持窦性心律。

（3）对肺淤血症状较明显者，可适量应用静脉扩张剂或利尿剂。

（4）在无收缩功能障碍的情况下，禁用正性肌力药物。

5. 难治性心力衰竭的治疗

（1）积极治疗原发病。

（2）调整心力衰竭用药，联合应用强效利尿剂、血管扩张制剂及正性肌力药物等。

（3）对高度顽固水肿也可使用血液滤过或超滤。

（4）扩张型心肌病伴有 QRS 波增宽＞ 120ms 的心衰患者，可实施心脏再同步化治疗。

（5）对不可逆的心衰患者可考虑心脏移植。

（三）预防

慢性心力衰竭是心功能不全的严重阶段，是器质性心脏病的最终结局及主要死亡原因。慢性心力衰竭的预防属于器质性心脏病的二级预防及三级预防措施，应注意低钠饮食，适量体力活动，做好饮食及体重管理。

第三节　心律失常

一、概念

由于心脏冲动的起搏异常或冲动传导异常，导致心脏的频率、节律异常，统称为心律失常。心律失常可以是生理性的，也可以是病理性的，是器质性心脏病常见的死亡原因。

二、分类

（一）按照发生机制分类

1. 冲动起搏异常　包括窦性心动过速、期前收缩、异位心动过速、扑动与颤动等。

2. 冲动传导异常　包括窦房传导阻滞、房室传导阻滞、束支传导阻滞等。

（二）按照心率快慢分类

1. 快速性心律失常

（1）窦性：窦性心动过速。

（2）期前收缩（房性、房室交界性、室性）。

（3）非阵发性心动过速（室上性、室性），阵发性心动过速（室上性、室性）。

（4）并行心律性心动过速（窦性、房性、房室交界性、室性）。

（5）扑动（心房、心室）与颤动（心房、心室）。

（6）预激综合征。

2. 缓慢性心律失常

（1）窦性缓慢性心律失常。

（2）逸搏与逸搏心律。

（3）传导缓慢性心律失常（窦房传导阻滞、房内传导阻滞、房室传导阻滞、室内传导阻滞）。

3. 快速性伴缓慢性心律失常　如慢快综合征、快慢综合征等。

（三）按照心律失常对预后的影响分类

分为良性、潜在恶性、恶性心律失常。

三、发生机制（助理不考）

1. 冲动形成的异常　自主神经系统兴奋性改变或其内在病变，导致不适当的冲动发放。心房、心室与希氏束 - 普肯耶纤维在动作电位后产生除极活动的电位增高并达到阈值，引起反复激动，构成快速性心律失常。

2. 冲动传导的异常　折返是快速心律失常的最常见发生机制。

四、常用抗心律失常药物（助理不考）

根据浦肯野纤维离体实验所得的药物电生理效应及作用机制，可将抗心律失常药分为四类，其中 I 类药又分为 a、b、c 三个亚类（表 2-2）。

表 2-2 抗心律失常药物分类

分类	抗心律失常药物
Ⅰ类	钠通道阻滞药分为 a、b、c 三个亚类。 （1）Ⅰa 类适度阻滞钠通道，属此类的有奎尼丁等药； （2）Ⅰb 类轻度阻滞钠通道，属此类的有利多卡因等药； （3）Ⅰc 类明显阻滞钠通道，属此类的有氟卡尼等药
Ⅱ类	β 肾上腺素受体阻断药，通过阻断 β 受体而起效，代表性药物为普萘洛尔
Ⅲ类	阻断钾通道并延长复极过程，代表性药物有胺碘酮
Ⅳ类	钙拮抗药，通过阻滞钙通道而抑制 Ca^{2+} 内流，代表性药物有维拉帕米

第四节 快速性心律失常

一、概念

快速性心律失常是指心律失常发生时，患者的心室率超过心律失常未发生时的频率，临床上较缓慢性心律失常多见，其中以窦性心动过速、期前收缩最常见，其中恶性程度最高的是心室颤动。

二、期前收缩

（一）病因（助理不考）

1. **器质性心脏病** 冠心病、心肌病、心肌炎、心脏瓣膜病等。
2. **生理因素** 如情绪激动、剧烈活动、焦虑，饮浓茶、咖啡，饮酒等。
3. **电解质紊乱** 血钾紊乱、血钙紊乱等。
4. **药物过量或中毒** 如洋地黄、奎尼丁、三环类抗抑郁药等。
5. **其他** 出现缺氧、酸中毒时，麻醉、手术过程中等。

（二）临床表现（助理不考）

1. **症状** 轻者可无症状或仅有心悸、心跳暂停感，重者有头晕甚至晕厥，可诱发或加重心绞痛、低血压及心力衰竭。

2. **体征** 听诊时，期前收缩的第一心音增强，第二心音减弱或消失，之后有较长的间歇。桡动脉搏动不规则。

（三）心电图诊断

1. **房性期前收缩（图 2-2）** ①提前出现的 P′ 波与窦性 P 波形态各异；P′R 间期≥ 0.12s；②提前出现的 QRS 波群形态通常正常。③代偿间歇常不完全。

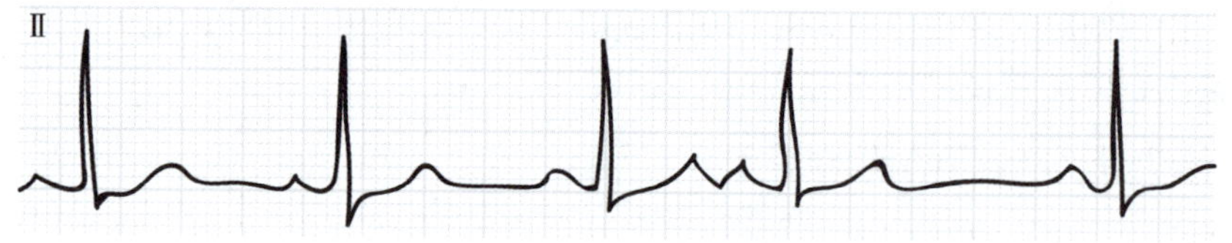

图 2-2 房性期前收缩

2. **房室交界性期前收缩（图 2-3）** ①提前出现的室上性 QRS 波群，其前面无相关的 P 波；②若有逆行 P′ 波，可在 QRS 波群之前（P′R 间期＜ 0.12s）、之中（可消失）或之后（RP′ 间期＜ 0.2s）。③ QRS 波群形态多正常。④代偿间歇多完全。

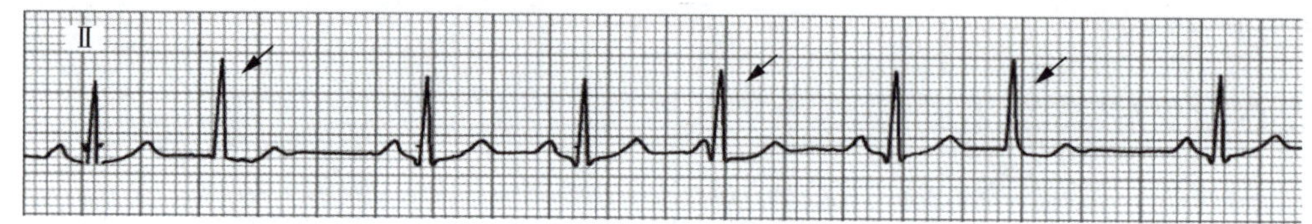

图 2-3 房室交界性期前收缩

3. 室性期前收缩（图 2-4） ①提前出现的 QRS 波群前无相关 P 波；②提前出现的 QRS 波群宽大畸形，时限＞0.12s，T 波方向与 QRS 波群主波方向相反。③代偿间歇完全。

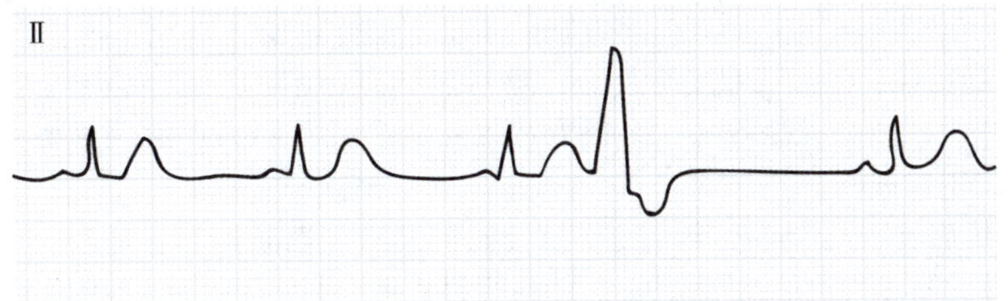

图 2-4　室性期前收缩

命题趋势 期前收缩的心电图的表现是心律失常的常见考点，出题多以 A1 及 B1 型题为主。

金题直击

1. 提前出现的 P′ 波与窦性 P 波形态各异，P′R 间期≥0.12s 提示的内容是

A. 房性期前收缩　　B. 室性期前收缩

C. 房室交界性期前收缩　　D. 房性心动过速

E. 室性心动过速

【答案】A

【解题思路】

房性期前收缩的诊断要点是出现 P′ 波，且 P′R 间期≥0.12s。

（四）治疗与预防

了解原有心脏病变的程度，有无症状，是否影响心功能及发展成严重心律失常的危险等临床情况，决定是否给予治疗、采取何种方法治疗及确定治疗的终点。

1. 无器质性心脏病的期前收缩 无症状者无须药物治疗；症状明显者可给予镇静剂和 β 受体阻滞剂等。

2. 频发、症状明显或伴有器质性心脏病的期前收缩

（1）积极治疗病因，去除诱因，对症治疗。

（2）应用抗心律失常药物

① 房性和房室交界性期前收缩可选用Ⅰa 类、Ⅰc 类、Ⅱ类和Ⅳ类抗心律失常药。

② 室性期前收缩多选用Ⅰ类和Ⅲ类药。

③ 洋地黄中毒所致的室性期前收缩，应立即停用洋地黄，给予苯妥英钠或氯化钾等治疗。

（3）心动过缓时出现的室性期前收缩，宜给予阿托品、山莨菪碱等。

三、阵发性心动过速（助理不考）

（一）病因

1. 房性心动过速 房性心动过速简称房速，可分为自律性、折返性、紊乱性 3 种（表 2-3）。

表 2-3　房性心动过速分类

类型	病因
自律性房性心动过速	常见于器质性心脏病、慢性肺部疾病、酗酒以及各种代谢障碍、洋地黄中毒等
折返性房性心动过速	多见于器质性心脏病伴心房肥大、心肌梗死、心肌病、低钾血症、洋地黄中毒等
紊乱性房性心动过速	可见于慢性阻塞性肺疾病、缺血性心脏病、充血性心力衰竭、洋地黄中毒与低钾血症等

2. 房室结折返性心动过速 常发生于无器质性心脏病的患者，少数患者可由心脏疾病或药物诱发。

3. 室性心动过速 简称室速，是指连续 3 个或 3 个以上室性期前收缩形成的异位心律，多见于器质性心脏病。其病因有：①各种器质性心脏病，如冠心病、心肌炎、心肌病等，其中以冠心病最常见。②其他如代谢障碍、血钾紊乱、药物中毒、Q-T 间期延长综合征等。③偶可发生于无器质性心脏病者。

（二）临床表现

1. 房性心动过速 ①常见胸闷、心悸、气促等症状，多不严重。洋地黄中毒者可致心力衰竭加重、低血压或休克等。②体检房室传导比例固定时，心律规则；传导比例变动时，心律不恒定，第一心音强度变化。

2. 房室结折返性心动过速 ①发作呈突发突止，持续时间长短不一，多由一个室上性期前收缩诱发。②可有心悸、焦虑、紧张、乏力、眩晕、晕厥等，可诱发或加重心绞痛、心力衰竭，重者发生休克。③体检心尖部第一心音强度恒定，心律绝对规则。

3. 室性心动过速 其症状取决于心室率、发作持续时间及有无器质性心脏病变。

（1）症状：①非持续性室速（发作时间＜30s，能自行终止者）通常无症状。②持续性室速（发作时间＞30s，需药物或电复律方可终止者）常有突发心悸、胸闷、气促，重者出现低血压、晕厥、心绞痛发作等。严重者易引起休克、阿 - 斯综合征、急性心力衰竭甚至猝死。

（2）体征：①听诊心律轻度不规则，可有第一、第二心音分裂，收缩压可随心搏变化。②如发生完全性房室分离，第一心音强弱不等，颈静脉间歇出现巨大 a 波。③若心室搏动逆传或持续夺获心房，则颈静脉 a 波规律而巨大。④脉率不规则，血压下降或测不出。

（三）心电图诊断

1. 房性心动过速

（1）自律性房性心动过速：①房率多＜200 次 / 分。② P 波形态与窦性者不同，在Ⅱ、Ⅲ、aVF 导联通常直立。③常合并二度Ⅰ型或Ⅱ型房室传导阻滞，P 波之间的等电线仍存在。④发作开始时心率逐渐加速；QRS 形态、时限多与窦性者相同。

（2）折返性房性心动过速：①房率多在 150 ～ 200 次 / 分，较为规则。② P 波形态与窦性者不同。③ P-R 间期常延长，发生房室传导阻滞时不能终止发作。④心电生理检查可确诊。

（3）紊乱性房性心动过速：通常有 3 种或 3 种以上形态各异的 P 波，P-R 间期各不相同，心房率在 100 ～ 130 次 / 分。部分 P 波因过早发生而不能下传，此时心室率不规则，常进一步发展为房颤。

2. 房室结折返性心动过速（图 2-5） ①心率多在 150 ～ 250 次 / 分，节律绝对规则。②逆行 P 波可埋藏于 QRS 波群内或位于其终末部分，不能辨认，P 波与 QRS 波群关系恒定。③ QRS 波群正常，伴室内差异性传导或束支传导阻滞时，QRS 波群增宽畸形。④可有继发性 ST-T 改变。⑤发作突然，常由一个房性期前收缩触发，下传的 P-R 间期显著延长，随之引起心动过速。

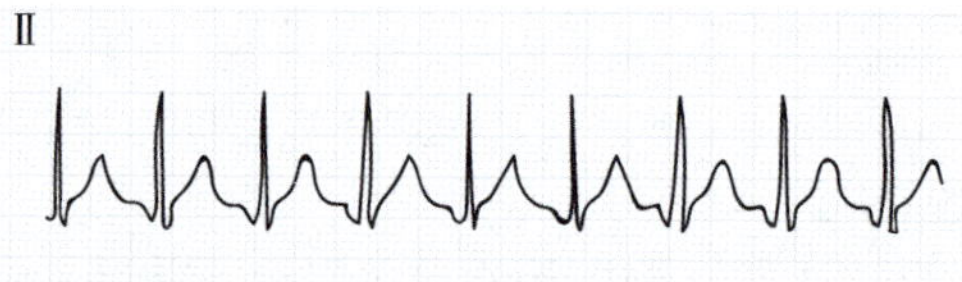

图 2-5　房室结折返性心动过速

3. 室性心动过速（图 2-6） ①出现 3 个或 3 个以上连续室性期前收缩。②心室率在 100 ～ 250 次 / 分，节律略不规则。③ QRS 波群宽大畸形，时限＞0.12s，ST-T 波方向与 QRS 波群主波方向相反。④ P、QRS 间无固定关系，形成房室分离。⑤可出现心室夺获与室性融合波，为室性心动过速的特征性表现。

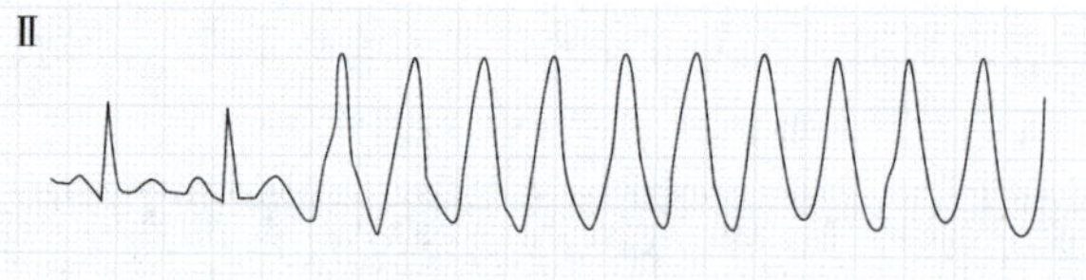

图 2-6　室性心动过速

（四）治疗

1. 房性心动过速

（1）自律性房性心动过速：出现严重血流动力学障碍、心室率＞140 次 / 分时，应予紧急治疗：①洋地黄中毒引起者，立即停用洋地黄并补钾。②非洋地黄中毒引起者，可口服或静脉注射洋地黄、钙拮抗剂、β 受体阻滞剂以减慢心室率。如未能转复为窦性心律，可用Ⅰa、Ⅰc 或Ⅲ类抗心律失常药试行转律，药物治疗无效可考虑射频消融治疗。

（2）折返性房性心动过速：参照自律性房性心动过速的治疗。

（3）紊乱性房性心动过速：①原发病的治疗十分重要。肺部疾病患者应予氧疗、控制感染，停用氨茶碱、去甲肾上腺素、异丙肾上腺素、麻黄碱等药物。②可予维拉帕米、胺碘酮等。③补充钾盐与镁盐可抑制心动过速发作。

2. 房室结折返性心动过速

（1）急性发作期：①首选机械刺激迷走神经（压迫眼球、按压颈动脉、刺激会厌引起恶心等）。②腺苷与钙拮抗剂：腺苷快速静脉注射，无效可改用维拉帕米或地尔硫䓬静脉注射。③洋地黄：常用毛花苷C静脉注射。④抗心律失常药：可选用普罗帕酮、索他洛尔、胺碘酮等。⑤其他：无冠心病、高血压病而血压偏低患者，可通过升高血压反射性兴奋迷走神经终止发作。⑥直流电复律：如出现严重心绞痛、低血压、心力衰竭时，应立刻行同步直流电复律。⑦经静脉心房或心室起搏或经食管心房起搏。⑧射频消融术：用于反复发作或药物难以奏效的患者。

（2）预防复发：可选用洋地黄、长效钙拮抗剂、长效β受体阻滞剂，可单独或联合应用。其他还有胺碘酮、普罗帕酮等。

3. 室性心动过速 无器质性心脏病患者发生非持续性室速，如无症状及晕厥发作，无须治疗；有器质性心脏病的非持续性室速应考虑治疗；持续性室速无论有无器质性心脏病均应给予治疗。

（1）终止发作：①药物治疗：无显著血流动力学障碍，宜选用胺碘酮、利多卡因、β受体阻滞剂治疗。②同步直流电复律：用于伴有血流动力学异常的室速。③超速起搏：复发性室速患者，如病情稳定，可试行超速起搏终止心动过速。

（2）预防复发：①去除病因及诱因。②应用抗心律失常药物，常用胺碘酮等。③安置心脏起搏器、植入式心脏自动复律除颤器或行射频消融术等；埋藏式自动复律除颤器（ICD）是有效的治疗手段。④冠状动脉旁路移植手术：可用于某些冠心病合并室速的患者。

四、心房颤动

简称房颤，是心房发生快而不规则的冲动，引起心房内各个部分肌纤维不协调地乱颤，心房丧失了有效的机械性收缩。房颤是仅次于期前收缩的常见心律失常，据统计，60岁以上人群中，房颤发生率为1%，并随年龄增加。

（一）病因（助理不考）

1. 阵发性房颤 可见于正常人在情绪激动、手术后、运动或急性乙醇中毒时，以及心脏和肺部疾病患者。

2. 持续性房颤 常见于风湿性心脏病、冠状动脉粥样硬化性心脏病、高血压心脏病、甲状腺功能亢进症、缩窄性心包炎、心肌病、感染性心内膜炎、心力衰竭及慢性肺源性心脏病等。

3. 孤立性房颤 发生在无心脏病基础者。

（二）临床表现（助理不考）

通常可有心悸、头晕、胸闷等，心室率达150次/分时，患者可发生心绞痛与充血性心力衰竭。房颤时，心排血量减少≥25%。房颤易发生体循环栓塞尤其是发生脑栓塞。心脏听诊第一心音强度不一致，心律绝对不规则，可发生脉搏短绌，颈静脉搏动a波消失。

（三）心电图诊断

心电图表现为（图2-7）：①P波消失，代之以一系列大小不等、形状不同、节律完全不规则的房颤波（f波），频率为350～600次/分。②心室率（R-R间距）绝对不规则，心室率通常在100～160次/分。③QRS波群形态正常，伴室内差异性传导时则增宽变形。

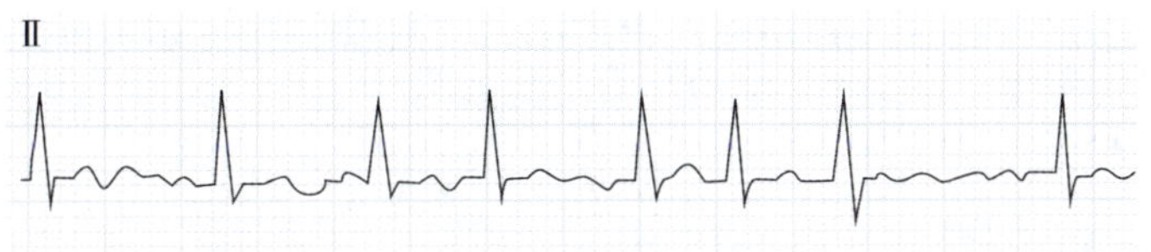

图2-7 心房颤动

（四）治疗

1. 病因治疗 积极治疗原发疾病，消除诱因。

2. 急性房颤 症状显著者应积极治疗。①控制心室率：心室率过快或伴有心功能不全者，可静脉注射毛花苷C将心室率控制在100次/分以下，随后给予地高辛口服维持。②药物或电复律：药物治疗未能恢复窦性心律，伴急性心力衰竭或血压明显下降者，宜紧急施行电复律。③房颤转复后，药物维持窦性心律。

3. 慢性房颤 ①阵发性房颤常能自行终止，发作频繁或伴随症状明显者，可口服胺碘酮或普罗帕酮，以减少发作的次数与持续时间。②持续性房颤应给予复律：选用药物复律或电复律，常用复律药物有胺碘酮、普罗帕酮等。复律前应用抗凝药物预防血栓栓塞，复律后给予抗心律失常药物，预防复律后房颤复发。③经复律无效者，以控制心室率为主，首选药物为地高辛，也可应用β受体阻滞剂。

4. 预防栓塞 既往有栓塞史，或有严重心脏瓣膜病、高血压、糖尿病的患者，以及老年人、左心房扩大、冠心病等高危患者，应长期采用抗凝治疗，口服华法林或肠溶阿司匹林。

5. 其他 病窦综合征合并房颤者不宜复律，若心率过慢，可考虑安装起搏器。发作频繁甚至持久发作，药物治疗无效，心室率很快的患者，可考虑施行射频消融术。其他治疗方法有外科手术、植入式心房除颤器等。

命题趋势 心电图的表现是心律失常的常见考点，出题多以A2、A3型题为主。

金题直击

2. 患者，女，42岁。冠心病病史5年，今日因与人争执后突发心慌、心悸、头晕，自觉胸闷。查体：心率152次/分，节律不规则，脉搏132次/分，呼吸22次/分，血压118/78mmHg。心电图示：P波消失，代之以大小不等、形状不同、节律不规则的f波，QRS波正常，R-R间距绝对不规则，首先考虑

A. 阵发性室上性心动过速　　B. 房颤

C. 心绞痛　　D. 心肌梗死

E. 室性心动过速

【答案】B

【解题思路】

心率大于脉率称之为脉搏短绌，是房颤的典型表现之一，且心电图中显示心率绝对不齐，P波消失，取代为f波，是典型的房颤发作。选项A不会出现f波，且心率规则。选项C的心电图表现一般以ST段压低为主。选项D的心电图表现可以有冠状T波、ST段上抬、Q波加深加宽，不符合题干。选项E心电图表现QRS波不会是正常的。

第五节　缓慢性心律失常（助理不考）

一、概念

房室传导阻滞（AVB）又称房室阻滞，是指房室交界区脱离了生理不应期后，心房冲动传导延迟或者有部分或所有冲动不能传导至心室。按阻滞程度可分为一度房室传导阻滞、二度房室传导阻滞、三度（完全性）房室传导阻滞。

二、病因

引起房室传导阻滞的原因有：正常人或运动员出现AVB，与迷走神经张力增高有关；各种心肌炎、心肌病、风湿热；各种器质性心脏病如冠心病急性心肌梗死、冠状动脉痉挛、心内膜炎、钙化性主动脉瓣狭窄、心脏肿瘤、先天性心血管病、高血压病；药物作用如洋地黄中毒、受体阻滞剂、钙拮抗剂过量等；电解质紊乱可见高钾血症、酸中毒等；其他如Lev病（心脏纤维支架的钙化与硬化）与Lenegre病（传导系统的原发性硬化变性疾病），可能是成人孤立性慢性心脏传导阻滞最常见的病因。

三、临床表现

1. 一度房室传导阻滞 通常无症状。听诊第一心音减弱（由于P-R间期延长，心室收缩开始时房室瓣接近关闭所致）。

2. 二度房室传导阻滞 可有心悸与心搏脱漏感。二度Ⅱ型患者常有头晕、乏力、心悸等。听诊二度Ⅰ型房室阻滞的第一心音强度逐渐减弱并有心搏脱漏；二度Ⅱ型房室阻滞第一心音强度恒定，有间歇性心搏脱漏。

3. 三度房室传导阻滞（完全性阻滞） 常有包括疲倦、乏力、眩晕、晕厥、心绞痛、心力衰竭等。严重时可发生脑缺氧综合征即阿 - 斯综合征，患者可出现暂时性意识丧失、抽搐甚至猝死。听诊第一心音强度不等，第二心音可呈正常或反常分裂；心率慢而规则，间或听到心房音或响亮的第一心音（大炮音）；颈静脉搏动可见巨大的 a 波。

四、心电图诊断

1. 一度房室传导阻滞（图 2-8） P-R 间期延长＞ 0.20s。每个 P 波后均有 QRS 波。一般 P-R 间期超过按年龄和心率矫正的 P-R 间期上限为延长；或前后两次测定结果比较，心率相同时的 P-R 间期延长≥ 0.04s。

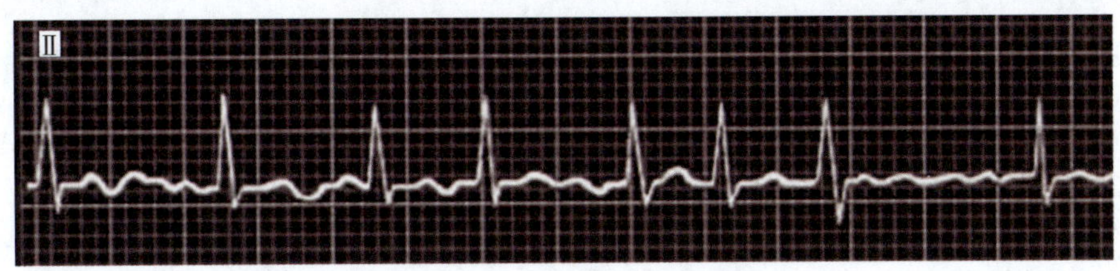

图 2-8 一度房室传导阻滞

2. 二度房室传导阻滞

（1）二度Ⅰ型房室传导阻滞（莫氏Ⅰ型）（图 2-9）：P-R 间期进行性延长，直至一个 P 波后脱漏 QRS 波；相邻 R-R 间期进行性缩短，直至 P 波不能下传心室，发生心室脱漏；包含 P 波在内的 R-R 间期小于正常窦性 P-P 间期的两倍。最常见的房室传导比例为 3∶2、4∶3 或 5∶4。

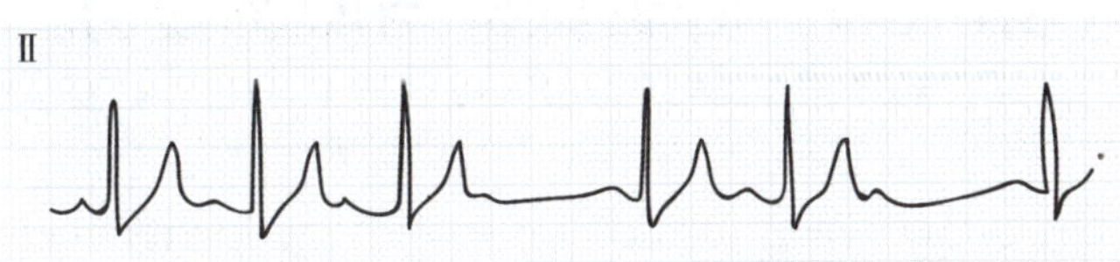

图 2-9 二度Ⅰ型房室传导阻滞

（2）二度Ⅱ型房室传导阻滞（莫氏Ⅱ型）（图 2-10）：P-R 间期恒定不变（可正常或延长），部分 P 波后无 QRS 波群。如每隔 1 个、2 个或 3 个 P 波后有一次 QRS 波群脱漏，因而分别称之为 2∶1、3∶2、4∶3 房室传导阻滞。

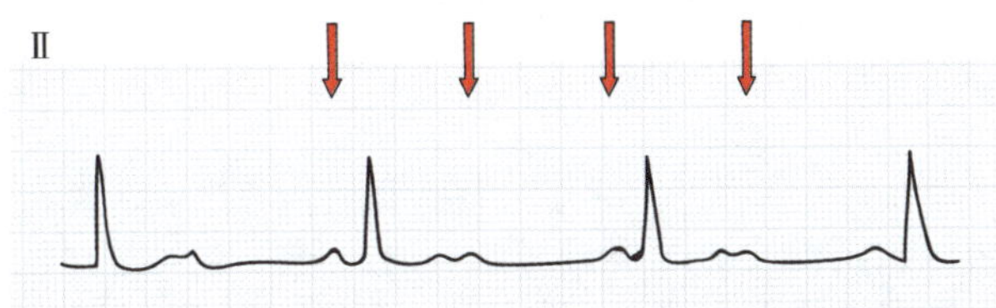

图 2-10 二度Ⅱ型房室传导阻滞

3. 三度房室传导阻滞（图 2-11） P-P 与 R-R 间隔各有其固定的规律，两者之间毫无关系；心房率＞心室率；心室率慢而规则，心室起搏点如在房室束分叉以上，心室率 40 ～ 60 次 / 分，QRS 波群正常；如在房室束分支以下（室内传导系统的远端），心室率常在 40 次 / 分以下，QRS 波群增宽。

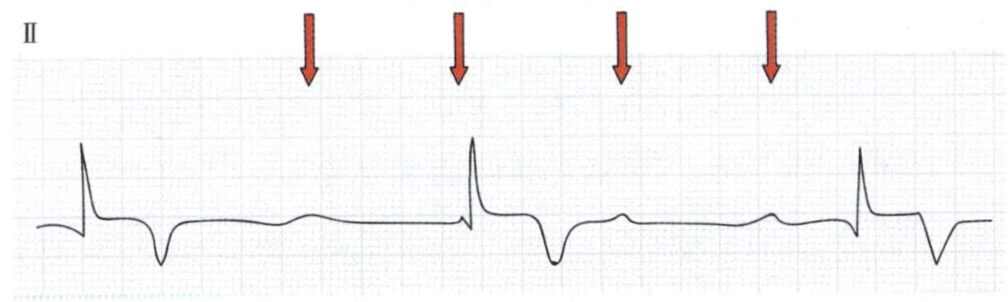

图 2-11 三度房室传导阻滞

五、治疗与预防

（一）病因治疗

风湿热引起的应进行抗风湿治疗（青霉素、阿司匹林、糖皮质激素）；急性感染引起者应予抗生素治疗；

洋地黄中毒者应立即停药；各种原因所致的心肌炎或急性心肌梗死所致者给予糖皮质激素治疗。

（二）房室传导阻滞的治疗

1. 一度与二度Ⅰ型房室传导阻滞 心室率不太慢者，无须特殊治疗。

2. 二度Ⅱ型与三度房室传导阻滞 心室率过慢，出现血流动力学障碍甚至晕厥或发生阿 - 斯综合征者应予下列药物治疗：

（1）提高心室率：阿托品 0.5 ～ 2.0mg 静脉注射或每次 0.3 ～ 0.6mg 口服，每 2 ～ 6h 一次；异丙肾上腺素 1 ～ 4μg/min 静脉滴注或 5 ～ 10mg 舌下含服，每 4h 一次，使心率维持在 60 ～ 70 次 / 分。异丙肾上腺素易引起严重室性心律失常，应用需十分慎重。

（2）糖皮质激素：适用于急性心肌炎、急性心肌梗死、心脏直视手术损伤所致的房室传导阻滞，常用氢化可的松。

（3）高血钾或酸中毒所致者可予 5% 碳酸氢钠 100 ～ 200mL 静脉滴注。

（4）药物疗效不佳，症状明显，心率缓慢者，应尽早应用心脏起搏器。

（三）预防

对于有缓慢性心律失常病史的患者，应慎用或禁用具有负性传导作用的药物，以免诱发 AVB；急性下壁心肌梗死患者及急性心肌炎患者有并发 AVB 的风险，应加强监护，及时发现，及时处理；预防各种原因引起的电解质、酸碱平衡紊乱如高钾血症、酸中毒等。

第六节 心脏骤停与心肺复苏

一、概念

心脏骤停是指心脏收缩射血功能突然停止，导致心脏骤停的机制以快速性室性心律失常（室颤和室速）最常见，其次为严重的缓慢性心律失常或心室停顿，较少见于心脏无脉性电活动（PEA）。心脏骤停发生后，由于脑供血突然中断，10s 左右患者即可出现意识丧失，经及时复苏可存活，否则将发生脑死亡及生物学死亡。心脏骤停是心脏性猝死的直接原因。

心脏性猝死（SCD）是指急性症状发作后 1h 内发生的以意识突然丧失为特征、由心脏原因引起的自然死亡。心脏性猝死男性较女性多见。减少心脏性猝死对降低心血管病死亡率有重要意义。

二、病因

病因以冠状动脉粥样硬化性心脏病最为常见，其他的有心肌病、急性心肌炎、主动脉瓣膜病变、二尖瓣脱垂、窦房结病变、预激综合征及先天性和获得性 Q-T 间期延长综合征等。尤其是既往有原发性室颤或室扑史，无脉性持续性室速史，频发性与复杂性室性快速心律失常史，左心室射血分数低于 30% 或有明显心力衰竭，有 Q-T 间期延长伴晕厥史，心肌梗死后期的室性期前收缩等均是猝死发生的危险因素。

病因是心脏骤停的常见考点，近些年多以 A1、B1 型题出现。

金题直击

1. 心脏骤停最常见的病因是

A. 急性心肌炎　　B. 冠状动脉粥样硬化性心脏病

C. 窦房结病变　　D. 主动脉瓣膜病变

E. 预激综合征

【答案】B

【解题思路】

冠状动脉粥样硬化性心脏病是心脏骤停最常见的病因。

三、临床表现

心脏性猝死的临床过程 一般分为 4 期：前驱期、终末事件期、心脏骤停和生物学死亡。

（1）前驱期：虽然心脏骤停的确切时刻无法预测，但许多患者在发生心脏骤停前出现前驱症状，如心绞痛发作，胸闷、心悸加重，易于疲劳等。在心电监护下，如发现频发、多源、成对出现的室早或室早 R-on-T，短阵室速，心室率低于 50 次 / 分，Q-T 间期显著延长等，均可是心脏骤停的先兆，但心脏骤停也可无前驱期表现。

（2）终末事件期：典型表现是突发持续而严重的胸痛，伴有显著呼吸困难、心悸或眩晕等。长时间的心绞痛或急性心肌梗死的胸痛、急性呼吸困难、头晕、黑矇、突然抽搐等，均为其先兆及终末事件期开始的表现。在猝死前数小时或数分钟内常有心电活动的改变，其中以心率加快及室性异位搏动增加最为常见。经心室颤动途径猝死的患者，常先有室性心动过速。极少数患者以急性循环衰竭致病，出现心率明显改变、室性心动过速，呈现低心排血量状态。

（3）心脏骤停：依次出现心音消失、大动脉搏动消失、血压测不出，突然出现意识丧失（心脏骤停后 10s 内）或伴短暂抽搐（心脏骤停后 15s）；断续出现叹息样的无效呼吸，随后呼吸停止（心脏骤停 20 ～ 30s），皮肤发绀。心脏骤停 30s 后出现昏迷；心脏骤停后 30 ～ 60s 出现瞳孔散大、固定。

（4）生物学死亡：心脏骤停至发生生物学死亡的时间取决于原发病的性质，大部分患者在 4 ～ 6min 开始发生不可逆脑损害，随后经数分钟发生生物学死亡。

四、病情评估

1. 主要依据 ①突然意识丧失。②心音或大动脉（颈动脉、股动脉）搏动消失。③心电图呈现：心室颤动、室性自主心律（即心肌电 - 机械分离）或心室停搏（心电完全消失而呈一条直线或偶有 P 波）。在上述 3 条主要诊断依据中，以心电图的诊断最为可靠，但临床很难做到。为争取时间，单凭第 2 条就可以决定开始实施心肺复苏（CPR）。

2. 次要依据 ①双侧瞳孔散大、固定、对光反射消失。②自主呼吸完全消失，或先呈叹息或点头状呼吸，随后自主呼吸消失。③口唇、甲床等末梢部位出现发绀。次要诊断依据可以及时提醒救治人员及早意识到可能发生心搏停止，警惕和考虑是否已发生或即将发生心搏停止。

命题趋势 临床表现是心脏骤停的常见考点，近些年多以 A1、B1 型题出现。

金题直击

2. 心脏骤停最早出现的表现是

A. 心音消失　　B. 脉搏消失

C. 意识丧失　　D. 血压测不出

E. 瞳孔散大

【答案】A

【解题思路】

心脏骤停时依次出现心音消失、大动脉搏动消失、血压测不出、意识丧失。

五、心肺复苏

（一）初级心肺复苏

传统的初级心肺复苏包括畅通气道（airway）、人工呼吸（breathing）和人工胸外按压（circulation），简称为 ABC，以达到快速建立有效人工循环，给患者基础生命支持（BLS）的目的。心肺复苏中国专家共识中强调，先进行胸外按压（C），再行保持气道通畅（A）和人工呼吸（B）的操作。

1. 基础工作 评估环境、快速判断与呼救、请求寻找并取到自动体外除颤器（AED）、记录事件发生时间。

2. 胸外心脏按压 是建立人工循环的主要方法，对成年人应尽量使按压次数达到 100 ～ 120 次 / 分，以保证脑和冠状动脉的灌注。心肺复苏操作指南中进一步强调强化按压的重要性，要求按压间断时间不超过 5s，并强烈建议普通施救者（非专业人员）仅做胸外按压的心肺复苏，弱化人工呼吸的作用，对普通目击者要求对 ABC 改变为“CAB”即人工胸外按压、畅通气道和人工呼吸。

（1）按压方法：患者仰卧于硬的平面上，施救者跪在患者右侧的胸部旁。按压时，一手掌根置于患者胸骨长轴上，手指背曲不接触胸壁，另一手掌根重叠其上。按压时关节伸直，用肩背部力量垂直向下按压。

（2）按压部位：接触胸壁的掌根位于胸骨中下部。

（3）按压深度：成年人使胸骨下陷 5 ～ 6cm，然后放松，放松时掌跟不应离开胸壁，放松与按压的时间为 1∶1。

（4）胸外心脏按压与人工呼吸的比例：按国际指南建议，胸外心脏按压与人工呼吸的比例为 30∶2。应在检查心律前先进行 5 个周期的 CPR，电除颤 1 次后也应立即进行 5 个周期的 CPR，然后再检查心律。

3. 除颤 多数突发的、非创伤的心搏骤停是心室颤动所致，除颤是最好的复律方法。目前认为宜尽早除颤。尽可能缩短电击前后的胸外按压中断，每次电击后立即从按压开始心肺复苏。

（1）院外除颤：强调自动体外除颤器（AED）的使用。

（2）院内除颤：首选非同步直流电击除颤。将两电极分别置于胸骨右缘第 2 肋间和心尖部左乳头外侧，使电极中心在腋前线上。成年人一般 300 ～ 360J、小儿 50 ～ 150J 能量单相波除颤。对于有植入性起搏器的患者，应把电极放在距起搏器至少 2 ～ 5 cm 处。暂时不能立即除颤者，可进行心前区捶击（1 ～ 2 次）。电除颤效果不佳时，视心室颤动的类型，静脉注射肾上腺素，将细颤变粗颤，再重复电除颤。

4. 清除口腔异物 下拉患者的下颌使口张开，观察口腔有无食物等异物及义齿，如有，用一手拇指压住患者舌中部，另一手示指沿患者一侧口角插入口内，弯曲示指将异物清除，操作时动作要迅速轻柔，防止消耗过多的复苏时间。

5. 畅通气道 使患者仰卧于坚固的平地或平板上，头颈部与躯干保持在同一轴面上，取出义齿，用手指清理口咽部，解开患者衣扣，松开裤带。畅通气道的方法如下。

（1）仰头举颏法：一手置于患者的前额，手掌向后方施加压力，另一手示指托住下颏，举起下颏，使患者口张开，便于自主呼吸，同时准备人工呼吸。

（2）仰头抬颈法：一手置于患者前额使头后仰，另一手放在颈后，托起颈部。注意不要过度伸展颈椎。该法有损伤脊髓的危险，颈椎损伤者禁用。

6. 人工呼吸 开放气道后，立即耳听面感眼观，检查患者有无自主呼吸，如患者自主呼吸已停止，立即进行人工呼吸。

（1）口对口（鼻）呼吸：为一种快捷有效的通气方法。畅通气道后，用置于患者前额的左手拇指与示指捏住患者的鼻孔，操作者深吸气后，用口唇把患者的口唇紧密罩住后缓慢吹气，每次吹气应持续 1s 以上，待患者胸部扩张后放松鼻孔，让患者胸部自行回缩将气体排出。若患者牙关紧闭或口唇创伤，应用口对鼻呼吸，吹气时捏紧患者口唇，操作者口唇密合于患者鼻孔的四周后吹气，其余操作同口对口呼吸。人工通气的频率为 8 ～ 10 次 / 分，开始应先连续吹气 2 次。

（2）气管内插管：是建立人工通气的最好方法。

（3）其他：目前推荐使用有防护装置的通气方法，如口对面罩呼吸、呼吸球囊面罩装置等。

7. 再评估 快速完成五个周期的心肺复苏操作后，立即进行大动脉、自主呼吸判断，以明确是否需要继续进行心肺复苏操作。

（二）高级心肺复苏

高级心肺复苏是指进一步生命支持（ALS）或成人高级生命支持，即在 BLS 的基础上进行复律、建立人工气道、药物治疗和复苏后治疗等。

1. 心室颤动的处理 ①电击除颤，首次电击除颤能量 200J，第二次 200 ～ 300J，第三次 360J。②室颤 / 室速持续复发者，继续 CPR，气管插管，开放静脉通道。③肾上腺素 1mg 静脉注射，根据需要 3 ～ 5min 重复使用，并可增加剂量。④电击除颤能量最大到 360J（可重复 1 次）。⑤室颤或室速持续或复发可药物治疗，如用利多卡因或胺碘酮静脉注射。⑥每次用药后 30 ～ 60s 后除颤，除颤能量不超过 360J。

2. 心室停顿的处理 顺序进行：①有效心肺复苏、气管插管、建立静脉通路。②试以经静脉心内起搏。为争取时间也可先使用简便易行的经皮体外起搏或胸壁穿刺起搏。③肾上腺素 1mg 静脉注射，每 3 ～ 5min 可重复使用。④阿托品 1mg 静脉注射，5min 后可重复 1 次，直到 3mg。

3. 无脉搏性电活动的处理 ①寻找可纠正的原因如低血容量、药物过量、张力性气胸、心包填塞、大面积肺梗死等，予以相应治疗；若为高血钾引起者，静脉注射 5% 碳酸氢钠。②有效心肺复苏，气管插管，建立静脉通路。③肾上腺素 1mg 静脉注射，每 3 ～ 5min 可重复使用。④若有心动过缓，可经皮心内起搏或阿托品 1mg 静脉注射。

复苏有效时，患者自主心搏恢复并可扪及颈及股动脉搏动。若心电图显示有满意的心律，但扪不到脉搏，则应继续胸外按压和给药。有效心脏复苏指征：①患者皮肤色泽改善；②瞳孔回缩；③出现自主呼吸；④意识恢复。

4. 复苏药物 ①肾上腺素：为心肺复苏的首选药物；②胺碘酮：适用于难治性室颤和室速；③异丙肾上

腺素：仅适用于缓慢性心律失常；④碳酸氢钠：电除颤复律和气管插管后酸中毒持续存在时，循环停止超过2min者，静脉使用或参照血气分析给予碳酸氢钠1mmol/kg静脉滴注。

5. 给药途径 首选从上肢静脉、颈内静脉穿刺或锁骨下静脉插管建立的静脉通道给药。肾上腺素、阿托品和利多卡因还可经气管内给药。

（三）心脏搏动恢复后的处理

自主循环恢复后，多种致病因素可导致复苏后综合征的发生，多脏器缺氧造成的微循环障碍，继发性的脑、心、肾等重要脏器的损害等。因此复苏后的治疗目的是完全恢复局部器官和组织的灌注，特别是大脑的灌注，将患者送入监护病房，及时进行脑复苏，积极治疗原发病，避免心脏骤停的再度发生以及引起严重并发症和后遗症。

1. 维持有效循环 心脏复跳后可有低心排血量或休克，可选用多巴胺、多巴酚丁胺、去甲肾上腺素等药物治疗。

2. 维持有效呼吸 心跳恢复后患者可有不同程度的呼吸功能异常，应继续使用机械通气和吸氧治疗，保持呼吸道通畅。当自主呼吸有效时，可逐渐减少辅助呼吸。若自主呼吸不出现，常提示严重脑缺氧。

3. 防治脑缺氧和脑水肿 脑复苏是心肺复苏能否最后成功的关键。

（1）维持脑灌注压：缺氧性脑损伤的严重程度与心脏骤停的时间密切相关。自主循环恢复后，应保证适当的血压，使平均动脉压不低于110mmHg。

（2）控制过度换气：将动脉血二氧化碳分压控制在25～35mmHg，动脉血氧分压控制在100mmHg，有利于脑循环自主调节功能恢复和降低颅内压。

（3）维持正常或偏低的体温：轻度低温（30～35℃）可降低颅内压和脑代谢，有益于神经功能的恢复。如有高热应采取降温措施。但过低温度对心脏骤停复苏后的患者可增加血液黏滞度，降低心排血量和增加感染的可能。因此，心脏骤停复苏后不宜诱导过低温。

（4）脱水治疗：血压平稳后尽早脱水治疗脑水肿。常用20%甘露醇快速静脉滴注，每天2～4次。也可依据脑水肿程度联合使用呋塞米、白蛋白或地塞米松。

（5）高压氧治疗：通过增加血氧含量及弥散力，起到提高脑内氧含量、改善脑缺氧、降低颅内压的作用，有条件时可采用。

4. 维持水、电解质和酸碱平衡 记录水出入量，严密观察电解质、动脉血气变化并及时予以纠正。

5. 防治急性肾衰竭 心脏骤停时间较长或复苏后持续低血压，或用大剂量收缩血管药物后，可并发急性肾衰竭。其防治关键在于尽量缩短复苏时间，维持有效肾灌注压。如心功能和血压正常而出现少尿，在排除血容量不足之后，可试用呋塞米静脉注射，经注射呋塞米后无效则应按急性肾衰竭处理。

命题趋势 治疗是心脏骤停的常见考点，近些年多以A1、B1型题出现。

金题直击

3. 心脏骤停时首选的复苏药物是

A. 肾上腺素　　B. 去甲肾上腺素

C. 间羟胺　　D. 异丙肾上腺素

E. 地塞米松

【答案】A

【解题思路】

肾上腺素可用于心脏停搏，所以心脏骤停时首选的复苏药物是肾上腺素。

第七节　原发性高血压

一、概念

高血压是指体循环动脉血压高于正常值，可伴有心、脑、肾和血管等靶器官损害的临床综合征。根据导致血压升高的病因不同，分为原发性高血压和继发性高血压两大类。原发性高血压即高血压病，是指病因不清，与遗传关系密切，以体循环动脉压升高为主要临床表现，最终导致心、脑、肾及动脉并发症的心血管综合征，约占高血压的95%；继发性高血压亦称为症状性高血压，是指由某些确定的原发病引起的血压升高，原发疾病与高血压之间存在因果关联，高血压仅是该原发病的临床表现之一，约占高血压的 5%。

二、病因与发病机制

1. 病因（图 2-12）

（1）饮食因素：高钠、低钾膳食。

（2）超重和肥胖：身体脂肪含量与血压水平呈正相关。

（3）饮酒：高血压患病率随饮酒量增加而升高。

（4）精神紧张：长期从事高度精神紧张工作的人群高血压患病率增加。

（5）其他：缺乏体力活动、睡眠呼吸暂停综合征等。

图 2-12　高血压病因

2. 发病机制（助理不考） 动脉血压取决于心排出量和体循环周围血管阻力，其发病的主要环节如下。

（1）交感神经系统活性亢进：交感神经兴奋性增加，释放儿茶酚胺增多，加快心率，增强心肌收缩力，增加心输出量；收缩外周小动脉，增加外周血管阻力，从而升高血压。

（2）肾性水钠潴留：血容量增加，引起血压升高。

（3）肾素 - 血管紧张素 - 醛固酮系统（RAAS）激活：导致血管紧张素Ⅱ分泌增多，直接收缩外周小动脉，并促进醛固酮分泌，增加血容量，从而升高血压。

（4）细胞膜离子转运异常：钠 - 钾离子协同转运缺陷，膜电位降低，激活平滑肌细胞兴奋 - 收缩耦联，血管阻力增高。

（5）胰岛素抵抗：血浆胰岛素水平升高，增加交感神经兴奋性及水钠潴留。

（6）血管内皮细胞功能受损：内皮素和血栓素 A_2 释放增加，导致血管收缩。

三、临床表现与并发症

（一）症状

1. 一般症状 常见症状有头昏、头痛、颈项板紧、疲劳、心悸等，多数症状可自行缓解。

2. 受累器官症状 见表 2-4。

表 2-4　高血压受累器官症状

受累器官	表现
脑	脑出血和脑梗死是高血压最主要的并发症。前者多在情绪激动、用力情况下出现，表现为剧烈头痛、恶心呕吐、偏瘫、意识障碍等；后者多在安静状态或睡眠中出现，多表现为三偏综合征或伴运动性失语，轻者仅表现为短暂脑缺血发作
心脏	并发高血压性心脏病，可出现心功能不全表现；并发冠心病可出现心绞痛、心肌梗死表现
肾脏	早期可出现多尿、夜尿增多；继而出现肾功能不全，尿量减少，最终导致肾衰竭
眼	眼底血管受累，出现视力进行性减退

（二）体征

体征较少，重点检查项目有周围血管搏动、血管杂音、心脏杂音等。常出现血管杂音的部位是颈部、背部两侧肋脊角、腹部脐两侧。心音异常及心脏杂音包括主动脉瓣区第二心音亢进、收缩期杂音或收缩早期喀喇音。

（三）并发症

1. 靶器官损害并发症

（1）心脏：出现左心室肥大称为高血压心脏病，晚期常发生心力衰竭，是慢性左心衰竭的常见病因。

（2）脑：脑出血和脑梗死是高血压最主要的并发症。

（3）肾脏：肾脏受累时可有蛋白尿，早期出现夜尿增多等肾小管功能异常的表现，晚期多并发慢性肾衰竭。

（4）血管

① 视网膜动脉硬化：眼底改变与病情的严重程度和预后相关，根据眼底镜检查结果，以 Keith-Wagener 眼

底分级法分为四级。Ⅰ级，视网膜小动脉轻度狭窄、硬化、痉挛和变细；Ⅱ级，小动脉中度硬化和狭窄，出现动脉交叉压迫征，视网膜静脉阻塞；Ⅲ级，动脉中度以上狭窄伴局部收缩，视网膜有棉絮状渗出、出血和水肿；Ⅳ级，视神经乳头水肿。

② 主动脉夹层：一旦发生破裂引发大血管急症，预后凶险。

2. 高血压急症 高血压急症是指高血压患者在某些诱因作用下血压突然和显著升高，常超过 180/120mmHg，同时伴有进行性心、脑、肾等重要靶器官功能不全的表现，包括高血压脑病、高血压危象、急性心力衰竭、急性冠状动脉综合征、主动脉夹层、子痫等。

（1）高血压脑病：以舒张压增高为主，舒张压常超过 120mmHg。因血压过高导致脑组织灌注过多，引起脑水肿等病理改变，出现头痛、烦躁不安、恶心、呕吐、视物模糊、精神错乱，严重者可出现神志恍惚、谵妄甚至昏迷，或出现暂时性偏瘫、失语等脑功能缺失的表现，伴有局灶或全身性抽搐等。

（2）高血压危象：以收缩压急剧升高为主，血压可高达 200/110mmHg 以上，常因紧张、寒冷、突然停服降压药物等原因诱发，伴有交感神经亢进的表现如心悸、汗出、烦躁、手抖等，常伴发急性脏器功能障碍如急性心力衰竭、心绞痛、脑出血、主动脉夹层动脉瘤破裂等。

3. 高血压亚急症 血压显著升高但尚未出现严重临床症状及进行性靶器官损害。

四、实验室检查及其他检查

1. 尿常规检查 早期正常，随着病程延长可见少量蛋白、红细胞、透明管型等，提示有肾功能损伤。

2. 肾功能检查 早期肾功能指标可无异常，肾实质损害逐渐加重可见血肌酐、尿素氮和尿酸升高，内生肌酐清除率降低，浓缩及稀释功能减退。

3. 血脂检查 血清总胆固醇、甘油三酯及低密度脂蛋白增高，高密度脂蛋白降低。

4. 血糖、葡萄糖耐量试验及血浆胰岛素测定 部分患者有空腹血糖升高、餐后 2h 血糖及血胰岛素增高。

5. 眼底检查 可出现血管病变及视网膜病变。眼底动脉变细、反光增强、交叉压迫及动静脉比例降低；视网膜病变有出血、渗出、视乳头水肿等。

6. 胸部 X 线检查 可见主动脉弓迂曲延长，升、降部可扩张，左心室肥大。左心衰竭时有肺淤血。

7. 心电图检查 见左心室肥大并劳损图形。

8. 超声心动图检查 可见主动脉内径增大，左心房扩大、左心室肥厚等高血压心脏病的改变。

9. 动态血压监测（ABPM） 可客观地反映 24h 内实际血压水平，测量各时间段血压的平均值。

五、诊断与鉴别诊断

（一）诊断

在未使用降压药物的情况下，非同日 3 次测量血压，收缩压≥ 140mmHg 和 / 或舒张压≥ 90mmHg，即可诊断为高血压。收缩压≥ 140mmHg 且舒张压＜ 90mmHg 为单纯性收缩期高血压。患者既往有高血压史，目前正在使用降压药物，血压虽然低于 140/90mmHg，也应诊断为高血压。血压水平分类和定义见表 2-5。

表 2-5 血压水平分类和定义

类别	收缩压 /mmHg	舒张压 /mmHg	
理想血压	＜ 120	和	＜ 80
正常高值	120 ～ 139	和 / 或	80 ～ 89
高血压	≥ 140	和 / 或	≥ 90
1 级高血压（轻度）	140 ～ 159	和 / 或	90 ～ 99
2 级高血压（中度）	160 ～ 179	和 / 或	100 ～ 109
3 级高血压（重度）	≥ 180	和 / 或	≥ 110
单纯收缩期高血压	≥ 140	和	＜ 90

命题趋势 血压等级判定是常见的考察点，多以 A1 型题或 B1 型题为主。

（1 ～ 2 题共用备选答案）

A. 140 ～ 159mmHg/90 ～ 99mmHg　　B. 140 ～ 149mmHg/90 ～ 94mmHg

C. 160 ～ 179mmHg/100 ～ 109mmHg　　D. 160 ～ 189mmHg/100 ～ 110mmHg

E. ≥ 180mmHg/ ≥ 110mmHg

1. 确诊 1 级高血压的血压标准是　【答案】A

2. 确诊 2 级高血压的血压标准是　【答案】C

3. 患者血压为 168/112mmHg，其血压等级是

A. 正常血压　　B.1 级高血压

C. 2 级高血压　　D.3 级高血压

E. 单纯收缩期高血压　【答案】D

【解题思路】

1 级高血压（轻度）140 ～ 159mmHg 和 / 或 90 ～ 99mmHg，2 级高血压（中度）160 ～ 179mmHg 和 / 或 100 ～ 109mmHg，3 级高血压（重度）≥ 180mmHg 和 / 或≥ 110mmHg，单纯收缩期高血压≥ 140mmHg 和＜ 90mmHg。

【易错点】

注意高血压的等级判定只取决于最高等级，而不是最高数值。

（二）鉴别诊断

主要与能够引发继发性高血压的疾病相鉴别。

1. 肾实质性疾病　急性肾小球肾炎、慢性肾小球肾炎、糖尿病肾病，根据病史、尿常规、肾功能的检查不难鉴别。

2. 肾动脉狭窄　可呈恶性高血压表现，药物治疗无效。

3. 嗜铬细胞瘤　起源于肾上腺髓质或交感神经节，大量分泌去甲肾上腺素和肾上腺素，引起阵发性或持续性高血压。

4. 原发性醛固酮增多症　血压升高的同时伴有低钾血症（＜ 3.2mmol/L）表现，如多饮、多尿、肌无力和麻痹、血钾降低、尿钾升高（＞ 30mmol/24h）等。

（三）特殊类型高血压

1. 老年高血压　指年龄≥ 60 岁的高血压患者，其特点是多数患者为单纯收缩期高血压，脉压增大，血压波动性明显，并发症及伴发病较多，治疗强调收缩压的达标。

2. 儿童青少年高血压　一般为轻、中度血压升高，伴有超重的患者较多，进展为成人高血压时，多伴有左心室肥厚甚至高血压性心脏病。

3. 难治性高血压　指经三种以上的降压药物治疗，血压仍不能达标，或使用四种及四种以上降压药，血压才能达标。常见原因有：①假性难治性高血压，有显著的白大衣现象；②生活方式干预不足；③降压治疗方案不合理；④在用其他药物对抗降压治疗效果；⑤钠盐摄入过多，容量超负荷；⑥存在胰岛素抵抗；⑦继发性高血压未予准确诊断。

六、治疗与预防

（一）治疗

1. 治疗策略

（1）高危和很高危患者：一旦确诊，应立即开始生活方式干预和药物治疗。

（2）中危患者：在生活方式干预的同时，继续监测血压和其他危险因素 1 个月，多次测量血压或进行动态血压监测，若收缩压＜ 140mmHg 及舒张压＜ 90mmHg，继续监测；收缩压≥ 140mmHg 或舒张压≥ 90mmHg，

开始药物治疗。

（3）低危患者：在生活方式干预的同时，继续监测血压和其他危险因素 3 个月，多次测量血压或动态血压监测，若收缩压＜ 140mmHg 及舒张压＜ 90mmHg，继续监测；收缩压≥ 140mmHg 或舒张压≥ 90mmHg，开始药物治疗。

2. 降压目标　一般患者，应将血压降至 140/90mmHg 以下；65 岁及以上的老年人收缩压应控制在 150mmHg 以下，如能耐受还可进一步降低；伴有慢性肾脏疾病、糖尿病，或病情稳定的冠心病、脑血管病的高血压患者，治疗应个体化，一般可以将血压降至 130/80mmHg 以下。

3. 非药物治疗　适用于所有高血压患者，包括减少钠盐摄入、增加钾盐摄入；控制体重；戒烟限酒；体育运动；减轻精神压力，保持心理平衡等。

4. 药物治疗

（1）降压药治疗原则

① 小剂量：小剂量开始，根据需要，逐步增加剂量。

② 尽量应用长效制剂：使用每日 1 次给药而有持续 24h 降压作用的长效药物，以有效控制夜间血压与晨峰血压。

③ 联合用药：增加降压效果又不增加不良反应。对血压≥ 160/100mmHg 或超过目标值 20/10mmHg 的患者，起始即应小剂量联合用药。

④ 个体化：根据患者具体情况、耐受性及个人意愿或长期承受能力，选择适合患者的降压药物。

（2）常用降压药物分类

① 利尿剂：可作为无并发症高血压患者的首选药物，适用于轻、中度高血压，尤其是老年高血压、肥胖及并发心力衰竭者。利尿剂有噻嗪类、袢利尿剂和保钾利尿剂 3 类。常用噻嗪类如氢氯噻嗪和氯噻酮、吲达帕胺等。禁用于痛风患者。

② β 受体阻滞剂：用于轻、中度高血压，尤其是静息心率较快（＞ 80 次 / 分）或合并心绞痛及心肌梗死后患者。常用药物有美托洛尔、阿替洛尔、索他洛尔等。

③ 钙通道阻滞剂（CCB）：又称钙拮抗剂，可分为二氢吡啶类和非二氢吡啶类，前者有氨氯地平、非洛地平、硝苯地平等，后者有维拉帕米、地尔硫䓬。可用于各种程度高血压，尤其老年人高血压或合并稳定型心绞痛时。周围血管疾病、糖尿病及合并肾脏损害的患者均可用。应优先选择使用长效制剂，如氨氯地平、拉西地平、维拉帕米缓释片等。

④ 血管紧张素转换酶抑制剂（ACEI）：降压起效缓慢，逐渐增强，在 3 ～ 4 周时达最大作用，特别适用于伴有心力衰竭、心肌梗死后、糖耐量异常或糖尿病肾病的高血压患者，常用卡托普利、依那普利、贝那普利、福辛普利等。妊娠、肾动脉狭窄、肾衰竭（血肌酐＞ 265μmol/L）者禁用。

⑤ 血管紧张素Ⅱ受体阻滞剂（ARB）：降压作用起效缓慢，但持久而平稳。常用氯沙坦、缬沙坦、厄贝沙坦、替米沙坦、坎地沙坦和奥美沙坦等。

⑥ α1 受体阻滞剂：一般不作为高血压治疗的首选药，适用于伴高脂血症或前列腺肥大的患者，也可于难治性高血压患者的治疗。常用药物有哌唑嗪、特拉唑嗪等，主要不良反应为直立性低血压、眩晕、晕厥、心悸等，首剂减半或临睡前服用可减少不良反应。

除以上 6 类降压药物外，还有一些降压药物，包括交感神经抑制剂如利血平、可乐定；直接血管扩张剂如肼屈嗪等。

（3）降压治疗方案

① 无并发症患者可以单独或者联合使用噻嗪类利尿剂、β 受体阻滞剂、CCB、ACEI 和 ARB，治疗应从小剂量开始，逐步递增剂量。

② 2 级高血压（＞ 160/100mmHg）在治疗开始时就应采用两种降压药物联合治疗，有利于血压在相对较短的时间内达到目标值，减少不良反应。合理的降压药联合治疗方案：利尿剂与 ACEI 或 ARB ；二氢吡啶类钙拮抗剂与 β 受体阻滞剂；钙拮抗剂与 ACEI 或 ARB 等。

③ 三种降压药合理的联合治疗方案，除有禁忌证外必须包含利尿剂。

5. 干预相关危险因素　降压治疗的同时应积极控制心血管相关危险因素，包括调脂、控制血糖、抗血小板、降低同型半胱氨酸等。

6. 高血压急症的治疗

（1）血压控制策略：控制性降压，初始阶段（数分钟至 1h 内），平均动脉压降低不超过治疗前的 25% 或保持血压在（160 ～ 170）/（100 ～ 110）mmHg 水平；随后的 2 ～ 6h 内，将血压降至安全水平即 160/100mmHg 以内；24 ～ 48h 逐步降至正常。

（2）降压药物选择：静脉使用短效降压药物。常用硝普钠加入 5% 葡萄糖注射液中，以 0.25 ～ 10μg/（kg·min）的速度静脉滴注，连续使用不超过 48 ～ 72h，作为高血压急症的首选药物，但急性肾功能不全者慎用；或硝酸甘油加入 5% 葡萄糖注射液中静脉滴注，以 5 ～ 100μg/min 的速度静脉滴注，根据血压调整速度，适用于合并冠心病、心肌缺血事件和心功能不全者。暂时没有条件静脉用药时，可采用舌下含服降压药物。常用：硝酸甘油片 0.5 ～ 1.0mg 舌下含服，极少数患者可出现血压过度下降；无禁忌证的情况下，可含服卡托普利片 12.5 ～ 25mg 或硝苯地平 10 ～ 20mg。

7. 高血压亚急症的治疗 选用不同降压机制的药物联合使用，24 ～ 48h 将血压缓慢降至 160/100mmHg 以下。用药后观察 5 ～ 6h，血压达标后调整口服药物后续治疗，并建议患者按医嘱服药和测量血压。

（二）预防

1. 一级预防 主要针对整体人群，特别是高血压病高危人群（有明确家族史、肥胖、盐敏感者）开展健康教育，认识高血压病的危害，采取健康的生活方式，防止高血压的发生。

2. 二级预防 在一级预防基础上，对已经患有高血压病的患者，进行及时正确的指导，使高血压患者知晓维持药物治疗的必要性，强调高血压是一个“无声杀手”，不可根据有无自觉症状决定是否进行药物治疗。合理用药，定时测量血压，知晓降压治疗的最终目的与目标，预防靶器官损害。

3. 三级预防 在二级预防基础上，对合并严重并发症的患者实施有效救治，防治靶器官功能衰竭，并实施康复治疗，改善生活质量和延长寿命。

命题趋势 治疗是高血压常见的考察点，包括考查目标血压值及用药，考查方式灵活，各种题型均可见到，近些年多在 A2、A3 型题中出现。

金题直击

（4 ～ 5 题共用备选答案）

A. 血压＜ 130/80mmHg　　B. 血压＜ 140/90mmHg

C. 血压＜ 160/80mmHg　　D. 血压＜ 110/70mmHg

E. 血压＜ 120/80mmHg

4. 一般降压治疗的目标是使血压降至　　【答案】B

5. 中青年患者或合并糖尿病、肾病变患者，血压至少应控制在　　【答案】A

【解题思路】

所有患者均应将血压降至 140/90mmHg 以下；伴有慢性肾脏疾病、糖尿病，或病情稳定的冠心病、脑血管病的高血压患者治疗应将血压降至 130/80mmHg 以下。

第八节　冠状动脉粥样硬化性心脏病

一、概念

冠状动脉粥样硬化性心脏病是指冠状动脉粥样硬化病变使管腔狭窄或阻塞，导致相应心肌缺血缺氧甚至坏死的一类心脏病，与冠状动脉痉挛导致的心肌缺血缺氧，统称冠状动脉性心脏病，简称冠心病。

二、危险因素（助理不考）

冠心病的危险因素中，以高血脂、高血压、高血糖为重要因素。

动脉粥样硬化性心脏病系由多种因素综合作用而产生的，这些因素称为危险因素，包括：

1. 年龄 本病多见于 40 岁以上的中、老年人。

2. 性别 本病男性多见，男女比例约为 2∶1。女性患者常发生在绝经之后，此时雌激素减少，血高密度脂蛋白（HDL）也减少。

3. 血脂异常 总胆固醇、甘油三酯、低密度脂蛋白（LDL）或极低密度脂蛋白（VLDL）、载脂蛋白 B 及载脂蛋白 A 增高，高密度脂蛋白（HDL）降低。

4. 高血压 本病患者 60% ～ 70% 有高血压，高血压者较血压正常者患冠心病概率高 4 倍。收缩压和舒张压增高都与本病有关。

5. 吸烟 吸烟者与被动吸烟者发生冠心病的危险性均明显增加，且与吸烟数量成正比。

6. 糖尿病与糖耐量异常 糖尿病者发病率较无糖尿病者高 2 倍，糖耐量减退者颇常见。

7. 超标准体重肥胖者 （超重 10% 为轻度肥胖，超重 20% 为中度肥胖，超重 30% 为重度肥胖）易患本病。

8. 其他 体力活动少，高热量、高脂肪饮食，遗传，微量元素、维生素 C 缺乏等。

三、临床分型

由于病理解剖和病理生理变化的不同，本病有不同的临床类型。

1. 1979 年世界卫生组织将其分为 5 型，包括隐匿性冠心病、心绞痛、心肌梗死、缺血性心肌病型冠心病、心源性猝死。

2. 近年来趋于将本病分为急性冠脉综合征和慢性心肌缺血综合征两大类。急性冠脉综合征包括不稳定型心绞痛、非 ST 段抬高性心肌梗死、ST 段抬高性心肌梗死及冠心病猝死；慢性心肌缺血综合征包括稳定型心绞痛、冠脉正常的心绞痛（如 X 综合征）、无症状性心肌缺血和缺血性心力衰竭（缺血性心肌病）。

第九节 心绞痛

一、概念

心绞痛是指由于心肌发生急剧而暂时性缺血缺氧导致的临床综合征，按照 WHO 对冠心病的临床分型，心绞痛型冠心病包括稳定型与不稳定型心绞痛，但按照当前的临床分型，不稳定型心绞痛归属在急性冠状动脉综合征的范畴内，因此，本节主要介绍稳定型心绞痛。

稳定型心绞痛亦称为劳力性心绞痛，是指在冠状动脉严重固定性狭窄的基础上，由于心肌耗氧量增加，导致心肌急剧一过性缺血缺氧的临床综合征。稳定型心绞痛是慢性心肌缺血综合征的主要临床类型。

二、发病机制

心绞痛是一组症状，为一过性心肌缺血所致。心肌缺血可由于心肌氧的需求超过病变冠状动脉供血能力引起（劳力性心绞痛）；或由于冠状动脉供血减少（自发性心绞痛）引起；或两者同时存在，即在冠状动脉固定狭窄基础上，有冠状动脉张力改变或冠脉痉挛同时存在（动力性狭窄）所致的心绞痛（混合性心绞痛）。

对心脏予以机械性刺激并不引起疼痛，但心肌缺血缺氧则引起疼痛。当冠状动脉的供血与心肌的需血之间发生矛盾，冠状动脉血流量不能满足心肌代谢的需要，引起心肌急剧的、暂时的缺血缺氧时，即产生心绞痛。

三、临床表现

1. 典型心绞痛 典型心绞痛表现见表 2-6。

表 2-6 典型心绞痛表现

要点	表现
发作诱因	如精神紧张、劳累过度、饱餐、寒冷刺激等（少数为自发性的）
疼痛部位	突然发作的胸痛，多位于胸骨中上段的后方，可向左上肢放射
疼痛性质	为压迫感、紧缩感、压榨感的钝性疼痛
持续时间	历时短暂，常为 3 ～ 5min，很少超过 15min
缓解方式	休息可缓解或含用硝酸甘油片（1 ～ 3min，偶尔 5min 后）迅速缓解

2. 不典型心绞痛 在典型心绞痛 5 个特点中，某些表现不典型。如疼痛部位不典型，可在上腹部左或右胸、下颌及牙齿等部位；疼痛性质不典型，可表现为烧灼感、闷胀感等。但必须有数个特点是典型的，否则很难称为心绞痛。

3. 体征 发作时常有心率增快、血压升高、皮肤湿冷、出汗等，有时可出现第四心音或第三心音奔马律；暂时性心尖部收缩期杂音，第二心音分裂及交替脉。

四、实验室检查及其他检查

1. 心电图 心电图是发现心肌缺血、诊断心绞痛最常用的检查方法。

（1）静息时心电图：约半数患者正常，也可有陈旧性心肌梗死、非特异性 ST-T 异常、心脏传导阻滞等。

（2）发作时心电图：大多数患者于心绞痛发作时出现暂时性 ST 段压低 ≥ 0.1mV（图 2-13），提示内膜下心肌缺血，可伴有 T 波倒置，发作缓解后恢复；有时相关导联 ST 段抬高，提示透壁性心肌缺血，为变异型心绞痛的特征。

（3）动态心电图：连续记录 24h 心电图，发现心电图 ST-T 改变和各种心律失常等，与患者同时间段的活动及症状相对照，提供临床诊断依据。

（4）心电图负荷试验：通过运动增加心肌氧耗从而激发心肌缺血，常用运动负荷试验。运动中监测心电图改变，运动中止后即刻及此后每 2min 重复记录心电图，直至心率恢复至运动前水平。试验结果以 ST 段水平型或下斜型压低 ≥ 0.1mV（J 点后 60 ～ 80ms）持续 2min 作为阳性标准。运动中出现心绞痛发作、步态不稳、室性心动过速或血压下降时，应即停止运动。

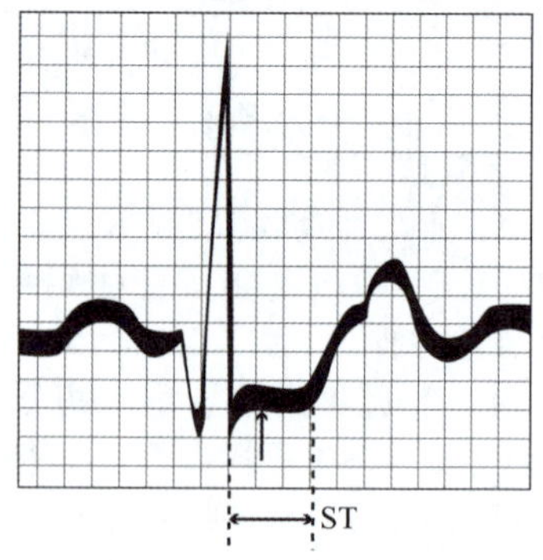

图 2-13　ST 段压低

2. 实验室检查　常规检测血脂、血糖等。胸痛持续时应急查血清心肌损伤标记物包括肌钙蛋白 I 或肌钙蛋白 T，肌酸激酶同工酶 CK-MB，对于鉴别急性冠脉综合征（ACS）有重要意义。

3. 放射性核素检查　^{201}铊随冠状血流被正常心肌摄取，冠状动脉供血不足部位的心肌摄取较少，明显的灌注缺损见于运动后缺血区。

4. 冠状动脉造影　选择性冠状动脉造影可使左、右冠状动脉及其主要分支显影，用以判断冠脉的狭窄程度及部位，还可评估心肌血流灌注情况。

5. 心脏 CTA　多排或双源 CT 是无创性用于诊断冠状动脉病变的常用检查方法，可作为冠状动脉狭窄筛查的有效检查手段。

6. 其他　二维超声心动图可探测到缺血区心室壁的运动异常，了解左心室功能。血管内超声成像（IVUS）、光学相干断层成像（OCT）等可显示血管壁的粥样硬化病变。

命题趋势　心绞痛的症状表现、实验室检查都是高频考点，考查方式灵活，各种题型均可见到，近些年多在 A2、A3 型题中出现。

金题直击

1. 患者，男，50 岁。半年来经常突发胸骨后疼痛，有窒息感，持续约 1 ～ 5min，休息后迅速缓解。心电图示 ST 段下移及 T 波倒置。应首先考虑的是

A. 稳定型劳力性心绞痛　　B. 初发劳累性心绞痛

C. 心脏神经症　　D. 自发性心绞痛

E. 急性心肌梗死

【答案】A

【解题思路】

发作区域为胸骨后，伴随窒息感，历时短暂，休息可缓解，ST 段下移均为稳定型心绞痛的典型表现。选项 B 显然与题干不符。选项 C 心脏神经症为短暂的刺痛或持久的隐痛，体力活动后反觉舒适，不符合题干。选项 D 特点是胸痛发作与心肌需氧量的增加无明显关系，这种疼痛与其他类型相比一般持续时间较长，程度较重，且不易被硝酸甘油所缓解。选项 E 发作时间长，疼痛性质重，休息及硝酸甘油均无效。

【易错点】

注意区分心绞痛与心肌梗死的表现。

2. 患者，男，50 岁。半年来经常突发胸骨后疼痛，有窒息感，持续 1 ～ 5min，休息后迅速缓解。为求确诊，应选择的检查方式是

A. 心电图　　B. 胸部 X 线

C. 超声心动图　　D. 冠脉造影

E. 放射性核素检查

【答案】D

【解题思路】

冠状动脉造影可明确显示冠脉的狭窄程度及位置，对于心绞痛有确诊价值。

【易错点】

心电图是心绞痛首选的检查方式，但确诊手段是冠脉造影。

五、诊断与鉴别诊断

（一）诊断

根据典型心绞痛的发作特点和体征，含服硝酸甘油后可短时间内缓解，结合年龄和存在冠心病危险因素，除外其他原因所致的心绞痛，一般即可确立诊断。必要时行选择性冠状动脉造影明确诊断。

（二）鉴别诊断（助理不考）

1. 急性心肌梗死 疼痛部位与心绞痛相似，但性质更剧烈。持续时间多超过30min，服硝酸甘油不能缓解。心电图中面向梗死部位的导联ST段抬高，或有异常Q波。实验室检查示白细胞计数增高，红细胞沉降率增快，心肌坏死标记物增高。

2. 肋间神经痛及肋软骨炎 疼痛常累及1～2个肋间，为持续性刺痛或灼痛，咳嗽、用力呼吸和身体转动可使疼痛加剧，肋软骨处或沿神经行径处有压痛，手臂上举活动时局部有牵拉疼痛。

3. 心脏神经症 为短暂的刺痛或持久的隐痛，疼痛部位经常变动，症状多在疲劳之后出现，轻体力活动反觉舒适，含服硝酸甘油无效，常伴有心悸、疲乏及其他神经衰弱的症状。

4. 其他疾病引起的心绞痛 严重的主动脉瓣狭窄或关闭不全、风湿性冠状动脉炎、梅毒性主动脉引起冠状动脉口狭窄或闭塞、肥厚型心肌病、X综合征等疾病均可引起心绞痛，要根据其他临床表现进行鉴别。

5. 其他 不典型疼痛还需与食管疾病、膈疝、消化性溃疡、肠道疾病、颈椎病等相鉴别。

六、病情评估

心绞痛严重度的分级：根据加拿大心血管病学会（CCS）分级分为4级。

Ⅰ级：一般体力活动（如步行和登楼）不受限，仅在强、快或持续用力时发生心绞痛。

Ⅱ级：一般体力活动轻度受限，快步行走、饭后、寒冷或刮风中、精神应激或醒后数小时内发作心绞痛。一般情况下平地步行200m以上或登楼一层以上受限。

Ⅲ级：一般体力活动明显受限，一般情况下平地步行200m，或登楼一层引起心绞痛。

Ⅳ级：轻微活动或休息时即可发生心绞痛。

七、治疗与预防

治疗原则是消除诱因，提高冠状动脉供血量，降低心肌耗氧量，同时治疗动脉粥样硬化。

1. 发作时的治疗

（1）休息：发作时立刻休息，一般患者在停止活动后症状即可消失。

（2）药物治疗：硝酸酯类为最有效的抗心绞痛药物：①硝酸甘油：0.3～0.6mg，舌下含化，1～2min即可使疼痛缓解，可维持20～30min，必要时可重复使用。②硝酸异山梨酯：5～10mg，舌下含化。

2. 缓解期的治疗

（1）一般治疗：宜避免与纠正一切能诱发或加重心绞痛的因素，特别是过度的体力劳动和情绪激动。

（2）药物治疗：①硝酸酯类。②β受体阻滞剂。③钙通道阻滞剂。④抗血小板聚集剂：阿司匹林、双嘧达莫（双嘧哌胺醇、潘生丁）。⑤曲美他嗪。⑥中医中药治疗。

（3）介入治疗：经皮穿刺股动脉或桡动脉，将球囊导管逆行送入冠状动脉的狭窄部位，加压充盈球囊以扩张病变使血管内径增大，从而改善心肌血供、缓解症状并减少心肌梗死的发生。

（4）外科手术治疗：冠状动脉旁路移植术（或称搭桥手术）、经皮腔内冠状动脉成形术（PTCA）。

命题趋势 心绞痛的治疗是高频考点，考查方式灵活，但用药简单，应熟练掌握，各种题型均可见到。

3. 患者，男，50 岁。今日与人争执后突发胸骨后闷痛，伴窒息感，疼痛可牵涉左臂。心电图示 ST 段下移及 T 波倒置。既往有类似发作，经休息可缓解，为求迅速缓解症状，应首选的药物是

A. 硝苯地平　　B. 硝酸甘油

C. rt-PA　　D. 吗啡

E. 硝普钠

【答案】B

【解题思路】

患者症状发作于情绪紧张，疼痛区域为胸骨后并向左侧放射，疼痛伴随窒息感，心电图 ST 段下移，是典型的稳定型心绞痛发作。稳定型心绞痛发作首选用药为硝酸甘油。选项 A 是变异型心绞痛首选。选项 C 是溶栓药。选项 D 是心肌梗死发作时缓解症状的首选。选项 E 多用于快速降压，降低容量负荷。

3. 预防　心绞痛缓解期以预防严重缺血事件为主，一般需要进行规范化药物治疗。

（1）抗血小板聚集药：用于所有没有禁忌证的患者，阿司匹林每日 75 ～ 100mg 或氯吡格雷每日 75mg，后者主要用于存在阿司匹林抵抗或不能耐受阿司匹林的患者。

（2）他汀类药：可延缓冠状动脉粥样硬化斑块进展，稳定斑块，抑制炎症反应。目前认为所有冠心病患者不参考血脂水平均应使用，并根据 LDL-C 水平调整使用剂量。常用阿托伐他汀每日 10 ～ 20mg，或瑞舒伐他汀每日 5 ～ 10mg 等。

（3）ACEI 或 ARB：可以降低冠心病患者心血管死亡、非致死性心肌梗死的危险性。合并高血压、糖尿病、心功能不全的稳定型心绞痛患者均应使用。常用卡托普利 12.5 ～ 50mg，每日 3 次，或依那普利 5 ～ 10mg，每日 2 次等；不能耐受的患者改用 ARB，常用氯沙坦每日 50 ～ 100mg，或厄贝沙坦每日 75 ～ 150mg 等。

4. 其他　一旦发生病情明显变化，心绞痛的性质及发作频率明显恶化，应及时就诊，以避免急性心肌梗死的发生。

第十节　急性心肌梗死

一、概念

急性心肌梗死（AMI）是在冠状动脉病变的基础上，冠脉血供急剧而持久地减少或中断，相应的心肌严重而持久地急性缺血，引起部分心肌的坏死，为冠心病的严重类型，属于急性冠状动脉综合征的临床类型之一，是中老年人的主要疾病性死因。

二、发病机制

由于冠状动脉粥样硬化，管腔内血栓形成、粥样斑块破溃、粥样斑块内或其下发生出血、血管持久痉挛，致使冠状动脉血供中断，相应区域心肌严重而持久的缺血，即可发生心肌梗死（MI）。

三、临床表现

（一）症状

约半数以上的急性心肌梗死患者，在起病前 1 ～ 2 天或 1 ～ 2 周有前驱症状，最常见的是原有的心绞痛加重，发作时间延长，或对硝酸甘油效果变差；或继往无心绞痛者，突然出现长时间心绞痛。典型的心肌梗死症状包括：

1. 疼痛　突然发作剧烈而持久的胸骨后或心前区压榨性疼痛。休息和含服硝酸甘油不能缓解，常伴有烦躁不安、出汗、恐惧或濒死感。少数患者无疼痛，一开始即表现为休克或急性心力衰竭。部分患者疼痛位于上腹部，可能误诊为胃穿孔、急性胰腺炎等急腹症；少数患者表现颈部、下颌、咽部及牙齿疼痛，易误诊。心肌梗死疼痛区见图 2-14。

2. 全身症状　难以形容的不适、发热。

3. 胃肠道症状　恶心、呕吐、腹胀等，下壁心肌梗死患者更常见。

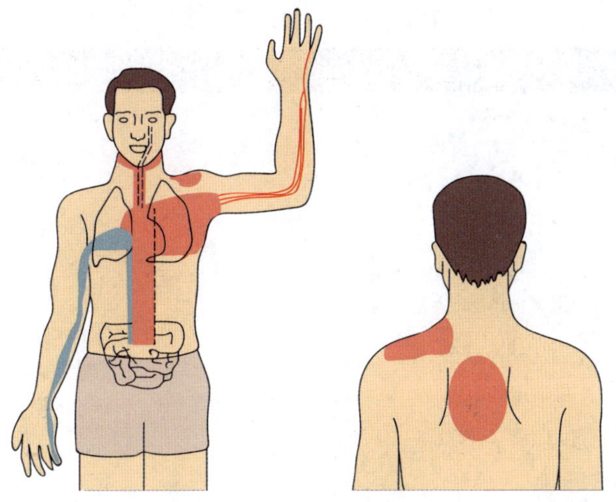

图 2-14　心肌梗死疼痛区

4. 心律失常　见于 75% ～ 95% 患者，发生在起病的 1 ～ 2 周内，以 24h 内多见。前壁心肌梗死易发生室性心律失常，下壁心肌梗死易发生窦性心动过缓、房室传导阻滞。

5. 心力衰竭　主要是急性左心衰竭，在起病的最初几小时内易发生，也可在发病数日后发生，表现为呼吸困难、咳嗽、发绀、烦躁等症状。

6. 低血压、休克　急性心肌梗死时由于剧烈疼痛、恶心、呕吐、出汗、血容量不足、心律失常等可引起低血压，大面积心肌梗死（梗死面积大于 40%）时心排血量急剧减少，可引起心源性休克，收缩压＜ 80mmHg，伴有面色苍白、皮肤湿冷、烦躁不安或神志淡漠、心率增快、尿量减少。

（二）体征

1. 心脏体征　心脏浊音界可增大，亦可为正常；心率多增快，少数也可减慢，心律不齐；心尖区第一心音减弱；可出现舒张期奔马律；10% ～ 20% 患者在起病第 2 ～ 3 天出现心包摩擦音，为反应性纤维性心包炎所致；心尖区可出现粗糙的收缩期杂音或伴收缩中晚期喀喇音，为二尖瓣乳头肌功能失调或断裂所致。

2. 血压改变　除极早期血压可增高外，几乎所有患者都有血压降低。

3. 其他　各种心律失常、心力衰竭、休克的体征。

四、实验室检查及其他检查

1. 实验室检查

（1）血液一般检查：起病 24 ～ 48h 后外周血白细胞可增至（10 ～ 20）×10^9/L，中性粒细胞增多，嗜酸性粒细胞减少或消失，红细胞沉降率增快。

（2）血心肌坏死标记物：①肌红蛋白起病后 2h 内升高，12h 内达高峰；24 ～ 48h 内恢复正常。②肌钙蛋白 I（cTnI）或肌钙蛋白 T（cTnT）起病 3 ～ 4h 后升高，cTnI 于 11 ～ 24h 达高峰，7 ～ 10 天降至正常，cTnT 于 24 ～ 48h 达高峰，10 ～ 14 天降至正常。肌钙蛋白升高是诊断 MI 的敏感指标。③肌酸激酶同工酶 CK-MB 在起病后 4h 内增高，16 ～ 24h 达高峰，3 ～ 4 天恢复正常，其增高的程度能较准确地反映梗死的范围，其高峰出现时间是否提前有助于判断溶栓治疗是否成功。

2. 心电图　心电图出现进行性、动态性改变，有助于诊断、定位、定范围、估计病情演变和预后。

（1）特征性改变：① ST 段抬高反映心肌损伤。②病理性 Q 波，反映心肌坏死。③ T 波倒置，反映心肌缺血。

（2）动态性改变：①起病数小时内，无异常或出现异常高大两支不对称的 T 波。②数小时后，ST 段明显抬高，弓背向上与直立的 T 波连接，形成单相曲线。数小时至 2 天内出现病理性 Q 波，同时 R 波变低。③ ST 段抬高持续数日至 2 周，逐渐回到基线水平，T 波则变为平坦或倒置。④数周至数月后，T 波呈 V 形倒置，两支对称，波谷尖锐，为慢性期改变。

（3）定位和定范围：导联判断。ST 抬高型心肌梗死的定位和定范围，可根据出现特征性改变的导联判断，见表 2-7。

3. 超声心动图检查　有助于了解心室壁的运动和左心室功能，诊断室壁瘤和乳头肌功能失调等。

4. 放射性核素检查　可显示梗死的部位和范围。

表 2-7　心肌梗死定位表

部位	特征性 ECG 改变导联	对应性改变导联
前间壁	V_1 ～ V_3	—
局限前壁	V_3 ～ V_5	—
前侧壁	V_5 ～ V_7、Ⅰ、Ⅱ、aVL	—
广泛前壁	V_1 ～ V_6	—
下壁	Ⅱ、Ⅲ、aVF	I、aVL
下间壁	Ⅱ、Ⅲ、aVF	Ⅰ、aVL
下侧壁	Ⅱ、Ⅲ、aVF、V_5 ～ V_7	Ⅰ、aVL
高侧壁	Ⅰ、aVL、“高” V_4 ～ V_6	Ⅱ、Ⅰ、aVL
正后壁	V_7 ～ V_8	V_1 ～ V_3 导联 R 波增高
右室	V_3R ～ V_7R，多伴下壁梗死	（多伴下壁梗死）

命题趋势　心肌梗死的诊断信息是高频考点，考查方式灵活，各种题型均可见到，近些年多在 A2、A3 型题中出现。

金题直击

1. 患者，男，52 岁。1h 前因情绪激动后突发心前区剧烈疼痛，疼痛可放射至左肩背，伴大量出汗，自觉濒死感，紧急含服硝酸甘油未见明显缓解，听诊心律欠规则。心电图示 V_1 ～ V_3 导联 ST 段弓背上抬，首先考虑

A. 心脏神经症　　B. 稳定型心绞痛

C. 急性心肌梗死　　D. 感染性心内膜炎

E. 脑出血

【答案】C

【解题思路】

情绪激动诱发症状，疼痛呈放射性，痛感剧烈伴濒死感，含服硝酸甘油无效，可知患者是心肌梗死发作。选项 A 的疼痛经活动后可缓解，且不会导致 ST 段上抬。选项 B 硝酸甘油效果确切而迅速。选项 D 以感染症状及心脏杂音为主要表现，与题干不符。选项 E 可引起各种神经系统症状，但不会造成胸痛。

【易错点】

心绞痛及心肌梗死的鉴别是极高频的考查点，其症状表现有诸多相似，但硝酸甘油对稳定型心绞痛有效，而对心肌梗死症状缓解无明显效果。

2. 冠状 T 波，ST 段弓背上抬，病理性 Q 波出现在心电图 V_1 ～ V_6 导联，首先考虑

A. 前间壁心肌梗死　　B. 广泛前壁心肌梗死

C. 前壁心肌梗死　　D. 下壁心肌梗死

E. 心绞痛

【答案】B

【解题思路】

冠状 T 波、ST 段弓背上抬、病理性 Q 波是心肌梗死的典型心电图表现，出现在 V_1 ～ V_6 导联为广泛前壁心肌梗死。

五、诊断与鉴别诊断

（一）诊断

根据典型的临床表现、特征性的心电图改变以及实验室检查，诊断并不困难。对老年患者，突然发生严重

心律失常、休克、心力衰竭而原因未明，或突然发生较严重而持久的胸闷或胸痛者，都应考虑本病的可能。宜先按急性心肌梗死处理，并短期内进行心电图和血清心肌酶学测定等的动态观察以确定诊断。对非ST段抬高的心肌梗死和小的透壁性心肌梗死，心肌坏死标志物与心肌酶的诊断价值更大。

（二）鉴别诊断（助理不考）

1. 动脉夹层 胸痛一开始即达到高峰，常有高血压，两侧上肢的血压和脉搏常不对称，此为重要特征，少数可出现主动脉瓣关闭不全的听诊特点。没有AMI心电图的特征性改变及血清酶学的变化。X线、超声心动图、CT和磁共振有助于诊断。

2. 急性肺动脉栓塞 突发剧烈胸痛、咯血、呼吸困难、休克等表现。有引起肺动脉栓塞的诱因。常有急性肺源性心脏病改变，与AMI心电图改变明显不同。

3. 急腹症 急性胆囊炎、胆石症、急性坏死性胰腺炎、消化性溃疡合并穿孔，常有急性上腹痛及休克的表现，但常有典型急腹症的体征。心电图可帮助鉴别，心肌坏死标志物与心肌酶不增高。

4. 急性心包炎 胸痛与发热同时出现，有心包摩擦音或心包积液的体征。心电图改变常为普遍导联ST段弓背向下型抬高，T波倒置，无异常Q波出现。彩超可诊断。

六、治疗与预防

对ST段抬高的急性心肌梗死，强调及早发现，及早住院，并加强住院前的就地处理。治疗原则是尽快恢复心肌的血流灌注（到达医院后30min内开始溶栓或90min内开始介入治疗），以挽救濒死的心肌、防止梗死面积扩大，或缩小心肌缺血范围，保护和维持心脏功能，及时处理严重心律失常、泵衰竭和各种并发症，防止猝死。

（一）监护和一般治疗

1. 休息 急性期卧床休息，保持环境安静。减少探视，防止不良刺激，解除焦虑。

2. 监测 在冠心病监护室进行心电图、血压和呼吸的监测，除颤仪应随时处于备用状态。

3. 饮食 第1周完全卧床休息，加强护理，进食不宜过饱，食物以易消化的流质或半流质为主，含较少脂肪而少产气者为佳。

4. 建立静脉通道 保持给药途径畅通。

（二）解除疼痛

1. 哌替啶50～100mg肌内注射或吗啡5～10mg皮下注射。

2. 硝酸甘油0.5mg或硝酸异山梨酯5～10mg舌下含服或静脉滴注。

（三）再灌注治疗

起病3～6h最迟在12h内，使闭塞的冠状动脉再通，心肌得到再灌注，濒死的心肌可能得以存活或使坏死范围缩小，减轻梗死后心肌重塑，改善预后。

1. 介入治疗（PCI） 具备施行介入治疗条件的医院，在患者抵达急诊室明确诊断之后，边给予常规治疗和做术前准备，边将患者送到心导管室。

（1）直接PCI适应证：①ST段抬高和新出现左束支传导阻滞的MI。②ST段抬高性MI并发心源性休克。③适合再灌注治疗而有溶栓治疗禁忌证者。④非ST段抬高性MI，但梗死相关动脉严重狭窄，血流≤TIMI Ⅱ级者。

（2）补救性PCI：溶栓治疗后仍有明显胸痛，抬高的ST段无明显降低者，应尽快进行冠状动脉造影，如显示TIMI 0～Ⅱ级血流，宜立即施行补救性PCI。

（3）溶栓治疗再通者的PCI：溶栓治疗成功的患者，如无缺血复发表现，可在7～10天后行冠状动脉造影。

2. 溶栓疗法 无条件施行介入治疗或因患者就诊延误、转送患者到可施行介入治疗的单位将会错过再灌注时机，如无禁忌证应立即（接诊患者后30min内）行溶栓治疗。

（1）适应证：①两个或两个以上相邻导联ST段抬高，起病时间＜12h，患者年龄＜75岁。②ST段显著抬高的MI患者年龄＞75岁，经慎重权衡利弊仍可考虑。③ST段抬高性MI，发病时间已达12～24h，但如仍有进行性缺血性胸痛，广泛ST段抬高者也可考虑。

（2）禁忌证：①既往发生过出血性脑卒中，1年内发生过缺血性脑卒中或脑血管事件。②颅内肿瘤。③近期有活动性内脏出血。④未排除主动脉夹层。⑤入院时有严重且未控制的高血压（＞180/110mmHg）或慢性严重高血压病史。⑥目前正在使用治疗剂量的抗凝药或已知有出血倾向。⑦近期（2～4周）有创伤史，包括头部外伤、创伤性心肺复苏或较长时间（> 10min）的心肺复苏；⑧近期（< 3 周）有外科大手术；⑨近期（< 2 周）曾有在不能压迫部位的大血管行穿刺术。

（3）溶栓药物的应用：①尿激酶（UK）30min 内静脉滴注 150 万～ 200 万 U。②链激酶或重组链激酶以 150 万 U 静脉滴注，在 60min 内滴完。③重组组织型纤维蛋白溶酶原激活剂（rt-PA）100mg 在 90min 内静脉给予：先静脉注入 15mg，继而 30min 内静脉滴注 50mg，其后 60min 内再滴注 35mg。

冠脉再通的判断：①心电图抬高的 ST 段于 2h 内回降> 50%。②胸痛 2h 内基本消失。③ 2h 内出现再灌注性心律失常。④血清 CK-MB 酶峰值提前出现（14h 内）。

3. 紧急主动脉 - 冠状动脉旁路移植术 介入治疗失败或溶栓治疗无效有手术指征者，宜争取 6 ～ 8h 内施行主动脉 - 冠状动脉旁路移植术。

（四）消除心律失常

消除心律失常的方法见表 2-8。

表 2-8 消除心律失常的方法

类型	消除方法
心室颤动或持续多形性室性心动过速	尽快采用电复律
室性期前收缩或室性心动过速	立即用利多卡因 50 ～ 100mg 静脉注射；室性心律失常反复可用胺碘酮治疗
窦性心动过缓	可用阿托品 0.5 ～ 1mg 肌内注射或静脉注射
房室传导阻滞	传导阻滞发展到第二度或第三度，伴有血流动力学障碍者，宜用人工心脏起搏器临时起搏治疗
室上性快速性心律失常	药物治疗不能控制时，可考虑用同步直流电复律

心律失常必须及时消除，以免演变为严重心律失常甚至猝死。

（五）控制休克

1. 补充血容量 补液的同时应严密监测心功能。

2. 应用升压药 补充血容量后血压仍不升高，可用多巴胺或去甲肾上腺素。

3. 应用血管扩张剂 血压能维持而肺动脉楔压增高，心排血量低或周围血管显著收缩以致四肢厥冷并有发绀时，可用血管扩张剂。常用硝普钠或硝酸甘油静脉滴注，直至左室充盈压下降。

4. 其他 治疗休克的其他措施包括纠正酸中毒、避免脑缺血、保护肾功能，必要时应用洋地黄制剂等。

（六）治疗心力衰竭

主要是治疗急性左心衰竭，以应用吗啡（或哌替啶）和利尿剂为主，亦可选用血管扩张剂减轻左心室的负荷，或用短效血管紧张素转换酶抑制剂从小剂量开始等治疗。梗死发生后 24h 内宜尽量避免使用洋地黄制剂。右心室梗死的患者应慎用利尿剂。

（七）恢复期的处理

如病情稳定，体力增进，经 2 ～ 4 个月的休息后，酌情恢复部分或轻工作，以后部分患者可恢复全天工作，但应避免过重体力劳动或精神过度紧张。

（八）并发症的处理

并发栓塞时，用抗凝疗法；心室壁瘤如影响心功能或引起严重心律失常，宜手术切除或同时做主动脉 - 冠状动脉旁路移植术。心脏破裂和乳头肌功能严重失调都可考虑手术治疗，但手术死亡率高。

（九）非 ST 段抬高性心肌梗死的处理

无 ST 抬高的 MI 其住院期病死率较低，但再梗死率、心绞痛再发生率和远期病死率则较高，此类患者不宜溶栓治疗。其中低危险组以阿司匹林和肝素尤其是低分子量肝素治疗为主；中危险组和高危险组则以介入治疗为首选。其余治疗原则同上。

（十）预防

1. 一级预防　通过干预生活方式、戒烟限酒等，预防动脉粥样硬化及冠心病。

2. 二级预防　措施概括为 A、B、C、D、E 五个方面。

A. 抗血小板聚集（阿司匹林或氯吡格雷等）；抗心绞痛治疗（硝酸酯类）。

B. β 受体阻滞剂预防心律失常，减轻心脏负荷；有效控制血压使达标。

C. 控制血脂水平；戒烟。

D. 控制饮食；治疗糖尿病。

E. 普及有关冠心病的知识，包括患者及其家属；鼓励有计划的适当的运动锻炼。

命题趋势　心肌梗死的诊断信息是高频考点，考查方式灵活，各种题型均可见到，近些年多在 A2、A3 型题中出现。

金题直击

3. 患者，男，52 岁。1h 前因情绪激动后突发心前区剧烈疼痛，疼痛可放射至左肩背，伴大量出汗，自觉濒死感，紧急含服硝酸甘油未见明显缓解，听诊心律欠规则。心电图示 $V_1 \sim V_3$ 导联 ST 段弓背上抬，为迅速缓解症状，宜选用

A. 阿司匹林　　　　B. 吗啡

C. rt-PA　　　　D. 尿激酶

E. 链激酶

【答案】B

【解题思路】

情绪激动诱发症状，疼痛呈放射性，痛感剧烈伴濒死感，硝酸甘油无效，可知患者是心肌梗死发作。心肌梗死急性发作缓解疼痛首选吗啡。

4. 患者，男，52 岁。1h 前因情绪激动后突发心前区剧烈疼痛，疼痛可放射至左肩背，伴大量出汗，自觉濒死感，紧急含服硝酸甘油未见明显缓解，听诊心律欠规则。心电图示 $V_1 \sim V_3$ 导联 ST 段弓背上抬，该患者的主要治疗药物宜选用

A. 阿司匹林　　　　B. 吗啡

C. rt-PA　　　　D. 硝普钠

E. 肾上腺素

【答案】C

【解题思路】

情绪激动诱发症状，疼痛呈放射性，痛感剧烈伴濒死感，硝酸甘油无效，可知患者是心肌梗死发作。心肌梗死治疗应积极进行再灌注治疗，及时溶栓，使用 rt-PA。

第十一节　心脏瓣膜病

一、二尖瓣狭窄（图 2-15）

（一）病因

1. 风湿热　为主要病因。

2. 退行性病变　老年人瓣膜退行性钙化导致瓣膜钙化等。

3. 其他　结缔组织病如系统性红斑狼疮，感染性心内膜炎，创伤如胸部穿通或钝挫伤，先天性畸形。

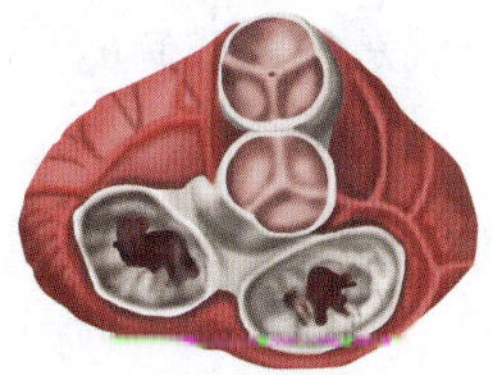

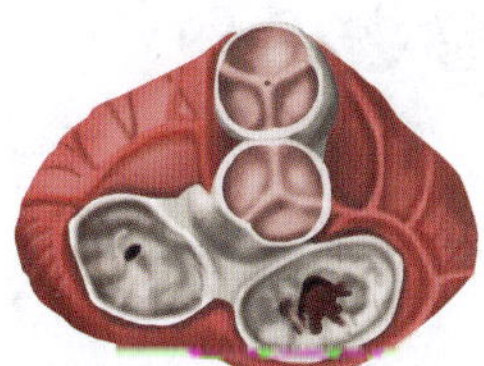

图 2-15　二尖瓣狭窄

（二）临床表现

1. 症状　由于瓣膜狭窄程度不同，症状轻重不一，按心功能情况分为以下几种。

（1）左心房代偿期：患者可无症状或只有轻微症状，大多能胜任一般体力活动，但有明显体征。

（2）左心房失代偿期：左心房失代偿期症状表现见表 2-9。

表 2-9 左心房失代偿期症状表现

症状	表现
呼吸困难	最早出现劳力性呼吸困难，随后轻度活动亦可引起呼吸困难，可有阵发性夜间呼吸困难、端坐呼吸，严重时发展为急性肺水肿
咳嗽咳痰	咳嗽常见，多在夜间睡眠时及劳动后加重，与劳力后肺淤血加重有关。并发支气管或肺部感染时常咳出黏液样痰或脓痰，左心房压迫支气管时表现为干咳
咯血	肺淤血致肺泡壁或支气管内膜毛细血管破裂时，患者可表现为痰中带血丝。肺静脉高压时，肺静脉与支气管静脉同侧支循环建立，支气管静脉曲张破裂可致大咯血，血色鲜红
心脏症状	可有心悸和心前区疼痛
压迫症状	少见。扩张的左肺动脉压迫左喉返神经引起声音嘶哑，扩张的左心房压迫食管而产生吞咽困难

（3）右心衰竭：患者可因体循环静脉血而出现食欲不振、恶心、呕吐、少尿、夜尿、肝区胀痛甚至黄疸等症状。右心衰出现后肺淤血减轻，原有的呼吸困难可以减轻。

2. 体征

（1）视诊：视诊可见两颧紫红、口唇轻度发绀，即“二尖瓣面容”；起病于儿童期者心前区可隆起；明显右室肥厚者胸骨左缘可见心脏搏动弥散；心尖搏动因右室增大而向左移。右心衰竭时可见颈静脉怒张。

（2）触诊：心尖部可触及舒张期震颤，心尖搏动左移。右心衰竭时，肝大，凹陷性水肿，肝颈静脉反流征阳性。

（3）叩诊：心脏外形与病情轻重有关。早期病例心脏大小可正常，形状无明显改变。中度以上狭窄因肺总动脉及右心室漏斗部增大，可出现胸骨左缘第三肋间浊音区向左扩大，正常心腰消失。在晚期，患者由于左心房明显扩大，肺总动脉扩张及右心室肥厚、增大，心脏相对浊音界向左扩大，心脏外形呈梨形，即“二尖瓣型心”。

（4）听诊：二尖瓣狭窄听诊表现见表 2-10。

表 2-10 二尖瓣狭窄听诊表现

要点	表现
心尖区舒张期杂音	是二尖瓣狭窄最重要的体征。此杂音呈低调、局限性、递增型、隆隆样舒张中晚期杂音，并有收缩期前增强。左侧卧位、用力呼气或体力活动后更清楚
心尖区第一心音增强	第一心音尖锐、短促而响亮（拍击性第一心音）。在胸骨左缘第三、四肋间听到二尖瓣开放拍击音（开瓣音），提示狭窄为隔膜型，瓣膜本身无增厚，瓣膜弹性及活动度良好
肺动脉瓣区第二心音亢进	有时可有轻度分裂，为肺动脉高压的表现
肺动脉瓣区舒张期杂音	严重肺动脉高压引起肺动脉及瓣环扩张，可导致相对性肺动脉瓣关闭不全，在肺动脉瓣区可听到柔和、高调、吹风样舒张早期或早中期杂音，即格 - 斯（Graham-Steell）杂音，杂音呈递减型，在吸气末增强
心律失常	可伴有期前收缩、阵发性心动过速、心房颤动等
三尖瓣区收缩期杂音	右室肥大、明显扩张，产生相对性三尖瓣关闭不全时，可在三尖瓣区出现吹风样全收缩期杂音，吸气时增强，可向心尖区传导

命题趋势 临床表现是各瓣膜病的高频考点，考查方式灵活，各种题型均可见到，近些年多在 A2、A3 型题中以关键信息出现。

金题直击

1. 患者，女，32 岁。四肢大关节游走性疼痛 4 年，近半年时常自觉心慌、胸闷、气短。查体：两颧紫红、口唇轻度发绀，叩诊心脏外形呈梨形，听诊心尖区可闻及低调、局限性、递增型、隆隆样舒张中晚期杂音，首先考虑

A. 主动脉瓣关闭不全　　B. 左房室瓣关闭不全
C. 主动脉瓣狭窄　　D. 心力衰竭
E. 左房室瓣狭窄

【答案】E

【解题思路】

患者有四肢大关节游走性疼痛病史，提示患者有风湿性关节炎，而风湿热是心脏瓣膜病最主要的病因，患者表现出两颧紫红、口唇轻度发绀的二尖瓣面容，叩诊心脏外形呈梨形亦是二尖瓣狭窄的典型心脏形状，且听诊心尖区可闻及舒张期杂音，更是二尖瓣狭窄的决定性诊断信息，二尖瓣即左侧房室瓣，所以本题的答案是选项 E。选项 A 的表现应该为靴形心、周围血管征、主动脉瓣区舒张期杂音，与题干不符。选项 B 应该是心尖区的收缩期杂音。选项 C 主动脉瓣狭窄应该为主动脉瓣区收缩期杂音。选项 D 表现主要是心排血量减少及体肺循环淤血，题干无相关表现。

（三）诊断与鉴别诊断

1. 诊断　心尖区听到隆隆样舒张中、晚期杂音，且伴有左心房增大的依据时，二尖瓣狭窄的诊断即可成立。若有风湿热史更有助于诊断。

2. 鉴别诊断　应与左心房黏液瘤和相对性二尖瓣狭窄相鉴别。

（四）并发症

1. 心房颤动　是相对早期的并发症，也是呼吸困难常见诱因。开始为阵发性心房扑动和颤动，以后转为慢性心房颤动。房颤的发生致心功能下降，常是体力活动明显受限的开始。房颤发生率随着心房增大和年龄增长而增加。

2. 急性肺水肿　为重度二尖瓣狭窄的最严重并发症。如未及时处理，往往致死。

3. 血栓栓塞　心房颤动、左心房直径＞ 55mm、栓塞史或心排血量明显降低为发生体循环栓塞的危险因素。脑动脉栓塞（脑动脉栓塞的栓子最可能来自左心房附壁血栓）最多见，其余依次为周围动脉和内脏（脾、肾和肠系膜）动脉栓塞。心房颤动和右心衰竭时，可在右心房形成附壁血栓，引起肺栓塞。

4. 右心衰竭　为主要的死亡原因，多见于晚期患者。

5. 感染性心内膜炎　相对少见。

6. 肺部感染　患者由于存在肺淤血的病理改变，易发生肺部感染。

命题趋势　二尖瓣狭窄的并发症是瓣膜病常见的考点，近些年多见于 A2、A3 型题中。

金题直击

2. 患者，女，32 岁。四肢大关节游走性疼痛 4 年，近半年时常自觉心慌、胸闷、气短。查体：两颧紫红、口唇轻度发绀，叩诊心脏外形呈梨形，听诊心尖区可闻及低调、局限性、递增型、隆隆样舒张中晚期杂音。今日心慌明显加重，突发左侧肢体活动不利，意识清，第一心音强弱不等，心率大于脉率，心律绝对不规则，右侧肢体中枢性瘫痪，右侧偏身痛觉减退，右侧巴宾斯基征（+）。即刻行头颅 CT 检查未见明显异常，应首先考虑的诊断是

A. 心肌梗死　　　　B. TIA 发作

C. 脑栓塞　　　　D. 脑出血

E. 蛛网膜下腔出血

【答案】C

【解题思路】

患者有四肢大关节游走性疼痛病史，提示患者有风湿性关节炎，而风湿热是心脏瓣膜病最主要的病因，患者表现出两颧紫红、口唇轻度发绀的二尖瓣面容，叩诊心脏外形呈梨形亦是二尖瓣狭窄的典型心脏形状，且听诊心尖区可闻及舒张期杂音，更是二尖瓣狭窄的决定性诊断信息。此时患者出现了第一心音强弱不等、心律绝对不规则、心率大于脉率即脉搏短绌为房颤的表现。当二尖瓣狭窄合并房颤时极易引发栓塞，患者又呈突发性肢体不利、偏瘫，可知此时因二尖瓣狭窄并发房颤导致了脑栓塞。选项 A 症状以疼痛为主，不符合。选项 B 是短暂脑缺血发作，表现为一过性的脑缺血，时间短暂，不符。选项 D 虽然也可引起突发偏瘫，但因为脑部淤血，脑 CT 呈高密度影。选项 E 表现主要特征是脑膜刺激征，且同样是颅内淤血，CT 应为高密度影。

（五）治疗

1. 大量咯血 应取坐位，用镇静剂，静脉注射利尿剂，以降低肺静脉压。

2. 急性肺水肿 处理原则与急性左心衰竭所致肺水肿相似。注意：①不用扩张小动脉扩血管药。②当房颤伴快心室率时可用正性肌力药物毛花苷C。

3. 心房颤动 控制心室率，争取恢复和保持窦性心律，预防血栓栓塞，可用β受体阻滞剂。

4. 预防栓塞 有栓塞史或超声检查示有左心房附壁血栓，应使用华法林。

5. 右心衰竭 限制钠盐摄入，应用利尿剂。

（六）预防

二尖瓣狭窄是最常见的慢性心脏瓣膜病，其主要病因目前仍以风湿热为主，因此，少年儿童有效预防风湿热发病及反复风湿热活动，是预防二尖瓣狭窄的重要措施。

二、二尖瓣关闭不全（助理不考）

（一）病因

二尖瓣及其附属结构、左心室结构和功能异常，均可致二尖瓣关闭不全常见病因包括风湿热、结缔组织病及感染性心内膜炎等导致的瓣叶病变、瓣环扩大、腱索病变、乳头肌断裂等。

（二）临床表现

1. 症状 轻度二尖瓣关闭不全可无自觉症状，且无症状期颇长，一旦出现症状，病情多较重。心排出量减少时可有疲乏、心悸，肺淤血时可有呼吸困难，但咯血、急性肺水肿及动脉栓塞远较二尖瓣狭窄者少。后期也可出现右心衰的症状。

2. 体征 二尖瓣关闭不全体征见表2-11。

表2-11 二尖瓣关闭不全体征

体征	表现
视诊	心尖搏动向左下移位，且强而有力，可呈抬举性搏动，提示左心室肥厚扩大
触诊	可触及抬举样心尖搏动
叩诊	心浊音界向左下扩大，后期因右心室肥大亦可向右扩大
听诊	心尖区可闻及响亮、粗糙、音调较高的3/6级或以上的全收缩期吹风样杂音，常向左腋下、左肩胛下部传导，吸气时减弱、呼气时增强，杂音常掩盖第一心音，肺动脉瓣区第二心音正常或亢进、分裂。因舒张期大量血液流入左心室，心尖区常有第三心音出现

（三）诊断与鉴别诊断

1. 诊断 根据病史和体检时在心尖区听到响亮、粗糙、音调较高的全收缩期吹风样杂音，并向腋中线传播，其第一心音减弱或被杂音掩盖，伴左心房、左心室增大，以及X线检查、超声心动图检查可确诊。

2. 鉴别诊断

（1）三尖瓣关闭不全：为全收缩期杂音，在胸骨左缘第4、5肋间最清晰，右室扩大显著时，杂音可移至心尖区，但杂音传导不会超过腋中线，且吸气时增强。此外，尚可见颈静脉搏动及肝脏扩张性搏动。多普勒超声可在右心房内发现来自三尖瓣口的收缩期湍流。

（2）室间隔缺损：为全收缩期杂音，在胸骨左缘第4、5肋间最清晰，不向腋下传导，常伴胸骨旁有收缩期震颤。超声心动图等检查可帮助鉴别。

（3）主动脉瓣狭窄及肺动脉瓣狭窄：分别于胸骨右缘第2肋间及胸骨左缘第2肋间闻及收缩期喷射性杂音，超声心动图可协助鉴别。

(4) 肥厚性梗阻型心肌病：于胸骨右缘第3、4肋间闻及收缩期喷射性杂音，杂音始于收缩中期，止于第二心音前，超声心动图可协助鉴别。

（四）治疗

1. 急性 目的是降低肺静脉压，增加心排血量。内科治疗一般为术前过渡措施，尽可能在床旁球囊飘浮导管血流动力学监测指导下进行。静滴硝普钠、利尿剂。外科治疗为根本措施。

2. 慢性

（1）内科治疗

① 预防感染性心内膜炎；风心病需预防风湿热。

② 无症状、心功能正常者无须特殊治疗，但应定期随访。

③ 心房颤动的处理同二尖瓣狭窄慢性心房颤动，有体循环栓塞史、超声检查见左心房血栓者，应长期抗凝治疗。

④ 心力衰竭者，应限制钠盐摄入，使用血管紧张素转换酶抑制剂、利尿剂和洋地黄。

（2）外科治疗：人工瓣膜置换术为主要手术方法。二尖瓣修复术，作用持久，术后发生感染性心内膜炎和血栓栓塞少见。

三、主动脉瓣关闭不全

（一）病因

主要病因有风湿热、感染性心内膜炎等，也可见于先天畸形、主动脉瓣黏液样变性、强直性脊柱炎等。单纯主动脉瓣关闭不全男性较多见，多为非风湿性；合并二尖瓣疾病者女性多见，多为风湿性风湿性主动脉瓣关闭不全多与狭窄并存。

（二）临床表现

1. 症状 风湿性主动脉瓣关闭不全代偿期较长，轻度患者可维持 20 年以上不发生肺淤血，故常无明显症状，重者可有心悸、头部搏动感和心前区不适；由于舒张压过低，快速改变体位时出现眩晕、头昏等脑缺血表现，甚至出现心绞痛。晚期因左心衰竭肺淤血产生呼吸困难，随着病情发展，最后亦可发生右心衰竭。主动脉瓣关闭不全见图 2-16。

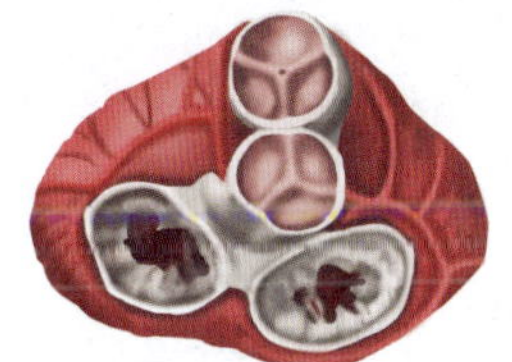
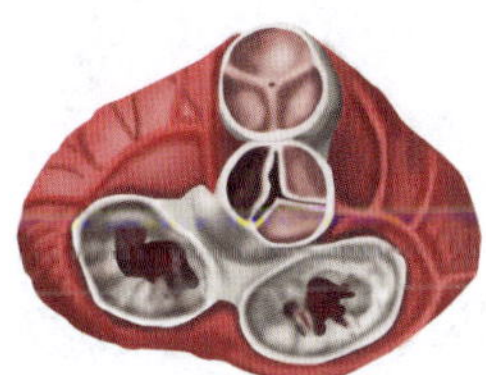

图 2-16 主动脉瓣关闭不全

2. 体征

（1）视诊：颈动脉搏动显著，心尖搏动向左下移位，心尖搏动增强呈抬举样。在舒张压明显降低时，患者面色苍白，口唇和指甲出现毛细血管搏动征。

（2）触诊：心尖搏动强而有力，脉搏有力，呈水冲脉。

（3）叩诊：早期患者的心脏大小与形态均正常，中期心浊音界向左下扩大，可形成典型的主动脉瓣型心脏，即“靴形心”。

（4）听诊：第一心音减弱，胸骨左缘第 3、4 肋间可听到舒张期高调、递减型、叹气样杂音，胸骨右缘第 2 肋间也可闻及，常传至心尖区，前倾坐位、呼气末明显。主动脉瓣区第二心音减弱或消失，心尖区第一心音减弱。主动脉反流明显时可在心尖区听到低调、柔和的舒张中期杂音，即奥 - 弗杂音，为主动脉反流者左心室的血液冲击二尖瓣前叶，使其在舒张期向上抬起并振动，产生血流障碍所致。

显著的主动脉瓣关闭不全时，收缩压增高、舒张压降低、脉压差增大，出现水冲脉、毛细血管搏动征、枪击音、杜氏双重杂音、颈动脉搏动明显及随心搏呈节律性点头运动等周围血管征。

（三）诊断与鉴别诊断

1. 诊断 根据主动脉瓣第二听诊区有舒张期递减型吹风样杂音，左室增大以及周围血管征等，可诊断为主动脉瓣关闭不全。超声心动图尤其是多普勒超声可证实诊断，有时多普勒超声检查结果是唯一的诊断依据。如有风湿热病史，或同时有二尖瓣损害，除外其他原因的主动脉瓣关闭不全，可诊断为风心病主动脉瓣关闭不全。

2. 鉴别诊断

（1）动脉粥样硬化性主动脉瓣关闭不全：多见于 60 岁以上老年人，舒张期杂音在主动脉瓣区较明显，多沿胸骨右缘向下传导。主动脉瓣区第二心音亢进，X 线检查显示主动脉延长、增宽且可有钙化影，不伴有二尖瓣器质性病变。结合实验室检查可帮助鉴别。

（2）肺动脉瓣关闭不全：常为肺动脉高压引起，此时可听到 Graham-Steell 杂音。该杂音在胸骨左缘第 2 肋间最响，沿胸骨左缘向下传导，吸气时更明显。无周围血管征及血压改变，常有肺动脉瓣区第二心音亢进，肺动脉高压体征。多普勒超声可准确鉴别。

（3）梅毒性主动脉瓣关闭不全：主要由于主动脉根部扩张所致。发病年龄较晚，多在 40 ～ 60 岁。不伴有二尖瓣病变的体征。舒张期杂音在胸骨右缘第2肋间最响。较易发生心绞痛。梅毒血清学试验阳性，有梅毒感染史等可资区别。

（四）治疗

1. 内科治疗 预防感染性心内膜炎，预防风湿热；严重主动脉瓣关闭不全和左心室扩张者，可使用血管紧张素转换酶抑制剂；有症状者对症治疗。轻中度关闭不全无症状者，限制重体力活动，并随访心脏超声。

2. 外科治疗 人工瓣膜置换术为严重主动脉瓣关闭不全的主要治疗方法。主动脉根部扩大者，需行主动脉根部带瓣人工血管移植术。

主动脉瓣关闭不全的表现是瓣膜病常见的考点，近些年多见于A2、A3型题中。

金题直击

3. 患者，36岁。有风湿性关节炎病史。近半年时有心悸、头昏。检查：第一心音减弱，胸骨左缘第3、4肋间可听到舒张期高调、递减型、叹气样杂音。应首先考虑的是

A. 二尖瓣关闭不全　　B. 二尖瓣狭窄

C. 主动脉瓣关闭不全　　D. 主动脉瓣狭窄

E. 肺动脉瓣狭窄

【答案】C

【解题思路】

胸骨左缘第3、4肋间是主动脉瓣第二听诊区，此处舒张期高调、递减型、叹气样杂音是主动脉瓣关闭不全的典型表现。

四、主动脉瓣狭窄（助理不考）

（一）病因

主要病因有风湿热、先天性畸形及瓣膜退行性钙化等。主动脉瓣狭窄约占慢性心脏瓣膜病的1/4，男性多见，单纯主动脉瓣狭窄少见，多伴有主动脉瓣关闭不全或二尖瓣病变。

（二）临床表现

1. 症状 轻度狭窄多无症状。病变加重时，出现疲乏、劳力性呼吸困难。重度狭窄，心搏量减少，由于脑缺血可出现眩晕、晕厥、黑矇。心肌缺血可致心绞痛，甚至急性心肌梗死，可产生各种心律失常而出现心悸，甚至猝死。呼吸困难、心绞痛和晕厥为典型主动脉瓣狭窄常见的“三联征”。

2. 体征 心尖搏动呈抬举样。可有主动脉瓣区收缩期震颤。第一心音减弱，因左心室顺应性下降，左心房收缩加强而出现第四心音；最主要的体征是在胸骨右缘第2肋间听到响亮粗糙的、喷射性收缩期杂音，向颈动脉及锁骨下动脉传导；主动脉瓣区第二心音减弱并可有逆分裂。重度狭窄者收缩压降低较显著，故脉压小，脉搏细弱，后期有左心室增大。

（三）诊断与鉴别诊断

1. 诊断 根据胸骨右缘第2肋间响亮粗糙的喷射性收缩期杂音、收缩期震颤及第二心音减弱、左心室增大等体征，可作出主动脉瓣狭窄的诊断。超声心动图可证实诊断。

2. 鉴别诊断

（1）先天性主动脉瓣狭窄：幼年即可发病，常无风湿热病史，超声心动图检查可发现畸形。

（2）肥厚梗阻型心肌病：病因未明，收缩期杂音部位较低，杂音部位在胸骨左缘第3、4肋之间，不向颈部及锁骨下传导，不占整个收缩期，很少伴有收缩期震颤，无收缩早期喷射音。超声心动图能发现左心室流出道狭窄和非对称性室间隔肥厚，通常室间隔与左心室后壁厚度之比值≥1.3，二尖瓣收缩期前移，无主动脉瓣狭窄。

（四）治疗

1. 内科治疗 适当避免过度的体力劳动及剧烈运动，预防感染性心内膜炎，定期随访和复查超声心动图。洋地黄类药物可用于心力衰竭患者，使用利尿剂时应注意防止容量不足；硝酸酯类可缓解心绞痛症状。

2. 手术治疗 人工瓣膜置换术、直视下主动脉瓣分离术、经皮球囊主动脉瓣成形术等。

高频考点速递

1. 房颤诊断要点　第一心音减弱＋心律绝对不齐＋脉搏短绌、P 波消失。
2. 室性期前收缩诊断要点　提前出现的宽大畸形 QRS 波。
3. 二度Ⅱ型房室传导组阻滞　PR 间期固定不变，QRS 波成比例脱落（2∶1，3∶2）
4. 二尖瓣狭窄临床表现　呼吸困难＋咳粉红色泡沫样痰＋梨形心＋心尖部舒张期杂音。
5. 心肌坏死的标记物　最早出现的是肌红蛋白，有特异性的是肌钙蛋白。

第三单元　消化系统疾病

考试分值

节	级别 / 年份	2019	2020	2021	2022	2023
慢性胃炎	执业	1	2	0	2	0
	助理	—	—	—	—	—
消化性溃疡	执业	3	1	0	2	1
	助理	2	2	0	0	1
胃癌	执业	2	1	1	1	1
	助理	1	1	1	1	0
溃疡性结肠炎	执业	1	0	1	0	1
	助理	—	—	—	—	—
肝硬化	执业	2	2	2	2	2
	助理	2		1	1	1
原发性肝癌	执业	2	2	1	1	1
	助理	0	1	0	1	1
急性胰腺炎	执业	—	—	—	—	—
	助理	—	—	—	—	—

第一节　慢性胃炎

一、概念

胃炎是指任何病因引起的胃黏膜炎症，常伴有上皮损伤和细胞再生。胃炎是最常见的消化道疾病之一。按临床发病的缓急和病程的长短，一般将胃炎分为急性胃炎和慢性胃炎。根据病理组织学改变和病变在胃的分布，结合可能的病因，将慢性胃炎分成非萎缩性（以往称浅表性）、萎缩性和特殊类型三大类。我国属幽门螺杆菌高感染率国家。

二、病因与发病机制

1. 幽门螺杆菌（Hp）感染　现在认为 Hp 感染是慢性胃炎最主要的病因。Hp 在慢性胃炎患者中的检出率高达 80% 以上。Hp 可以造成黏膜上皮细胞的变性坏死及黏膜的炎症反应。Hp 的抗原物质还能引起宿主对于黏膜的自身免疫反应。

2. 自身免疫反应　部分慢性胃炎患者血液中能检测到壁细胞抗体（PCA）和内因子抗体（IFA），说明慢性胃炎与自身免疫具有密切关系。这些自身抗体与壁细胞结合后，在补体的参与下，破坏壁细胞，使壁细胞数目减少，最终造成胃酸分泌缺乏，维生素 B_{12} 吸收不良，导致恶性贫血。

3. 十二指肠液反流 其中的胆汁和胰酶可以造成胃黏膜的损伤，产生炎症。

4. 理化及其他因素 与遗传、年龄、吸烟、饮酒、饮食习惯等因素有关。

命题趋势 病因胃炎的常见考点，出题方式以 A1 型题为主。

金题直击

1. 慢性胃炎的发病与哪种细菌感染有关

A. 大肠杆菌　　B. 沙门菌

C. 空肠弯曲菌　　D. 幽门螺杆菌

E. 嗜盐杆菌

【答案】D

【解题思路】

Hp 感染是慢性胃炎最主要的病因。Hp 在慢性胃炎患者中的检出率高达 80% 以上。

三、病理

慢性胃炎的病理变化过程是胃黏膜损伤与修复的一种慢性过程，主要组织病理学特征是炎症、萎缩和肠化生。炎症表现为黏膜层以淋巴细胞和浆细胞为主的慢性炎症细胞浸润，当有中性粒细胞浸润时显示有活动性炎症，称为慢性活动性胃炎。慢性炎症进一步发展则引起胃黏膜固有腺体（幽门腺或泌酸腺）数量减少甚至消失，并伴纤维组织增生、黏膜肌增厚，严重者胃黏膜变薄，此即萎缩性胃炎。当胃固有腺体被肠腺样腺体所代替，称为肠化生。

四、临床表现

慢性胃炎分为慢性浅表性和慢性萎缩性胃炎。根据病变部位分为 A、B 两型。病变局限于胃窦部，而胃体黏膜基本正常，称为胃窦胃炎，即 B 型胃炎，绝大多数由 Hp 感染引起，部分由化学损伤（十二指肠液反流、非留体抗炎药与吸烟等）所致；炎症局限于胃体或胃底，称为胃体胃炎，即 A 型胃炎，主要由自身免疫反应引起。

1. 症状 慢性胃炎起病隐匿，症状多无特异性。常出现上腹痛、饱胀不适，以进餐后明显，可伴嗳气、反酸、恶心等，少数患者伴有上消化道出血。慢性胃体炎可有纳差、体重减轻及贫血表现。发生恶性贫血的患者，可有舌炎、四肢感觉异常等表现。

2. 体征 慢性胃炎除上腹部可有轻压痛外，一般无明显阳性体征。

五、实验室检查及其他检查

1. 胃镜检查 是诊断慢性胃炎最可靠的办法，镜下黏膜活检有助于病变的病理分型和鉴别诊断。内镜诊断分为非萎缩性胃炎、萎缩性胃炎伴糜烂、萎缩性胃炎。慢性胃炎的常见胃镜表现如下。

（1）非萎缩性胃炎：黏膜红斑，粗糙不平，有出血点或出血斑（图 3-1）。

（2）萎缩性胃炎：黏膜苍白或灰白色，呈颗粒状，黏膜血管显露，皱襞细小（图 3-2）。

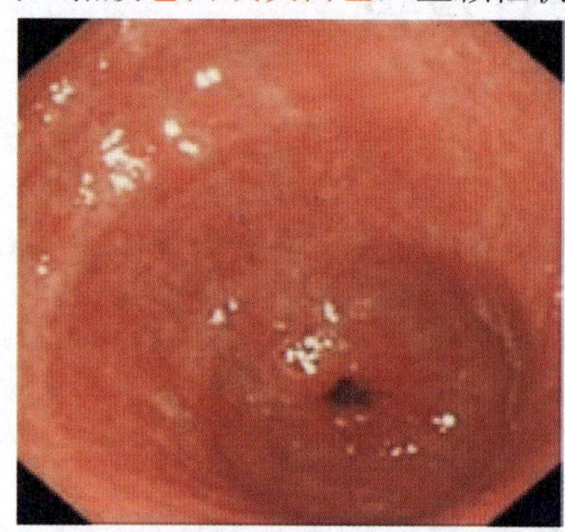

图 3-1 非萎缩性胃炎

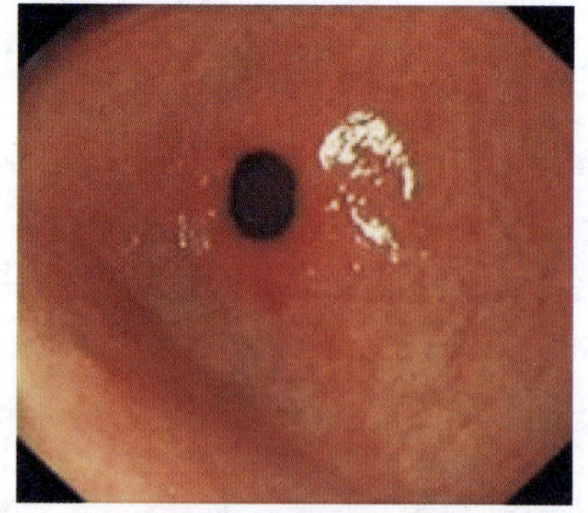

图 3-2 萎缩性胃炎

2. 血清学检查

（1）自身抗体：90% 的 A 型慢性萎缩性胃体炎血清抗壁细胞抗体阳性，约 75% 患者抗内因子抗体阳性。

（2）血清胃泌素水平：有助于判断萎缩是否存在及其分布与程度。慢性萎缩性胃体炎血清胃泌素水平可升高，伴发恶性贫血时，可升高数倍至数十倍，维生素 B_{12} 水平下降。萎缩性胃窦炎 B 型常表现为胃泌素水平降低。

3. Hp 检测 有助于慢性胃炎的分类诊断和选择治疗措施。^{13}C 或 ^{14}C 尿素呼气试验具有较高的特异性和敏感性，可用于筛选及治疗后复查。

4. 血维生素 B_{12} 水平测定 正常人为 300 ～ 900ng/L，明显降低有助于自身免疫性胃炎的诊断。

命题趋势 胃炎的诊断方式是常见考点，出题方式以 A1 型题为主，近几年也见于 A2、A3 型题目中。

金题直击

2. 患者，男，46 岁。上腹部无规律胀痛 3 年余，常因饮食不当而发作，偶有反酸、嗳气。心血管检查无异常。为求确诊，首选的检查方式是

A. 胃镜

B. 消化道造影

C. 胃液分析

D. ^{13}C 或 ^{14}C 尿素呼气试验

E. 自身抗体检测

【答案】A

【解题思路】

患者表现为慢性无规律上覆痛，首先考虑胃炎，胃炎的首选检查及确诊手段都是胃镜检查。

六、诊断与鉴别诊断

1. 诊断 慢性胃炎无特异性临床表现，确诊依赖于胃镜和黏膜活检，Hp 检查、免疫学检查有助于病因学分析及诊断。

2. 鉴别诊断 消化性溃疡、胃癌、胃肠神经官能症、慢性胆囊炎都可以表现为上腹不适，胃镜和胆囊 B 超可以鉴别。

七、病情评估

慢性胃炎在疾病进展过程中会出现一些胃癌前情况，包括胃癌前状态及癌前病变，前者包括慢性萎缩性胃炎、胃息肉等，后者主要指异型增生。异型增生是胃癌的癌前病变，重者应与高分化腺癌严格鉴别。

八、治疗与预防

1. 一般措施 消除和避免引起胃炎的有害因素，如戒除烟酒、避免服用对胃有刺激性的食物及药物等。

2. 根除 Hp 治疗 ①三联疗法：一种质子泵抑制剂或胶体铋剂 + 两种抗生素；②四连疗法：一种质子泵抑制剂 + 一种胶体铋剂 + 两种抗生素。常用抗生素有阿莫西林、克拉霉素、甲硝唑（替硝唑）、呋喃唑酮、氧氟沙星等。

3. 十二指肠 - 胃反流的治疗 应用胃黏膜保护药、促胃动力药等。

4. 对症治疗 有上腹痛、反酸、胃黏膜糜烂时可用抗酸或抑酸制剂，减轻 H^+ 反弥散，有利于胃黏膜修复。当上腹胀满、胃排空差或有反流时，可用促动力剂，如多潘立酮等。有缺铁性贫血者可补充铁剂，有恶性贫血者需终生予维生素 B_{12} 注射治疗。

5. 胃癌前状态的治疗 首先应进行根除 Hp 的治疗，出现恶性贫血的患者应注意长期补充维生素 B_{12}；发现有重度异型增生时，宜内镜下或手术治疗。

6. 预防 目前认为慢性胃炎的病因仍以 Hp 感染为常见。慢性胃炎的预防，应以筛查 Hp 感染并及时根除为主。Hp 感染有复发倾向，治疗后应进行年度随访。日常生活中应注意餐具的消毒，提倡分餐饮食。

命题趋势 胃炎的治疗方式是常见考点，出题方式较灵活，近几年多见于 A2、A3 型题目中。

金题直击

3. 患者，男，46 岁。上腹部无规律胀痛 3 年余，常因饮食不当而发作，偶有反酸、嗳气。心血管检查无异常。该患者主要的治疗方式是

A. 使用促胃肠动力药

B. 服用维生素 B_{12}

C. 应用胃黏膜保护剂

D. 服用抗酸药

E. 根除 HP 治疗

【答案】E

【解题思路】

患者表现为慢性无规律上腹痛，首先考虑胃炎，胃炎的主要治疗方式是根除幽门螺杆菌治疗。

第二节　消化性溃疡

一、概念

消化性溃疡（PU）主要指发生在胃和十二指肠的慢性溃疡，即胃溃疡（GU）和十二指肠溃疡（DU）。溃疡的形成与胃酸/胃蛋白酶的消化作用有关，溃疡的黏膜缺损超过黏膜肌层，是其区别于糜烂的主要病理特点。消化性溃疡发病男性多于女性，十二指肠溃疡比胃溃疡多见。十二指肠溃疡多见于青壮年人，胃溃疡多见于中老年人。

二、病因与发病机制

消化性溃疡是指胃肠道黏膜在一定情况下，被胃酸或胃蛋白酶消化而发生的慢性溃疡，主要包括胃溃疡（GU）和十二指肠溃疡（DU）。

1. **幽门螺杆菌（Hp）感染**　HP 是引起消化性溃疡的主要病因。Hp 凭借其毒力因子的作用诱发局部炎症和免疫反应，损害局部黏膜的防御和修复机制，同时 Hp 感染可增加胃泌素的分泌从而促进胃酸分泌增加，两方面的协同作用造成了胃、十二指肠黏膜损害和溃疡形成。

2. **胃酸及胃蛋白酶分泌增多**　胃酸及胃蛋白酶分泌增多是 DU 发病的重要因素。胃酸分泌增多是绝大多数消化性溃疡特别是 DU 发生的必要条件之一。

3. **药物因素**　非甾体抗炎药（NSAID）能直接穿过胃黏膜屏障，导致 H^+ 反弥散，抑制环氧化酶活性，从而抑制内源性前列腺素的合成与分泌，削弱胃黏膜的保护机制。

4. **精神因素**　长期精神紧张、焦虑、抑郁、恐惧者易发生溃疡。

5. **其他**　因素遗传、环境等因素也和消化性溃疡的发病有关。吸烟、嗜酒、饮浓茶、过食辛辣食物、暴饮暴食及饮食不规律均可诱发溃疡。

三、病理

胃溃疡多发生在胃角及窦胃小弯；十二指肠溃疡多发生在球部，前壁比较常见。溃疡一般为单个，也可多个，呈圆形或椭圆形。DU 直径多小于 1cm，GU 直径要比 DU 大，亦可见到直径大于 2cm 的巨大溃疡。溃疡边缘光整、底部洁净，由肉芽组织构成，上面覆盖有灰白色或灰黄色纤维渗出物。活动性溃疡周围黏膜常有炎症水肿。溃疡浅者累及黏膜肌层，深者达肌层甚至浆膜层，溃破血管时引起出血，穿破浆膜层时引起穿孔。溃疡愈合时周围黏膜炎症、水肿消退，边缘上皮细胞增生覆盖溃疡面（黏膜重建），其下的肉芽组织纤维转化，变为瘢痕。

四、临床表现

消化系统示意图见图 3-3。

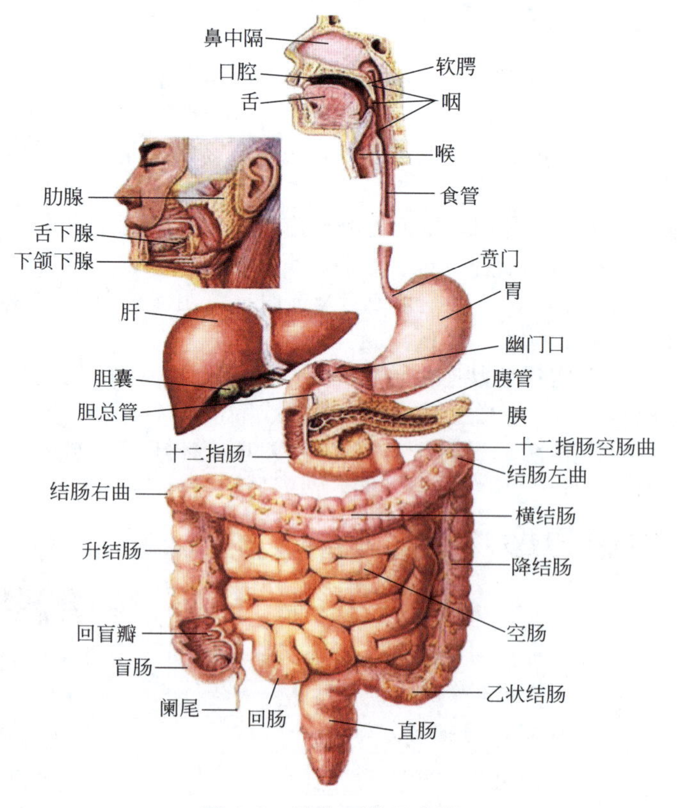

图 3-3　消化系统示意图

消化性溃疡的典型表现为慢性、周期性、节律性的上腹部疼痛。消化性溃疡典型的腹痛特点：①慢性病程，反复加重、缓解病史可达数年至数十年；②周期性发作，发作与缓解交替出现，发作期与缓解期亦长短不一；③有季节性，多在秋冬或冬春之交发病，可因精神情绪不良或过劳而诱发；④上腹痛呈节律性，表现为餐后痛（餐后 1h 内）、空腹痛（餐后 2～4h）

或 / 和午夜痛，腹痛多可被服用抗酸药所缓解，典型节律性表现 DU 多见。

（一）症状

1. **上腹痛** 为主要症状。可为钝痛、灼痛、胀痛或剧痛，但也可仅饥饿样不适感、压迫感、堵胀感、烧灼感。典型者有轻度或中度剑突下持续性疼痛，可被制酸剂或进食缓解。

（1）DU（十二指肠溃疡）患者约有 2/3 的疼痛呈节律性，早餐后 1 ～ 3h 开始出现上腹痛，如不服药或进食则要持续至午餐才缓解。餐后 2 ～ 4h 又痛，也需进餐来缓解。约半数有午夜痛，患者常被痛醒。

（2）GU（胃溃疡）也可出现规律性疼痛，但餐后出现较早，在餐后 0.5 ～ 1h 出现，在下次餐前自行消失。午夜痛不如 DU 多见。部分病例进食后反而引起腹痛，在幽门管溃疡尤为明显。幽门管溃疡可因黏膜水肿或瘢痕形成而发生幽门梗阻，表现为餐后上腹饱胀不适而出现恶心呕吐。

2. **消化不良症状** 部分病例无上述典型的疼痛，仅表现为无规律性较含糊的上腹隐痛不适，伴胀满、畏食、嗳气、反酸、烧心等症状。一些十二指肠溃疡的患者可以反复反流大量不含有食物的酸性胃液，称为反酸。十二指肠溃疡患者还可有泛口水，即口中迅速涌出大量水样唾液，这是迷走神经活动度增强的表现。烧心，即胸骨后烧灼感，是溃疡病患者极为常见的症状，它的发生可能是酸性胃液反流至食管造成刺激，也可能是反射性食管痉挛的结果。烧心时有时有酸性胃液反流至口腔。

症状表现是消化性溃疡的高频考点，考查方式灵活，各种题型均可见到。

金题直击

（1 ～ 2 题共用备选答案）

A. 胀痛、酸痛　　B. 无规律性上腹痛

C. 持续性疼痛伴阵发性加剧　　D. 转移性疼痛

E. 慢性、周期性、节律性

1. 消化性溃疡的疼痛特征是　　【答案】E

2. 慢性胃炎的疼痛特征是　　【答案】B

【解题思路】

溃疡的表现主要为慢性、周期性、节律性疼痛。胃炎的表现欠缺特异性，以无规律上腹疼痛为主。

3. 患者，女，30 岁。反复上腹痛 4 年，多于饥饿时或夜间加重，进食后可减轻。应首先考虑的是

A. 胃溃疡　　B. 十二指肠溃疡

C. 慢性胃炎　　D. 胃癌

E. 克罗恩病　　【答案】B

【解题思路】

患者慢性腹痛，疼痛有规律，于空腹时加重是十二指肠溃疡的典型表现，首先考虑十二指肠溃疡。选项 A 表现多为餐后痛。选项 C 疼痛缺乏规律。选项 D 的疼痛往往呈持续性。选项 E 以肠鸣腹痛、便后缓解为特征，不符合题干。

【易错点】

胃溃疡，餐后疼痛加重；十二指肠溃疡，空腹疼痛加重。

（二）体征

发作时于剑突下有一固定而局限的压痛点，缓解时无明显体征。

（三）特殊类型的消化性溃疡

1. **无症状性溃疡** 15% ～ 20% 消化性溃疡患者可无任何症状。这部分患者多在因其他疾病做内镜或 X 线钡餐检查时被发现，或当发生出血、穿孔等并发症时，甚至于尸体解剖时始被发现。这类消化性溃疡可见于任何年龄，但以老年人为多见。

2. 胃、十二指肠复合溃疡 指胃和十二指肠同时发生的溃疡，这两个解剖部位溃疡的病期可相同，但亦可不同。复合溃疡的检出率约占全部消化性溃疡的5%，DU往往先于GU出现。复合性溃疡幽门梗阻的发生率较单独GU或DU为高。一般认为，GU如伴随DU，则其恶性的机会较少，但这只是相对而言。

3. 幽门管溃疡 幽门管位于胃远端，与十二指肠交接，长约2cm。幽门管溃疡的病理生理与DU相似，胃酸一般增多。幽门管溃疡常缺乏典型溃疡的周期性和节律性疼痛，餐后上腹痛多见，对抗酸剂反应差，容易出现呕吐或幽门梗阻，穿孔或出血的并发症也较多。

4. 十二指肠球后溃疡 约占DU的3%，溃疡多发生于十二指肠乳头的近端。球后溃疡多具有DU的临床特点，但夜间疼痛和背部放射痛更为多见，对药物治疗的反应较差，较易并发出血。（注意：球后溃疡并非发生在十二指肠球部后壁，而是球部以下的部位）

5. 难治性溃疡 一般指标准剂量的H_2-RAs正规治疗一定时间（GU 12周，DU 8周）后经内镜检查确定未愈的溃疡和/或愈合缓慢、复发频繁的溃疡。随着有强烈抗酸胃酸分泌作用的质子泵抑制剂的问世及消化性溃疡病因新认识带来的防治策略的改变，真正难以愈合的消化性溃疡已极为少见。

6. 巨大溃疡 指直径超过2cm的溃疡，对药物治疗反应较差，愈合时间较长，易发生慢性穿透或穿孔。胃的巨大溃疡注意与恶性溃疡鉴别。

7. 老年人消化性溃疡 指年龄超过65岁的消化性溃疡患者，临床表现多不典型，溃疡常较大，易并发出血，应与胃癌鉴别。

（四）并发症

1. 出血 是最常见的并发症。发生于20%～25%的患者。少量出血时大便隐血试验可呈阳性。较大血管受侵蚀时，发生大出血，患者可有呕血和排出柏油样便，甚至发生失血性休克。

2. 穿孔 穿孔发生率DU高于GU。溃疡穿透胃肠壁达游离腹腔，导致急性弥漫性腹膜炎。患者突发上腹部持续性剧烈疼痛，并迅速弥漫全腹，伴休克表现，查体腹部压痛、反跳痛、呈板状腹，肝浊音界缩小或消失，肠鸣音减弱或消失，外周血白细胞及中性粒细胞增高，腹部X线透视见膈下游离气体影，是诊断穿孔的重要依据。

3. 幽门梗阻 约发生于3%的患者。其发生除由瘢痕组织收缩所致外，也可因溃疡周围黏膜炎性水肿及幽门括约肌痉挛而引起。患者可出现反复呕吐，引起水、电解质及酸碱平衡紊乱。

4. 癌变 主要见于长期胃溃疡病的患者，癌变率仅为1%或1%以下。十二指肠溃疡一般不癌变。

五、实验室检查及其他检查

1. 胃镜检查和黏膜活检 可直接观察黏膜情况，确定病变的部位、大小、数目、表面状态、有无活动出血及其他合并疾病的存在，同时可以取活组织进行病理检查和Hp检测，是诊断消化性溃疡最有价值的检查方法。内镜下溃疡分期及表现如下。

（1）活动期：病灶多呈圆形或椭圆形，溃疡基底部覆有白色或黄白色厚苔，周围黏膜充血、水肿（图3-4）。

（2）愈合期：溃疡缩小变浅，苔变薄，黏膜皱襞向溃疡集中。

（3）瘢痕期：基底部白苔消失，呈现红色瘢痕，最后转变为白色瘢痕。

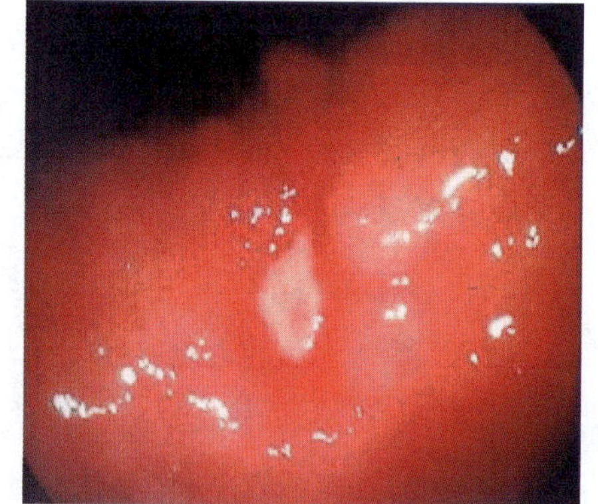

图3-4 溃疡活动期的胃镜表现

2. X线钡餐检查 X线钡餐检查有直接和间接两种征象。直接征象为龛影，对溃疡的诊断有确诊意义，在溃疡的周围尚可见到黏膜放射状皱缩及因组织炎症水肿而形成的环形透亮区（环堤）；间接征象有局部压痛、胃大弯侧痉挛性切迹、十二指肠球部激惹及变形。溃疡合并穿孔、活动性出血时禁行X线钡餐检查。

3. Hp检测 是消化性溃疡的常规检查。治疗前首选快速尿素酶试验（侵入性检查），治疗后复查首选^{13}C或^{14}C尿素呼气试验（非侵入性检查）。

4. 粪便隐血试验 主要用于确定溃疡有无活动及合并活动性出血，并可作为疗效判断的指标。粪便隐血试验呈阳性，提示溃疡活动。粪便隐血持续阳性者，应进一步排除癌变的可能。

命题趋势 检查方式是消化性溃疡的常见考点，考查方式灵活，各种题型均可见到，近些年多以A2、A3型题出现。

金题直击

4. 患者，女，30 岁。反复上腹痛 4 年，多于饥饿时或夜间加重，进食后可减轻。应为求确诊，首选的检查方式是

A. 消化道造影　　B. 胃镜检查

C. ^{13}C 或 ^{14}C 检测　　D. 胃液分析

E. 粪便检查

【答案】B

【解题思路】

患者慢性腹痛，疼痛有规律，于空腹时加重是十二指肠溃疡的典型表现，首先考虑十二指肠溃疡。消化性溃疡的首选检查及确诊手段均是胃镜。

六、诊断与鉴别诊断

（一）诊断

依据本病慢性病程、周期性发作及节律性上腹痛等典型表现，一般可作出初步诊断。但消化性溃疡的确定诊断，尤其是症状不典型者，需通过 X 线钡餐和 / 或内镜检查才能确定。

（二）鉴别诊断（助理不考）

1. 慢性胃炎、十二指肠炎　常有慢性无规律性上腹痛。胃镜检查示慢性胃窦炎和十二指肠球炎但无溃疡，是主要的诊断和鉴别手段。

2. 胃泌素瘤　肿瘤往往很小（< 1cm），生长慢，半数为恶性。因胃泌素过度刺激而使壁细胞增生，分泌大量胃酸，使上消化道包括空肠上段经常浴于高酸环境，导致多发性溃疡，以位于不典型部位（球后十二指肠降段和横段甚或空肠远段）为其特点。此种溃疡非常难治，常规胃手术后多见复发，且易并发出血、穿孔和梗阻。

3. 胃癌　胃溃疡与溃疡型胃癌之区别极为重要，但有时比较困难。一些溃疡型胃癌在早期，其形态和临床表现可酷似良性溃疡，甚至治疗后可暂愈合（假愈），故有主张对所有胃溃疡患者都应进行胃镜检查，在溃疡边缘做多点活检，明确溃疡的性质。最重要的鉴别方法还在于 X 线钡餐和胃镜检查。

七、病情评估

消化性溃疡病程漫长，呈反复急性加重的特点，病情严重程度与溃疡的发生部位、溃疡类型有关。出现急性并发症，尤其是上消化道出血，是常见的死亡原因。消化性溃疡合并急性胃肠穿孔时，多需紧急手术救治。

八、治疗与预防

（一）治疗目的

消除病因、缓解症状、愈合溃疡、防止复发和避免并发症。

（二）治疗措施

1. 一般治疗　生活有规律，避免过度劳累和精神紧张。注意饮食规律，戒烟、酒。

2. 药物治疗　DU 的治疗重点在于根除 Hp 与抑制胃酸分泌；GU 的治疗侧重于保护胃黏膜。

（1）根除幽门螺杆菌：根除 Hp 可降低溃疡的复发率，使溃疡痊愈。根除 Hp 方案如下。

① 三联疗法：一种质子泵抑制剂（PPI）或一种胶体铋剂联合克拉霉素、阿莫西林、甲硝唑（或替硝唑）3 种抗菌药物中的 2 种。

② 四联疗法：以铋剂为主的三联疗法加一种 PPI 组成。疗程为 10 ～ 14 天。三联疗法根治失败后，停用甲硝唑，改用呋喃唑酮或改用 PPI、铋剂联合 2 种抗生素的四联疗法。

（2）抑制胃酸分泌

① 碱性药：氢氧化铝、氢氧化镁、碳酸氢钠等可中和胃酸，对缓解溃疡的疼痛症状有较好效果，一般不单独用于治疗溃疡。

② 抗胃酸分泌药：H_2受体拮抗剂如西咪替丁、雷尼替丁、法莫替丁等；PPI 如奥美拉唑、兰索拉唑、泮托拉唑等，通过抑制 H^+-K^+-ATP 酶（质子泵）使壁细胞内的 H^+ 不能转移至胃腔。

③ 其他药物：抗胆碱能药以及胃泌素受体拮抗剂等。

（3）保护胃黏膜药物：硫糖铝、枸橼酸铋钾（保护胃黏膜 + 抑制 Hp）、米索前列醇等。

3. 治疗并发症 并发急性上消化道出血、急性穿孔、幽门梗阻时，应及时明确诊断，并行积极治疗，无效者应考虑手术治疗。疑诊发生癌变者，应尽快明确诊断，实施治疗。

4. 外科治疗 适用于：①大量或反复出血，内科治疗无效者。②急性穿孔。③瘢痕性幽门梗阻。④ GU 癌变或癌变不能除外者。⑤内科治疗无效的顽固性溃疡。

5. 维持治疗 GU 经治疗溃疡愈合者，可停用药物治疗；有反复急性加重的患者，需要时可长期口服适量药物维持治疗。

6. 治疗策略 对内镜或 X 线明确诊断的 DU 或 GU，首先明确有无 Hp 感染。Hp 阳性者首先抗 Hp 治疗，必要时在抗 Hp 治疗结束后再给予 2 ～ 4 周（DU）或 4 ～ 6 周（GU）的抗胃酸治疗。Hp 阴性者常规服用抗胃酸分泌药 4 ～ 6 周（DU）或 8 周（GU）。

（三）预防

消化性溃疡的主要病因与Hp感染、应用非甾体抗炎药、吸烟、急性应激、胃排空增快等因素有关。因此，对未患病者，年度健康查体检测 Hp，发现阳性应进行有效根除治疗；吸烟伴有上腹痛、腹部不适等消化道症状者，应戒烟；已确诊的消化性溃疡患者，缓解期应生活规律，慎用 NSAID 等药物，症状反复者及时就诊治疗，避免病情反复加重及出现上消化道出血、急性穿孔等并发症。老年胃溃疡患者应常规进行粪便隐血试验的随访，尽早发现可疑的恶变。

命题趋势 治疗是消化性溃疡的常见考点，考查方式灵活，各种题型均可见到，近些年多以 A2、A3 型题出现。

金题直击

5. 患者，女，30 岁。反复上腹痛 4 年，多于饥饿时或夜间加重，进食后可减轻。该患者最主要的治疗方式可能是

A. 根除 Hp 治疗
B. 使用抑制胃酸分泌药物
C. 应用促进胃肠动力药物
D. 应用胃肠黏膜保护剂
E. 胃肠减压

【答案】A

【解题思路】

患者慢性腹痛，疼痛有规律，于空腹时加重是十二指肠溃疡的典型表现，首先考虑十二指肠溃疡。消化性溃疡的主要治疗方式是根除 Hp。

第三节 胃 癌

一、概念

胃癌是指发生于胃黏膜上皮细胞的恶性肿瘤。

二、病因与发病机制

1. 幽门螺杆菌感染 胃癌的发生与 Hp 感染有一定的关系，WHO 已将 Hp 列为致癌源。

2. 癌前变化 癌前变化包括癌前病变和癌前状态。癌前病变包括异型增生和上皮内瘤变。癌前状态包括：①萎缩性胃炎（伴或不伴肠化及恶性贫血）；②腺瘤型息肉尤其直径＞ 2cm 者；③毕Ⅱ式胃切除术后并发胆汁反流性残胃炎。④慢性胃溃疡。⑤胃黏膜巨大皱襞症。

3. 地域环境及饮食生活因素

4. 遗传因素

命题趋势 病因是胃癌常见的考查点，考题多以 A1、B1 型题为主。

金题直击

（1～2题共用备选答案）

A. Hp 感染　　B. 暴饮暴食

C. 胃酸过多　　D. 遗传因素

E. 药物因素

1. 胃癌的主要病因是　　【答案】A

2. 胃溃疡的主要病因是　　【答案】A

【解题思路】

胃癌、消化性溃疡、胃炎的主要病因都是 Hp 感染。

三、病理

1. 部位　最多见于胃窦部，其次为贲门、胃体和胃底。

2. 病理形态

（1）早期胃癌：病变仅限于黏膜及黏膜下层。可分隆起型、平坦型和凹陷型三类。上述各型可并存。早期胃癌可向淋巴结转移。

（2）进展期胃癌：病变深度超过黏膜下层，已侵入肌层者称为中期，已侵入浆膜层或浆膜外组织者称为晚期。大体形态可分为隆起型、局限溃疡型、浸润溃疡型、弥漫浸润型。其中以局限溃疡型和浸润溃疡型多见。

3. 组织分型　按组织学分为腺癌、黏液癌（印戒细胞癌）、低分化癌和未分化癌四种类型。按胃癌来源分肠型及胃型。

4. 转移方式　胃癌的转移方式见表 3-1。

表 3-1　胃癌的转移方式

方式	部位
直接蔓延	直接扩散至邻近器官
淋巴结转移	是最早最常见的转移，胃癌早期即可向左锁骨上淋巴结转移
血行播散	常转移至肝，其次转移至肺、骨骼、脑、卵巢等部位，是晚期转移方式
种植转移	癌细胞由浆膜层脱落，种植于肠壁或盆腔及卵巢

四、临床表现

1. 症状　取决于肿瘤发生的部位、病理性质、病程长短及是否有转移。胃癌的临床症状见表 3-2。

表 3-2　胃癌的临床症状

症状	要点
上腹疼痛	最常见症状。早期仅为上腹部不适、饱胀或隐痛，餐后为甚，经治疗可缓解。进展期胃癌腹痛可呈持续性，且不能被抑酸剂所缓解
食欲减退	可为首发症状，晚期可厌肉食及腥味食物
恶心、呕吐	胃窦癌引起幽门梗阻时可出现恶心呕吐，呕吐物为黏液及宿食，有腐臭味。贲门癌可有吞咽困难或食物反流
呕血、黑便	中晚期胃癌隐血便常见，癌瘤侵蚀大血管时可引起大量呕血和黑便
全身症状	可出现低热、疲乏、体重减轻、贫血等

2. 体征　一般胃癌皆无明显体征，少数患者有以下情况，对诊断有意义。

（1）上腹部压痛：部分患者上腹部偏右有轻度压痛，当病变范围较大，溃疡累及肌层、浆膜或浆膜外层时，患者上腹拒按，可出现肌紧张和反跳痛。

（2）腹部肿块：于上腹部相当于胃区的任何部位都可扪及肿块，胃窦部癌以右上腹部多见。肿块紧实，呈结节状，当瘤体向周围组织浸润时，活动度明显受限，应争取手术治疗。

（3）淋巴结转移：除了腹内瘤旁淋巴结外，左锁骨上淋巴结转移率最高，可达 10% 左右，腋窝淋巴结转移约占2%，临床上亦可见到少数右锁骨上和脐周围转移癌。

（4）广泛种植转移：胃癌晚期可发生血行性的肝、肺、骨、肾和神经系统转移；当肿瘤侵犯浆膜外，癌细胞脱落发生广泛性腹膜种植转移时，可有腹水，并可查到癌细胞。病情进一步恶化则出现消瘦、出血、贫血，幽门或肠管梗阻，肝大、黄疸、腹水和恶病质。

疾病表现是胃癌的高频考点，考查方式灵活，各种题型均可见到，近些年多在A2、A3型题中以关键信息出现。

金题直击

3. 患者，男，55岁，慢性上腹部疼痛5年余，偶有黑便。近1月上腹部疼痛加重，呈持续性，体重减轻6kg，粪便持续发黑，首先考虑

A. 慢性胃炎　　B. 十二指肠溃疡溃疡

C. 胃溃疡　　D. 胃癌

E. 肝硬化

【答案】D

【解题思路】

患者主要的症状为上腹部疼痛，偶有黑便，说明患者应该是患有消化性溃疡，但近期症状发生变化，疼痛持续性存在，黑便持续存在，且体重迅速减轻，首先考虑是胃癌。选项A主要是无规律上腹痛，无黑便。选项B和选项C的上腹痛是规律性的，黑便是间断性的。选项E表现以门静脉高压及消化道症状为主，不符合题干。

【易错点】

疼痛性质的鉴别是胃炎、溃疡、胃癌的高频考点，表现各不相同，应熟练掌握。

五、实验室检查及其他检查

1. **血液检查**　呈低色素性贫血，血沉增快，血清癌胚抗原（CEA）阳性。

2. **粪便隐血试验**　常持续阳性。因其检测方便，可将此作为胃癌筛选的首选方法。

3. **X线钡餐检查**　采用气钡双重造影或多角度摄影能提高阳性率。X线征象有充盈缺损、癌性龛影、皮革胃及胃潴留等表现。但对早期胃癌诊断率低，癌瘤直径＜1cm的小胃癌难以发现，胃底癌也易漏诊。

4. **胃镜检查**　胃镜检查是胃癌的首选检查，是诊断早期胃癌最重要的手段，常与X线检查互补，可直接进行观察及取活组织进行细胞学检查，可明显提高早期胃癌的诊断率。

5. **超声内镜检查**　超声内镜具有超声波与内镜的双重功能，可显示胃壁各层与周围5cm范围内的声学结构，因而能清晰地观察到肿瘤浸润范围与深度，还可发现腔外生长的肿瘤，了解有无周围转移。

检查手段是胃癌的常见考点，考查方式灵活，各种题型均可见到，近些年多以A2、A3型题出现。

金题直击

4. 患者，男，55岁，慢性上腹部疼痛5年余，偶有黑便。近1月上腹部疼痛加重，呈持续性，体重减轻6kg，粪便持续发黑，为求确诊，首选的检查方式是

A. 肝功能检查　　B. 胃镜

C. 胃液分析　　D. 超声

E. 消化道造影

【答案】B

【解题思路】

患者主要的症状为上腹部疼痛，偶有黑便，说明患者应该是患有消化性溃疡，但近期症状发生变化，疼痛持续性存在，黑便持续存在，且体重迅速减轻，首先考虑是胃癌。胃癌的首选检查及确诊手段都是胃镜。

六、诊断与鉴别诊断

（一）诊断

胃癌诊断主要依赖于胃镜及活组织检查。为提高早期诊断率，凡是 40 岁以上，出现原因不明的上腹疼痛不适、食欲不振、体重明显减轻者，要考虑胃癌的可能性。

（二）鉴别诊断（助理不考）

1. **胃溃疡**　详见消化性溃疡部分所述。

2. **慢性萎缩性胃炎**　患者上腹部胀闷不适、食欲不振、恶心，可伴有贫血，类似胃癌，但不呈进行性消瘦，腹部无肿块，淋巴结无肿大，大便隐血试验阴性，必要时做胃镜并做活检可明确诊断。

3. **胃内其他恶性肿瘤**　胃癌应与胃原发性淋巴瘤，胃平滑肌肉瘤，胃邻近恶性肿瘤如原发性肝癌、胰腺癌、食管癌等进行鉴别。X 线、胃镜、B 超等可助鉴别诊断。

七、病情评估

1. 胃癌根据癌肿大小及浸润胃壁的深度分为早期胃癌与进展期胃癌，早期胃癌如能尽早发现而确诊，进行有效治疗则预后良好。

2. 根据癌细胞分化程度可分为高分化癌、中度分化癌和低分化癌三大类，分化程度越低恶性程度越高。

3. 根据胃癌腺体的形成及黏液分泌能力，分为管状腺癌、黏液腺癌、髓样癌和弥散型癌，一般管状腺癌分化良好，髓样癌分化较差，弥散型癌分化极差。

4. 根据胃癌的生长方式分为膨胀型和浸润型，浸润型癌细胞以分散方式向纵深处扩散，预后较差，相当于上述的弥散型胃癌。

八、治疗

1. **手术治疗**　是目前唯一有可能根治胃癌的手段。

2. **化疗**　单独应用或术后辅助治疗。

3. **放射治疗**　较少应用，因肿瘤对放射线的敏感性较低。

4. **其他**　免疫治疗、基因治疗等。

治疗是胃癌的常见考点，考查方式灵活，各种题型均可见到。

金题直击

5. 患者，男，55 岁，慢性上腹部疼痛 5 年余，偶有黑便。近 1 月上腹部疼痛加重，呈持续性，体重减轻 6kg，粪便持续发黑，该患者最有效的治疗方式应该是

A. 服用抑酸药　　B. 使用胃肠动力药

C. 应用黏膜保护剂　　D. 联合应用抗生素

E. 手术治疗

【答案】E

【解题思路】

患者主要的症状为上腹部疼痛，偶有黑便，说明患者应该是患有消化性溃疡，但近期症状发生变化，疼痛持续性存在，黑便持续存在，且体重迅速减轻，首先考虑是胃癌。胃癌的主要治疗手段是手术切除。

第四节　溃疡性结肠炎

一、概念

溃疡性结肠炎（UC）是一种发生在直肠和结肠的慢性非特异性炎症性疾病，是炎症性肠病的常见类型。病变主要限于大肠黏膜与黏膜下层，病情轻重不等，多呈反复发作的慢性病程。

二、病因与发病机制

1. 病因 免疫因素、遗传因素、感染因素、精神神经因素等，尚未完全明确。

2. 发病机制 遗传易感者通过环境、外源因素使肠黏膜损伤，致敏肠道淋巴组织，导致免疫调节和反馈失常，形成自身免疫反应而出现慢性、持续的炎症反应。参与此反应的细胞有巨噬细胞、肥大细胞、中性粒细胞、T淋巴细胞和B淋巴细胞及NK细胞等；参与反应的细胞因子和炎性介质有γ干扰素、白细胞介素、肿瘤坏死因子、血小板激活因子、前列腺素样物质、白三烯、血栓素、组胺、5-羟色胺、神经多肽、血管活性肽、P物质、氧自由基等。

三、病理

1. 溃疡性结肠炎的好发部位 为直肠、乙状结肠，可以扩展至降结肠、横结肠。

2. 病变一般限于黏膜和黏膜下层，穿孔、肠瘘少见，所以溃疡性结肠炎瘘管很少见。病理改变以溃疡糜烂为主，具有弥散性、浅表性、连续性的特点。

命题趋势 发病部位是溃疡性结肠炎常见的考查点，近些年多以A1、B1型题出现。

金题直击

（1～2题共用备选答案）

A. 阑尾炎　　B. 溃疡性结肠炎

C. 胆囊炎　　D. 肝癌

E. 十二指肠溃疡

1. 腹痛主要出现在左下腹的是 【答案】B

2. 腹痛主要出现在右下腹的是 【答案】A

【解题思路】

溃疡性结肠炎的发病部位是直肠及乙状结肠，疼痛部位多见于左下腹；阑尾长于盲肠起始部，疼痛位置自然是右下腹。

四、临床表现

1. 消化系统表现

（1）腹泻：为最主要的症状。主要是黏液脓血便，它是本病活动期的重要表现。便质多数呈粥状，如果鲜血附于粪便表面，说明病变在直肠；如果血液混于粪便中，说明病变在直肠以上。

（2）腹痛：腹痛→便意→便后缓解。若并发中毒性结肠扩张或炎症波及腹膜都可呈持续性剧烈腹痛。

（3）体征：若有腹肌紧张、反跳痛、肠鸣音减弱等腹膜刺激征的表现，应警惕中毒性结肠扩张、肠穿孔等并发症。

2. 全身表现 中、重型患者可有低热，如果出现高热多提示有合并症或见于急性暴发型。

3. 肠外表现 和克罗恩病一样，可有外周关节炎、结节性红斑、坏疽性脓皮病、巩膜外层炎、前葡萄膜炎、口腔复发性溃疡等。少见的有骶髂关节炎、强直性脊柱炎、原发性硬化性胆管炎等。

命题趋势 症状表现是溃疡性结肠炎的高频考点，近些年多以A1、B1型题出现。

金题直击

（3～4题共用备选答案）

A. 胃溃疡　　B. 直肠出血

C. 霍乱　　D. 直肠癌

E. 溃疡性结肠炎

3. 黏液脓血便可见于 【答案】E

4. 米泔水样便可见于 【答案】C

【解题思路】

溃疡性结肠炎的典型粪便表现是黏液脓血便；霍乱的典型粪便表现是米泔水样便。选项 A 的粪便表现为黑便。选项 B 属于下消化道出血，为鲜血便。选项 D 的粪便表现主要是大便变细。

5. 患者，男，30 岁。慢性腹泻、腹痛 2 年，疼痛多伴便意，便后自觉有缓解，可见黏液脓血便，该患除上述症状外，还可能见到的表现是

A. 高钙血症

B. 杵状指

C. 周围神经病变

D. 结节性红斑

E. 重症肌无力

【答案】D

【解题思路】

患者主要变现为腹痛腹泻，有黏液脓血便，疼痛性质为腹痛、便意、便后缓解，是溃疡性结肠炎的典型表现。溃疡性结肠炎的肠外表现常见的有外周关节炎、结节性红斑等。

五、实验室检查及其他检查

1. **血液检查** 血清白蛋白在轻型病例多正常或轻度下降，中、重型病例有轻或中度下降，甚至重度下降。血沉加快和 C 反应蛋白增高是活动期的标志。严重者出现电解质紊乱，尤以低钾血症最明显。

2. **粪便检查** 粪便常规检查肉眼观常有黏液脓血。

3. **结肠镜检查** 该检查是本病诊断与鉴别诊断的最重要手段，镜下所见重要改变如下。

（1）黏膜血管纹理模糊、紊乱或消失、充血、水肿、质脆、出血及脓性分泌物附着，并常见黏膜粗糙，呈细颗粒状。

（2）病变明显处见弥漫性糜烂和多发性浅溃疡。

（3）慢性病变见假息肉及桥状黏膜，结肠袋往往变浅、变钝或消失（图 3-5）。

4. **X 线钡剂灌肠检查** X 线气钡双重对比造影，有利于观察黏膜形态（图 3-6）。无条件行结肠镜检查的单位可行钡剂灌肠检查。主要征象有：①黏膜粗乱和（或）颗粒样改变；②肠管边缘呈锯齿状或毛刺样改变，肠壁有多发性小充盈缺损；③肠管短缩，结肠袋消失，呈铅管样。

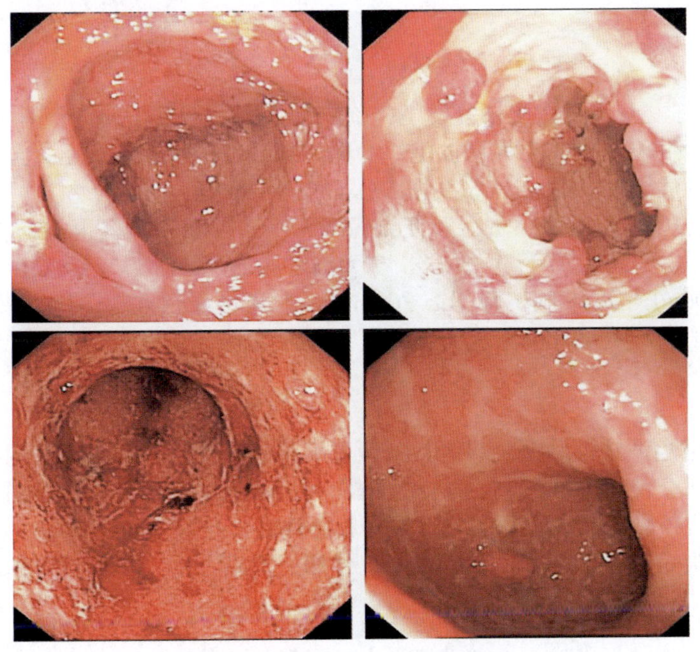

图 3-5 溃疡性结肠炎镜下表现

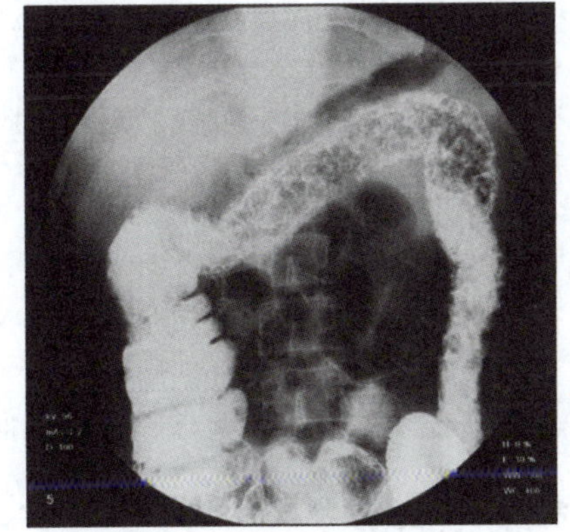

图 3-6 X 线钡剂灌肠影像

命题趋势 检查手段是溃疡性结肠炎的常见考点，考查方式灵活，各种题型均可见到，近些年多在 A2、A3 型题中出现。

6. 患者，男，30 岁。慢性腹泻、腹痛 2 年，疼痛多伴便意，便后自觉有缓解，可见黏液脓血便，为求确诊，选择的检查方式是

A. 消化道造影　　B. 胃镜
C. 结肠镜　　D. 粪便培养
E. 腹部 CT

【答案】C

【解题思路】

患者主要变现为腹痛腹泻，有黏液脓血便，疼痛性质为腹痛、便意、便后缓解，是溃疡性结肠炎的典型表现。确诊溃疡性结肠炎的检查方式是结肠镜。

六、诊断与鉴别诊断

（一）诊断

根据慢性腹痛，腹泻、黏液脓血便，反复粪便检查无病原体，应考虑此病，进一步应做 X 线钡剂灌肠和结肠镜检以助确诊。

（二）鉴别诊断

1. 急性自限性结肠炎　各种细菌感染如痢疾杆菌、沙门菌、耶尔森菌、空肠弯曲菌等导致的结肠炎症，急性发作时有发热，腹痛较明显，粪便检查可分离出致病菌，抗生素治疗有良好效果，通常在 4 周内痊愈。

2. 克罗恩病（Crohn 病）　腹泻，一般无肉眼血便，结肠镜及 X 线检查病变主要在回肠末段和邻近结肠且呈非连续性、非弥漫性分布，并有其特征改变，与溃疡性结肠炎鉴别一般不难。少数情况下，临床上会遇到两者一时难于鉴别的情况，此时可先诊断为炎症性肠病，观察病情变化后进一步确诊。

3. 大肠癌　多见于中老年人，经直肠指检常可触到肿块，结肠镜或 X 线钡餐灌肠检查对鉴别诊断有价值，活检可确诊。但应注意排除溃疡性结肠炎发生的结肠癌变。

4. 肠易激综合征　粪便可有黏液，但一般无脓血，显微镜检查正常，隐血试验阴性。结肠镜检查无器质性病变证据。

七、病情评估

1. 临床类型　①初发型：指无既往史的首次发作。②慢性复发型：临床上最多见，发作期与缓解期交替。③慢性持续型：症状持续，间以症状加重的急性发作。④急性暴发型：少见，急性起病，病情严重，全身毒血症状明显，可伴中毒性巨结肠、肠穿孔、败血症等并发症。上述各型可相互转化。

2. 病情严重程度　①轻型：腹泻＜ 4 次 / 天，无发热，贫血和便血轻或无，红细胞沉降率正常。②中型：腹泻 4 ～ 6 次 / 天，仅伴有轻微全身表现。③重型：腹泻＞ 6 次 / 天，多为肉眼脓血便，体温＞ 38℃至少持续 2 天以上，脉搏＞ 90 次 / 分，血红蛋白＜ 100g/L，红细胞沉降率＞ 30mm/h，血清白蛋白＜ 30g/L，体重短期内明显减轻。常有严重的腹痛、腹泻、全腹压痛，严重者可出现失水和虚脱等毒血症征象。

3. 病情分期　分为活动期和缓解期。

4. 严重并发症评估

（1）中毒性巨结肠：多发生在暴发型或重症溃疡性结肠炎患者，一般以横结肠最为严重。临床表现为病情急剧恶化，毒血症明显，有脱水与电解质平衡紊乱，出现鼓肠、腹部压痛，肠鸣音消失，血常规检查白细胞计数显著升高，X 线腹部平片可见结肠扩大，结肠袋形消失。预后差，易引起急性肠穿孔。

（2）直肠结肠癌变：多见于广泛性结肠炎、幼年起病而病程漫长者。经肠镜检查及组织学检查可诊断。

八、治疗与预防

主要采用内科治疗，治疗目的是缓解活动性炎症，缓解症状，减少复发，防治并发症。

1. 一般治疗　强调休息、饮食及营养。急性发作或重症患者应住院治疗，流质少渣饮食并给予支持疗法。及时纠正水、电解质平衡紊乱，贫血者可输血，低蛋白血症者输入血清蛋白。病情严重者应禁食，给予完全胃肠外营养治疗。腹痛患者可酌情用抗胆碱能药物，但不宜多用，以免促发急性结肠扩张。腹泻严重者可谨慎试

用复方苯乙哌啶（地芬诺酯）等。

2. 药物治疗

（1）氨基水杨酸制剂：常用柳氮磺吡啶（SASP），适用于轻、中型患者及重型经糖皮质激素治疗病情缓解者。病情缓解后改为维持量维持治疗，服用 SASP 的同时应补充叶酸。如病变局限在直肠，可用 SASP 或 5- 氨基水杨酸（5-ASA）灌肠，也可使用栓剂。

（2）糖皮质激素：药理作用为非特异性抗炎和抑制免疫反应，对急性发作期疗效好。适用于重型或暴发型，以及柳氮磺吡啶治疗无效的轻型、中型患者。常用泼尼松口服，病情控制后逐渐减量维持至停药。亦可用于灌肠。

（3）免疫抑制剂：上述两类药物治疗无效者可试用环孢素，大多数患者可取得暂时缓解而避免急症手术。

3. 手术治疗

（1）紧急手术指征：并发大量或反复严重出血、肠穿孔，重型患者合并中毒性巨结肠经积极内科治疗无效，伴有严重毒血症状者。

（2）择期手术指征：并发癌变以及长期内科治疗无效者。

4. 预防

（1）本病呈慢性过程，大部分患者反复发作，轻症患者首次确诊后应争取规范彻底治疗。

（2）慢性持续活动或反复发作、频繁发作的患者，有指征时及时手术治疗。

（3）病程漫长者癌变危险性增加，应实行监测性结肠镜检查。

第五节 肝硬化

一、概念

肝硬化是由不同病因长期损害肝脏所引起的一种常见的慢性肝病。其特点是慢性、进行性、弥漫性肝细胞变性、坏死、再生，广泛纤维组织增生，形成假小叶，逐渐造成肝脏结构的不可逆改变。主要表现为肝功能减退和门脉高压。晚期可出现消化道出血、肝性脑病、自发性腹膜炎等严重并发症。肝硬化是一种严重危害人们健康的疾病，不论男女老幼均可患病，发病高峰年龄在 20 ～ 50 岁，男性多于女性，在我国由病毒性肝炎所致肝硬化最为常见。

二、病因

1. **病毒感染**　主要是乙型、丙型和丁型肝炎病毒感染。

2. **酒精中毒**　长期大量饮酒，乙醇及其中间代谢产物乙醛等的毒性作用引发酒精肝，进一步发展为肝硬化（国外最常见）。

3. **胆汁淤积**　持续肝内、外胆管阻塞引起原发性或继发性胆汁性肝硬化。

4. **免疫紊乱**　自身免疫功能异常反应导致自身免疫性肝病。

5. **毒物药物**　长期接触工业毒物或药物中毒性肝炎肝硬化。

6. **循环障碍**　右心衰竭、缩窄性心包炎、肝静脉或下腔静脉阻塞致肝细胞长期淤血、缺氧、坏死和纤维组织增生，最终形成肝硬化。

7. **隐源性**　原因不明，称为隐源性肝硬化。

命题趋势　病因是肝硬化的常见考点，近些年多于 A1、B1 型题中出现。

金题直击

1. 肝硬化的主要病因是

A. 酒精　　B. 慢性肝炎

C. 中毒　　D. 免疫因素

E. 胆汁淤积

【答案】B

【解题思路】

肝硬化的主要病因是慢性病毒性肝炎，最常见的是乙肝。

三、临床表现

起病常隐匿，早期可无特异性症状、体征，根据是否出现黄疸、腹腔积液等临床表现和食管静脉出血、肝性脑病等并发症，可将肝硬化分为代偿期和失代偿期，但两期很难截然区分。

（一）代偿期肝硬化

代偿期肝硬化患者无特异性症状。常在肝活检或手术中发现。可有食欲减退、乏力、消化不良、腹泻等非特异性症状。临床表现同慢性肝炎，鉴别常需依赖肝脏病理。

（二）失代偿期肝硬化

1. 肝功能减退的临床表现

（1）全身症状：常见消瘦、纳减、乏力、精神萎靡、夜盲、浮肿、不规则低热等。

（2）消化道症状：常见上腹饱胀不适、恶心呕吐、易腹泻。查体见肝脏缩小、质硬、边缘锐利，可有结节感，半数以上患者有轻度黄疸。

（3）出血倾向和贫血：皮肤黏膜出血、贫血等，与凝血因子合成减少、脾功能亢进、营养不良等因素有关。

（4）内分泌失调：肝功能减退时对雌激素、醛固酮和抗利尿激素的灭能作用减弱，引起这些激素在体内蓄积，表现为男性睾丸萎缩、性欲减退，女性月经失调、闭经、不孕等。出现肝掌、蜘蛛痣。糖皮质激素分泌减少，可见皮肤色素沉着、面部黝黑。醛固酮、抗利尿激素增多，导致钠、水潴留，引起腹水。

2. 门静脉高压症的表现

（1）脾大：多为轻、中度肿大。上消化道大出血时，脾可短暂缩小。

（2）侧支循环建立和开放：食管、胃部静脉曲张；腹壁和脐周静脉曲张；痔静脉曲张及腹膜后组织间隙静脉曲张。其中食管、胃部静脉曲张，常因食物的摩擦、反流到食管的胃液侵蚀、门静脉压力显著增高等，引起破裂大出血。

3. 腹水　是肝硬化失代偿期最突出的体征之一。

四、并发症

1. 急性上消化道出血　最常见，是主要死因。表现为呕血与黑便，大量出血可引起出血性休克，并诱发腹水和肝性脑病。

2. 肝性脑病　是晚期肝硬化最严重的并发症，也是最常见的死亡原因之一。肝功能衰竭时，肠道和体内一些可以影响神经活性的毒性产物未被肝脏解毒和清除，经门静脉与体静脉间的交通支进入体循环，透过通透性改变了的血脑屏障进入脑部，导致大脑功能紊乱，主要表现为神经和精神方面的异常。

3. 原发性肝癌

4. 感染　患者抵抗力低下，门体静脉间侧支循环建立，增加了肠道病原微生物进入人体的机会，称为肠道细菌移居，故易并发各种感染如支气管炎、胆道感染、自发性腹膜炎、结核性腹膜炎等。

5. 肝肾综合征　是指发生在严重肝病基础上的肾衰竭，但肾脏本身并无器质性损害，故又称功能性肾衰竭。主要见于伴有腹水的晚期肝硬化或急性肝功能衰竭患者。

6. 肝肺综合征　是指发生在严重肝病基础上的低氧血症，主要与肺内血管扩张相关，而过去无心肺基础疾病。临床特征为严重肝病、肺内血管扩张、低氧血症 / 肺泡 - 动脉氧梯度增加的三联征，无有效治疗方法，预后差。

7. 其他　门静脉高压性胃病、电解质和酸碱平衡紊乱、门静脉血栓形成等。

命题趋势　并发症是肝硬化的常见考点，考查方式灵活，各种题型均可见到，近些年多在 A2、A3 型题中出现。

金题直击

2. 患者，男，60 岁。平素时常食欲不振伴饱胀不适，自觉乏力，偶有腹泻。近 1 月出现上述症状加重，查体前胸部见蜘蛛痣，腹壁静脉可见曲张，脾肋下 2.5 cm，移动行浊音（+）。该患者最容易出现的并发症是

A. 上消化道出血　　B. 肝性脑病

C. 肝肾综合征　　D. 电解质紊乱

E. 胆道感染

【答案】A

【解题思路】

患者有消化系统症状，又可见蜘蛛痣，更可见门静脉高压表现，即脾大、腹水、侧支循环形成，是肝硬化的典型表现。肝硬化最常见的并发症是上消化道出血。

【易错点】

注意：肝硬化最常见的并发症是上消化道出血，也是最常见的死因，而最重的并发症是肝性脑病。

五、实验室检查及其他检查

1. 肝功能检查 ①血清白蛋白降低而球蛋白增高，白蛋白与球蛋白比例降低或倒置。②血清 ALT 与 AST 增高。③凝血酶原时间在代偿期多正常，失代偿期则有不同程度延长。④重症者血清胆红素有不同程度增高。⑤血清Ⅲ型前胶原肽、透明质酸、层粘连蛋白等肝纤维化指标可显著增高。

2. 免疫学检查 细胞免疫功能减退。免疫球蛋白 IgG、IgA、IgM 均可增高，一般以 IgG 增高最为显著。病因为病毒性肝炎者，乙型、丙型或乙型加丁型肝炎病毒标记呈阳性反应。肝硬化有并发肝癌的危险，故应定期做甲胎蛋白检查，若超过 500 μg/L，对确诊肝癌有意义。

3. 腹水检查 一般为漏出液。如合并腹膜炎时腹水为渗出液。呈血性腹水应高度怀疑癌变，宜做细胞学检查。

4. 超声检查 可显示肝脾大小。门脉性肝硬化呈不均匀弥漫性小光点或光带；门脉高压时门静脉及脾静脉内径增宽。如有腹水可见液暗区。

5. X 线检查 食管静脉曲张时，食道吞钡 X 线检查显示虫蚀样或蚯蚓状充盈缺损，纵行黏膜皱襞增宽；胃底静脉曲张时，可见菊花样充盈缺损。

6. 内镜检查 通过内窥镜可直接窥视静脉曲张程度与范围，或出血部位。腹腔镜可直接观察肝外形、表面、色泽、边缘及脾等改变，并能在直视下做穿刺活体组织检查，与其他肝病鉴别。

7. 肝穿刺活体组织检查 若见假小叶形成，可确诊为肝硬化。

命题趋势 临床表现及检查方式是肝硬化的高频考点，考查方式灵活，各种题型均可见到，近些年多在 A2、A3 型题中出现。

金题直击

3. 患者，男，60 岁。平素时常食欲不振伴饱胀不适，自觉乏力，偶有腹泻。近 1 月出现上述症状加重，查体前胸部见蜘蛛痣，腹壁静脉可见曲张，脾肋下 2.5cm，移动行浊音（+）。该患者首选的检查方式是

A. 肝功能检查　　B. 超声

C. 腹部 X 线　　D. 乙肝五项

E. 肝脏穿刺活检

【答案】B

【解题思路】

患者有消化系统症状，又可见蜘蛛痣，更可见门静脉高压表现，即脾大、腹水、侧支循环形成，是肝硬化的典型表现。肝硬化首选的检查方式是超声。

4. 患者，男，60 岁。平素时常食欲不振伴饱胀不适，自觉乏力，偶有腹泻。近 1 月出现上述症状加重，查体前胸部见蜘蛛痣，腹壁静脉可见曲张，脾肋下 2.5cm，移动行浊音（+）。为求确诊，该患者的检查方式是

A. 肝功能检查　　B. 超声

C. 腹部 X 线　　D. 乙肝五项

E. 肝脏穿刺活检

【答案】E

【解题思路】

患者有消化系统症状，又可见蜘蛛痣，更可见门静脉高压表现，即脾大、腹水、侧支循环形成，是肝硬化的典型表现。肝硬化确诊最有价值的是穿刺活检。

注意，首选检查方式是超声，而确诊方式是肝脏穿刺活检。

六、诊断与鉴别诊断

（一）诊断

早期肝硬化的诊断较为困难，对于病毒性肝炎、长期饮酒等患者，严密随访观察，必要时做肝活检以早期诊断。肝硬化肝功能失代偿期，有肝功能损害和门脉高压的临床表现，结合实验室和其他检查可以确诊。

（二）鉴别诊断（助理不考）

1. 肝大的鉴别 与原发性肝癌、脂肪肝、血吸虫病等鉴别。

2. 脾大的鉴别 与慢性髓细胞性白血病、特发性门脉高压症、疟疾等鉴别。

3. 腹水的鉴别 与充血性心力衰竭、慢性肾小球肾炎、结核性腹膜炎、腹膜肿瘤等鉴别。

七、病情评估

首先确定病情属于肝功能代偿期还是肝功能失代偿期。对于失代偿期患者，应进行常见并发症的评估，确定是否存在并发症及其严重程度，尤其是肝性脑病。

目前对肝硬化的病情评估，主要是对肝脏储备功能的评估。临床常用 Child-Pugh 分级标准，见表 3-3。

表 3-3 肝硬化患者 Child-Pugh 分级标准

分级评估指标	分数		
	1 分	2 分	3 分
肝性脑病（分期）	无	Ⅰ～Ⅱ	Ⅲ～Ⅴ
腹水	无	少量，易消退	中量，难消退
血胆红素 /（μmol/L）	＜ 34	34 ～ 51	＞ 51
血白蛋白 /（g/L）	＞ 35	28 ～ 35	＜ 28
凝血酶原时间 /min	＜ 4	4 ～ 6	＞ 6

注：根据五项的总分判断分级，A 级 5 ～ 6 分，B 级 7 ～ 9 分，C 级≥ 10 分。

八、治疗与预防

肝硬化目前尚无特效治疗。关键在于早期诊断，及时针对病因治疗，加强一般治疗，防止病程进展。对已进入失代偿期的患者主要采取对症治疗，改善肝功能和抢救危急并发症。

1. 病因治疗 包括抗病毒治疗、免疫治疗。

2. 一般治疗

（1）休息：肝功能代偿期患者可参加一般轻工作，注意劳逸结合；肝功能失代偿期或有并发症者，需卧床休息。

（2）饮食：宜进高热量、高蛋白、足量维生素、低脂肪及易消化的食物。有腹水者，应低盐或无盐饮食。肝功能衰竭或有肝性脑病先兆应限制或禁食蛋白质，避免进食粗糙、坚硬食物。慎用巴比妥类等镇静药，禁用损害肝脏的药物。

3. 药物治疗

（1）保护肝细胞治疗：用于转氨酶及胆红素升高的肝硬化患者。促进胆汁排泄及保护肝细胞药，有熊去氧胆酸、强力宁等；及维生素类药。

（2）抗肝纤维化药物：目前尚无特效药物，可应用丹参、黄芪、虫草菌丝等。

（3）抗病毒治疗：病毒性肝炎者应根据情况进行抗病毒治疗，抑制病毒复制、改善肝功能，延缓进展。首选核苷类似物如拉米夫定等。

4. 腹水的治疗

（1）限制水、钠的摄入：一般每天钠盐摄入量＜ 5g。如有稀释性低钠血症、难治性腹水则应严格控制进水量在 800 ～ 1000mL/d。

（2）应用利尿剂：轻度腹水患者首选螺内酯；疗效不佳或腹水较多的患者，螺内酯和呋塞米联合应用。

（3）提高血浆胶体渗透压：有利于肝功能恢复和腹水消退。常用人血白蛋白，也可用血浆，定期、少量、多次静脉滴注。

（4）放腹水疗法：仅限用于利尿剂治疗无效，或由于大量腹水引起呼吸困难者。

（5）其他治疗：自身腹水浓缩回输术、外科治疗。

5. 并发症治疗

（1）上消化道出血：参见相关章节。

（2）肝性脑病：目前尚无特效疗法，主要针对原发病特点，尽可能改善肝功能，确定并消除诱因，减少肠源性毒物的生成及吸收。

① 去除诱因：如上消化道出血，感染，水、电解质和酸碱平衡失调，大量放腹水等。

② 减少肠道毒物的生成和吸收

a. 限制蛋白质摄入。

b. 灌肠或导泻，清除肠内积食、积血或其他含氮物质，减少氨的产生和吸收，乳果糖对急性门体分流性脑病特别有效。

c. 抗生素口服可抑制肠道细菌生长，抑制血氨的生成，和乳果糖合用有协同作用。

（3）预防再次出血

① 内镜下对曲张静脉进行套扎。

② 如果无条件作套扎，可以使用硬化剂注射。

③ 普萘洛尔合用 5-单硝酸异山梨醇酯可降低门静脉压力。

6. 肝移植　对各种不可逆的终末期肝病，肝移植是公认有效的治疗方法。

7. 其他　对症治疗，纠正水、电解质和酸碱平衡失调，抗感染，防治脑水肿，保持呼吸道通畅等。

第六节　原发性肝癌

一、概念

原发性肝癌是指起源于肝细胞或肝内胆管上皮细胞的恶性肿瘤，是我国常见恶性肿瘤之一，死亡率高，其死亡率在消化系统恶性肿瘤中居第三位，仅次于胃癌和食管癌。

二、病因

原发性肝癌的病因及确切分子机制尚不完全清楚，目前认为其发病是多因素、多步骤的复杂过程，受环境和因此双重因素影响。流行病学及实验研究资料表明，乙型肝炎病毒（HBV）和丙型肝炎病毒（HCV）感染、黄曲霉毒素、饮水污染、酒精、肝硬化、性激素、亚硝胺类物质、微量元素等都与肝癌发病相关。在我国 HBV 感染是工作发病的主要致癌因素，黄曲霉毒素和饮水污染则可能是最重要的促癌因素。

命题趋势　病因是原发性肝癌的常见考点，多以 A1、B1 型题出现。

金题直击

1. 原发性肝癌的常见致癌因素是

A. 酒精　　B. 黄曲霉毒素

C. 亚硝酸盐　　D. 甲型肝炎

E. 自身免疫因素

【答案】B

【解题思路】

肝癌的主要病因是乙肝、丙肝、黄曲霉毒素。

三、病理（助理不考）

（一）分型

1. 按大体形态分型　见表 3-4。

表 3-4 肝癌按大体形态分型

分型	要点
块状型	最多见，癌块直径多超过 5cm；直径大于 10cm 者称巨块型，易发生破裂
结节型	较常见，为大小和数量不等的结节，直径一般 5cm，常伴肝硬化
弥漫型	米粒至黄豆大小的癌结节散布全肝，肝大不明显，此型最少见，常因肝功能衰竭而死亡
小癌型	孤立的直径＜ 3cm 的癌结节，或相邻两个癌结节直径之和＜ 3cm 者，称为小肝癌

2. 按组织学分型 见表 3-5。

表 3-5 肝癌按组织学分型

分型	要点
肝细胞型	最多见，癌细胞由肝细胞发展而来，呈多角形排列成巢状或索状，在巢或索间有丰富的血窦，而无间质成分。癌细胞核大，核仁明显，胞浆丰富，有向血窦内生长的趋势
胆管细胞型	较少见，癌细胞由胆管上皮细胞发展而来呈立方或柱状，排列成腺样，纤维组织较多，血窦较少
混合型	最少见，具有肝细胞和胆管细胞癌两种结构，或呈过激形态，既不完全像肝细胞癌，又不完全像胆管细胞癌

（二）转移途径

1. 肝内转移 发生最早的转移是肝内转移。

2. 肝外转移

（1）血行转移：最常见的转移部位为肺。

（2）淋巴转移：转移至肝门淋巴结最为常见，也可转移至胰、脾、主动脉旁及锁骨上淋巴结。

（3）种植转移：较少见，癌细胞种植在腹膜引起血性腹水、胸腔积液，女性可出现卵巢转移癌。

转移方式是原发性肝癌的常见考点，多以 A1、B1 型题出现。

金题直击

2. 原发性肝癌最常见的转移位置是

A. 左锁骨上窝淋巴结　　B. 右锁骨上窝淋巴结

C. 肝门淋巴结　　D. 肝内转移

E. 肺

【答案】D

【解题思路】

肝癌的最早最常见的转移方式是血行转移，最常见的转移位置是肝内转移。

四、临床表现

（一）症状

1. 肝区疼痛 最常见，呈持续性胀痛或隐痛，因癌肿迅速生长使肝包膜绷紧所致。

2. 消化系统症状 食欲减退最常见。晚期可出现恶心、呕吐或腹泻。

3. 转移灶症状 症状因肝癌的转移部位不同而异。

4. 全身症状 进行性消瘦、乏力、发热较多见。

5. 伴癌综合征 是指原发性肝癌患者由于癌肿本身代谢异常或癌组织对机体影响而引起内分泌或代谢异常的一组症候群。主要表现为自发性低血糖症、红细胞增多症、高钙血症、高脂血症、类癌综合征等。

（二）体征

1. 肝大 绝大多数患者有肝大，进行性肝大是特征性体征之一，肝脏质地坚硬，边缘不规则，表面呈结节状，部分伴有明显压痛。

2. **黄疸** 多数患者晚期出现黄疸，由肝细胞损害、癌块压迫或侵犯胆总管所致。

3. **脾大** 多见于合并肝硬化与门静脉高压的患者。

4. **腹水征** 原有腹水者可表现为腹水迅速增加且具有难治性，腹水一般为漏出液。

五、实验室检查及其他检查

1. **甲胎蛋白（AFP）检测** 是当前诊断肝细胞癌最特异的标志物。检测血清中AFP，有助于原发性肝癌的早期诊断。AFP检查诊断肝细胞癌的标准为：① AFP大于500μg/L，持续4周。② AFP由低浓度逐渐升高不降。③ AFP＞200μg/L，持续8周。AFP浓度通常与肝癌大小呈正相关。

2. **异常凝血酶原检测** 对原发性肝癌有较高的特异性。

3. **超声检查** 肝脏B超检查能确定肝脏占位性病变的病灶性质、病变部位、播散和转移情况。

4. **CT、MRI** 对肝癌定位和定性诊断均有很重要的价值。

5. **肝动脉造影** 是目前诊断小肝癌的最佳方法。

6. **肝组织活检或细胞学检查** 在超声和CT引导下用细针穿刺行组织学或细胞学检查，是目前获得2cm直径以下小肝癌确诊的有效方法。

临床表现是肝癌的高频考点，考查方式灵活，各种题型均可见到，近些年多在A2、A3型题中以关键信息出现。

金题直击

3. 患者，男，60岁。平素时常食欲不振伴饱胀不适，自觉乏力，偶有腹泻。近1月出现上述症状加重，查体前胸部见蜘蛛痣，腹壁静脉可见曲张，脾肋下2.5cm，移动行浊音（+）。实验室检查HBsAg（+），胆红素33.2μmol/L，AFP 677μg/L，首先考虑

A. 急性肝炎　　B. 慢性肝炎

C. 慢性肝炎急性发作　　D. 肝硬化

E. 原发性肝癌

【答案】E

【解题思路】

患者有消化系统症状，又可见蜘蛛痣，更可见门静脉高压表现，即脾大、腹水、侧支循环形成，首先考虑是肝硬化的表现，但题干中给出了AFP大量升高，此时的诊断应为肝癌。

【易错点】

肝癌的患者是可以表现出肝硬化的一系列症状的，看似肝硬化表现的题干信息要注意其中是否有肝癌的提示信息。

4. 原发性肝癌确诊可用

A. 超声检查　　B. 腹部CT

C. 肝脏穿刺活检　　D. 腹水检测

E. 肝功能检查

【答案】C

【解题思路】

肝癌确诊最有价值的方式是肝脏穿刺活检。

【易错点】

肝癌首选的检查是超声，但确诊的方式是肝脏穿刺活检。

六、诊断与鉴别诊断

（一）诊断

有典型表现者诊断不难，但已属晚期。凡有肝病史的中年人，尤其是男性患者，如有不明原因的肝区疼

痛、消瘦、进行性肝大，应做 AFP、B 超、CT 等有关检查，进而明确诊断。满足下列三项中的任何一项，即可诊断肝癌：①具有两种典型影像学（超声、增强 CT、MRI 或选择性肝动脉造影）表现，病灶＞ 2cm。②一项典型的影像学表现，病灶＞ 2cm，AFP ≥ 400μg/L。③肝组织活检阳性。

（二）鉴别诊断（助理不考）

1. 继发性肝癌 继发性肝癌与原发性肝癌比较，继发性肝癌病情发展缓慢，症状较轻，其中以继发于胃癌的最多，肺、结肠、胰腺、乳腺等的癌灶也常转移至肝。常表现为多个结节型病灶，甲胎蛋白（AFP）检测除少数原发癌在消化的病例可为阳性外，一般多为阴性。

2. 肝硬化 肝癌多发生在肝硬化的基础上，两者鉴别常有困难。鉴别在于详细病史、体格检查联系实验室检查。肝硬化病情发展较慢且有反复，肝功能损害较显著，血清甲胎蛋白（AFP）阳性多提示癌变。

3. 肝脓肿 表现为发热、肝区疼痛、有炎症感染症状，白细胞数常升高，肝区叩击痛和触痛明显，左上腹肌紧张，周围胸腔壁常有水肿。

4. 肝海绵状血管瘤 该病为肝内良性占位性病变，常因查体 B 型超声或核素扫描等偶然发现。该病我国多见。鉴别诊断主要依靠甲胎蛋白测定、B 型超声及肝血管造影。

5. 肝包虫病 患者有肝脏进行性肿大、质地坚硬和结节感，晚期肝脏大部分被破坏，临床表现极似原发性肝癌。

6. 邻近肝区的肝外肿瘤 如胃癌、上腹部高位腹膜后肿瘤，来自肾、肾上腺、结肠、胰腺及腹膜后肿瘤等，易与原发性肝癌相混淆，除甲胎蛋白多为阴性可助区别外，根据病史、临床表现不同，特别超声、CT、MRI 等影像学检查、胃肠道 X 线检查等均可作出鉴别诊断。

七、病情评估

常规健康查体时对肝癌的普查以及对高危人群的严格普查是早期诊断肝癌的重要方法。

确诊的原发性肝癌具备下述状态时，一般预后较好：①瘤体直径小于 5cm，能早期手术治疗；②癌肿包膜完整，尚无癌栓形成；③机体免疫状态良好。

出现下列情况时，则预后不良：①合并肝硬化或有肝外转移者；②发生肝癌破裂、消化道出血者；③血 ALT 显著升高者。

八、治疗

原发性肝癌应早期手术切除治疗。但存活率低，综合治疗仍为重要措施。

1. 手术治疗 手术切除是治疗早期肝癌的最佳方案。若不能切除可做肝动脉结扎，20 世纪 70 年代开展了肝动脉插管灌注化疗，近年来又开展了栓塞化疗，可选择使用。

2. 综合治疗 不能切除者应采取综合治疗措施。

（1）放射治疗：病灶较为局限，肝功能较好，且能耐受较大放射剂量者，放射治疗效果较好。

（2）介入性治疗：为肝癌治疗的主要方法。①经皮股动脉穿刺肝动脉栓塞化疗术是非手术治疗肝癌患者的首选方法。②肝动脉灌注性化疗广泛用于治疗中晚期肝癌中不宜行肝动脉栓塞者，或由于血管变异，导管难以进入肝固有动脉者。③无水酒精注射疗法。

（3）局部消融治疗：安全性高、并发症少、易耐受、重复性好。对于单发的直径＜ 3cm 的小肝癌可获得根治性消融。

（4）生物治疗：能选择性地作用于肿瘤细胞，对原发部位和转移部位的肿瘤均有杀伤作用。

（5）全身化疗：以奥沙利铂为主的联合化疗用于无禁忌证的晚期肝癌患者。

（6）分子靶向治疗：能明显延长晚期患者生存期，且安全性良好。

命题趋势 临床表现是肝癌的高频考点，考查方式灵活，各种题型均可见到，近些年多在 A2、A3 型题中以关键信息出现。

金题直击

5. 患者，男，60 岁。平素时常食欲不振伴饱胀不适，自觉乏力，偶有腹泻。近 1 月出现上述症状加重，查体前胸部见蜘蛛痣，腹壁静脉可见曲张，脾肋下 2.5cm，移动行浊音（+）。实验室检查 HBsAg（+），胆红素 33.2μmol/L，AFP 677μg/L，该患可能的最佳治疗方式是

A. 抗病毒治疗　　B. 手术

C. 应用保肝药物　　　　D. 放射治疗

E. 生物治疗　　　　【答案】B

患者有消化系统症状，又可见蜘蛛痣，更可见门静脉高压表现，即脾大、腹水、侧支循环形成，首先考虑是肝硬化的表现，但题干中给出了 AFP 大量升高，此时的诊断应为肝癌。肝癌的最佳治疗方式是手术治疗。

第七节　急性胰腺炎

一、概念

急性胰腺炎（AP）是多种病因导致胰酶在胰腺组织内被激活后引起胰腺组织自身消化，导致局部炎症反应甚至引发全身炎症反应及多系统器官功能障碍的炎症性损伤疾病，临床以急性上腹痛伴恶心、呕吐、发热及血淀粉酶、脂肪酶升高为特点。根据病情严重程度，分为轻症急性胰腺炎（MAP）、中度重症急性胰腺炎（MSAP）、重症急性胰腺炎（SAP）和危重急性胰腺炎（CAP）。

二、病因与发病机制

（一）病因

1. **胆石症与胆道疾病**　胆石症及胆道感染等是急性胰腺炎的主要病因，因多数人胰管与胆总管汇合后共同开口于十二指肠壶腹部，胆结石嵌顿在壶腹部时，导致胰腺炎与上行胆管炎。此外，胆结石、胆道感染或胆道蛔虫症、胆道炎症均可引起急性胰腺炎。

2. **大量饮酒和暴食**　酒精促进胰液分泌，当胰管流出道不能充分引流大量胰液时，导致腺泡细胞损伤。暴饮暴食引起十二指肠乳头水肿和 Oddi 括约肌痉挛，同时刺激大量胰液与胆汁分泌，引发急性胰腺炎。此外，酒精常与胆道疾病共同导致急性胰腺炎。

3. **胰管梗阻**　胰管结石或蛔虫、胰管狭窄、肿瘤阻塞等均可引起胰管阻塞，引起急性胰腺炎。

4. **代谢障碍**　高甘油三酯血症可引发或加重急性胰腺炎。

5. **其他**　高钙血症、药物（如噻嗪类利尿剂、硫唑嘌呤、糖皮质激素、磺胺类等）、病毒感染、手术或外伤、自身免疫性血管炎等因素均可能引起胰腺炎。

（二）发病机制

各种病因单独或同时作用于胰腺，引起胰腺分泌增加，胰液排泄障碍，胰管内压力升高，溶酶体酶在腺泡细胞内提前激活酶原，大量活化的胰酶消化自身胰腺组织。胰腺血液循环障碍，导致胰腺出血坏死。

三、临床表现

（一）症状

1. **腹痛**　为本病主要和首发症状。常于饱餐、饮酒后突然发生，初起疼痛位于中上腹或左上腹部，可迅速扩散至全腹。腹痛为持续性疼痛伴阵发性加剧，可向腰背部呈束带状放射。

2. **恶心、呕吐**　多数患者伴有恶心、频繁呕吐，吐后腹痛不缓解，甚至出现麻痹性肠梗阻。

3. **发热**　多有中度以上发热，持续 3 ～ 5 天；合并胰腺感染或胆源性胰腺炎时，可出现持续高热。

4. **休克**　SAP 及 CAP 常伴发休克，甚至发生猝死。

5. **其他**　可伴有肺不张、胸腔积液，部分患者血糖升高等。

（二）体征

1. **轻症急性胰腺炎**　体征常与主诉腹痛的程度不相符，腹部体征可以不明显。

2. **重症急性胰腺炎**　上腹压痛明显，伴腹肌紧张及反跳痛。伴麻痹性肠梗阻者有明显腹胀，肠鸣音减弱或消失，可出现胸腔积液、腹水征。脐周皮肤出现青紫，称 Cullen 征；两腰部皮肤呈暗灰蓝色，称 Grey-Turner 征。并发胰腺及周围脓肿或假性囊肿时，上腹部可触及有明显压痛的肿块；如压迫胆总管，可出现黄疸等。

（三）并发症

1. 局部并发症

（1）胰腺脓肿：重症胰腺炎发病 2 ～ 3 周后，因胰腺及胰周坏死组织继发感染而形成脓肿。

（2）胰腺假性囊肿：常在病后 3 ～ 4 周形成，系由胰液和液化的坏死组织在胰腺内或其周围被包裹所致。

2. 全身并发症 SAP 及 CAP 常并发不同程度的多器官功能衰竭：①急性呼吸衰竭；②急性肾衰竭；③心力衰竭与心律失常；④消化道出血；⑤胰性脑病；⑥脓毒症；⑦高血糖；⑧慢性胰腺炎等。

四、实验室检查及其他检查

1. 标志物检测

（1）淀粉酶测定：血清淀粉酶在起病 2 ～ 12h 开始上升，约 24 h 达高峰，48h 左右开始下降，多持续 3 ～ 5 天。血清淀粉酶超过正常值上限 3 倍（＞ 500 苏氏单位 / 升）即可确诊急性胰腺炎。

（2）血清脂肪酶测定：血清脂肪酶常在起病后 24 ～ 72h 开始上升，持续 7 ～ 10 天，对延迟就诊的患者有诊断价值。

2. 血液一般检查 多有白细胞增多及中性粒细胞分类比例增加，中性粒细胞核左移。

3. 血生化检查 反映急性胰腺炎的病理改变，主要有：①暂时性血糖升高，常见，持久的空腹血糖超过 10mmol/L 反映胰腺坏死，提示预后不良；②血胆红素升高，少数患者出现，可于发病后 4 ～ 7 天恢复正常；③暂时性血钙降低，血钙低于 2mmol/L 见于 SAP，低血钙程度与临床严重程度平行，若血钙低于 1.5mmol/L 提示预后不良；④血清 AST、LDH 可升高；⑤血甘油三酯升高，可出现高甘油三酯血症，是病因也可能是结果；⑥ C 反应蛋白（CRP）升高，急性胰腺炎发病 72h 后升高，超过 150mg/L 提示胰腺组织坏死。

4. 腹部影像学检查

（1）腹部 X 线平片：对排除其他急腹症如消化道穿孔等有重要意义。

（2）腹部 B 超：在发病初期（24 ～ 48h）行 B 超检查，可初步判断胰腺组织形态学变化，应作为常规初筛检查。

（3）胸腹膜腔积液增强 CT：是诊断胰腺坏死的最佳方法。疑有胰腺坏死合并感染者，可行 CT 引导下穿刺。AP 的 CT 评分标准如下。

0 分：胰腺形态正常，无组织坏死。2 分：胰腺及胰周炎性改变，组织坏死≤ 30%，伴有胸腹腔积液、消化道出血等改变。4 分：有单发或多发积液区、胰周脂肪坏死，组织坏死＞ 30%。评分≥ 4 分可判断为 MSAP 或 SAP。

五、诊断与鉴别诊断

（一）诊断

AP 作为急腹症之一，应在患者就诊后 48h 内明确诊断。确诊 AP 应具备下列 3 条中的任意 2 条：①急性、持续性中上腹痛；②血淀粉酶或脂肪酶超过正常值上限 3 倍；③急性胰腺炎的典型影像学改变。

（二）鉴别诊断

1. 消化性溃疡急性穿孔 该类患者多有溃疡病史，以突然出现的腹痛为主要特点，腹部 X 线透视可见膈下游离气体有助于诊断。

2. 胆囊炎和胆石症 可有血、尿淀粉酶轻度升高，腹痛以右上腹多见，向右肩背部放射，右上腹压痛，Murphy 征阳性。B 超检查有助于鉴别。

3. 急性肠梗阻 以腹痛、呕吐、腹胀、排便排气停止为特征，肠鸣音亢进或消失，腹部平片可见肠腔内气液平面。

4. 急性心肌梗死 多有冠心病史，以突然发生的胸骨后及心前区压迫感或疼痛为主要表现。心肌损伤标志物升高，心电图见心肌梗死的相应改变。

六、病情评估

（一）分级诊断

急性胰腺炎根据胰腺坏死、胰腺感染及脏器衰竭情况，分为轻症急性胰腺炎（MAP）、中度重症急性胰腺炎（MSAP）、重症急性胰腺炎（SAP）和危重急性胰腺炎（CAP）。

1. MAP 的诊断依据 有剧烈而持续的上腹部疼痛，伴有恶心、呕吐、轻度发热，上腹部压痛，但无腹肌紧张，同时有血清淀粉酶和（或）尿淀粉酶显著升高，排除其他急腹症者，即可以诊断。

2. SAP 的诊断依据 患者除具备轻症急性胰腺炎的诊断标准外，还具有局部并发症（胰腺坏死、假性囊肿、脓肿）和（或）器官衰竭。

出现以下表现时应当按重症胰腺炎处理：①症状：烦躁不安、四肢厥冷、皮肤呈斑点状等休克症状；②体征：腹肌强直，有腹膜刺激征、Grey-Tumer 征或 Cullen 征；③实验室检查：血钙显著下降低于 2mmol/L，血糖超过 11.2mmol/L（无糖尿病史），血、尿淀粉酶突然下降；④腹腔诊断性穿刺：有高淀粉酶活性的腹水。

（二）分期诊断

1. 急性期 指发病后 2 周内，以全身炎症反应综合征及脏器功能障碍为主要表现，是患者的死亡高峰期。

2. 进展期 发病后 2 ～ 4 周，以急性坏死物胰周液体积聚及急性坏死物积聚为主，可无感染，也可合并感染。

3. 感染期 发病 4 周后，出现胰腺及胰周坏死性改变伴有感染、脓毒症，出现多系统器官功能障碍，是患者的第二个死亡高峰期。

七、治疗与预防

（一）治疗

1. 监护与一般治疗

2. 减少胰液分泌，抑制胰酶活性

（1）禁食：以减少胰液分泌。

（2）抑制胃酸分泌：可减少胰液分泌量，缓解胰管内高压。常用 H_2 受体拮抗剂或质子泵抑制剂。

（3）应用生长抑素：生长抑素可抑制胰泌素和缩胆囊素刺激的胰液基础分泌。

（4）抑制胰酶活性：用于 SAP 的早期，如甲贝酯。

3. 防治感染 病程中易发生感染，感染常加重病情，甚至促进死亡。必要时可选择喹诺酮类或头孢类联合抗厌氧菌抗生素甲硝唑。

4. 营养支持 对于 MAP 患者，短期禁食期间可通过静脉补液提供能量。病情缓解后应尽早过渡到肠内营养。恢复饮食应从少量、无脂、低蛋白饮食开始，逐渐增加进食量和蛋白质摄入量，直至恢复正常饮食。

5. 急诊内镜治疗 对胆总管结石性梗阻、急性化脓性胆管炎、胆源性败血症等胆源性急性胰腺炎应尽早行逆行胰胆管造影（ERCP）治疗。

6. 外科治疗 目前不主张过早手术治疗。手术适应证有：①胰腺坏死合并感染：在严密监测下考虑手术治疗，行坏死组织清除及引流术；②胰腺脓肿：可选择手术引流或经皮穿刺引流；③胰腺假性囊肿：视情况选择手术治疗、经皮穿刺引流或内镜治疗；④胆道梗阻或感染：无条件进行内镜下十二指肠乳头括约肌切开术（EST）时予手术解除梗阻；⑤诊断未明确，疑有腹腔脏器穿孔或肠坏死者行剖腹探查术。

7. 中医中药 常用大承气汤辨证加减。

（二）预防

积极治疗胆系疾病，应注意随访 B 超检查结果；避免过度饮酒，甚至禁酒；高甘油三酯血症患者应积极进行降脂保肝治疗。

高频考点速递

1. Hp 感染是慢性胃炎最主要的病因。
2. 胃镜检查是诊断慢性胃炎最可靠的办法。
3. DU（十二指肠溃疡）不服药或进食则要持续至午餐才缓解。
4. GU（胃溃疡）也可出现规律性疼痛，但餐后出现较早，在餐后 0.5 ～ 1h 出现，在下次餐前自行消失。
5. 肝性脑病是晚期肝硬化的最严重并发症。

第四单元　泌尿系统疾病

考试分值

节	级别 / 年份	2019	2020	2021	2022	2023
慢性肾小球肾炎	执业	2	2	2	2	1
	助理	1	0	1	0	1
尿路感染	执业	3	2	4	2	2
	助理	2	2	2	2	1
慢性肾脏病（慢性肾衰竭）	执业	1	1	1	0	0
	助理	0	0	0	0	0

第一节　慢性肾小球肾炎

一、概念

肾小球病系病变主要累及双肾肾小球的疾病，可分原发性、继发性和遗传性。原发性肾小球病的临床分型有急性肾小球肾炎、急进性肾小球肾炎、慢性肾小球肾炎、无症状性血尿和（或）蛋白尿（隐匿性肾小球肾炎）及肾病综合征。

慢性肾小球肾炎简称慢性肾炎，系指以蛋白尿、血尿、高血压、水肿为基本临床表现，可有不同程度的肾功能减退，最终将发展为慢性肾衰竭的一组肾小球病。

二、病因与发病机制

仅有少数慢性肾炎是由急性肾炎发展所致（直接迁延或临床痊愈若干年后再发）。绝大多数病因尚不确切，部分与溶血性链球菌、乙型病毒性肝炎病毒等感染有关。本病的发病机制有多种，大多是免疫复合物疾病。

三、临床表现

慢性肾小球肾炎可发生于任何年龄，但以中青年为主。临床表现呈多样性，以血尿、蛋白尿、高血压和水肿为基本临床表现，持续超过 3 个月。有急性发作的倾向，感染、过度疲劳为常见诱因。

1. **血尿**　多为镜下血尿。
2. **蛋白尿**　尿蛋白多在 1 ～ 3g/d。
3. **水肿**　以眼睑及脚踝部晨起水肿为特点，严重时可呈现全身性水肿。
4. **高血压**　可为首发表现，严重时出现高血压脑病及高血压心脏病。
5. **其他**　疾病加重可出现：①贫血，多为正细胞正色素性贫血。②眼底出血、渗出，视乳头水肿。③肾功能受损等。

命题趋势　临床表现是肾小球肾炎的高频考点，考查方式灵活，各种题型均可见到。

金题直击

1. 下列不是慢性肾小球肾炎常见表现的是

A. 血尿　　B. 蛋白尿

C. 水肿　　D. 高血压

E. 菌尿

【答案】E

【解题思路】

慢性肾小球肾炎的常见表现是血尿、蛋白尿、水肿、高血压。

四、实验室检查及其他检查

1. 尿液检查 蛋白尿、血尿及各种管型，晚期尿量减少。多为镜下血尿，尿畸形红细胞＞80%，尿红细胞平均细胞体积（MCV）＜75fL。可见颗粒管型。

2. 血液检查 贫血、低蛋白血症、血脂增高。

3. 肾功能检查 早期肾功能正常，随肾损害加剧，尿素氮、肌酐升高，晚期尿浓缩功能及排泄功能障碍。

4. 肾穿刺活检 如有条件且无禁忌证，或治疗效果欠佳且病情进展者，应做肾穿刺病理检查。

5. 其他检查 血清补体测定、放射性核素肾图及肾扫描、肾脏B超、肾活组织检查等助于诊断。

五、诊断与鉴别诊断

（一）诊断

患者临床表现轻重不等，可无明显症状，或有水肿、高血压、肾功能减退的症状。尿液检查可有轻重不等的蛋白尿。尿沉渣镜检可有红细胞增多（肾性血尿），或管型。肾功能正常或不同程度受损，且可持续多时。诊断困难时，应做肾穿刺行病理学检查。

（二）鉴别诊断（助理不考）

1. 原发性高血压 继发肾损害呈血压明显增高的慢性肾炎需与原发性高血压继发肾损害鉴别，后者先有较长期高血压，其后再出现肾损害，临床上远曲小管功能损伤（如尿浓缩功能减退、夜尿增多）多较肾小球功能损伤早，尿液改变轻微，常有高血压的其他靶器官并发症，肾穿刺病理学检查有助于鉴别。

2. 慢性肾盂肾炎 有间歇的尿感发作病史，影像学检查有局灶粗糙的肾皮质瘢痕，伴有相应肾盏变形可鉴别。

3. 继发性肾小球肾炎 如狼疮肾炎、过敏性紫癜肾炎等，依据相应的系统表现及特异性实验室检查，一般不难鉴别。

六、病情评估

1. 慢性肾炎起病隐匿，病情迁延，病变均为缓慢进展，最终进展为慢性肾衰竭。

2. 对于确诊的患者，尿液检查是诊断有无肾损伤的主要依据，其中检测尿蛋白最有意义，若有细胞管型或较多的颗粒管型与蛋白尿同时出现，则临床意义较大，提示早期肾功能不良。

3. 肾小球滤过率（GFR）测定是监测肾功能最有意义的量化指标，临床上既往多采取留血、尿标本测定肌酐清除率的方法进行GFR的评估，正常值平均为（100±10）mL/min，女性较男性略低。

七、治疗与预防

（一）治疗

主要治疗目的是防止或延缓肾功能进行性恶化、改善和缓解临床症状及防治严重并发症。

1. 饮食治疗 优质低蛋白饮食，蛋白质摄入量0.6～1g/（kg•d），以优质蛋白质（牛奶、蛋、瘦肉等）为主，控制饮食中磷的摄入，适量增加糖类的摄入量。低蛋白饮食2周后服用必需氨基酸或α-酮酸。

2. 控制高血压 高血压是加速病情进展的重要危险因素。尿蛋白＜1g/d时，血压应控制在＜130/80mmHg；尿蛋白≥1g/d者，血压应控制在＜125/75mmHg。首选具有肾脏保护作用的降压药如ACEI或ARB，一般需联合用药，血压控制不达标时联合应用钙拮抗剂、β受体阻滞剂和利尿剂等。

3. 抗凝和抗血小板解聚集 可延缓病变进展，部分患者可减少蛋白尿。高凝状态明显者多见于易引起高凝状态的病理类型如膜性肾病、系膜毛细血管增生性肾炎。常用双嘧达莫、肠溶阿司匹林、尿激酶、肝素等。

4. 糖皮质激素和细胞毒药物 不作为常规应用，患者肾功能正常或仅轻度受损，肾脏体积正常，病理类型较轻（如轻度系膜增生性肾炎、早期膜性肾病等），尿蛋白较多者，如无禁忌证可试用。

5. 其他 积极防治各种感染，禁用或慎用具有肾毒性的药物，积极纠正高脂血症、高血糖、高尿酸血症等。人工虫草制剂可辅助治疗。

（二）预防

预防溶血性链球菌、乙型肝炎病毒感染，以及预防与链球菌相关的急性肾炎，对预防慢性肾炎有一定的积极意义。对已经确诊的慢性肾炎患者，避免一切加重肾脏损害的因素，防止肾功能恶化。

命题趋势 治疗是慢性肾小球肾炎常见的考查点，近些年多以 A1、B1 型题出现。

金题直击

（2 ～ 3 题共用备选答案）

A. < 150/90mmHg　　B. < 140/90mmHg

C. ≤ 130/80mmHg　　D. < 130/80mmHg

E. < 125/75mmHg

2. 慢性肾小球肾炎降血压目标值至少为　　【答案】D

3. 慢性肾小球肾炎蛋白尿> 1g/d 时降压目标为　　【答案】E

【解题思路】

肾小球肾炎尿蛋白< 1g/d 时，血压应控制在< 130/80mmHg，所以血压控制至少是< 130/80mmHg。尿蛋白≥ 1g/d 者，血压应控制在< 125/75mmHg。

4. 下列不符合慢性肾小球肾炎治疗的是

A. 优质高蛋白饮食　　B. 控制高血压

C. 抗凝治疗　　D. 抗血小板聚集

E. 防治感染　　【答案】A

【解题思路】

慢性肾小球肾炎的饮食是优质低蛋白饮食。

【易错点】

虽然患者存在蛋白质流失，但依旧需要低蛋白饮食。

第二节　尿路感染

一、概念

尿路感染（UTI），是指各种病原微生物引起的尿路感染性疾病，其中以细菌感染最为多见。女性尿路感染发病率明显高于男性，超过 50 岁的男性因前列腺肥大等原因，发病率增高。

二、病因与发病机制

1. 病因　尿路感染 95% 以上是由单一细菌引起的。其中 90% 的门诊患者和 50% 左右的住院患者的致病菌均是革兰氏阴性菌，最常见是大肠埃希菌，其次有副大肠杆菌、变形杆菌、克雷白杆菌、产气杆菌、产碱杆菌和铜绿假单胞菌等。5% ～ 10% 的尿路感染由革兰氏阳性菌引起，主要是粪链球菌和葡萄球菌。

2. 发病机制（助理不考）

（1）感染途径：尿路感染的感染途径见表 4-1。

表 4-1　尿路感染的感染途径

途径	要点
上行感染	为最主要感染途径，病原菌由尿道经膀胱、输尿管上行至肾脏
血行感染	少见，多呈现双侧感染
直接感染	极少见邻近组织脏器感染蔓延所致
淋巴道感染	罕见

（2）易感因素：尿路梗阻、膀胱 - 输尿管反流、尿路畸形和结构异常、器械检查（导尿等）、代谢因素（糖尿病）、机体抗病能力降低和其他因素，如妊娠、尿道口周围炎、重症肝病、晚期肿瘤、长期卧床等，均易发病。其中尿路梗阻是最重要的易感因素。

命题趋势 病因与发病机制是尿路感染的常见考点，近些年多以 A1、B1 型题出现。

金题直击

1. 造成尿路感染的病原体主要是

A. 大肠杆菌　　B. 副大肠杆菌

C. 变形杆菌　　D. 克雷白杆菌

E. 葡萄球菌

【答案】A

【解题思路】

尿路感染的主要病因就是大肠杆菌感染。

2. 尿路感染的易感因素主要是

A. 尿路畸形　　B. 尿路梗阻

C. 尿道口周围炎症　　D. 长期卧床

E. 尿液反流

【答案】B

【解题思路】

尿路感染的易感因素主要是尿路梗阻。

三、临床表现

尿路感染的类型及临床表现见表 4-2。

表 4-2　尿路感染的类型及临床表现

类型	表现
膀胱炎	常见于年轻女性，主要表现为膀胱刺激征，尿液常浑浊，并有异味，约 30% 患者出现血尿。一般无明显的全身感染症状，少数患者可有腰痛、低热等。血白细胞计数多不增高
急性肾盂肾炎	常发生于育龄妇女，临床表现有：①泌尿系统症状：膀胱刺激征，腰痛和（或）下腹部痛，肋脊角及输尿管点压痛，肾区压痛和叩击痛；腰痛程度不一，多为钝痛、酸痛。②全身感染症状：寒战、发热、头痛、恶心呕吐、食欲不振等，体温多在 38 ～ 39℃，常伴有血白细胞计数升高和血沉增快
慢性肾盂肾炎	病程隐匿，少数可间歇出现症状性肾盂肾炎，以间歇性无症状细菌尿和间歇性尿急、尿频等下尿路感染症状为常见，可有间歇性低热。疾病后期肾小管功能受损，可出现多尿、夜尿增多、电解质紊乱、肾小管性酸中毒等。最终可致肾小球功能受损而导致肾衰竭

四、实验室检查及其他检查

1. 血常规　急性肾盂肾炎时，血白细胞及中性粒细胞可升高。

2. 尿常规　尿液含脓、血较多时外观浑浊。尿沉渣镜检白细胞＞ 5 个 /HP，诊断意义较大；部分患者可有红细胞，少数出现肉眼血尿。尿蛋白含量多为（± ～＋）。出现白细胞管型多提示为急性肾盂肾炎。

3. 尿细菌学检查　取清洁中段尿，必要时导尿或膀胱穿刺取标本，进行培养及药敏试验。如细菌定量培养菌落计数≥ 10^5/mL，可确诊；如菌落计数为 10^4 ～ 10^5/mL，结果可疑；如＜ 10^4/mL，多为污染。

4. 亚硝酸还原试验　尿路感染时阳性率约 80%，无假阳性，可作为尿路感染的过筛试验。

5. 影像学检查　尿路 X 线（腹部平片和静脉肾盂造影）及 B 超检查的主要目的是及时发现引起尿路感染反复发作的易感因素，如结石、梗阻、反流、畸形等。慢性肾盂肾炎可有两侧或一侧肾脏缩小，肾盂形态异常等改变。

6. **其他检查** 慢性肾盂肾炎晚期出现肾小管功能减退，血尿素氮及血肌酐升高。尿沉渣中抗体包裹细菌阳性者多为肾盂肾炎。肾盂肾炎时尿酶排出量增多，尿 β_2 微球蛋白升高，提示近端肾小管受损，支持上尿路感染。

命题趋势 临床表现是尿路感染的高频考点，考查方式灵活，各种题型均可见到，近些年多在 A2、A3 型题中以关键信息出现。

金题直击

3. 患者，女，23 岁。婚后 7 日出现尿频、尿急、尿痛。查体：P 120 次 / 分，T 39.0℃，BP 116/76mmHg，腹平软，无压痛，肝脾未触及，肾区叩击痛（+），首先考虑

A. 尿道综合征　　B. 肾结核
C. 膀胱炎　　D. 急性肾盂肾炎
E. 慢性肾盂肾炎

【答案】D

【解题思路】

患者存在尿频、尿急、尿痛，即膀胱刺激征，可知患者有尿路感染，且存在肾区叩击痛，那么是上尿路感染，即肾盂肾炎，而 7 日的时间显然不支持慢性的诊断。

【易错点】

膀胱炎与肾盂肾炎都会有膀胱刺激征，但肾盂肾炎才有肾区叩击痛。

4. 患者，女，23 岁。婚后 7 日出现尿频、尿急、尿痛。查体：P 120 次 / 分，T 39.0℃，BP 116/76mmHg，腹平软，无压痛，肝脾未触及，肾区叩击痛（+），该患者最可能见到的管型是

A. 颗粒管型　　B. 红细胞管型
C. 白细胞管型　　D. 脂肪管型
E. 蜡样管型

【答案】C

【解题思路】

白细胞管型意味着感染存在，而肾盂肾炎是感染引起的，故可见白细胞管型。

五、诊断与鉴别诊断

（一）诊断

1. **膀胱炎** 常以尿路刺激征为突出表现，一般少有发热、腰痛；尿白细胞增多，尿细菌培养阳性等即可确诊。

2. **急性肾盂肾炎** 常有全身（发热、寒战，甚至毒血症状）、局部（明显腰痛、输尿管点和/或肋脊点压痛、肾区叩痛）症状和体征，伴有：①膀胱冲洗后尿培养阳性；②尿沉渣镜检见白细胞管型，除外间质性肾炎、狼疮肾炎等；③尿 N- 乙酰 -β-D- 氨基葡萄糖苷酶（NAG）、尿 β_2 微量蛋白升高；④尿渗透压降低。可诊断。

3. **慢性肾盂肾炎** ①反复发作的尿路感染病史；②影像学显示肾外形凹凸不平且双肾大小不等，或静脉肾盂造影见肾盂肾盏变形、缩窄；③合并持续性肾小管功能损害。

（二）鉴别诊断（助理不考）

1. **全身性感染疾病** 注意尿路感染的局部症状，并做尿沉渣和细菌学检查，鉴别不难。

2. **肾结核** 膀胱刺激征多较明显，晨尿结核杆菌培养可阳性，尿沉渣可找到抗酸杆菌，静脉肾盂造影可发现肾结核 X 线征象，部分患者可有肺、生殖器等肾外结核病灶。肾结核可与尿路感染并存，如经积极抗生素治疗后，仍有尿路感染症状或尿沉渣异常者，应考虑肾结核。

3. **尿道综合征** 多见于中年妇女，仅有膀胱刺激征，而无脓尿及细菌尿，尿频较排尿不适更突出，有长期使用抗生素而无效的病史，口服地西泮有一定疗效。

4. **慢性肾小球肾炎** 慢性肾盂肾炎当出现肾功能减退、高血压时应与慢性肾小球肾炎相鉴别。慢性肾小球肾炎多为双侧肾盂受累，且肾小球功能受损突出，并常有蛋白尿、血尿和水肿等基本表现。慢性肾盂肾炎常有尿路刺激症，细菌学检查阳性，影像学检查可表现为双肾不对称性缩小。

六、病情评估

确诊尿路感染后根据感染发生部位将尿路感染分为上尿路感染和下尿路感染，上尿路感染指肾盂肾炎，下尿路感染主要指膀胱炎。对于有尿路感染病史的患者，应明确是急性尿路感染还是慢性尿路感染急性发作。肾盂肾炎、膀胱炎有急性和慢性之分。根据患者有无尿路功能或结构的异常，分为复杂性尿路感染、非复杂性尿路感染。

七、治疗与预防

（一）治疗

1. 一般治疗 应鼓励患者适量饮水。有发热等全身感染症状者应卧床休息。可服用碳酸氢钠（1g，3 次 / 天）碱化尿液，以减轻膀胱刺激症状，并能增强氨基糖苷类抗生素、青霉素、红霉素及磺胺等药物的疗效，但也可使四环素、呋喃妥因的药效下降。有诱发因素者应去除诱因，如肾结石、输尿管畸形等。

2. 抗菌治疗 抗菌治疗最好在清洁中段尿细菌培养及药物敏感试验结果指导下进行，因此应尽可能在用药前或停用抗生素 5 天后，留取清洁中段尿做细菌培养。不同类型尿路感染应采取不同的治疗方案。

（1）急性膀胱炎：目前推荐短疗程（3 天）疗法。选用喹诺酮类、半合成青霉素、头孢类或磺胺类等抗生素中的一种，连用 3 天，治愈率达 90%，可显著降低复发率。对无复杂因素存在的急性膀胱炎，可单用一种抗生素治疗。停药 7 天后需检查尿液细菌培养，仍为阳性者，应继续给予 2 周抗生素治疗。对妊娠妇女、糖尿病患者和复杂性尿路感染者，应采用较长疗程抗生素治疗。

（2）急性肾盂肾炎：尿标本采集后立即进行治疗，一般首选对革兰氏阴性杆菌有效的抗生素，但应兼顾革兰氏阳性菌感染。治疗 72h 无效者根据药敏结果调整用药。常用抗生素有喹诺酮类、半合成青霉素类、头孢菌素类，必要时联合用药。热退后连续用药 3 天改为口服，总疗程一般为 7 ～ 14 天。停药后第 2、第 6 周复查尿细菌定量培养，随后每月复查 1 次，随访中出现感染复发，应重新进行治疗。

（3）慢性肾盂肾炎：常为复杂性尿路感染，治疗的关键是去除易感因素；急性发作时，治疗同急性肾盂肾炎。反复发作者，应根据病情和参考药敏试验结果制定治疗方案。如联合几种抗生素药物，分组轮流使用，疗程适当延长至症状改善，菌尿消失，再以一种药物低剂量长期维持，疗程半年至一年。

3. 再发性尿路感染的治疗

（1）重新感染：治疗后症状消失，尿菌阴性，但在停药 6 周后再次出现真性细菌尿，菌株与上次不同，称为重新感染。多数病例有尿路感染症状，治疗方法与首次发作相同。对半年内发生 2 次以上者，可用长疗程小剂量抑菌治疗，即每晚临睡前排尿后服用小剂量抗菌药物 1 次，如氧氟沙星。

（2）复发：治疗后症状消失，尿菌转阴后的 6 周内再出现菌尿，且菌种与前一次感染相同（同一血清型），称为复发。复发的复杂性肾盂肾炎，在去除诱发因素（如结石、梗阻、尿路异常等）的基础上，严格按照药敏试验结果选择杀菌性抗菌药物治疗，疗程不少于 6 周。

4. 疗效评定

（1）治愈：症状消失，尿菌阴性，疗程结束后于第 2、第 6 周复查尿菌仍阴性。

（2）治疗失败：治疗后尿菌仍阳性，或治疗后尿菌阴性，但第 2 周或第 6 周复查尿菌转为阳性，且为同一种菌株。

（二）预防

1. 个人预防措施 坚持多饮水、勤排尿，是最有效的预防方法；注意个人卫生；与性生活有关的尿路感染，应于性交后立即排尿，并口服一次常用量抗菌药物；确定有膀胱 - 输尿管反流者，养成二次排尿的习惯，即每次排尿后数分钟，再排尿一次。

2. 医源性预防措施 尽量避免尿路器械的使用，必须应用时，严格无菌操作；如必须留置导尿管，前 3 天给予抗菌药物可延迟尿路感染的发生，并注意加强护理。

命题趋势 治疗是尿路感染的常见考点，考查方式灵活，各种题型均可见到，近些年多以 A2、A3 型题出现。

金题直击

5. 患者，女，23 岁。婚后 7 日出现尿频、尿急、尿痛。查体：P 120 次 / 分，T 39.0℃，BP 116/76mmHg，腹平软，无压痛，肝脾未触及，肾区叩击痛（+），该患者主要的治疗方式是

A. 在药物敏感试验下应用抗生素治疗　　B. 促进利尿

C. 控制体温　　D. 控制心律

E. 尽早规律应用广谱抗生素

【答案】A

【解题思路】

尿路感染的主要治疗方式即是抗感染，最合理的做法是在药敏试验的指导下进行抗感染治疗。

第三节　慢性肾脏病（慢性肾衰竭）

一、概念

慢性肾脏病（CKD）是指各种原因引起的慢性肾脏结构和功能障碍（肾脏损伤病史超过 3 个月），包括肾小球滤过率（CFR）正常和不正常的病理损伤、血液或尿液成分异常，及影像学检查异常，或不明原因的 CFR 低于 60mL/min 超过 3 个月。慢性肾衰竭（CRP）是指 CKD 引起的肾小球滤过率下降及与此相关的代谢紊乱和临床症状组成的综合征。由于缓慢进行性的肾功能减退，不能维持其基本功能，出现代谢产物潴留，水、电解质和酸碱平衡失调及各系统损害，其终末期为尿毒症。

二、病因与发病机制

慢性肾衰竭（CRF）是一个临床综合征。它发生在各种慢性肾实质疾病的基础上，缓慢地出现肾功能减退而至衰竭。终末期可以发展为尿毒症。

1. 病因　任何能破坏肾的正常结构和功能的泌尿系统病变，均可引起慢性肾衰竭，最常见的病因依顺序是：原发性慢性肾炎、梗阻性肾病、糖尿病肾病、狼疮肾炎、高血压肾病、多囊肾等。

2. 发病机制

（1）肾功能进行性恶化的机制：主要有高滤过、肾小管高代谢、血压升高、脂质代谢紊乱等。

（2）尿毒症各种症状的发生机制：包括尿毒症毒素作用、营养与代谢失调、内分泌异常等。

命题趋势　病因和发病机制是慢性肾衰的常见考点，近些年多以 A1、B1 型题出现。

金题直击

1. 慢性肾衰竭最常见的病因是

A. 急性肾炎　　B. 慢性肾炎

C. 糖尿病肾病　　D. 急性肾衰竭迁延不愈

E. 糖尿病肾病

【答案】B

【解题思路】

慢性肾衰最常见的病因依顺序是：原发性慢性肾炎、梗阻性肾病、糖尿病肾病等。

三、临床表现

1. 水、电解质及酸碱平衡紊乱

（1）代谢性酸中毒：出现食欲不振、呕吐、乏力、反应迟钝、呼吸深大，甚至昏迷。酸中毒可加重高钾血症。

（2）钾代谢紊乱：易出现或加重高钾血症。无尿患者，更应警惕高钾血症的出现。进食不足或伴随呕吐、腹泻时，应警惕低钾血症的发生。

（3）水、钠代谢紊乱：不同程度的皮下水肿和（或）体腔积液，也可出现低血压和休克。

（4）钙、磷代谢紊乱：主要表现为低钙血症和高磷血症。

（5）镁代谢紊乱：有轻度高镁血症，多无任何症状。

2. 各系统表现　慢性肾衰竭各系统表现见表 4-3。

表 4-3　慢性肾衰竭各系统表现

系统	表现
心血管系统	为最常见死亡原因。水钠潴留和肾素 - 血管紧张素 - 醛固酮活性增高可致血压升高，加重左心室负荷和心肌重构；高血压、容量负荷加重、贫血等可诱发心力衰竭；各种代谢废物的潴留、贫血、缺氧、低蛋白血症等可导致尿毒症性心肌病和心包病变；钙、磷代谢紊乱会导致血管钙化及动脉粥样硬化
血液系统	肾脏分泌促红素减少，为贫血的主要原因，同时血浆中出现红细胞生长抑制因子、红细胞寿命缩短、营养不良等也可加重贫血。晚期常因血小板功能异常，出现鼻出血、消化道出血、瘀斑等出血倾向表现。白细胞活性受抑制、淋巴细胞减少等导致免疫功能受损，易致感染
神经系统	毒素蓄积，水、电解质和酸碱平衡紊乱等导致乏力、精神不振、记忆力下降、头痛、失眠、肌痛、肌萎缩、情绪低落。晚期可出现构音困难、扑翼样震颤、多灶性肌痉挛、手足抽搐，进而意识模糊、昏迷
消化系统	食欲不振、恶心、呕吐常为首发症状，晚期口有尿臭味；部分患者因消化道炎症和溃疡，出现呕血、便血及腹泻等。由于进食少、吐泻可导致或加重水、电解质紊乱
呼吸系统	体液过多、酸中毒可出现呼吸困难；严重酸中毒时出现深大呼吸。各种代谢废物潴留可导致胸膜炎、肺钙化等
其他	血甘油三酯升高，白蛋白降低；钙、磷代谢异常及肾脏合成 $1,25(OH)_2D_3$ 减少，导致甲状旁腺功能亢进，引起肾性骨病，表现为骨痛、近端肌无力、骨折等；骨外钙化导致皮肤瘙痒；淀粉样物质沉着引起腕管综合征等

命题趋势　并发症是慢性肾衰的常见考点，近些年多以 A1、B1 型题出现。

金题直击

2. 慢性肾衰竭最常见的死因是

A. 血小板功能异常　　B. 尿毒症

C. 免疫功能受损　　D. 心力衰竭

E. 酸中毒

【答案】D

【解题思路】

慢性肾衰引发心血管系统损伤引起心力衰竭是其主要死因。

四、实验室检查及其他检查

1. 肾功能检查　①内生肌酐清除率（Ccr）和肾小球滤过率（GFR）下降。②肾小管浓缩稀释功能下降。③肾血流量及同位素肾图示肾功能受损。

2. 尿液检查　①尿蛋白量多少不等，晚期因肾小球大部分已损坏，尿蛋白反减少。②尿沉渣检查可有不等的红细胞、白细胞和颗粒管型。③尿渗透压降低，甚至为等张尿。

3. 血液检查　①血尿素氮、血肌酐升高；可合并低蛋白血症，血浆白蛋白常＜ 30g/L。②贫血显著，血红蛋白常＜ 80g/L，为正细胞正色素性贫血。③酸中毒时，二氧化碳结合力下降，血气分析显示代谢性酸中毒（pH ＜ 7.35 和血 HCO_3^- ＜ 22mmol/L）。④低钙血症、高磷血症。⑤血钾紊乱等。

4. 其他　X 线、B 超、CT 等检查，显示肾脏体积缩小。

五、诊断

1. 诊断要点　原有慢性肾脏病史，出现厌食、恶心呕吐、腹泻、头痛、意识障碍时，肾功能检查有不同程度的减退，应考虑本病。对因乏力、厌食、恶心、贫血、高血压等就诊者，均应排除本病。

2. 分期诊断　由于肾小球滤过率（GFR）较 Ccr 或 Scr 更能反映肾功能的变化，故现按 GFR 进行分期，见表 4-4。

六、治疗与预防

（一）治疗

CRF 的治疗主要是防治并发症，强调一体化治疗。早、中期患者的主要治疗措施包括病因和诱因的治疗、

表 4-4 肾功能分期诊断表

分期	特征	GFR/［mL/（min・1.73m²）］
1	GFR 正常或增加	≥ 90
2	GFR 轻度下降	60 ～ 89
3a	GFR 轻到中度下降	45 ～ 59
3b	GFR 中到重度下降	30 ～ 44
4	GFR 重度下降	15 ～ 29
5	肾衰竭	＜ 15 或透析

营养治疗、并发症治疗、胃肠道透析等；终末期患者除上述治疗外，以透析和肾移植为主要的有效治疗方法。

1. 延缓病情进展 基本原则是积极治疗原发病、消除导致病情恶化的危险因子和保护残存肾功能。

（1）积极控制高血压：未进入透析的患者目标血压为（120 ～ 130）/（75 ～ 80）mmHg。

（2）严格控制血糖：目标血糖为空腹 5.0 ～ 7.2mmol/L，睡前 6.1 ～ 8.3mmol/L，糖化血红蛋白＜ 70g/L。

（3）控制蛋白尿：目标值为＜ 0.5g/（24h）。

（4）营养疗法：严格限制蛋白质摄入量，每日 0.6 ～ 0.8g/kg；糖类与脂肪热量之比约为 3∶1。如热量不足可增加蔗糖、麦芽糖与葡萄糖的摄入。饮食应确保低磷、适当的钙。每日补充 B 族维生素、维生素 C、维生素 E。微量元素以铁、锌为主，避免摄入铝。

（5）ACEI 和 ARB 的应用：除良好的降压作用外，还可减低高滤过、减轻蛋白尿，同时抗氧化，减轻肾小球基底膜损害。

（6）其他：减轻肾小管高代谢（碱性药、大黄制剂、冬虫夏草制剂等），纠正高脂血症，减少尿毒症毒素蓄积（如吸附疗法、肠道透析等），应用活血化瘀药、抗氧化剂等。

2. 非透析治疗

（1）纠正水、电解质失衡和酸中毒：①纠正代谢性酸中毒。②防治水、钠代谢紊乱。③防治高钾血症：控制含钾食物、药物的摄入，避免输库存血，并可应用利尿剂增加排钾；轻度高钾者，可口服降血钾树脂，便秘时，可同服 20% 甘露醇；血钾＞ 6mmol/L 时，静脉滴注碳酸氢钠以纠正酸中毒，静脉或肌内注射呋塞米或布美他尼；应用 10% 葡萄糖酸钙 10mL 静脉注射以对抗钾对心肌的毒性；普通胰岛素加入 5% ～ 10% 葡萄糖液中静脉滴注，促使血浆与细胞外钾暂时移入细胞内，以降低血清钾；紧急时应血透或腹透排钾。

（2）控制高血压：常需要降压药联合治疗，未进入透析阶段的患者的血压应＜ 130/80mmHg，维持性透析患者的目标血压为 140/90mmHg。

（3）纠正贫血：可用促红细胞生成素（EPO），每周 80 ～ 120U/kg 皮下注射。纠正贫血的靶目标值为 Hb 达 110g/L，应经常检查血常规和网织红细胞。EPO 疗效不佳时，应排除缺铁、感染、慢性失血、纤维性骨炎、铝中毒等因素存在。

（4）低钙血症、高磷血症与肾性骨病的治疗：可口服 $1,25(OH)_2D_3$ 以纠正低钙血症；严重甲状旁腺功能亢进者可用 $1,25(OH)_2D_3$ 冲击疗法，同时口服葡萄糖酸钙或碳酸钙，应严密监测血钙浓度。低血钙抽搐时静脉注射 10% 葡萄糖酸钙 10 ～ 20mL。GFR ＜ 30mL/（min・$1.73m^2$）时，限制磷摄入，联合磷结合剂口服，首选碳酸钙；严重高磷血症（＞ 2.26mmol/L）或钙磷乘积升高时，暂停使用钙剂，可短期改服氢氧化铝制剂。

（5）防治感染：预防各种病原体的感染。一旦发生感染，及时选择敏感抗生素治疗，需注意随 GFR 调整药物剂量；尽量选择肾毒性小的药物。

（6）高脂血症的治疗：积极治疗高脂血症，同一般高脂血症的治疗原则。

（7）吸附剂治疗：氧化淀粉、活性炭制剂口服后，能结合肠道内的尿素随粪便排出以降低尿素氮。导泻疗法（口服大黄制剂、甘露醇）也可以增加肠道毒素的排泄。

（8）其他：①合并糖尿病者，应注意监测血糖变化，及时调整降糖药及胰岛素的用量。②高尿酸血症者，主张非药物治疗，如多饮水、低嘌呤饮食；血尿酸＞ 600μmol/L（女）或＞ 780μmol/L（男），应给予降尿酸治疗，首选别嘌呤醇。③皮肤瘙痒者，控制高磷血症及加强透析，可试用抗组胺药物。

3. 肾脏替代疗法 主要包括维持性血液透析、腹膜透析及肾移植。透析治疗 CRF 的目的是：①延长患者生命。②有助于可逆急性加重因素的 CRF 患者度过危险期。③肾移植术前准备及肾移植后发生急、慢性排异反应，治疗失败后的保证措施。移植肾的存活率随着新型免疫抑制剂如环孢素 A、吗替麦考酚酯等的应用而提高。

一般经饮食疗法、药物治疗等无效，肾衰竭继续发展，每日尿量< 1000mL 者，应进行透析治疗，其指征为：①血肌酐≥ 707.2mol/L。②尿素氮≥ 28.6mmol/L；③高钾血症。④代谢性酸中毒。⑤尿毒症症状。⑥水潴留（浮肿、血压升高、高容量性心力衰竭）。⑦并发贫血（红细胞比容< 15%）、心包炎、高血压、消化道出血、肾性骨病、尿毒症脑病等。

（二）预防

1. 对于存在慢性肾脏病高危因素的原发病患者，首先要提高对慢性肾衰竭诊断的敏感性。
2. 对已有的肾脏疾患或可能引起肾损害的疾病（如糖尿病等）进行及时有效的治疗，防止慢性肾衰竭的发生。
3. 对已确诊的慢性肾脏病患者，应避免一切肾损伤因素，尤其是各种感染及肾毒性药物的使用，严格控制饮食防治疾病进入慢性肾衰竭阶段。
4. 对已经进入慢性肾衰竭阶段的患者，根据病情及治疗条件，及时纠正各种代谢异常及各系统症状，有指征时进行肾脏替代治疗，并注意防止各种致死性并发症。

命题趋势 治疗是慢性肾衰竭的常见考点，考查方式灵活，各种题型均可出现。

金题直击

3. 下列不符合慢性肾衰竭的治疗方式是

A. 优质高蛋白饮食　　B. 应用 ACEI/ARB

C. 纠正电解质紊乱　　D. 纠正酸中毒

E. 控制高血压

【答案】A

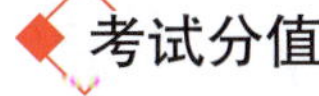

【解题思路】

慢性肾衰竭给予的是优质低蛋白饮食。

高频考点速递

1. 慢性肾小球肾炎的发病机制大多是免疫复合物疾病。
2. 慢性肾小球肾炎临床以血尿、蛋白尿、高血压和水肿为主要表现。
3. 慢性肾小球肾炎主要治疗目的是防止或延缓肾功能进行性恶化、改善缓解临床症状及防治严重并发症。
4. 慢性肾小球肾炎的治疗措施：①饮食治疗；②控制高血压；③抗凝和抗血小板解聚集；④糖皮质激素和细胞毒药物；⑤其他。
5. 尿路感染最常见致病菌是大肠埃希菌。
6. 尿路感染途径：上行感染（最主要感染途径）；血行感染；直接感染；淋巴道感染。
7. 膀胱炎常以尿路刺激征为突出表现。
8. 急性肾盂肾炎常有全身症状（发热、寒战，甚至毒血症状）、局部症状（明显腰痛、输尿管点和/或肋脊点压痛、肾区叩痛）。
9. 慢性肾衰竭所引起的心血管系统病变为最常见死亡原因。
10. 慢性肾衰竭的治疗主要是防治并发症，强调一体化治疗。

第五单元　血液系统疾病

考试分值

节	年份 / 级别	2019	2020	2021	2022	2023
缺铁性贫血	执业	1	1	1	1	2
	助理	0	1	2	1	1

续表

节	级别＼年份	2019	2020	2021	2022	2023
再生障碍性贫血	执业	1	1	2	1	2
	助理	1	1	1	2	1
白血病	执业	—	—	—	—	—
	助理	—	—	—	—	—
急性白血病	执业	1	1	0	0	0
	助理	1	0	0	1	0
慢性髓细胞性白血病	执业	—	—	—	—	—
	助理	—	—	—	—	—
白细胞减少症（助理不考）	执业	0	0	0	0	1
原发免疫性血小板减少症	执业	1	0	1	0	1
	助理	—	—	—	—	—
骨髓增生异常综合征	执业	—	—	—	—	—
	助理	—	—	—	—	—

第一节　缺铁性贫血

一、概念

贫血是指人体外周血红细胞容量减少，低于正常范围下限的一种常见的临床症状。1972 年 WHO 制定的诊断标准：在海平面地区 6 个月到低于 6 岁儿童血红蛋白低于 110g/L，6 ～ 14 岁儿童血红蛋白低于 120g/L，成年男性血红蛋白低于 130g/L，成年女性血红蛋白低于 120g/L，孕妇血红蛋白低于 110g/L。

缺铁性贫血（IDA）是因体内铁储备耗竭，影响血红蛋白合成所引起的贫血，是贫血中最常见的类型。IDA 是缺铁引起的小细胞低色素性贫血。

二、病因与发病机制

1. 病因

（1）需铁量增加而铁摄入量不足。

（2）铁吸收障碍。

（3）铁丢失过多：慢性失血是缺铁性贫血最常见的病因，如慢性消化道出血、女性月经过多。

2. 发病机制（助理不考） 缺铁使血红蛋白合成减少，引起低色素性贫血；由于含铁酶的活性降低，引起脂类、蛋白质及糖类在幼红细胞内合成障碍及成熟红细胞的内部缺陷，红细胞寿命缩短，易在脾内破坏；体内含铁酶类的缺乏，引起肌肉、脑、心、肝、肾脏等多脏器的活力降低，组织细胞内线粒体肿胀，临床上出现肌肉疲劳，神经系统、循环系统及消化系统等功能紊乱。

命题趋势 病因和发病机制是缺铁性贫血的高频考点，近些年多以 A1、B1 型题出现。

金题直击

1. 缺铁性贫血的常见病因是

A. 铁摄入不足　　B. 铁吸收障碍

C. 慢性失血　　D. 铁接合力降低

E. 骨髓活性降低

【答案】C

【解题思路】

慢性失血是缺铁性贫血最常见的病因。

【易错点】

因为本病的病名即是缺铁性贫血，所以很容易认为病因是摄入不足引起缺铁，然而最常见的却是慢性失血造成铁丢失过多而缺铁。

三、临床表现

1. 有贫血的表现 如面色苍白，头晕乏力等。

2. 特异的表现

（1）异食癖。

（2）匙状甲（反甲）（图 5-1）。

（3）吞咽困难，异物感，口舌炎。

（4）贫血性心脏病（心脏杂音）。

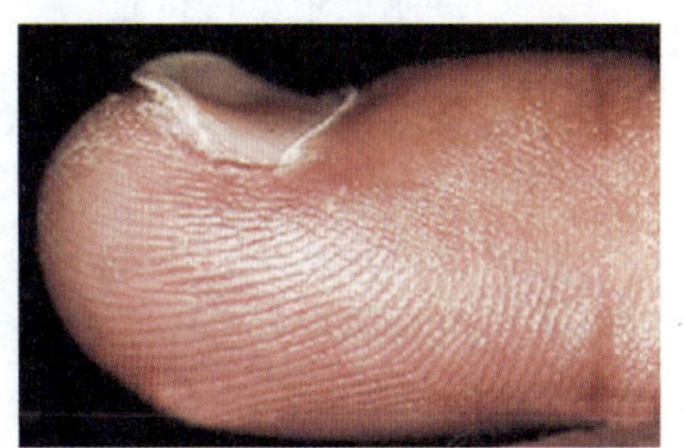

图 5-1 匙状甲

四、实验室检查

1. 血象 呈小细胞低色素性贫血（MCV ＜ 80fL、MCH ＜ 27pg、MCHC ＜ 32%），血片中红细胞体积小，中心淡染区扩大（图 5-2）。网织红细胞计数正常或轻度增高。白细胞和血小板计数可正常或减低。

2. 骨髓象 骨髓增生活跃或明显活跃；以红系增生为主，粒系、巨核系无明显异常；红系中以中、晚幼红细胞为主，其体积小，有“核老浆幼”现象。骨髓铁染色显示细胞内外铁均减少，铁粒幼红细胞消失或显著减少。

3. 铁代谢检查 ①血清铁及总铁结合力测定：血清铁浓度常＜ 8.9μmol/L，总铁结合力＞ 64.4μmol/L，转铁蛋白饱和度常降至 15% 以下。②血清铁蛋白测定：血清铁蛋白＜ 12μg/L 可作为缺铁依据。由于血清铁蛋白浓度稳定，与体内贮铁量的相关性好，可用于早期诊断和人群铁缺乏症的筛检。

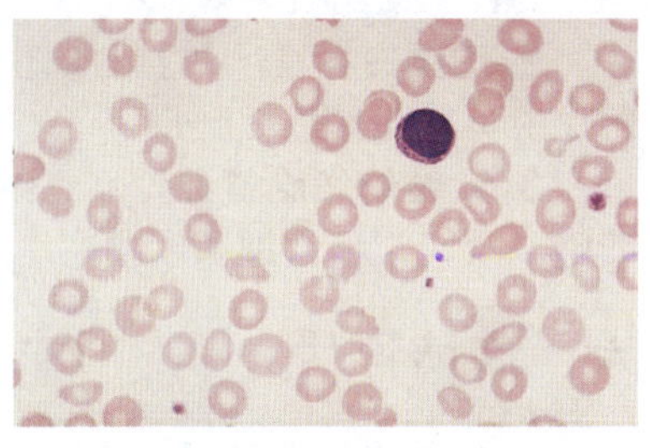

图 5-2 小细胞低色素性贫血涂片

4. 红细胞游离原卟啉（FEP）检查 正常为 0.29 ～ 0.65μmol/L（16 ～ 36μg/dL），缺铁贫血时增高。此外，其他血红素合成障碍的疾病，如铅中毒和铁粒幼细胞贫血时，FEP 亦增加，故 FEP 可作为初筛检查指标。

命题趋势 临床表现是缺铁性贫血的高频考点，考查方式灵活，各种题型均可见到，近些年多在 A2、A3 型题中以关键信息出现。

金题直击

2. 患者，女，28 岁。平时月经量偏大。近半年自觉头晕、乏力，偶有心慌。查体可见面色苍白，手指甲板中央凹陷。血常规示红细胞体积减小，血红蛋白 90g/L，红细胞 3.0×10^{12}/L，白细胞 4.8×10^{9}/L，血小板 112×10^{9}/L，首先考虑

A. 急性白血病　　B. 再生障碍性贫血

C. 缺铁性贫血　　D. 巨幼红细胞性贫血

E. 脾功能亢进

【答案】C

【解题思路】

患者有面白、乏力符合缺铁性贫血的一般表现，且有匙状甲，实验室检查可见小细胞低色素性贫血，符合缺铁性贫血的典型表现。

3. 下列哪项不符合缺铁性贫血的表现

A. 红细胞减少　　B. 骨髓铁染色减少

C. 骨髓增生活跃　　D. 血红蛋白减少

E. 铁接合力降低

【答案】E

【解题思路】

缺铁性贫血发生时，铁结合力及红细胞游离原卟啉是增高的。

五、诊断与鉴别诊断

（一）诊断

1. 有明确的缺铁病因和临床表现，强调缺铁性贫血的病因诊断。

2. 小细胞低色素性贫血 男性 Hb ＜ 120g/L，女性 Hb ＜ 110g/L，孕妇 Hb ＜ 100g/L，MCV ＜ 80fL，MCH ＜ 27pg，MCHC ＜ 32%。

3. 有缺铁的证据

（1）贮铁耗尽：血清铁蛋白＜ 12μg/L；骨髓铁染色阴性，铁粒幼红细胞＜ 15%。具备其中一条即可。

（2）缺铁性红细胞生成：符合贮铁耗尽的诊断；血清铁＜ 8.95μmol/L，总铁结合力＞ 64.4μmol/L，转铁蛋白饱和度＜ 15%，FEP/Hb ＞ 4.5μg/gHb。

（二）鉴别诊断（助理不考）

1. 慢性病性贫血 常见的病因有慢性感染、炎症和肿瘤。贫血为小细胞性，贮铁增多，血清铁、血清铁饱和度、总铁结合力降低。

2. 珠蛋白异常所致贫血 包括异常血红蛋白病和海洋性贫血，属遗传性疾病，有家族史，体检可有脾大，血片中可见靶形红细胞。

3. 铁粒幼细胞贫血 系红细胞铁利用障碍性贫血。骨髓中铁粒幼细胞增多，并出现特征性的环形铁粒幼细胞。血清铁和铁饱和度增高，总铁结合力降低。

六、病情评估

1. 判断组织缺铁与缺铁性贫血 符合以下条件判断为组织缺铁：①血清铁蛋白＜ 12μg/L；②骨髓铁染色显示骨髓小粒可染铁消失，铁粒幼红细胞＜ 15%。

符合以下条件诊断为缺铁性贫血：①符合组织缺铁的诊断标准；②血清铁＜ 8.95μmol/L，总铁结合力升高超过 64.4μmol/L，转铁蛋白饱和度＜ 15%；③ FEP/Hb ＞ 4.5μg/gHb。

2. 判断贫血的程度

（1）轻度贫血：血红蛋白男性 90 ～ 120g/L，女性 90 ～ 110g/L。

（2）中度贫血：血红蛋白 60 ～ 90g/L。

（3）重度贫血：血红蛋白 30 ～ 60g/L。

（4）极重度贫血：血红蛋白＜ 30g/L。

七、治疗与预防

（一）治疗

1. 病因治疗 是缺铁性贫血能否得以根治的关键所在。对症铁剂治疗，虽可缓解病情，但若未去除病因，贫血难免复发且可延误原发病的治疗。

2. 铁剂治疗

（1）口服铁剂：首选。常用硫酸亚铁片 0.3mg，3 次 / 天。少数患者可出现消化道刺激症状，如恶心、胃灼热感、胃肠痉挛及腹泻等，餐后服用可减轻其副作用且易耐受。应注意，进食谷类、乳类和茶等会抑制铁剂的吸收，鱼、肉类、维生素 C 可加强铁剂的吸收。服用铁剂后，患者网织红细胞开始上升，5 ～ 10 天达高峰，血红蛋白多在治疗 2 周后开始升高，2 个月后恢复正常。血红蛋白恢复正常后，仍应继续服用铁剂 3 ～ 6 个月，待铁蛋白正常后停药。

（2）注射铁剂：右旋糖酐铁 2mL 注射液含铁 50mg，首剂 50mg，以后 100mg，深部肌内注射，1 次 / 天或隔日 1 次。注射铁剂的副作用较多且严重，应严格掌握适应证：①不能耐受口服铁剂者。②原有消化道疾病，如胃、十二指肠溃疡等，口服铁剂加重病情者。③消化道吸收障碍，如胃十二指肠切除术后。④因治疗不能维持铁平衡，如血液透析者。

计算方法：

所需补充铁的总剂量（mg）=［150－患者Hb（g/L）］× 体重（kg）×0.33

（二）预防

对于生长发育期的婴幼儿、青少年，应注意含铁丰富食物的摄入；对孕妇、哺乳期妇女应适当补充铁剂；有持续月经量过多的女性，除专科就诊寻找原因外，应注意饮食补铁。做好恶性肿瘤和慢性消化系统疾病的人群筛查、防治工作。

命题趋势 治疗是缺铁性贫血的高频考点，考查方式灵活，各种题型均可见到，近些年多以A2、A3型题出现。

金题直击

4. 患者，女，28岁。平时月经量偏大。近半年自觉头晕、乏力，偶有心慌。查体可见面色苍白，手指甲板中央凹陷。血常规示红细胞体积减小，血红蛋白90g/L，红细胞3.0×10^{12}/L，白细胞4.8×10^{9}/L，血小板112×10^{9}/L。该患者首选的治疗用药是

A. 叶酸　　B. 维生素B_{12}

C. 雄激素　　D. 硫酸亚铁片

E. 糖皮质激素

【答案】D

【解题思路】

缺铁性贫血的主要治疗方式是口服铁剂，首选用药是硫酸亚铁片。

第二节　再生障碍性贫血

一、概念

再生障碍性贫血（AA，简称再障），是由多种病因引起的原发性骨髓造血功能衰竭综合征，临床主要表现为骨髓造血功能低下、全血细胞减少和贫血、出血、感染。

二、病因与发病机制

1. 病因

（1）药物：是引起获得性再障的首位病因，如抗癌药、氯霉素、磺胺药、保泰松、苯妥英钠等。

（2）化学物质：如苯和杀虫剂等。

（3）放射线。

（4）病毒感染：病毒性肝炎相关性再障，主要是丙型病毒性肝炎，乙型病毒性肝炎也可引起，风疹病毒、EB病毒及流感病毒也有报告，人类微小病毒B19可引起纯红细胞再生障碍性贫血，也可引起再障。

（5）其他因素：如阵发性睡眠性血红蛋白尿、系统性红斑狼疮、胸腺瘤等。

2. 发病机制

（1）造血干细胞缺陷为再障的主要发病机制。

（2）造血微环境缺陷。

（3）免疫功能异常，包括辅助T细胞功能减弱，抑制T细胞功能增强，患者血清和骨髓中干扰素水平增高，具有抑制造血作用等。

（4）遗传因素。

命题趋势 病因和发病机制是再生障碍性贫血的高频考点，近年多以A1、B1型题出现。

金题直击

1. 再生障碍性贫血的常见病因是

A. 化学毒物　　B. 放射线

C. 药物因素　　D. 病毒感染

E. 营养不良

【答案】C

【解题思路】

药物因素是再生障碍性贫血最常见的病因。

三、临床表现

主要临床表现为贫血、出血及感染。一般没有淋巴结及肝脾大。

1. 重型再障 起病急，进展迅速，常以出血、感染和发热为主要表现。发病初期贫血常不明显，但进行性加重。几乎所有患者都有出血倾向，皮肤瘀斑、鼻出血、牙龈出血、消化道出血、血尿、妇女月经过多等均常见，颅内出血发生率高，可致死亡。感染发热多为高热，常见皮肤、肺部和口腔感染（图 5-3）等，可因败血症而死亡。病程短，患者常在数月至 1 年内死亡。

2. 非重型再障（NSAA） 起病和进展缓慢，主要表现为乏力、心悸、头晕、面色苍白等贫血症状。出血较轻，内脏出血少见。感染发热一般为轻度，出现较晚，且易控制。病程较长，患者可以生存多年，若治疗恰当，可长期缓解以至痊愈。少数病例可转变为急性过程。

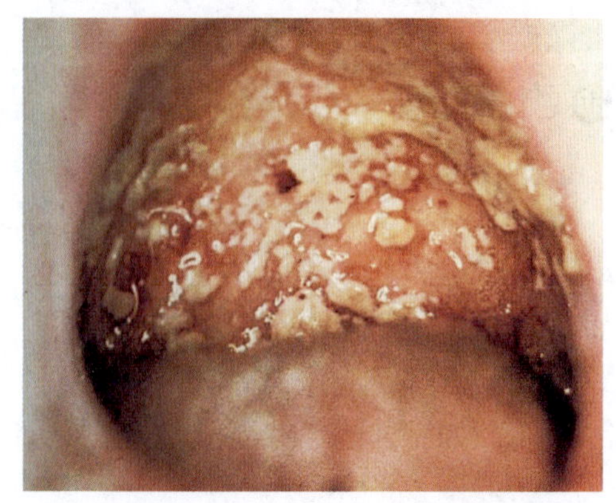

图 5-3　再生障碍性贫血患者口腔念珠菌感染

四、实验室检查及其他检查

1. 血象 特点是全血细胞减少，而三系细胞减少程度不一，少数患者可呈两系细胞减少。但无血小板减少时，再障的诊断宜慎重。网织红细胞计数减少。

2. 骨髓象 包括穿刺涂片和活检。穿刺涂片的特点是脂肪滴增多，骨髓颗粒减少。多部位穿刺涂片增生不良。三系造血有核细胞均减少，早期细胞少见，无明显病态造血，非造血细胞成分如淋巴细胞、浆细胞、组织嗜碱性粒细胞和网状细胞增多。在判断造血功能上，骨髓活检优于骨髓穿刺，主要特点是骨髓脂肪变，三系造血细胞和有效造血面积均减少（＜ 25%）。

3. 其他 CD_4^+ 细胞与 CD_8^+ 细胞比值降低，Th_1 与 Th_2 细胞比值升高。

五、诊断与鉴别诊断

（一）诊断

1. 典型再障的诊断标准

（1）全血细胞减少，网织红细胞绝对值减少。

（2）一般无肝、脾大。

（3）骨髓多部位增生减低（＜正常 50%）或重度减低（＜正常 25%），造血细胞减少，骨髓小粒成分中应见非造血细胞增多（有条件者应做骨髓活检）。

（4）能除外引起全血细胞减少的其他疾病。

（5）一般抗贫血治疗无效。

2. 不典型再障的诊断依据 需慎重诊断，要进行动态观察，多次和多处骨髓穿刺，结合骨髓活检及核素扫描等综合诊断。

3. 重型再障的血象诊断标准

（1）网织红细胞＜ 0.01，绝对值＜ 15×10^9/L。

（2）中性粒细胞绝对值＜ 0.5×10^9/L。

（3）血小板＜ 20×10^9/L。急性型再障称重型再障 Ⅰ 型，慢性再障恶化者称重型再障 Ⅱ 型。

（二）鉴别诊断

1. 阵发性睡眠性血红蛋白尿 多有发作性血红蛋白尿，鉴别不难。不典型者，出现全血细胞减少，骨髓增生低下，易误诊为再生障碍性贫血，随访酸溶血试验、微量补体溶血敏感试验阳性，有助于鉴别诊断。

2. 继发性再生障碍性贫血 有明确病因如接触电离辐射、化学毒物等，也可见于肾衰竭晚期、败血症、肿瘤浸润骨髓等。

3. 低增生性急性白血病 低增生性急性白血病早期肝脾、淋巴结不肿大，易与再生障碍性贫血混淆，复查血象及多部位骨髓，发现原始细胞明显增多，有助于鉴别诊断。

命题趋势 临床表现是再生障碍性贫血的高频考点，考查方式灵活，各种题型均可见到，近些年多在A2、A3型题中以关键信息出现。

金题直击

2. 患者，女，32岁。平时月经量偏大，偶有乏力头晕。今日无明显诱因出现高热，伴鼻出血不止急诊入院。查体：T 39.0℃，P 122次/分，BP 100/62mmHg。腹部平坦，无压痛，肝脾未触及。血常规示红细胞 2.9×10^{12}/L，白细胞 2.0×10^{9}/L，血小板 32×10^{9}/L。首先考虑

A. 缺铁性贫血　　B. 粒细胞缺乏

C. 特发性血小板减少性紫癜　　D. 急性白血病

E. 再生障碍性贫血

【答案】E

【解题思路】

患者出现高热及出血伴有贫血表现，血象可见三系血细胞均减少，可知是再生障碍性贫血的典型表现。

3. 下列疾病，患者骨髓活跃程度最差的是

A. 缺铁性贫血　　B. 再生障碍性贫血

C. 急性白血病　　D. 慢性白血病

E. 特发性血小板减少性紫癜

【答案】B

【解题思路】

再生障碍性贫血骨髓多部位增生减低，骨髓不活跃或极度不活跃。

六、病情评估

1. 查明病因，判断病因学类型

（1）遗传性再障：如 Fanconi 贫血、家族性增生低下性贫血及胰腺功能不全性再障等，详细询问家族史，可以提供发生贫血的遗传背景。

（2）获得性再障：有明确病因，包括接触电离辐射、化学毒物或使用药物等。

2. 重型再障的分型与预后

（1）急性型 SAA：即 SAA-Ⅰ型，发病急，贫血进行性加重，有严重感染和出血。一般检查具备下述三项中两项：①网织红细胞绝对值＜ 15×10^{7}/L；②中性粒细胞＜ 0.5×10^{7}/L；③血小板＜ 20×10^{7}/L。骨髓增生广泛重度减低，如中性粒细胞＜ 0.2×10^{9}/L，为极重型再障，预后凶险。

（2）慢性型再障：即 SAA-Ⅱ型，指 NSAA 患者病情恶化，但临床表现、血液检查及骨髓象检查达不到 SAA-Ⅰ型诊断标准的再障，多无严重感染及内脏出血，经治疗可缓解，预后相对良好。

七、治疗与预防

（一）治疗

1. 一般治疗　预防感染；注意饮食及环境卫生；避免出血，防止外伤及剧烈运动；防止患者与任何对骨髓造血有毒性作用的物质接触；禁用对骨髓有抑制作用的药物。

2. 支持疗法　①积极防治感染。②控制出血：出血者可适当应用糖皮质激素，严重出血尤其内脏出血，可输入浓缩血小板。③纠正贫血：严重贫血患者可输入浓缩红细胞，尽量少用全血，避免滥用或多次输血。④护肝治疗。

3. 刺激骨髓造血

（1）雄激素：为治疗非重型再障的首选药物。治疗机制为：①增加红细胞生成素的产生，并加强造血干细胞对红细胞生成素的敏感性。②促进多能干细胞增殖和分化。常用制剂有丙酸睾酮、司坦唑醇（康力龙）及达那唑、十一酸睾酮（安雄）等。

（2）造血干细胞移植：用于重型再障，年龄＜ 40 岁、无感染及有其他并发症的患者。

（3）造血生长因子：主要用于重型再障，可促进血象恢复，常用重组人粒细胞集落刺激因子、粒 - 单细胞集落刺激因子及重组人促红细胞生成素（EPO）等，与免疫抑制剂联合应用可提高疗效。

（4）其他药物：一叶萩碱治疗非重型再障有效。其机制是通过兴奋自主神经系统改善骨髓微循环；莨菪碱也有相似作用，治疗慢性再障有效。

4. 应用免疫抑制剂 抗胸腺细胞球蛋白及抗淋巴细胞球蛋白是目前治疗重型再障的主要药物，临床常联合应用环孢素、大剂量甲泼尼龙、丙种球蛋白等治疗重型再障。

5. 异基因骨髓移植 用于急性型和重型再障，年龄低于 40 岁的患者。

（二）预防

加强环境治理与保护，避免频繁、过多接触各类电离辐射，严格把握药物使用指征，不乱用乱服抗菌药物。

治疗是再生障碍性贫血的高频考点，考查方式灵活，各种题型均可见到，近些年多以 A2、A3 型题出现。

金题直击

4. 患者，女，32 岁。平时月经量偏大，偶有乏力头晕。今日无明显诱因出现高热，伴鼻出血不止急诊入院。查体：T 39℃，P 122 次 / 分，BP 100/62mmHg。腹部平坦，无压痛，肝脾未触及。血常规示红细胞 2.9×10^{12}/L，白细胞 2.0×10^{9}/L，血小板 32×10^{9}/L。该患者的首选药物是

A. 硫酸亚铁　　B. 叶酸

C. 维生素 B_{12}　　D. 地塞米松

E. 丙酸睾酮

【答案】E

【解题思路】

患者出现高热及出血伴有贫血表现，血象可见三系血细胞均减少，可知是再生障碍性贫血的典型表现。再生障碍性贫血的首选药物是雄激素。

第三节 白血病

一、概念

白血病是一类造血干细胞的恶性克隆性疾病，因白血病细胞自我更新增强、增殖失控、分化障碍、凋亡受阻而停滞在细胞发育的不同阶段。在骨髓和其他造血组织中，白血病细胞大量增生累积，使正常造血受抑制并浸润其他器官和组织。

二、白血病分类

1. 根据白血病细胞的成熟程度和自然病程，将白血病分为急性和慢性两大类。

（1）急性白血病（AL）：细胞分化停滞在较早阶段，多为原始细胞及早期幼稚细胞，病情发展迅速，自然病程仅几个月。

（2）慢性白血病（CL）：细胞分化停滞在较晚的阶段，多为较成熟幼稚细胞和成熟细胞，病情发展缓慢，自然病程为数年。

2. 根据主要受累的细胞系列可将白血病分为不同的类型。

（1）急性白血病分型：①急性淋巴细胞白血病（简称急淋白血病或急淋，ALL）；②急性髓细胞白血病（简称急粒白血病或急粒，AML）。

（2）慢性白血病分型：①慢性髓细胞白血病（简称慢粒白血病或慢粒，CML）；②慢性淋巴细胞白血病（简称慢淋白血病或慢淋，CLL）；③少见类型的白血病如毛细胞白血病（HCL）、幼淋巴细胞白血病（PLL）等。

三、病因与发生机制

1. 生物因素 主要是病毒和免疫功能异常。

2. **物理因素** 包括X射线、γ射线等电离辐射。

3. **化学因素** 长期接触苯以及含有苯的有机溶剂，与白血病发生有关；有些药物可损伤造血细胞引起白血病，如氯霉素、保泰松。化学物质所致的白血病以AML多见。

4. **遗传因素** 家族性白血病约占白血病的0.7%。

5. **其他血液病** 骨髓增生异常综合征、淋巴瘤、多发性骨髓瘤、阵发性睡眠性血红蛋白尿症等血液病最终可能发展为白血病。

第四节 急性白血病

一、概念

白血病是指白细胞某一系列在造血组织中呈肿瘤性增殖，并浸润其他组织器官，使正常造血受抑制的一种造血干细胞的恶性克隆性疾病。我国急性白血病比慢性白血病多见（约5.5∶1）。成人患者中急性粒细胞白血病最多见，在儿童患者中急性淋巴细胞白血病多见。

二、病因

病因尚未阐明，现认为与物理、化学和生物等因素有关。

1. **病毒** 人类白血病的病毒病因研究已有数十年历史，但至今只有成人T细胞白血病肯定是由病毒引起的。其他类白血病尚无法证实其病毒因素，并不具有传染性。

2. **电离辐射** 电离辐射有致白血病作用，其作用与放射剂量大小和照射部位有关，一次大剂量或多次小剂量照射均有致白血病作用。

3. **化学物质** 苯致白血病作用比较肯定。苯致急性白血病以急粒白血病和红白血病为主。

4. **遗传因素** 某些白血病发病与遗传因素有关。

5. **其他** 某些血液病的部分患者最终发展成为急性白血病。

三、临床表现

起病急缓不一。儿童和青年起病多急骤，有高热、进行性贫血和严重出血倾向。部分成人和老年人可缓慢起病，常因低热、乏力、面色苍白、活动后气急、牙龈肿胀、皮肤紫癜和月经过多而就医。主要表现如下。

1. **正常血细胞减少表现** 指因白血病细胞增生，抑制了正常的白细胞、红细胞和血小板生长所引起的感染、贫血和出血等症状。

（1）感染和发热：约半数的患者以发热为早期表现，可为低热，亦可高达39～40℃以上，热型不定。虽然白血病本身可以因白细胞周转率增加和核蛋白代谢亢进而发热，但较高发热往往提示有继发感染。感染最易发生在呼吸道和皮肤、黏膜交界处。呼吸道和肺部感染、扁桃体炎、牙龈炎、咽峡炎最常见。肛周炎、肛旁脓肿亦不少见，严重时可致败血症。因正常的红细胞和白细胞减少，局部炎症表现可以不典型。最常见的致病菌为革兰氏阴性杆菌，如肺炎克雷白杆菌、绿脓杆菌、产气杆菌等；其他有金黄色葡萄球菌、表皮葡萄球菌、粪链球菌及厌氧菌等。长期应用抗生素者，可出现真菌感染，如白色念珠菌、曲菌、隐球菌等。因伴免疫功能缺陷，可有病毒感染，如带状疱疹、巨细胞病毒感染等；偶见肺孢子虫病引起的间质性肺炎。

（2）出血：以出血为早期表现者近40%。出血的主要原因是血小板减少。出血可发生在身体各部，以皮肤瘀点、瘀斑、鼻衄、齿衄、月经过多为多见。急性早幼粒细胞白血病易见弥散性血管内凝血及原发性纤维蛋白溶解而出现全身广泛性出血。眼底出血可致视力障碍，少数是颅内出血的前兆。颅内出血可出现头痛、呕吐、瞳孔不对称，甚至昏迷而死亡。有资料表明急性白血病死于出血者占62.24%，其中87%为颅内出血。

（3）贫血：为正常细胞性贫血。贫血往往呈进行性发展。半数患者就诊时已有重度贫血。

2. **白血病细胞增多表现** 为异常增生的白血病细胞对器官和组织浸润所致的各种临床表现，见表5-1。

表5-1 白血病细胞增多表现

要点	表现
淋巴结和肝脾大	淋巴结肿大一般无触痛和粘连，中等硬度。淋巴结肿大以急性淋巴细胞白血病较多见。白血病患者可有轻至中度肝脾大，巨脾很罕见，除非慢性粒细胞白血病急性变
骨骼和关节	患者常有胸骨下端局部压痛，提示髓腔内白血病细胞过度增生。患者可出现关节、骨骼疼痛，尤以儿童多见。发生骨髓坏死时，可以引起骨骼剧痛

续表

要点	表现
中枢神经系统	中枢神经系统白血病（CNL）以脑膜浸润最多见。症状多出现于缓解期，也发生于活动期。CNL 以儿童急淋白血病最多见。主要临床表现为头痛、恶心、呕吐、视力模糊、颈项强直等
其他	齿龈肿胀多见于急性单核细胞白血病；皮肤浸润表现为皮疹或皮下结节；睾丸浸润多见于急淋白血病；心、肺、消化道等处也可有相应浸润症状

命题趋势 临床表现是急性白血病的高频考点，考查方式灵活，各种题型均可见到，近些年多在 A2、A3 型题中以关键信息出现。

金题直击

1. 患者，男，16 岁。因突发高热、出血不止急诊入院。查体：T 39.1℃，R 24 次 / 分，P 130 次 / 分，急性面容，胸骨叩击痛（+），腹部平坦，压痛（-），腹股沟可触及肿大淋巴结，脾肋下 2cm。首先考虑

A. 再生障碍性贫血　　B. 急性白血病

C. 慢性白血病　　D. 特发性血小板减少性紫癜

E. 巨幼红细胞性贫血

【答案】B

【解题思路】

患者因发热出血入院，伴胸骨叩击痛，且腹股沟可触及肿大淋巴结，脾大，符合白血病的表现，时间上突发不符合慢性白血病的诊断，因此考虑急性白血病。

四、实验室检查及其他检查

1. 血象　WBC ＞ 100×10⁹/L，称为高白细胞白血病；若 WBC ＜ 1.0×10⁹/L，称为白细胞不增多性白血病。血片分类检查原始和（或）幼稚细胞一般占 30% ～ 90%，可高达 95% 以上，但白细胞不增多型病例血片上很难找到原始细胞。有不同程度的正常细胞性贫血，约 50% 的患者血小板低于 60×10⁹/L，晚期血小板往往极度减少。

2. 骨髓象　是确诊白血病的依据。多数病例骨髓象增生明显活跃或极度活跃。有核细胞显著增多，主要是白血病性原始细胞，占非红系细胞的 30% 以上，而较成熟中间阶段细胞缺如，并残留少量成熟粒细胞，正常的幼红细胞和巨核细胞减少。约有 10% 急非淋白血病性原始细胞为低增生性急性白血病，但白血病性原始细胞仍占非红系细胞的 30% 以上。白血病性原始细胞形态常有异常改变，Auer 小体较常见于急粒白血病细胞质中，不见于急淋白血病，有助于鉴别急淋白血病和急非淋白血病。

3. 细胞化学染色　急粒白血病碱性磷酸酶染色（NAP）反应明显降低，急淋血病 NAP 反应增高，细胞化学染色有助于急性白血病的分类鉴别。

4. 免疫学检查　利用白血病细胞的免疫标志可明确区分 ALL 和 AML，并可进一步鉴定亚型。细胞遗传学检查有助于白血病的诊断分型及治疗监测。

5. 血液生化检查　化疗期间，血清尿酸浓度增高。

6. 染色体和基因改变

命题趋势 临床表现与实验室检查是急性白血病的高频考点，考查方式灵活，各种题型均可见到，近些年多在 A2、A3 型题中以关键信息出现。

金题直击

2. 下列疾病，患者骨髓活跃程度最高的是

A. 缺铁性贫血　　B. 再生障碍性贫血

C. 急性白血病　　D. 过敏性紫癜

E. 特发性血小板减少性紫癜

【答案】C

【解题思路】

急性白血病骨髓明显活跃或极度活跃，故本题选 C。选项 A 的骨髓增生活跃，以红系为主。选项 B 骨髓增生极度不活跃。选项 D 骨髓情况是正常的。选项 E 骨髓增生活跃，但巨核细胞成熟障碍。

五、诊断与鉴别诊断

（一）诊断

根据急性白血病的临床表现，如发热、感染、出血、贫血等症状，淋巴结、肝脾肿大及胸骨压痛等体征，血象及骨髓象的改变，可作出正确诊断。

（二）鉴别诊断（助理不考）

1. 骨髓增生异常综合征　外周血中可见原始和幼稚细胞，全血细胞减少和染色体异常，易与白血病相混淆。但骨髓中原始细胞低于 20%。

2. 传染性单核细胞增多症　可有发热，咽喉炎，淋巴结肿大，血象中出现异形淋巴细胞，但形态与原始细胞不同，血清中嗜异性抗体效价逐步上升，病程短，可自愈。

3. 巨幼细胞性贫血　有时可与红白血病混淆，但骨髓中原始细胞不增多，巨幼红细胞 PAS 反应常为阴性，叶酸、维生素 B_{12} 治疗有效。

4. 急性粒细胞缺乏症恢复期　骨髓中原、幼粒细胞增多，但该症一般病因明确，血小板正常，原、幼粒细胞中无 Auer 小体及染色体异常。短期内骨髓成熟粒细胞恢复正常。

六、病情评估

急性白血病若不经特殊治疗，平均生存期仅 3 个月左右，短者甚至在诊断数天后即死亡。

1. 与预后有关的因素　年龄、性别、染色体检查、诊断时白细胞水平、合并症。合并髓外白血病者预后较差；合并有肝肾功能不全的患者及心脑血管疾病的患者预后多不良。

2. MICM 分型　WHO 髓系和淋巴肿瘤分类法将患者临床特点与形态学、细胞化学、免疫学、细胞遗传学和分子生物学结合起来，形成 MICM 分型系统，以便评价预后，指导治疗。

3. 危机状态评估　急性白血病患者病程中病情变化，会发生一些危机状态，常见：白细胞淤滞、严重感染、严重缺氧、颅内出血。颅内出血常为急性白血病的死亡原因。

七、治疗与预防

急性白血病尤其是儿童急淋白血病，约半数以上可长期生存或治愈。成人急性白血病完全缓解率已达 60% ～ 80%。治疗措施包括：①化学治疗是当前主要的治疗措施，可使白血病缓解，延长患者生存时间。②支持治疗以保证化疗顺利进行，防止并发症。③骨髓移植是当前将白血病完全治愈最有希望的措施。

（一）一般治疗

1. 应对高白细胞血症。
2. 防治感染。
3. 纠正严重贫血。
4. 防治高尿酸血症。
5. 维持营养平衡。

（二）抗白血病治疗

1. 治疗方案　急性白血病的化疗可分诱导缓解和缓解后治疗两个阶段。

2. 急性早幼粒细胞白血病（APL，M3）的治疗　诱导缓解治疗首选维 A 酸。

3. AML 治疗　诱导缓解治疗常用 DA（3+7）、IA、HA 方案。

4. 急性淋巴细胞白血病的治疗　基本诱导缓解方案是 VDLP 方案，维持治疗以 6- 巯基嘌呤、甲氨蝶呤为基本药物。

5. 髓外白血病的防治　多采用化疗药物联合颅脑照射的治疗方法。

6. 化学治疗　治疗目的是达到完全缓解并延长生存期。

（三）预防

1. 避免感染人类 T 淋巴细胞病毒 I 型。
2. 日常生活及工作中尽量避免接触各种辐射。
3. 苯以及含有苯的有机溶剂是化学性致白血病的重要因素，工作中如接触此类物质应加以严格防护。
4. 应尽量避免使用氯霉素、保泰松等药物。
5. 骨髓增生异常综合征、淋巴瘤、多发性骨髓瘤、阵发性睡眠性血红蛋白尿症等某些血液病最终可能发展为白血病，应积极治疗。

命题趋势 治疗是急性白血病的常见考点，考查方式灵活，各种题型均可见到，近些年多以 A2、A3 型题出现。

金题直击

3. 患者，男，16 岁。因突发高热、出血不止急诊入院。查体：T 39.1℃，R 24 次 / 分，P 130 次 / 分，急性面容，胸骨叩击痛（+），腹部平坦，压痛（-），腹股沟可触及肿大淋巴结，脾肋下 2cm。该患者可能的主要治疗方式是

A. 防治感染　　B. 加强营养
C. 化学治疗　　D. 纠正贫血
E. 控制出血

【答案】C

【解题思路】

患者因突发高热出血入院，伴胸骨叩击痛，且腹股沟可触及肿大淋巴结，脾大，符合急性白血病的表现。急性白血病最主要的治疗方式就是化学治疗，目的在于缓解症状并延长生存期。

第五节　慢性髓细胞性白血病

一、概念

慢性髓细胞性白血病（CML）是慢性白血病最多见的临床类型，是一种发生在造血干细胞的恶性骨髓增殖性血液系统疾病。

二、临床表现

1. 早期多无明显症状，有些患者可有低热、出汗及消瘦等代谢亢进表现，患者常伴有左上腹坠痛或食后饱胀感，发热、贫血及出血均不多见。
2. 脾大是本病的主要体征。较其他类型白血病多见。约半数患者有肝大。部分患者有胸骨中下段压痛。CML 慢性期一般为 1 ～ 4 年，以后逐渐进入加速期及急变期。

三、实验室检查

1. **血液一般检查**　白细胞计数明显增多为 CML 特征，可高达（100.0 ～ 800.0）$\times 10^9$/L。白细胞分类可见到各发育阶段的粒系细胞，主要是中幼粒以下各阶段细胞。嗜酸及嗜碱粒细胞均增高。早期红细胞和血小板均正常，部分患者血小板计数增高。
2. **骨髓象**　骨髓中有核细胞显著增多，以粒系为主，主要为中、晚幼粒细胞及杆状核细胞。
3. **中性粒细胞碱性磷酸酶（NAP）测定**　多数 CML 患者 NAP 缺如或降低，有助于区别类白血病反应及其他骨髓增生性疾病。
4. **细胞遗传学检查**　95% 以上患者的受累细胞中有 Ph 染色体。

四、诊断与鉴别诊断

（一）诊断

对于不明原因持续性外周血白细胞明显升高者，均应进行肝脾检查及骨髓检查。一般根据典型血象及骨髓

象改变、脾大等不难作出诊断。对早期诊断困难或不典型的患者，应进行 Ph 染色体、*BCR-ABL* 融合基因检查。

（二）鉴别诊断

1. 类白血病反应 常并发于严重感染、恶性肿瘤等基础疾病。

2. 其他骨髓增生性疾病 如真性红细胞增多症，增生的主要细胞类型不同。

3. 骨髓纤维化 一般白细胞计数比 CML 低，大多不超过 30.0×10^9/L，血液中幼稚粒细胞百分数较低，NAP 阳性。

五、病情评估

1. 慢性期 一般持续 1 ～ 4 年，部分患者可稳定达 10 年以上，此期对化疗有效。

2. 加速期 加速期可维持数月至数年，对通常化疗抗药。

3. 急变期 为 CML 的终末期。急性变预后差，患者可在数月内发生死亡。

六、治疗与预防

（一）治疗

1. 分子靶向治疗 伊马替尼为第一代酪氨酸激酶抑制剂。尼洛替尼、达沙替尼为第二代酪氨酸激酶抑制剂，治疗 CML 能获得更快更好的疗效，已逐渐成为治疗 CML-CP 的一线药物。

2. 化学治疗 羟基脲为周期特异性抑制 DNA 合成药物，起效快，但持续时间较短，此药副作用较少，单独使用仅限于高龄患者或有合并症、不能耐受酪氨酸激酶抑制剂的患者。

3. 干扰素 用于不适合酪氨酸激酶抑制剂和造血干细胞移植的患者。

4. 造血干细胞移植 异基因造血干细胞移植是根治 CML 的方法，但在慢性期不作为一线治疗。

（二）预防

针对与白血病发病相关的致病因素进行预防，包括避免 HTLV-1 病毒感染，避免自然界及医学相关的电离辐射，接触含苯化学物质时加强防护措施等。

第六节　白细胞减少症（助理不考）

一、概念

白细胞减少症和粒细胞缺乏症是由多种原因引起的一组综合征。周围血白细胞持续低于 4.0×10^9/L，称为白细胞减少症；周围血白细胞低于 2.0×10^9/L 粒细胞显著减少，低于 0.5×10^9/L 或消失，称为粒细胞缺乏症。

命题趋势 诊断指标是白细胞减少症常见的考查点，近些年多以 A1、B1 型题出现。

金题直击

（1 ～ 2 题共用备选答案）

A. 4.0×10^9/L　　B. 3.0×10^9/L

C. 2.0×10^9/L　　D. 1.0×10^9/L

E. 0.5×10^9/L

1. 白细胞减少症是白细胞值低于　【答案】A

2. 粒细胞缺乏症是白细胞值低于　【答案】E

【解题思路】

周围血白细胞持续低于 4.0×10^9/L，称为白细胞减少症；低于 0.5×10^9/L 或消失，称为粒细胞缺乏症。

二、病因与发病机制

骨髓中生长的粒细胞系来自粒 - 巨噬细胞系干细胞。原粒、早幼粒及中幼粒细胞均具有分裂能力，属骨髓分裂池。晚幼粒细胞不再分裂，发育成熟至分叶核，积聚于骨髓中等待释放，属骨髓贮备池。释放入血液的粒细胞半数随循环血液流动称为循环池，另一半滞留于小血管壁称为边缘池，两者可互相转换，保持动态平衡。粒细胞在血液中存留 6 ～ 12h 后进入组织，行使其吞噬细菌及异物等功能。白细胞减少症病因见表 5-2。

表 5-2　白细胞减少症病因

病因	要点
粒细胞生成减少、成熟障碍	各种放射线物质、化学毒物（苯）、抗肿瘤药、抗甲状腺药及其他化学药物，某些细菌及病毒（肝炎病毒）等均可导致幼粒细胞 DNA 或 RNA 合成障碍，直接抑制粒细胞增殖；白血病及恶性肿瘤骨髓转移、营养不良等可影响粒细胞的生成和成熟；良性家族性粒细胞减少症、周期性粒细胞减少症也属生成减少类型
粒细胞破坏过多	粒细胞破坏超过骨髓代偿能力发生粒细胞减少，见于严重败血症、慢性炎症、脾功能亢进、结缔组织疾病和药物所致免疫性粒细胞减少。引起免疫性粒细胞减少的常见药物是氨基比林。药物引起免疫性粒细胞减少与用药剂量无关，多见于重复用药之后
粒细胞分布紊乱	血管壁上（边缘池）大量粒细胞暂时或长期滞留，以至血循环中（循环池）的粒细胞减少，称为假性粒细胞减少症，见于疟疾、异体蛋白反应及内毒素血症

三、临床表现

1. 症状　白细胞减少症和粒细胞缺乏症的临床表现，在多数情况下相同，仅减少程度不同，轻者可无症状，重者常伴严重感染。白细胞减少症多为慢性过程，少数患者可无症状而是在检查血象时被发现患病；多数患者可有头晕、乏力、食欲减退、低热、失眠、多梦、腰痛等非特异性表现。对感染的易感性差异很大。

2. 血象　白细胞数一般为（2.0 ～ 4.0）$\times 10^9$/L，中性粒细胞百分比正常或轻度减低，淋巴细胞相对增多；粒细胞可有核左移或右移，胞浆有毒性颗粒、空泡等变性。红细胞及血小板大致正常。

3. 骨髓象　可呈代偿性增生，或增生低下，或粒细胞成熟障碍等。

四、诊断与鉴别诊断

（一）诊断

白细胞数的生理变异较大，因此必须反复定期检查，以确定是否白细胞持续低于 4.0$\times 10^9$/L。确定后应尽力寻找原因，因此需要有详细的病史、全面体格检查和实验资料，必要时动态观察，对部分患者可作出明确诊断。骨髓检查可观察粒细胞增生程度，也可除外其他血液病。

（二）鉴别诊断

1. 白细胞不增多性白血病　除急性起病、发热外，常有明显出血和贫血，肝、脾、淋巴结肿大和胸骨压痛，血象和骨髓象可发现白血病细胞。

2. 急性再生障碍性贫血　可由于并发感染而发热，但常有贫血和出血，全血细胞减少，网织红细胞减少，骨髓检查可以确诊。

五、病情评估

1. 综合评估　由生成减少途径导致的白细胞减少症，常有较严重的原发病因如电离辐射、化学毒物中毒、细胞毒药物作用、骨髓增生异常综合征等，因原发病因不易控制或去除，当患者合并感染时，病情较重而复杂，抗菌药物治疗效果不佳，预后不良。

2. 程度判断　白细胞减少往往伴有中性粒细胞减少或缺乏，根据外周血中性粒细胞计数，分为轻度、中度、重度。

（1）轻度：中性粒细胞≥ 1.0$\times 10^9$/L，粒细胞的防御及吞噬功能基本正常。

（2）中度：中性粒细胞（0.5 ～ 1.0）$\times 10^9$/L，粒细胞的防御及吞噬功能下降，患者除原发病表现外，出现乏力、食欲不振等表现。

（3）重度：中性粒细胞　＜ 0.5$\times 10^9$/L，粒细胞的防御及吞噬功能显著降低，患者除原发病表现外，出现无力、头晕，常有呼吸系统、泌尿系统、皮肤黏膜等感染，甚至发生感染性休克。

六、治疗与预防

（一）治疗

1. 去除病因 理化因素引起者须立即停止接触相关物质；由感染引起者，须积极控制感染；继发其他疾病者，须积极治疗原发病等。

2. 一般治疗 应注意劳逸结合，适当锻炼身体，增强体质。有反复感染史者须做好预防措施。对慢性原因不明轻型患者，白细胞降低不严重、症状不明显、骨髓检查基本正常者，不需过多药物治疗，可随访观察，做好解释工作，减少其顾虑，多数可呈良性经过。

3. 控制感染 如有感染，特别是粒细胞缺乏症，应尽早使用抗菌药物。

4. 糖皮质激素 糖皮质激素可使粒细胞的释放增加，但抑制免疫反应，掩盖感染征象，对免疫性粒细胞缺乏症有一定疗效，仅用于全身衰竭或中毒性休克患者的短期治疗。

5. 促进粒细胞生成药物 常用的药物有维生素 B_4、核苷酸、鲨肝醇、利血生等。碳酸锂有刺激骨髓生成粒细胞作用，临床效果较肯定，有肾脏病患者慎用。

（二）预防

通过病因防治，阻止白细胞减少症的发生，控制病情。预防白细胞减少症，还应从致病因素入手，绝大多数获得性白细胞减少症可通过病因预防与治疗。

对于已确诊的白细胞减少症，尤其是发展到粒细胞缺乏症阶段的患者，严格防止各种感染。

第七节　原发免疫性血小板减少症

一、概念

原发免疫性血小板减少症（ITP）又称特发性血小板减少性紫癜，是一组免疫介导的血小板过度破坏所致的出血性疾病，以广泛皮肤、黏膜及内脏出血，血小板减少，骨髓巨核细胞发育成熟障碍，血小板生存时间缩短及血小板膜糖蛋白特异性自身抗体出现等为特征，是最常见的血小板减少性紫癜。临床上分急、慢性两类，前者多见于儿童，常为自限性；后者以青年女性常见，很少自发性缓解。

二、病因与发病机制

特发性血小板减少性紫癜病因与发病机制见表 5-3。

表 5-3　特发性血小板减少性紫癜病因与发病机制

病因	发病机制
免疫因素	是 ITP 发病的主要因素。多数患者可检测到血小板相关抗体（PAIg）
细菌感染或病毒感染	与 ITP 发病密切相关。多数急性 ITP 患者在发病前 2 周左右有上呼吸道感染史；血中抗病毒抗体或免疫复合物浓度与血小板计数及寿命呈负相关；慢性 ITP 患者，常因感染而加重
脾脏作用	脾脏是 ITP 产生 PAIg 的主要场所，同时使巨噬细胞介导的血小板破坏增多
其他因素	慢性 ITP 多见于育龄妇女，现已发现雌激素可能有抑制血小板生成，促进血小板破坏的作用。另外，毛细血管通透性增加可能与 ITP 患者的出血倾向有关

命题趋势 病因和发病机制是特发性血小板减少性紫癜的常见考点，近些年多以 A1、B1 型题出现。

金题直击

1. 特发性血小板减少性紫癜主要的病因是

A. 病毒感染　　B. 免疫因素

C. 脾脏作用　　D. 细菌感染

E. 遗传因素

【答案】B

【解题思路】

自身免疫因素是特发性血小板减少性紫癜的主要病因，是由于产生了自身血小板抗体。

【易错点】

血小板抗体是脾脏产生的，但主要病因不是脾脏因素而是免疫因素。

三、临床表现

1. 急性型

（1）半数以上发生于儿童。80% 以上在发病前 1 ～ 2 周有上呼吸道感染史，特别是病毒感染史。

（2）起病急骤，部分患者可有畏寒、寒战、发热。全身皮肤瘀点、紫癜、瘀斑，可有血疱及血肿形成。鼻出血、牙龈出血、口腔黏膜及舌出血常见，损伤及注射部位可渗血不止或形成大片瘀斑。

（3）当血小板＜ 20×10^9/L 时，可有内脏出血，如呕血、黑便、咯血、尿血、阴道出血等。颅内出血可致意识障碍、瘫痪及抽搐，是致死的主要原因。出血量过大或范围过于广泛者，可出现程度不等的贫血、血压降低甚至失血性休克。

2. 慢性型

（1）主要见于 40 岁以下之青年女性。起病隐袭，一般无前驱症状。

（2）出血症状轻，但易反复发作，每次发作持续数周或数月，迁延数年。

（3）多为皮肤、黏膜出血，如瘀点、瘀斑及外伤后出血不止等，鼻出血、牙龈出血亦常见。

（4）严重内脏出血较少见，但月经过多常见，在部分患者可为唯一临床症状。部分患者病情可因感染等而骤然加重，出现广泛、严重内脏出血。长期月经过多者，可出现失血性贫血。

（5）部分病程超过半年者，可有轻度脾大。

四、实验室检查

特发性血小板减少性紫癜实验室检查见表 5-4。

表 5-4 特发性血小板减少性紫癜实验室检查

检查项目	表现
血象	血小板数量减少，急性型发作期血小板＜ 20×10^9/L，慢性型常在（30 ～ 80）$\times10^9$/L。贫血程度与出血有关
骨髓象	巨核细胞增多或正常，但成熟障碍，生成血小板减少
出凝血检查	出血时间延长，血块收缩不良，凝血时间正常，毛细血管脆性试验阳性，血小板寿命明显缩短
免疫学检测	可检出血小板相关抗体（PAIg）及相关补体（PAC3）

五、诊断与鉴别诊断

（一）诊断

（1）广泛的出血累及皮肤、黏膜及内脏。

（2）多次实验室检查血小板减少。

（3）脾脏不肿大或仅轻度肿大。

（4）骨髓检查巨核细胞数增多或正常，有成熟障碍。

（5）具备下列五项中任何一项者：①泼尼松治疗有效；②脾切除术治疗有效；③ PAIg 阳性；④ PAC3 阳性；⑤血小板寿命测定缩短。

（6）排除继发性血小板减少症。

（二）鉴别诊断

1. 继发性血小板减少 系统性红斑狼疮、再障、急性白血病、脾功能亢进等均可致血小板减少。

2. 过敏性紫癜 血小板计数正常。

命题趋势 临床表现及实验室检查是特发性血小板减少性紫癜的高频考点，考查方式灵活，各种题型均可见到，近些年多在 A2、A3 型题中以关键信息出现。

金题直击

2. 患儿，男，6 岁。因鼻出血不止急诊入院。查体见皮肤瘀斑、瘀点，未见淋巴结肿大，肝脾不大。实验室检查血常规示红细胞 4.9×10^{12}/L，白细胞 4.0×10^{9}/L，血小板 24×10^{9}/L。首先考虑

A. 缺铁性贫血　　B. 再生障碍性贫血

C. 急性白血病　　D. 过敏性紫癜

E. 特发性血小板减少性紫癜

【答案】E

【解题思路】

患者表现以出血为主，未见贫血及感染表现，血常规又提示血小板严重减少，而红细胞及白细胞相对正常，排除再生障碍性贫血，也未见肝脾大及淋巴结肿大，排除急性白血病，所以首先考虑特发性血小板减少性紫癜。选项 A 血小板不减少，减少的是红细胞。选项 D 血小板不减少。

【易错点】

再生障碍性贫血、白血病、特发性血小板减少性紫癜都可以有瘀斑、瘀点、紫癜，但再障及白血病往往还有贫血及感染问题，且血象、骨髓象表现均不一样。

六、病情评估

1. 根据患者年龄、起病缓急及是否有感染前驱病史，确定是急性型还是慢性型 急性型多见于少年儿童，起病急骤，如患者出现快速血小板减少，易发生内脏出血尤其是颅内出血，死亡风险高；慢性型一般起病缓慢，病程长，可反复出现皮肤黏膜出血症状，内脏出血少见，但患者可因感染等而骤然加重，出现广泛严重的皮肤黏膜及内脏出血，危及生命。

2. 根据血小板计数水平评估出血及预后 无论急性型还是慢性型患者，当血小板计数低于 20×10^{9}/L 时，可出现内脏出血，尤其是脑出血及蛛网膜下腔出血，应严格卧床，避免外伤，积极进行糖皮质激素、输注血小板等治疗，降低死亡率。

七、治疗与预防

（一）治疗

1. 一般治疗 出血症状严重者，卧床休息，防止创伤，避免使用可能引起血小板减少的药物。

2. 糖皮质激素 为首选药物。急性型开始可静脉滴注氢化可的松或地塞米松。一般口服泼尼松 30 ～ 60mg/d，2 ～ 4 周后逐渐减量。慢性期需小剂量维持半年。

3. 脾切除术 是慢性型患者重要的治疗方法，其机制在于减少血小板抗体的产生，消除血小板的破坏场所。脾切除的缓解率可达 75% ～ 90%，但有部分病例复发，故不作为首选方法。

（1）脾切除术的适应证：①经糖皮质激素正规治疗无效，病情迁延 6 个月以上。②对糖皮质激素疗效较差，维持量需大于 30mg/d 者。③对糖皮质激素有禁忌者。④放射性核素标记血小板输入体内后，脾区的放射指数较高者。手术中切除副脾者疗效可能更好。一般认为脾切除后血小板数持续正常达半年以上者为治愈。

（2）脾切除术的禁忌证：①年龄小于 2 岁者。②妊娠期。③因其他疾病不能耐受手术者。

4. 免疫抑制剂 对糖皮质激素疗效不佳且不愿切脾者或切脾后疗效不佳者，可单一应用免疫抑制剂治疗，也可与小剂量糖皮质激素合用。常用长春新碱、环磷酰胺、硫唑嘌呤、环孢素等。免疫抑制剂疗程 4 ～ 6 周。病情缓解后即逐渐减量，一般维持 3 ～ 6 个月。免疫抑制剂治疗本病，近期疗效尚好，但停药后仍易复发，且有抑制造血功能的不良反应。

5. 其他治疗 ①达那唑：可通过免疫调节与抗雌激素作用，使抗体产生减少，提高血小板数，可与糖皮质激素合用。②输新鲜血液：有较好的止血作用，也可输血小板悬液；反复输注易产生同种抗体，加速破坏血小板，因此血小板悬液仅适用于危重出血患者的抢救及脾切除术前准备或术中应用。③高剂量球蛋白：可抑制自身抗体的产生，适用于急性严重出血难治病例。④血浆置换：适用于急性型，目的在于短期内大量减少血小板

抗体。

6. **急性情况的处理** 包括输注血小板、静脉注射免疫球蛋白、应用甲泼尼龙、血浆置换等。

（二）预防

1. **预防发病** 目前认为自身抗体致敏的血小板被单核巨噬细胞系统过度吞噬破坏是ITP发病的主要机制。ITP发病的预防，应以改善个体过敏体质、增强体质、减少各种感染尤其是急性上呼吸道病毒感染为主。

2. **预防出血** 对于已经确诊的患者，动态随访血小板水平及各种出血的表现，进行个体化药物治疗，发现血小板低于 $20 \times 10^9/L$ 的患者，必须住院治疗，防治内脏出血。

治疗是特发性血小板减少性紫癜的常见考点，近些年多以A2、A3型题出现。

金题直击

3. 患儿，男，6岁。因鼻出血不止急诊入院。查体见皮肤瘀斑、瘀点，未见淋巴结肿大，肝脾不大。实验室检查血常规示红细胞 $4.9 \times 10^{12}/L$，白细胞 $4.0 \times 10^9/L$，血小板 $24 \times 10^9/L$。该患者主要的治疗方式是

A. 使用环磷酰胺

B. 使用达那唑

C. 使用地塞米松

D. 脾脏切除

E. 使用长春新碱

【答案】C

【解题思路】

患者表现以出血为主，未见贫血及感染表现，血常规又提示血小板严重减少，而红细胞及白细胞相对正常，排除再生障碍性贫血，也未见肝脾大及淋巴结肿大，排除急性白血病，所以首先考虑特发性血小板减少性紫癜。特发性血小板减少性紫癜的主要治疗方式是使用糖皮质激素，所以选择地塞米松。

第八节 骨髓增生异常综合征

一、概念

骨髓增生异常综合征（MDS）是一组起源于造血干细胞，以病态造血及高风险向急性髓细胞白血病转化为特征的血液病。任何年龄的人群均可发病，约80%患者超过60岁；男女均可发病。

二、病因

原发性MDS的病因尚不明确，继发性MDS见于烷化剂、有机毒物等密切接触者。MDS是起源于造血干细胞的克隆性疾病。部分MDS患者可发现有原癌基因突变或染色体异常，这些异常也参与MDS的发生和发展。

三、临床表现

几乎所有的MDS患者都有贫血症状，表现为乏力、疲倦、活动后心悸气短。患者容易发生各种感染，一些患者有血小板减少，随着疾病进展可出现进行性血小板减少。

临床类型不同，临床表现也有差异，难治性贫血及环形铁幼粒细胞性难治性贫血患者多以贫血为主要表现。

慢性粒-单核细胞性白血病类型的患者临床以贫血为主，可有感染和出血表现，脾大常见，约30%转变为急性髓细胞白血病。

四、实验室检查

1. **血象和骨髓象检查** 持续性全血细胞减少，一系减少少见，多为红细胞减少，Hb < 100g/L，中性粒细胞 < $1.8 \times 10^9/L$，血小板 < $100 \times 10^9/L$。骨髓增生度多在活跃以上。

2. **病理检查** 骨髓病理活检MDS患者在骨小梁旁区和间区出现3～5个或更多的呈簇状分布的原粒和早幼粒细胞。

3. **免疫学检查** 可检测到骨髓细胞表型发生异常。

4. **分子生物学检测** 多数MDS患者骨髓细胞中可检出体细胞性基因突变。

5. 细胞遗传学检查 40%～70%的MDS患者有克隆性染色体核型异常，多为缺失性改变。

五、诊断与鉴别诊断

（一）诊断

MDS的诊断尚无“金标准”，目前仍以排除法进行诊断。根据患者血细胞减少和相应的症状及病态造血、细胞遗传学异常、病理学改变等进行诊断。

（二）鉴别诊断

1. 再生障碍性贫血 MDS患者的网织红细胞可正常或升高，外周血可见到有核红细胞，骨髓病态造血明显，早期细胞比例不低或增加，染色体异常，而慢性再生障碍性贫血无上述异常改变。

2. 阵发性睡眠性血红蛋白尿症 可出现全血细胞减少和病态造血，但阵发性睡眠性血红蛋白尿症检测可发现$CD55^+$、$CD59^+$细胞减少，有Ham试验阳性及血管内溶血的改变。

3. 巨幼细胞性贫血 MDS患者细胞病态造血可见巨幼样变，易与巨幼细胞性贫血混淆，但后者是由于叶酸、维生素B_{12}缺乏所致，补充后可纠正贫血，MDS患者的叶酸、维生素B_{12}不低，叶酸、维生素B_{12}治疗无效。

4. 慢性髓细胞白血病(CML) CML的Ph染色体、*BCR-ABL*融合基因检测为阳性，而MDS分类中慢性粒-单核细胞白血病则为阴性。

六、病情评估

1. 分型 法美英协作组（FAB）根据MDS患者外周血、骨髓中的原始细胞比例、形态学改变及单核细胞数量，将MDS分为5型，即难治性贫血（RA）、环形铁粒幼细胞性难治性贫血（RAS）、难治性贫血伴原始细胞增多（RAEB）、难治性贫血伴原始细胞增多转变型（RAEB-t）及慢性粒-单核细胞白血病（CMML）。

WHO的分型标准认为，骨髓原始细胞达20%即为急性髓细胞白血病，将RAEB-t归为急性髓细胞白血病（AML），并将CMML归为MDS/MPD（骨髓增生异常综合征/骨髓增殖性疾病），保留了FAB的RA、RAS、RAEB；并且将RA或RAS中伴有两系或三系增生异常者单独列为难治性细胞减少伴多系增生异常（RCMD），将仅有5号染色体长臂缺失的RA独立为$5q^-$综合征；还新增加了MDS未能分类（u-MDS）。

目前临床上MDS分型结合FAB和WHO标准联合应用。

2. 危险分度 MDS国际预后积分系统（IPSS）依据患者血中性粒细胞绝对值、患者血红蛋白量、患者血小板数量、骨髓原始细胞百分比及细胞遗传学共五项指标进行积分评估，每项分值分别为0分、0.5分、1分、1.5分、2分、3分、4分，情况越差得分越高，将MDS分为极低危、低危、中危、高危、极高危，评价患者预后，指导治疗。

极低危：积分≤1.5分；低危：1.5分＜积分≤3分；中危：3分＜积分≤4.5分；高危：4.5分＜积分≤6分；极高危：积分＞6分。

七、治疗与预防

（一）治疗

1. 支持治疗 对于严重贫血和有出血症状的患者，选择成分输血，可输注红细胞悬液和血小板。

2. 促造血治疗 能使部分患者改善造血功能，可使用雄激素如司坦唑醇、11-庚酸睾丸酮等。

3. 应用生物反应调节剂 部分病患者可应用沙利度胺或来那度胺治疗。

4. 去甲基化药物 MDS抑癌基因启动子存在DNA高度甲基化，可以导致基因缄默，去甲基化药物阿扎胞苷及地西他滨能够减少患者的输血量，延迟患者向急性髓细胞白血病转化。

5. 联合化疗

6. 异基因造血干细胞移植 为目前唯一有治愈MDS可能性的治疗。

（二）预防

原发性MDS因病因尚不清楚，无明确的预防措施；继发性MDS发病与接触烷化剂、放射线、有机毒物等有关，因此，生活及工作中应注意避免接触上述物质，环境中不可避免出现上述物质时，应加以科学的防护。

高频考点速递

1. 缺铁性贫血的治疗：服用铁剂后，患者网织红细胞开始上升，7～10天达高峰，血红蛋白多在治疗2周后开始升高，1～2个月后恢复正常。血红蛋白恢复正常后，仍应继续服用铁剂3～6个月，待铁蛋白正常后停药。

2. 再生障碍性贫血诊断标准：①全血细胞减少，网织红细胞绝对值减少。②一般无肝、脾大。③骨髓多部位增生减低，造血细胞减少，骨髓小粒成分中应见非造血细胞增多。④能除外引起全血细胞减少的其他疾病。⑤一般抗贫血治疗无效。

3. 成人患者中急粒白血病最多见，在儿童患者中急淋白血病多见。

4. 中枢神经系统白血病（CNL）以脑膜浸润最多见。

5. 周围血白细胞持续低于 $4.0\times10^9/L$，称为白细胞减少症；周围血白细胞低于 $2.0\times10^9/L$ 粒细胞显著减少，低于 $0.5\times10^9/L$ 或消失，称为粒细胞缺乏症。

6. 特发性血小板减少性紫癜出凝血检查：出血时间延长，血块收缩不良，凝血时间正常，毛细血管脆性试验阳性，血小板寿命明显缩短。

第六单元　内分泌与代谢疾病

考试分值

节	级别＼年份	2019	2020	2021	2022	2023
甲状腺功能亢进症	执业	2	2	2	2	1
	助理	1	1	2	1	1
甲状腺功能减退症（助理不考）	执业	—	—	—	—	—
糖尿病	执业	2	4	1	3	2
	助理	1	2	—	1	—
糖尿病酮症酸中毒（助理不考）	执业	—	—	—	—	—
血脂异常	执业	—	—	—	—	—
	助理	—	—	—	—	—
高尿酸血症与痛风	执业	—	—	—	—	—
	助理	—	—	—	—	—

第一节　甲状腺功能亢进症

一、概念

甲状腺毒症是指循环血液中甲状腺激素过多，引起以神经、循环、消化等系统兴奋性增高和代谢亢进为主要表现的一组临床综合征。根据甲状腺的功能状态，甲状腺毒症可分为甲状腺功能亢进类型和非甲状腺功能亢进类型。甲状腺功能亢进症（简称甲亢），是指甲状腺腺体本身产生甲状腺激素过多而引起的甲状腺毒症，其病因主要是弥漫性毒性甲状腺肿（Graves 病，GD）、多结节性毒性甲状腺肿和甲状腺自主高功能腺瘤，其中GD是甲状腺功能亢进症的最常见病因，占全部甲亢的80%～85%。我国患病率约1.2%，女性发病显著高于男性，女男之比为（4∶1）～（6∶1），高发年龄为20～50岁。本节主要介绍 Graves 病。

二、病因与发病机制

Graves 病为器官特异性自身免疫病。以遗传易感性、自身免疫、环境因素等，在环境因素作用下产生自身免疫反应，出现针对甲状腺细胞 TSH 受体的特异性自身抗体，不断刺激甲状腺细胞增生和甲状腺激素合成、分泌增加而致 Graves 病。

命题趋势 病因和发病机制是甲亢的常见考点，近些年多以 A1、B1 型题出现。

金题直击

1. 甲状腺功能亢进症的主要病因是

A. 病毒感染　　B. 免疫因素

C. 脾脏作用　　D.Graves 病

E. 遗传因素

【答案】D

【解题思路】

甲亢最常见病因是弥漫性毒性甲状腺肿（Graves 病）。

三、临床表现

1. 甲状腺毒症表现 见表 6-1。

表 6-1 甲状腺毒症表现

类型	表现
高代谢综合征	怕热多汗、皮肤潮湿、低热、多食善饥、体重锐减和疲乏无力；糖耐量减低或加重糖尿病；血总胆固醇降低
精神神经系统	神经过敏、多言好动、烦躁易怒、失眠不安、注意力不集中、记忆力减退、手和眼睑震颤、腱反射亢进，甚至有幻想、躁狂症或精神分裂症。偶尔表现为寡言抑郁、淡漠
心血管系统	心悸、气短、胸闷等。体征有：①心动过速，常为窦性，休息和睡眠时心率仍快。②第一心音亢进，心尖区常有 2/6 级以下收缩期杂音。③收缩压升高，舒张压降低，脉压增大，可见周围血管征。④心脏肥大和心力衰竭。⑤心律失常，以心房颤动、房性期前收缩等房性心律失常多见
消化系统	食欲亢进，稀便，排便次数增加
肌肉骨骼系统	肌无力和肌肉萎缩。部分患者发生甲亢性肌病，呈进行性肌无力和肌肉萎缩，多见于近心端的肩胛和骨盆带肌群。少数可见指端粗厚、重症肌无力和骨质疏松
其他	女性患者出现月经减少或闭经，男性患者出现阳痿，偶有乳腺增生。外周血淋巴细胞增多，可伴血小板减少性紫癜。少数患者有典型的对称性黏液性水肿，局部皮肤增厚变粗，可伴继发感染和色素沉着

2. 甲状腺肿大 为弥漫性、对称性肿大，质地表现不同，多柔软，无压痛，肿大的甲状腺随吞咽而上下移动（图 6-1）。甲状腺上下极可触及震颤，闻及血管杂音，为甲状腺功能亢进症的特异性体征。

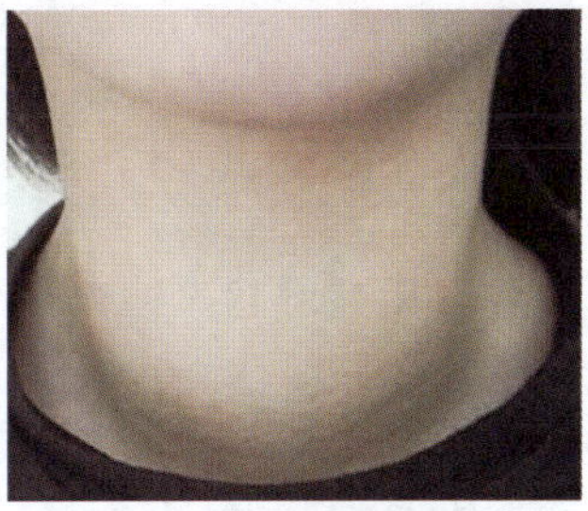

图 6-1 甲状腺肿大

3. 眼征 有 25% ～ 50% 患者伴有眼征，部分可为单侧，按病变程度分为单纯性（良性、非浸润性）突眼和浸润性（恶性）突眼两类。

（1）单纯性突眼：常无明显症状，仅有下列眼征：轻度突眼，Stellwag 征（瞬目减少、睑裂增宽），vonGraefe 征（双眼向下看时上眼睑不能随眼球下落），Joffroy 征（眼球向上看时前额皮肤不能皱起）和 Mobius 征（双眼看近物时眼球聚合不良）。

（2）浸润性突眼：自身免疫炎症引起眶内软组织肿胀、增生和眼肌明显病变所致。多见于成年男性，常有明显症状，如眼内异物感、眼部胀痛、畏光、流泪、复视及视力减退等。眼征较单纯性更明显，突眼度超过正常值上限 4mm，一般在 18mm 以上，左右眼可不等（相差> 3mm）。严重者眼睑肿胀肥厚、闭合不全，结膜充血水肿，角膜溃疡或全眼球炎，甚至失明。

4. 特殊表现

（1）甲状腺危象：甲状腺危象是甲状腺毒症急性加重的综合征，多发生于较重的甲亢未予治疗或治疗不充分的患者。主要诱因有感染、手术、创伤、精神刺激及放射性碘治疗等。临床表现有：高热（体温> 39℃）、

心率增快＞140次/分、烦躁不安、大汗淋漓、厌食、恶心呕吐、腹泻，继而出现虚脱、休克、嗜睡或谵妄，甚至昏迷。部分可伴有心力衰竭、肺水肿，偶有黄疸。白细胞总数及中性粒细胞常升高。血 T_3、T_4 升高，TSH 显著降低，病情轻重与血 TH 水平可不平行。

（2）淡漠型甲亢：多见于老年人，起病隐匿，全身症状明显，以纳差、乏力、消瘦、淡漠为主要表现，易发生心绞痛、心力衰竭、房颤等，高代谢表现、甲状腺肿大及眼征不明显。

（3）亚临床甲亢：患者无自觉症状，血 T_3、T_4 正常，但 TSH 显著降低，部分患者可进展为临床型甲亢。

（4）其他：如甲状腺毒症性心脏病、妊娠期甲亢、胫前黏液性水肿等。

临床表现是甲亢的高频考点，考查方式相对灵活，各种题型均可见到，近些年多在 A2、A3 型题中以关键信息出现。

金题直击

2. 患者，男，22岁。消瘦、多汗、食量偏大、情绪易激动。查体：T 37.2℃，P 110次/分，R 22次/分，BP 130/72mmHg。双侧甲状腺肿大，质地柔软，压痛（-），可触及震颤。听诊心音纯，心律欠整齐，腹部平软，无压痛，肝脾未触及，首先考虑

A. 糖尿病

B. 甲状腺功能亢进症

C. 甲状腺功能减退

D. 亚急性甲状腺炎

E. 单纯性甲状腺肿

【答案】B

【解题思路】

患者消瘦、多汗、多食是高代谢的表现，且易激动，而查体可见甲状腺肿大并震颤，是甲状腺功能亢进症的典型表现。选项 A 虽然有三多一少，但甲状腺不会出现震颤。选项 C 患者表现是代谢率下降，患者多表现为呆滞而迟钝，可有黏液性水肿，不符合题干。选项 D 表现主要为甲状腺肿大并疼痛。选项 E 甲状腺会有肿大，但除此之外没有症状。

四、实验室检查及其他检查

1. **血清甲状腺激素测定** 甲亢时血清 TT_4 及 TT_3 增高，在甲亢早期或甲亢复发早期，TT_3 较 TT_4 敏感；FT_4 及 FT_3 增高，它们是循环血中甲状腺激素的有活性部分，直接反映甲状腺功能状态，敏感性和特异性明显提高可取代 TT_4 及 TT_3。

2. **TSH 测定** 是反映甲状腺功能最敏感的指标，也是反映下丘脑-垂体-甲状腺轴功能、鉴别原发性与继发性甲亢的敏感指标，尤其对亚临床型甲亢和甲减的诊断具有更重要意义。测定高敏 TSH（sTSH）灵敏度更高。

3. **甲状腺自身抗体测定** TSH 受体抗体（TRAb）阳性率 75%～96%，是鉴别甲亢病因、诊断 GD 的指标之一。TRAb 中的 TSH 受体刺激抗体（TSAb）更能反映自身抗体对甲状腺细胞的刺激功能。多数患者血中可检出甲状腺球蛋白抗体（TGAb）和/或甲状腺过氧化物酶抗体（TPOAb），如长期持续阳性且滴度较高，则提示可能进展为自身免疫性甲减。

4. **甲状腺摄 ^{131}I 率** 甲亢时甲状腺摄 ^{131}I 率增高且曲线高峰前移。可用于帮助判断不同病因甲亢及为 ^{131}I 治疗甲亢做准备。

5. **甲状腺超声检查** 在甲状腺疾病的检查中 B 超声检查有重要的意义。用于测定甲状腺的大小和组织回声性质，确定结节的数量、大小和部位，了解结节是囊性或实性，有无完整包膜。Graves 眼病时 B 超用于测定眼外肌肥大肿胀和治疗后病情监测。

6. **其他检查** CT、MRI 等。

命题趋势

实验室检查是甲亢的常见考点，考查方式相对灵活，各种题型均可见到，近些年多以 A2、A3 型题出现。

金题直击

3. 患者，男，22岁。消瘦、多汗、食量偏大、情绪易激动。查体：T 37.2℃，P 110次/分，R 22次/分，BP 130/72mmHg。双侧甲状腺肿大，质地柔软，压痛（-），可触及震颤。听诊心音纯，心律欠整齐，腹部平软，无压痛，肝脾未触及。该患者最有价值的检查手段是

A. 甲状腺激素测定　　B. 甲状腺摄^{131}I率检查
C. 甲状腺超声检查　　D. 甲状腺核磁
E. 自身抗体测定　　【答案】A

【解题思路】

患者消瘦、多汗、多食是高代谢的表现，且易激动，而查体可见甲状腺肿大并震颤，是甲状腺功能亢进症的典型表现。甲亢最有价值的检查手段是甲状腺激素检查。

4. 以下指标对于甲状腺功能亢进症检查最敏感的是

A. TT_3　　B. TT_4
C. FT_3　　D. FT_4
E. TSH　　【答案】E

【解题思路】

甲状腺功能检查的指标中，最敏感的是TSH，即促甲状腺激素。

【易错点】

TSH的确是诊断时最敏感的指标，但诊断意义最强的是FT_3、FT_4。

五、诊断与鉴别诊断

（一）诊断

1. 甲亢的诊断　①高代谢症状和体征。②甲状腺肿大。③血清TT_3、FT_3、TT_4、FT_4增高，TSH减低。具备以上3项诊断即可成立。

2. GD的诊断　①甲亢诊断确立。②甲状腺弥漫性肿大（触诊和B超证实）。③眼球突出和其他浸润性眼征。④胫前黏液性水肿。⑤TRAb、TSAb阳性。⑥TGAb、TPOAb阳性。

①、②项为诊断必备条件，少数病例可以无甲状腺肿大；③、④、⑤项虽为诊断的辅助条件，但是为GD诊断的重要依据；⑥项虽非本病的致病性抗体，但提示本病的自身免疫病因。

（二）鉴别诊断（助理不考）

1. 亚急性甲状腺炎　发病与病毒感染有关。多有发热，短期内甲状腺肿大，触之坚硬而疼痛。白细胞正常或升高，血沉增高，^{131}I摄取率下降，TGAb、TPOAb正常或轻度升高。

2. 慢性淋巴细胞性甲状腺炎　发病与自身免疫有关。多见于中年女性，甲状腺弥漫肿大，尤其是峡部肿大更为明显，质较坚实。TGAb、TPOAb阳性，且滴度较高。B超显示甲状腺内部不均匀低密度回声，核素扫描显示甲状腺功能减低，甲状腺细针穿刺可见成堆淋巴细胞。本病常可逐渐发展成甲减。

六、病情评估

1. 甲状腺肿大的分级　甲状腺肿大分为三度：①Ⅰ度肿大：视诊未见肿大，触诊能触及；②Ⅱ度肿大：视诊、触诊均发现肿大，但外缘在胸锁乳突肌以内；③Ⅲ度肿大：肿大的甲状腺外缘超过胸锁乳突肌外缘。

2. 根据临床表现评估病情

（1）基础代谢率：甲亢患者主要临床表现的病理基础是甲状腺激素分泌过多，导致甲状腺毒症，其中以高代谢综合征为特征。

（2）GO活动度评估：国际GO活动评分方法（CAS）：①自发性球后疼痛；②眼球运动时疼痛；③结膜充血；④结膜水肿；⑤肉阜肿胀；⑥眼睑水肿；⑦眼睑红斑。每项1分，CAS积分达到3分判断为疾病活动，积分越高，活动度越高。

（3）GO的病情分级及活动评分：GO欧洲研究组应用突眼度、复视和视神经损伤三个指标评估GO病情的程度：①突眼度19～20mm，复视间歇性发作，视神经诱发电位异常，视力超过9/10；②突眼度21～23mm，复视非持续性存在，视力在8/10～5/10；③突眼度超过23mm，复视持续存在，视力低于5/10。

（4）各系统严重症状的识别：各系统临床表现中以循环系统及消化系统为主。①合并甲状腺毒症心脏病时，出现心动过速、心律失常、心脏增大和心力衰竭。②病情严重的甲亢患者可出现肝大、肝功能异常、黄疸等严重的消化系统表现。

（5）甲状腺危象的识别：甲状腺危象是甲状腺毒症急性加重的表现，多发生于较重的甲亢且未予治疗或治疗不充分的患者。

七、治疗与预防

（一）治疗

1. 一般治疗 适当休息、避免精神紧张及过度劳累。补充足够热量和营养，减少碘摄入量，忌用含碘药物。精神紧张和失眠患者可酌用镇静剂。

2. 甲状腺功能亢进的治疗

（1）抗甲状腺药物（ATD）：有硫脲类（如丙硫氧嘧啶）和咪唑类（如甲巯咪唑和卡比马唑）两类药物。适应证：①病情轻、中度患者。②甲状腺轻、中度肿大。③年龄＜20岁。④孕妇、高龄或由于其他严重疾病不适宜手术者。⑤手术前和 ^{131}I 治疗前的准备。⑥手术后复发且不适宜 ^{131}I 治疗者。分为初治、减量和维持期3个阶段，疗程通常在1.5～2.5年或以上。治疗期每4周复查1次血清甲状腺激素水平，维持期每2个月复查1次血清甲状腺激素。不良反应有粒细胞减少、药疹和中毒性肝病。

停药的指征：①肿大的甲状腺明显缩小。②所需的药物维持量小。③血 T_3、T_4、TSH 测定长期在正常范围内。④ TSAb 或 TRAb 转阴。目前认为 ATD 维持治疗 18～24 个月可以停药。复发是指甲亢完全缓解，停药半年后又有反复者，多在停药后1年内发生。

（2）放射性 ^{131}I 治疗：甲状腺能高度摄取和浓集碘，^{131}I 衰减时释出大量β射线（在组织内的射程约2mm）可破坏甲状腺滤泡上皮而减少 TH 分泌，并可抑制甲状腺内淋巴细胞的抗体生成。此法安全简便，费用低廉，临床治愈率高，复发率低。

适应证：①成人 GD 伴甲状腺肿大Ⅱ度以上。② ATD 治疗失败或过敏。③甲亢手术后复发。④甲状腺毒症心脏病或甲亢伴其他病因的心脏病。⑤甲亢合并白细胞和（或）血小板减少或全血细胞减少。⑥老年甲亢。⑦甲亢合并糖尿病。⑧毒性多结节性甲状腺肿。⑨自主功能性甲状腺结节合并甲亢。

禁忌证：妊娠期和哺乳期妇女。

主要并发症为甲状腺功能减退，发生甲减后均需用甲状腺素替代治疗。：

（3）手术治疗：实施个体化甲状腺全切除术等。

适应证：①中、重度甲亢，长期服药无效，停药后复发，或不愿长期服药者。②甲状腺显著肿大，压迫邻近器官。③胸骨后甲状腺肿伴甲亢者。④细针穿刺细胞学检查疑恶变者。⑤药物治疗无效或过敏的妊娠患者，需要在妊娠4～6个月施行手术。

禁忌证：①伴严重 Graves 眶病。②合并较重心、肝、肾疾病，不能耐受手术。③妊娠初3个月和第6个月以后。

（4）其他治疗：①β受体阻滞剂适用于各类甲亢，但主要在药物治疗的初治期使用，可控制心动过速等临床症状。也用于甲状腺危象、^{131}I 治疗前后及手术前准备。常用比索洛尔、美托洛尔等。②复方碘液仅适用于甲状腺危象及手术前准备。

3. Graves眶病的治疗 轻度Graves眶病病程一般呈自限性，治疗以局部治疗和控制甲亢为主。治疗包括：①畏光：戴有色眼镜。②角膜异物感：人工泪液。③保护角膜：夜间遮盖。④眶周水肿：抬高床头。⑤轻度复视：棱镜矫正。⑥强制性戒烟。⑦有效控制甲亢等。中、重度 Graves 眶病在上述治疗基础上根据具体情况强化治疗，包括甲状腺制剂、免疫抑制剂、放射治疗和眶减压手术。

4. 甲状腺危象的治疗 积极治疗甲亢是预防危象发生的关键。抢救措施包括：①抑制 TH 合成：使用大量抗甲状腺药物，首选丙硫氧嘧啶。②抑制 TH 释放：使用抗甲状腺药物、复方碘溶液和碘化钠。③迅速阻滞儿茶酚胺释放，降低周围组织对甲状腺激素的反应性，如普萘洛尔。④肾上腺糖皮质激素：常用氢化可的松。⑤对症治疗：如降温、镇静、保护脏器功能、防治感染等。⑥其他：如血液透析、腹膜透析或血浆置换等。

（二）预防

1. 预防发病 GD 属于自身免疫性疾病，好发于青壮年女性，有明确遗传背景的高危者，应避免环境因素的作用诱发本病。

2. 规范治疗预防危象与致疾 出现类似甲亢的临床表现或发现颈部增粗，及时就诊明确诊断。一旦确立诊断，严格按照医嘱实施药物治疗，不可随意增减药物或停服用物，按时随诊复查甲状腺功能。合并 GO 的患者加强眼部护理，预防视力严重下降甚至失明。

治疗是甲亢的高频考点，考查方式相对灵活，各种题型均可见到，近些年多以A2、A3型题出现。

金题直击

5. 患者，男，22 岁。消瘦、多汗、食量偏大、情绪易激动。查体：T 37.2℃，P 110 次 / 分，R 22 次 / 分，BP 130/72mmHg。双侧甲状腺肿大，质地柔软，压痛（-），可触及震颤。听诊心音纯，心律欠整齐，腹部平软，无压痛，肝脾未触及。该患者首选的治疗方式是

A. 服用抗甲状腺药物　　B. 放射碘治疗

C. 手术治疗　　D. 应用复方碘溶液

E. 应用糖皮质激素

【答案】A

【解题思路】

患者消瘦、多汗、多食是高代谢的表现，且易激动，而查体可见甲状腺肿大并震颤，是甲状腺功能亢进症的典型表现。甲亢首选的治疗手段是服用抗甲状腺药物。

6. 患者，男，22 岁。消瘦、多汗、食量偏大、情绪易激动。查体：T 37.2℃，P 110 次 / 分，R 22 次 / 分，BP 130/72mmHg。双侧甲状腺肿大，质地柔软，压痛（-），可触及震颤。听诊心音纯，心律欠整齐，腹部平软，无压痛，肝脾未触及。若该患者服用抗甲状腺药物后效果不明显，且白细胞大量减少，此时最适合的治疗方式是

A. 继续服用抗甲状腺药物　　B. 放射碘治疗

C. 手术治疗　　D. 应用复方碘溶液

E. 应用糖皮质激素

【答案】B

【解题思路】

抗甲状腺药物的不良反应就是粒细胞减少，而一旦用药导致了粒细胞减少时则无法进行手术，此时适用的是放射性 ^{131}I 治疗。

第二节　甲状腺功能减退症（助理不考）

一、概念

甲状腺功能减退症（简称甲减），是由于甲状腺结构和功能异常，导致甲状腺激素分泌及合成减少，或发生甲状腺激素抵抗，引起全身代谢减低的临床综合征。临床以全身低代谢表现，以及血清低 T_4、T_3 和高 TSH 表现为主。主要病理改变为黏多糖在组织和皮肤堆积，呈黏液性水肿。甲减根据病变部位分为：原发性甲减、中枢性甲减或继发性甲减、甲状腺激素抵抗综合征。

二、病因

1. **自身免疫性损伤**　为最常见的原因。
2. **甲状腺破坏**　见于甲状腺手术、^{131}I 放射治疗等。
3. **摄碘过量**　长期服用含碘药物如胺碘酮等，导致甲减的机会为 5% ～ 22%。
4. **抗甲状腺药物**　见于服用锂盐、咪唑类、硫脲类药物等。

三、临床表现

1. **病史特点**　有 ^{131}I 放射治疗史、甲状腺手术史、Graves 病等病史或甲状腺疾病家族史。

2. **症状**　多数患者缺乏特异性临床表现，以代谢率减低和交感神经兴奋性下降为主，早期患者可以没有特异性症状。典型症状有怕冷、少汗、乏力、记忆力减退，女性月经紊乱或月经过多、不孕等。

3. 体征 典型体征有面色苍白、表情呆滞、颜面和眼睑水肿、唇厚、舌大常有齿痕（甲减面容），皮肤干燥、粗糙，皮温低，毛发稀疏干燥，常有水肿，脉率缓慢，跟腱反射时间延长。少数患者出现胫前黏液性水肿，累及心脏可出现心包积液和心力衰竭。病情严重者可以发生黏液性水肿昏迷。

四、实验室检查及其他检查

1. 甲状腺功能检查 原发性甲减者血清 TSH 增高，血清总 T_4（TT_4），游离 T_4（FT_4）均降低。

2. 自身抗体检查 甲状腺过氧化物酶抗体（TPOAb）和甲状腺球蛋白抗体（TgAb）是诊断自身免疫甲状腺炎（包括桥本甲状腺炎、萎缩性甲状腺炎）的主要指标。TPOAb 的诊断意义确切，TPOAb 升高伴血清 TSH 水平增高，提示甲状腺细胞已经发生损伤。

3. 其他检查 可有轻、中度贫血，血清总胆固醇升高，血清心肌酶谱可升高。

五、诊断

有甲减的症状和体征，血清 TSH 增高，TT_4、FT_4 均降低，即可诊断原发性甲减；血清 TSH 减低或者正常，TT_4、FT_4 降低，应考虑为中枢性甲减。

经检查发现蝶鞍增大者，应与垂体瘤鉴别，原发性甲减 TRH 分泌增加可导致高泌乳素血症、溢乳及蝶鞍增大，与垂体泌乳素瘤相似，经 MRI 检查可鉴别。患者甲状腺肿质地坚硬，需注意排除甲状腺癌，穿刺细胞学检查有助于确定诊断。

六、病情评估

病因评估确诊为甲减的患者，首先应进行抗自身抗体检测，必要时结合甲状腺组织细胞学检查，明确甲减的病因诊断，包括桥本甲状腺炎等。通过病史采集，重点明确有无甲状腺疾病病史、用药史、甲状腺手术史及 ^{131}I 放射治疗史，确定是否为原发性甲减。

根据患者起病情况、临床表现尤其是低代谢的临床表现，结合实验室检查结果，重点是血清 TSH、TT_4、FT_4 水平，综合判断患者病情，指导临床药物治疗。

七、预防与治疗

（一）治疗

1. 治疗目标 临床症状和体征缓解，生活质量改善。血清 TSH、TT_4、FT_4 逐渐恢复到正常范围。

2. 药物治疗 主要措施为甲状腺素补充或替代治疗。左甲状腺素（L-T_4）是目前最常用的药物，L-T_4 可在体内转换为 T_3。成年患者 L-T_4 替代剂量范围在 50 ～ 200μg/d，平均 125μg/d，按体重计，其剂量范围为 1.6 ～ 1.8μg/（kg • d），老年患者约 1μg/（kg • d），妊娠期女性应增加 30% ～ 50%。甲状腺癌术后的患者常用剂量为 2.2μg/（kg • d）。年龄低于 50 岁、既往无器质性心脏病史患者可以尽快达到完全替代剂量；年龄超过 50 岁的患者服药之前常规评估心脏功能状态，一般从 25 ～ 50μg/（kg • d）剂量开始，每 1 ～ 2 周增加 25μg，直至达到治疗目标。有冠心病病史的患者，起始剂量宜小，调整剂量宜慢，防治诱发和加重心脏病。L-T_4 宜饭前服用，与其他药物的服用间隔时间应超过 4h。

3. 亚临床甲减的治疗

（1）高胆固醇血症患者：血清 TSH 超过 10mU/L，需要给予 L-T_4 治疗。

（2）妊娠期女性：甲减可影响胎儿智能发育，应尽快使血清 TSH 降低到 2.5mU/L 以下。

（3）年轻患者：年轻患者，尤其是 TPOAb 阳性者，经治疗应将 TSH 降低到 2.5mU/L 以下。

4. 黏液性水肿昏迷的治疗

（1）去除或治疗诱因：积极控制感染，禁用镇静、麻醉剂以免加重中枢抑制等。

（2）补充甲状腺激素：立即静脉注射 L-T_4，经治疗如症状无改善，尽早改用 T_3 静脉注射。

（3）应用糖皮质激素：静脉滴注氢化可的松。

（4）对症治疗：纠正呼吸衰竭、低血压等。

（二）预防

碘摄入量与甲减的发生和发展显著相关。维持碘摄入量在尿碘 100 ～ 199μg/L 安全范围是防治甲减的基础预防措施。

第三节　糖尿病

一、概念与分类

1. 概念　糖尿病（DM）是由多种病因引起的以慢性高血糖为特征的代谢紊乱。高血糖是由于胰岛素分泌缺陷和 / 或其生物效应降低（胰岛素抵抗）所致。

糖尿病是常见病、多发病，患者数正随着人民生活水平的提高、人口老龄化、生活方式的改变以及诊断技术的进步而迅速增加。糖尿病已成为发达国家中继心血管病和肿瘤之后的第三大非传染性疾病，是严重威胁人类健康的世界性公共卫生问题之一。

2. 分类　1999 年 WHO 分类法建议主要将糖尿病分成四大类，即 1 型糖尿病、2 型糖尿病、其他特殊类型和妊娠期糖尿病（表 6-2）。

表 6-2　糖尿病分类

类型	要点
1 型糖尿病（T1DM）	患者有胰岛 β 细胞破坏，引起胰岛素绝对缺乏。可发生于任何年龄，但多见于青少年。起病急，代谢紊乱症状明显，患者需注射胰岛素以维持生命。包括自身免疫性和特发性两种亚型
2 型糖尿病（T2DM）	患者大部分超重或肥胖，也可发生于任何年龄，但多见于成年人。以胰岛素抵抗为主伴胰岛素分泌不足，或胰岛素分泌不足为主伴或不伴胰岛素抵抗。患者在疾病初期或甚至终生，其生存不需要胰岛素治疗
其他特殊类型糖尿病	此类型按病因及发病机制分为 8 种亚型，包括 1985 年 WHO 分类标准中所有继发性糖尿病，同时也包括已经明确病因和发病机制以及新近发现的特殊类型
妊娠期糖尿病	指妊娠期间发生的不同程度的糖代谢异常

二、病因与发病机制

糖尿病病因及发病机制见表 6-3。

表 6-3　糖尿病病因及发病机制

类型	病因及发病机制
1 型糖尿病	遗传因素某些环境因素如病毒感染、化学物质、饮食因素等作用于遗传易感性个体；激活 T 淋巴细胞介导的一系列自身免疫反应；选择性引起胰岛 β 细胞破坏和功能衰竭；胰岛素分泌绝对缺乏导致 1 型糖尿病
2 型糖尿病	遗传因素在 2 型糖尿病比 1 型糖尿病更重要，胰岛素抵抗和胰岛 β 细胞分泌胰岛素功能缺陷，联合环境因素，导致 2 型糖尿病。中心性肥胖、高热量饮食及缺乏体力活动是导致 2 型糖尿病最主要的环境因素

三、临床表现

1. 无症状期　多数 2 型糖尿病患者先有肥胖、高血压、动脉硬化、高脂血症或心血管病，出现症状前数年已存在高胰岛素血症、胰岛素抵抗。糖耐量减低（IGT）和空腹血糖受损（IFG）被认为是糖尿病的前期状态。

2. 典型症状　为“三多一少”。血糖升高后因渗透性利尿引起多尿，继而因口渴而多饮水。患者体内葡萄糖不能利用，脂肪分解增多，蛋白质代谢负平衡，肌肉渐见消瘦，疲乏无力，体重减轻，儿童生长发育受阻。为了补偿损失的糖分，维持机体活动，患者常易饥、多食，故糖尿病的表现常被描述为“三多一少”，即多尿、多饮、多食和体重减轻。1 型患者大多起病较快，病情较重，症状明显且严重。2 型患者多数起病缓慢，病情相对较轻，肥胖患者起病后也会体重减轻。

3. 其他　反应性低血糖可为首发表现；可有皮肤瘙痒，尤其是外阴瘙痒；视力模糊；女性月经失调，男性阳痿等。

四、并发症

一些患者以糖尿病并发症为主诉而就医。糖尿病并发症包括慢性并发症和急性并发症、感染三类（表 6-4）。

表 6-4　糖尿病并发症

类型	要点
急性并发症	酮症酸中毒（最严重、常见）、高血糖高渗状态、乳酸性酸中毒等
慢性并发症	主要有糖尿病肾脏病变、糖尿病视网膜病变、糖尿病性心脏病变、糖尿病性脑血管病变、糖尿病性神经病变（周围神经病变、自主神经病变）、糖尿病足和其他（如白内障、青光眼、视网膜黄斑病和虹膜睫状体病变、皮肤病变等）
感染	多为化脓性细菌感染、肺结核和真菌感染等

命题趋势　并发症是糖尿病的常见考点，近些年多以 A1、B1 型题出现。

金题直击

1. 糖尿病最常见最严重的急性并发症是

A. 心血管病变　　B. 非特异性感染

C. 肺结核　　D. 酮症酸中毒

E. 低血糖昏迷

【答案】D

【解题思路】

糖尿病最严重、常见的急性并发症是糖尿病酮症酸中毒。

五、实验室检查及其他检查

1. **尿糖测定**　尿糖阳性。

2. **血葡萄糖（血糖）测定**　空腹血糖≥ 7.0mmol/L，餐后 2h 血糖≥ 11.1mmol/L。

3. **葡萄糖耐量试验（OGTT）**　当血糖高于正常范围而又未达到诊断糖尿病标准者，须进行 OGTT。

4. **糖化血红蛋白和糖化血浆白蛋白测定**　前者能较稳定反映采血前 2 ～ 3 个月内平均血糖控制水平，后者可反映患者近 2 ～ 3 周内血糖总的水平，为糖尿病病情监测的指标。

5. **血浆胰岛素和 C 肽测定**　主要用于了解胰岛 β 细胞功能，协助判断糖尿病分型和指导治疗。胰岛素正常值：5 ～ 20mU/L。

6. **胰岛自身抗体测定**　谷氨酸脱羧酶抗体（GAD-Ab）和（或）胰岛细胞抗体（ICA）的检测阳性，对 1 型糖尿病的诊断有意义。

7. **其他**　血脂、眼底血管荧光造影、肌电图、运动神经传导速度及蛋白排泄率等。

命题趋势　诊断指标是糖尿病的常见考点，近些年多以 A1、B1 型题出现。

金题直击

（2 ～ 3 题共用备选答案）

A. ≥ 6.0mmol/L　　B. ≥ 7.0mmol/L

C. ≥ 9.0mmol/L　　D. ≥ 10.0mmol/L

E. ≥ 11.0mmol/L

2. 诊断糖尿病的空腹血糖值是　　【答案】B

3. OGTT 实验诊断糖尿病的值是　　【答案】E

【解题思路】

诊断糖尿病的血糖值为 FPG ≥ 7mmol/L，或者 OGTT 2hPG 或随机血糖≥ 11.1mmol/L。

六、诊断与鉴别诊断

（一）诊断

有“三多一少”症状；原因不明的酸中毒、脱水、昏迷、休克，反复发作的皮肤疖或痈、真菌性阴道炎、结核病等，血脂异常、高血压、冠心病、脑卒中、肾病、视网膜病、周围神经炎、下肢坏疽以及代谢综合征；高危人群如空腹血糖受损、糖耐量减低、年龄45岁以上、肥胖、糖尿病或肥胖家族史等。均为糖尿病的重要诊断线索。

糖尿病诊断以血糖异常升高为依据，应注意单纯空腹血糖正常不能排除糖尿病的诊断，应检测餐后血糖，必要时进行OGTT。

目前我国采用1999年WHO糖尿病标准，见表6-5。

表6-5 糖尿病诊断标准

诊断类型	血糖/[mmol/L（mg/dL）]
糖尿病（DM）	FPG ≥ 7.0（126），或者OGTT 2hPG或随机血糖≥ 11.1（200）
空腹血糖受损（IFG）	FPG6.1 ～ 7.0（110 ～ 126），且OGTT 2hPG ＜ 7.8（140）
糖耐量减低（IGT）	FPG ＜ 7.0（126），且OGTT 2hPG7.8 ～ 11.1（140 ～ 200）

注：FPG为空腹血糖，PG为随机血糖，随机指餐后任何时间，注意随机血糖不能用于诊断IFG和IGT。国际糖尿病专家委员会已将IFG修订为5.6 ～ 6.9 mmol/L。

（二）鉴别诊断（助理不考）

主要与其他原因引起的尿糖阳性、血糖增高和特殊类型糖尿病相鉴别。

1. 肾性糖尿 因肾糖阈降低所致，虽尿糖阳性，但血糖及OGTT正常。

2. 继发性糖尿病 肢端肥大症（或巨人症）、库欣综合征、嗜铬细胞瘤可分别因生长激素、皮质醇、儿茶酚胺分泌过多，对抗胰岛素而引起继发性糖尿病或糖耐量异常。

七、病情评估

1. 识别高危人群 糖尿病的高危人群是指年龄超过18岁，存在一个及以上高危因素的个体高危因素包括：①年龄≥ 40岁；②有糖尿病前期病史；③ BMI ≥ 24kg/m^2 或中心性肥胖（腰围男性≥ 90cm，女性≥ 85cm）；④缺乏体力活动；⑤一级亲属中有T2DM患者；⑥有巨大胎儿生产史或妊娠期糖尿病病史；⑦有高血压或正在降压治疗；⑧有血脂异常或正在进行调脂治疗；⑨有动脉粥样硬化性心脑血管病史；⑩有一过性类固醇糖尿病史；⑪ 多囊卵巢综合征病史；⑫ 长期使用抗精神病或抗抑郁药治疗。

2. 评估与死亡相关的并发症 糖尿病的主要死亡原因是各种并发症，T1DM的主要死因是糖尿病肾病，T2DM的主要死因是心血管并发症。确诊的糖尿病患者，根据分型不同，进行慢性并发症的相关辅助检查。

（1）明确糖尿病肾病的诊断及分期。

（2）确定动脉粥样硬化病变的程度及受累脏器。

（3）及时发现与诊断急性并发症。

（4）评估致残性并发症：糖尿病的慢性并发症可导致患者多系统功能障碍及残疾，包括：①眼部并发症如黄斑变性、白内障等可导致失明，是成年人后天失明的主要原因之一；②周围神经病变、脑血管并发症、糖尿病足是导致患者肢体功能缺失的重要原因；③脑血管病变尤其是急性大面积脑梗死可导致患者失认、失语、失读等，并可导致远期的血管性痴呆等。

八、治疗与预防

（一）治疗

1. 治疗目标 纠正代谢紊乱，使血糖、血脂、血压降至正常或接近正常，消除症状，防止或延缓并发症，提高生活质量，延长寿命。

2. 糖尿病健康教育 有利于提高患者的信心和自我保健能力，有利于积极配合治疗并使疾病控制达标。应对患者和家属耐心宣教，让其了解糖尿病的基础知识和治疗控制要求。

3. 医学营养治疗 主要是饮食治疗，是各型糖尿病的基础治疗。

（1）计算总热量：首先计算理想体重［理想体重（kg）= 身高（cm）−105］，然后根据工作性质计算总热量。成人休息状态下给予热量105 ～ 125.5kJ/（kg·d），轻度体力劳动者125.5 ～ 146kJ/（kg·d），中度体力劳动者146 ～ 167kJ/（kg·d），重度体力劳动者167kJ/（kg·d）以上。

（2）热量来源分配：糖类占饮食总热量的50% ～ 60%；蛋白质不超过15%，一般0.8 ～ 1.2g/（kg·d）；

脂肪约占总热量的30%。

（3）合理分配：按每日三餐分配为1/5、2/5、2/5或1/3、1/3、1/3。

4. 运动治疗 长期坚持体育锻炼应作为一项基本措施，适用于病情相对稳定者，尤其适用于肥胖的2型糖尿病患者。

5. 口服降糖药物治疗

（1）双胍类：减少肝糖异生和肝糖输出，增加肌肉等外周组织对葡萄糖的摄取和利用，调节血脂，单独应用不引起低血糖反应。常用二甲双胍，分2～3次口服。适应证：①2型糖尿病，尤其是无明显消瘦以及伴血脂异常、高血压或高胰岛素血症的患者，作为一线用药，可单用或联合应用其他药物。②1型糖尿病，与胰岛素联合应用可能减少胰岛素用量和血糖波动。

（2）磺脲类：刺激胰岛β细胞分泌胰岛素，餐前半小时服用。主要有格列本脲、格列吡嗪、格列美脲等，一般早餐前半小时服用，剂量较大时改为早、晚餐前服用。适应证：①经饮食与运动治疗未能良好控制的非肥胖2型糖尿病患者。②肥胖2型糖尿病患者应用双胍类血糖控制仍不满意，或因胃肠道反应不能耐受，可加用或改用磺脲类。③胰岛素治疗每日用量在0.3 U/kg以下者。最常见的不良反应为低血糖反应，其他有体重增加、皮肤过敏反应等。

（3）α-葡萄糖苷酶抑制剂：延缓葡萄糖和果糖在小肠的吸收，降低餐后血糖，进餐时服用。主要有阿卡波糖、伏格列波糖等，应在进食第一口食物后立即服用。适应证：①2型糖尿病或IGT，尤其是以餐后高血糖为主者。②1型糖尿病用胰岛素时加用本药，可增加疗效，减少胰岛素剂量，避免发生餐前低血糖。常见的不良反应为胃肠道反应。

（4）噻唑烷二酮类：增强胰岛素在外周组织的敏感性，减轻胰岛素抵抗。主要有罗格列酮、吡格列酮等，每日1次或分2次口服。适应证：2型糖尿病，尤其是肥胖、胰岛素抵抗明显者。可单独使用，也可与磺脲类或胰岛素等联合应用。

（5）格列奈类：为胰岛素促分泌剂。有瑞格列奈、那格列奈和米格列奈，于餐前或进餐时口服。适用于2型糖尿病早期餐后高血糖阶段或以餐后高血糖为主的老年患者。

6. 胰岛素治疗

（1）适应证

①1型糖尿病。

②2型糖尿病经饮食、运动和口服降糖药治疗未获得良好控制。

③糖尿病酮症酸中毒、高渗性昏迷和乳酸性酸中毒伴高血糖时。

④各种严重的糖尿病急性或慢性并发症。

⑤手术、妊娠和分娩。

⑥2型糖尿病β细胞功能明显减退者。

⑦某些特殊类型糖尿病。目前主张2型糖尿病患者早期使用胰岛素，以保护β细胞功能。

（2）使用原则：应在综合治疗基础上进行。根据血糖水平、β细胞功能缺陷程度、胰岛素抵抗程度、饮食和运动状况等，决定胰岛素剂量。一般从小剂量开始，用量、用法必须个体化，及时调整剂量。

（3）不良反应：低血糖反应最常见，其他有过敏反应、局部反应（注射局部红肿、皮下脂肪萎缩或增生）、胰岛素水肿、视力模糊等。

7. 手术治疗 通过腹腔镜操作的减肥手术，并发症少。

8. 并发症治疗 ①糖尿病肾病应用ACEI或ARB，除可降低血压外，还可减轻微量白蛋白尿，延缓肾衰竭的发生和发展。②糖尿病视网膜病变可使用羟基苯磺酸钙、ACEI、ARB、蛋白质激酶C-β抑制剂等，必要时尽早应用激光光凝治疗，争取保存视力。③糖尿病周围神经病变，可用甲基维生素B_{12}、肌醇、α-硫辛酸以及对症治疗等。④对于糖尿病足，强调注意预防，防止外伤、感染，积极治疗血管病变和末梢神经病变。

9. 胰腺移植和胰岛细胞移植 仅限于伴终末期肾病的1型糖尿病患者。

（二）预防

糖尿病尤其是T2DM被认为是慢性生活方式疾病，是遗传因素与环境因素共同作用的结果，其预防强调三级预防。

1. 一级预防 加强糖尿病知识的宣传教育，提倡健康的生活方式尤其是健康的饮食习惯，适量有氧运动，保持正常体重，戒烟限酒，保持心理健康。对于重点人群（年龄≥45岁者；BMI≥25kg/m^{2}者；有糖尿病家族史者；有IGF或IGT史者；高甘油三酯血症患者；高血压及冠心病患者；年龄≥30岁的妊娠女性；有妊娠期糖尿病病史者；多囊卵巢综合征患者等）进行一定的个体化生活方式干预，包括减少主食摄入，每周150min

有氧运动，减轻体重 5% ～ 7%，使 BMI 维持在 24kg/m^2 以下，控制饱和脂肪酸的摄入等。

2. 二级预防 尽早发现糖尿病，防治糖尿病的慢性并发症控制及纠正高血糖、高血压、血脂异常、超重、吸烟等高危因素，定期随访，检测治疗效果，使各项治疗达到目标值。

3. 三级预防 筛查糖尿病并发症，及时处理各种并发症，降低残疾率与死亡率。

治疗是糖尿病的高频考点，考查方式较灵活，各种题型均可见到。

金题直击

4. 患者，男，14 岁。患 1 型糖尿病 2 年，近日在家中用胰岛素治疗，突然发生昏迷。其昏迷原因最可能是

A. 糖尿病高渗性昏迷　　B. 乳酸性酸中毒

C. 呼吸性酸中毒　　D. 尿毒症酸中毒

E. 低血糖昏迷

【答案】E

【解题思路】

患者已使用了胰岛素后发生了昏迷，那么不会是糖尿病的急性并发症导致的，胰岛素的不良反应最常见的就是低血糖反应。患者于家中自行使用，首先考虑胰岛素用量用法不当造成血糖过低。

第四节　糖尿病酮症酸中毒（助理不考）

一、概念

糖尿病酮症酸中毒（DKA）是由于糖尿病患者发生胰岛素重度缺乏及升糖激素异常升高，引起糖、脂肪、蛋白质代谢紊乱，出现以高血糖、酮症、代谢性酸中毒和脱水为主要表现的严重急性并发症，为最常见的糖尿病急症。

二、病因

本症多发生在 1 型糖尿病，2 型糖尿病在一定诱因作用下也可发生。常见诱因有各种感染、胰岛素治疗中断或不适当减量、饮食不当及各种应激如多发性创伤、外科手术、妊娠和分娩等。

三、临床表现

DKA 分为三个临床阶段：①早期血酮升高称酮血症，尿酮排出增多称酮尿症，统称为酮症期；②酮体中 β- 羟丁酸和乙酰乙酸为酸性代谢产物，消耗体内储备碱，机体代偿而初期血 pH 值正常，称为代偿性酮症酸中毒，晚期血 pH 值下降，为失代偿性酮症酸中毒，为酮症酸中毒期；③病情进一步发展，出现神志障碍，甚至昏迷，称为糖尿病酮症酸中毒昏迷。

酮症早期表现为“三多一少”症状加重，伴有明显疲倦等症状。酸中毒时则出现食欲减退、恶心呕吐、极度口渴、尿量增多、呼吸深快、呼气有烂苹果味。后期尿少，失水，眼眶下陷，皮肤黏膜干燥，血压下降，心率加快，四肢厥冷。晚期常有不同程度意识障碍，反射迟钝、消失，甚至昏迷。

四、实验室检查

尿糖及尿酮呈强阳性。血糖多为 16.7 ～ 33.3mmol/L，甚至更高。血酮体和 β- 羟丁酸升高。二氧化碳结合力降低，失代偿期 pH 值低于 7.35，BE 负值增大，阴离子间隙增大。血钠、血氯降低。初期血钾可正常或升高，治疗后血钾可迅速下降。白细胞计数增多，常以中性粒细胞增多为主。

五、诊断

“三多一少”症状加重，有恶心、厌食、酸中毒、脱水、休克、昏迷，尤其是呼气有酮味（烂苹果味）、血压低而尿量多者，不论有无糖尿病病史，均应考虑本症的可能。如血糖升高、尿糖强阳性、尿酮体阳性，即可确诊糖尿病酮症；如兼有血 pH 值、二氧化碳结合力下降及 BE 负值增大者，即可诊断为糖尿病酮症酸中毒。早期诊断是决定治疗成败的关键，对疑诊的患者立即查末梢血糖、血酮，以及尿糖、尿酮，同时抽血查血糖、血酮、β- 羟丁酸、尿素氮、肌酐、电解质、血气分析等以肯定或排除本病。

六、治疗与预防

（一）治疗原则

快速静脉补液恢复有效循环血容量，以适当速度降低血糖，纠正电解质及酸碱平衡失调，积极查明和消除诱因，防治并发症，降低病死率。

（二）救治措施

1. 静脉补液 补液是治疗的关键环节，根据具体病情把握补液量和速度，DKA 失水量可达体重 10% 以上，因此，应按照患者原有体重及失水程度计算补液量，一般为原有体重的 10% 左右，常规首先补充 0.9% 氯化钠注射液，开始时输液速度较快，在 1 ～ 2h 内输入 0.9% 氯化钠注射液 1000 ～ 2000mL，前 4h 输入所计算失水量 1/3 的液体，以改善周围循环和肾功能，以后根据血压、心率、每小时尿量、末梢循环情况及有无发热、吐泻等决定输液量和速度。

2. 应用胰岛素 目前采用持续小剂量（短效）胰岛素治疗方案，即每小时每千克体重给予 0.1U 胰岛素，使血清胰岛素浓度恒定达到 100 ～ 200μU/mL。

3. 纠正电解质及酸碱平衡失调

（1）纠正酸中毒：经输液和胰岛素治疗后，酮体水平下降，酸中毒可自行纠正，一般不必补碱。严重酸中毒者，血 pH 值低于 7.1，HCO_3^- 低于 5mmol/L 者应给予补碱治疗，但补碱不宜过多、过快。

（2）纠正低血钾：补钾应根据血钾和尿量。治疗前血钾低于正常，立即开始补钾，第一个 2 ～ 4h 补氯化钾 1.0 ～ 1.5g/h；血钾正常、尿量少于 30mL/h，暂缓补钾，待尿量增加后再开始补钾。

4. 去除诱因及防治并发症

（1）防治脏器功能衰竭：特别是预防脑水肿、心力衰竭和肾功能衰竭，预防上消化道出血，维持重要脏器功能。

（2）控制感染：严重感染是常见诱因，亦可是发病后的合并症，应积极处理。

（三）预防

酮症酸中毒是糖尿病最常见的急性并发症，也是重要的死亡原因，主要预防措施：①规范、有效控制血糖，使糖尿病治疗达到控制目标，使病情得到良好控制；②及时防治感染等并发症和其他诱因；③掌握胰岛素治疗的适应证，病情变化时及时调整胰岛素治疗方案；④通过健康教育与随访，要求患者不可随意自行调整胰岛素用量，感知病情变化及时就诊。

第五节　血脂异常

一、概念

常是指血浆中脂质的量和质发生异常，一般指血浆胆固醇（CH）或/和甘油三酯（TG）升高，或高密度脂蛋白胆固醇（HDL-C）降低，也称为血脂紊乱，但不能用“高脂血症”代替该疾病。

血脂是血浆中的 CH、TG 和类脂如磷脂等的总称。与临床密切相关的血脂主要是 CH 和 TG，其他还有游离脂肪酸（FFA）和磷脂等。在人体内 CH 主要以游离胆固醇及胆固醇酯的形式存在。

二、分类

1. 高胆固醇血症 仅有总胆固醇增高。

2. 高甘油三酯血症 仅有甘油三酯升高。

3. 混合性高脂血症 总胆固醇、甘油三酯都升高。

4. 低高密度脂蛋白血症 仅有高密度脂蛋白胆固醇降低。

三、临床表现

血脂异常主要表现为黄色瘤、早发性角膜环以及脂血症眼底改变，以黄色瘤较为常见。黄色瘤最常见于眼睑周围，是一种局限性皮肤隆起，可为黄色、橘黄色或棕红色，多呈结节、斑块或丘疹状，质地一般柔软。严重的高胆固醇血症有时可出现游走性多关节炎。更多的临床表现是血脂异常导致的各种动脉粥样硬化性心血管疾病（ASCVD）。

四、实验室检查

血脂异常一般通过常规健康体检，或由于其他疾病就诊进行常规血液生化检查而被发现，然后进一步诊断及分型。测定空腹（禁食 12h 以上）血浆或血清血脂四项是诊断的主要方法，包括 TC、TG、LDL-C 和 HDL-C。

五、诊断

（一）诊断方法

家族史及个人生活方式、体检（营养状态、体型、腰臀比等）等可提供诊断线索，实验室检测可明确诊断。为及时发现血脂异常患者，20 ～ 40 岁成年人至少每 2 年检测一次血脂；40 岁以上男性和绝经期后女性应每年检测血脂；ASCVD 患者及其高危人群，每 3 ～ 6 个月测定一次血脂因 ASCVD 原因住院的患者，应在入院 24h 内检测血脂首次发现血脂异常时应在 2 ～ 4 周内复查血液生化，若仍属异常，则可确立诊断。发现血脂异常，应进行其他代谢指标包括空腹血糖、糖化血红蛋白及血尿酸等指标的检测，排除代谢异常综合征。

（二）诊断标准

血脂异常的诊断标准依据《中国成人血脂异常防治指南（2016 年修订版）》的分层标准（表 6-6）。血脂合适水平和异常切点主要适用于 ASCVD 一级预防的目标人群。

表 6-6　中国 ASCVD 一级预防人群血脂合适水平和异常分层标准　　单位：mmol/L（mg/dL）

分层	总胆固醇	LDL-C	HDL-C	非 HDL-C	TG
理想水平		＜ 2.6（100）		＜ 3.4（130）	
合适水平	＜ 5.2（200）	＜ 3.4（130）		＜ 4.1（160）	＜ 1.7（150）
边缘升高	≥ 5.2（200）且 ＜ 6.2（240）	≥ 3.4（130）且 ＜ 4.1（160）		≥ 4.1（160）且 ＜ 4.9（190）	≥ 1.7（150）且 ＜ 2.3（200）
升高	≥ 6.2（240）	≥ 4.1（160）		≥ 4.9（190）	≥ 2.3（200）
降低			＜ 1.0（40）		

六、病情评估

1. 病因评估

（1）原发性血脂异常：家族性脂蛋白异常血症是由于基因缺陷所致，大多数原发性血脂异常原因不明。

（2）继发性血脂异常：①某些全身系统性疾病如糖尿病、甲状腺功能减退症、库欣综合征、肝肾疾病、过量饮酒等可引起各种类型的血脂异常；②某些药物如噻嗪类利尿剂、β 受体阻滞剂等长期服用，长期大量使用糖皮质激素等，均可导致血浆 TC 和 TG 水平升高。

2. 病情评估　血脂异常的危害除了与血脂水平有关外，更重要的是取决于患者共存的 ASCVD 危险因素。《中国成人血脂异常防治指南》中将 LDL-C 的控制目标与 ASCVD 的危险分层密切结合在一起，指导临床有效控制血脂异常，见表 6-7。

表 6-7　不同 ASCVD 危险人群 LDL-C/ 非 HDL-C 治疗达标标准　　单位：mmol/L（mg/dL）

患者危险等级	LDL-C	非 HDL-C
低危	＜ 3.4（130）	＜ 4.1（160）
中危	＜ 3.4（130）	＜ 4.1（160）
高危	＜ 2.6（100）	＜ 3.4（130）
极高危	＜ 1.8（70）	＜ 2.6（100）

七、治疗与预防

（一）治疗原则

1. 根据患者个体 ASCVD 危险程度，决定是否启动药物治疗。

2. 以生活方式干预为基础，生活方式改善可以同时干预其他 ASCVD 的危险因素。
3. 将控制 LDL-C 水平达标作为防控 ASCVD 危险的首要干预靶点，非 HDL-C 作为次要干预靶点。
4. 明确患者个体干预目标值，并使调脂治疗达到目标值。
5. 调脂药物首选他汀类。
6. 单用他汀类药物胆固醇水平不能达标者，可与其他调脂药物如依折麦布或中药制剂联合使用。

（二）治疗性生活方式干预

1. 控制饮食 包括控制饮食总热量、改善饮食结构、改变饮食习惯。
2. 改善生活方式 控制体重指数、戒烟、限制饮酒。

（三）药物治疗

1. 主要降低胆固醇的药物

（1）他汀类：是目前首选的降胆固醇药物。适用于高胆固醇血症、混合性高脂血症和 ASCVD 患者。目前常用药物有阿托伐他汀、瑞舒伐他汀、氟伐他汀等。

（2）肠道胆固醇吸收抑制剂：常用依折麦布。单药或与他汀类联合治疗高胆固醇血症、以胆固醇升高为主的混合性高脂血症。禁用于妊娠期和哺乳期。

（3）胆酸螯合剂：适应证为高胆固醇血症、以胆固醇升高为主的混合性高脂血症。常用考来烯胺等。主要不良反应为恶心、呕吐、腹胀、腹痛、便秘等消化道症状。

（4）普罗布考：适应证为高胆固醇血症，尤其是纯合子型家族性高胆固醇血症。常见不良反应为恶心等。

2. 主要降低甘油三酯的药物

（1）贝特类：用于高甘油三酯血症和以甘油三酯升高为主的混合性高脂血症。常用的药物有非诺贝特、吉非贝齐和苯扎贝特等。常见不良反应与他汀类相似。禁用于肝肾功能不全患者；儿童、孕妇、哺乳期女性禁用。

（2）烟酸类：常用烟酸缓释片等。常见不良反应有面部潮红、消化道反应等。

（3）高纯度鱼油制剂：主要用于高甘油三酯血症和以甘油三酯升高为主的血脂异常。有出血倾向者禁用。

3. 新型调脂药物 包括前蛋白转化酶枯草溶菌素 9（PCSK9）抑制剂、微粒体甘油三酯转移蛋白抑制剂、载脂蛋白 B100 合成抑制剂等。

（四）其他治疗

1. 脂蛋白血浆置换 是家族性高 TC 血症的辅助治疗措施。
2. 肝移植和其他手术治疗 如部分回肠旁路手术和门腔静分流术。

（五）预防

原发性血脂异常多与遗传因素有关，有明确血脂异常家族史的患者，应注重一级预防措施，养成健康合理的饮食习惯，注意避免过多摄入高胆固醇、高油脂、高糖食物，监测体重。

第六节　高尿酸血症与痛风

一、概念

高尿酸血症（HUA）是由于嘌呤代谢障碍，尿酸生成过多和（或）尿酸排泄减少引起血尿酸水平超过 420μmol/L 的代谢性疾病。5% ～ 15% 高尿酸血症患者发展为痛风。

二、病因和分类

（一）病因

1. 高尿酸血症

（1）尿酸生成增多。

（2）尿酸排泄减少：其中肾小球滤过率降低是主要原因。

2. 痛风

（1）高尿酸血症。

（2）遗传因素：遗传因素与环境因素共同导致痛风，主要机制是尿酸排泄障碍。
（3）其他：某些疾病如肾脏疾病、恶性肿瘤化疗、长期应用某些药物等，可引发痛风。

（二）分类

1. 高尿酸血症 临床上分为原发性高尿酸症和继发性高尿酸症。
2. 痛风 痛风根据有无病因及病因特点，分为原发性、继发性与特发性。
（1）原发性痛风：为先天性，由遗传因素与环境因素共同致病，具有家族遗传易感性。
（2）继发性痛风：由某些原发病作用或药物导致的痛风，见于肾脏疾病、恶性肿瘤化疗或放疗等。
（3）特发性痛风：部分痛风患者无明显原因，称为特发性痛风。

三、临床表现

1. 无症状期 仅有一过性或持续性高尿酸血症。

2. 急性发作期 常因高蛋白高嘌呤饮食、饮酒、劳累、感染、创伤等诱发，表现为急性关节炎，多是首发症状。起病急骤，多在午夜剧痛而惊醒，呈刀割样。单侧第一跖趾关节疼痛最常见，其余依次为足底、踝、足跟、膝、腕、指和肘关节。受累关节局部红肿、热痛，压痛明显，功能受限。初发时多为单个关节，后累及多关节。可伴有白细胞、C 反应蛋白升高，红细胞沉降率增加。

3. 痛风石 痛风石是痛风的特征性表现，典型部位在耳郭，也常见于反复发作的关节周围，以及尺骨鹰嘴、滑车和跟腱内。外观为隆起的大小不一的黄白色赘生物，初起质软，表面菲薄，破溃后排出白色粉状或糊状物，可形成瘘管。

4. 肾脏病变 表现为痛风性肾病及尿酸性肾石病、急性肾衰等。临床表现为轻度腰酸痛、夜尿增多、蛋白尿、血尿，进而发生高血压、肾功能不全等。大量尿酸盐结晶阻塞肾小管，患者可出现少尿甚至无尿，严重者进展为急性肾损伤。

5. 眼部病变 有睑缘炎、眼睑皮下组织痛风石等。

四、实验室检查及其他检查

1. 血尿酸测定 血尿酸超过 420μmol/L 为高尿酸血症。

2. 尿尿酸测定 检测目的是判断高尿酸血症的主要原因是尿酸生成增多还是尿酸排泄减少。限制嘌呤饮食 5 天后，每日尿酸排出量超过 3.57mmol，判断为尿酸生成增多。

3. X 线检查 痛风患者可见病变周围软组织肿胀，关节软骨及骨皮质破坏，典型者表现为骨质穿凿样或虫蚀样缺损。

4. 滑囊液或痛风石内容物检查 偏振光显微镜下可见双折光的针形尿酸盐结晶。

5. 关节超声 患者有双轨征或不均匀低回声与高回声混合团块影。

6. 关节 CT 或 MRI 检查 受累部位可见高密度痛风石影。

五、诊断与鉴别诊断

（一）诊断

1. 高尿酸血症 日常嘌呤饮食状态下，非同日 2 次空腹血尿酸水平超过 420μmol/L，即可诊断。

2. 痛风 在高尿酸血症基础上，出现特征性关节炎表现，尿路结石，或肾绞痛发作，即应考虑痛风，如在滑囊液及痛风石中找到尿酸盐结晶即可确诊。

（二）鉴别诊断

1. 类风湿关节炎 以青中年女性多见，好发于小关节和腕、踝、膝关节，伴明显晨僵。血尿酸不高，但有高滴度的类风湿因子。X 线检查示关节面粗糙，间隙狭窄，甚至关节面融合。

2. 风湿性关节炎 多见于年轻女性，大关节游走性和对称性红、肿、热、痛，无关节畸形，可伴其他风湿活动的临床表现及实验室依据如血沉增快、抗链“O”增高等，血尿酸正常。X 线检查无关节畸形。

3. 创伤性关节炎及化脓性关节炎 前者有外伤史，后者伴发热、白细胞增高等全身感染中毒症状。血、尿尿酸均正常。

六、病情评估

1. 病因评估　评估患者致病因素，作出分类诊断。

2. 病变程度评估

（1）关节损害评估：根据患者血尿酸升高水平及时间，患者的关节症状，受累关节的部位、数量，局部红、肿、热、痛程度，结合病变部位影像学检查，作出关节损害程度判断。

（2）肾功能评估：长期高水平的高尿酸血症及痛风，可导致肾功能下降。

七、治疗与预防

（一）高尿酸血症的治疗

1. 非药物治疗　进行健康教育，鼓励并督促患者改变生活方式和饮食习惯，是治疗高尿酸血症的基础，包括：①限酒戒烟；②低嘌呤饮食，减少嘌呤含量高的食物如虾、啤酒等的摄入；③避免剧烈运动；④避免富含果糖的饮料；⑤保证每日的饮水量及排尿量，每日饮纯水2000mL以上；⑥恢复体重至个体化标准体重范围并保持；⑦增加新鲜蔬菜的摄入比例；⑧生活规律，有规律性地进行有氧运动。

2. 药物治疗

（1）促尿酸排泄药：用于肾功能良好的患者。不宜用于每日尿尿酸排出超过3.57mmol/L、有尿路结石及内生肌酐清除率小于30mL/min的患者。急性尿酸性肾病患者禁用。在用药治疗初期饮水量不得少于1500～2000mL/d。常用药物有苯溴马隆，早餐后服用，不良反应少见，有胃肠不适、腹泻、皮疹等。

（2）抑制尿酸生成药物：①别嘌醇：肾功能不全者减量使用，不良反应有胃肠道症状、皮疹、肝功能损害等。②非布司他：适用于痛风患者的长期治疗，不推荐用于无临床症状的高尿酸血症，轻、中度肾功能不全的患者无须调整剂量，常见不良反应有肝功能异常、恶心、关节痛、皮疹等。

（3）碱性药物：常用碳酸氢钠片口服，长期大量使用可导致代谢性碱中毒。

（4）新型降尿酸药：包括拉布立酶、普瑞凯希等。

3. 其他治疗　继发性高尿酸血症患者，应积极治疗原发病。

（二）痛风的治疗

1. 非药物治疗　应控制饮水量，暂时禁食富含嘌呤食物。急性关节炎期应卧床休息，减少运动量，抬高患肢，并进行关节局部的保护处理。

2. 药物治疗

（1）急性发作期的治疗：①非甾体消炎药：常用吲哚美辛，症状缓解后可减量，57天后停用。也可使用双氯芬酸、布洛芬等。常见不良反应有消化道溃疡及出血，有症状患者可服用PPI药物加以预防。②秋水仙碱：不良反应主要为严重的胃肠道反应，也可引起骨髓抑制、肝细胞损害、过敏等，肾功能不全者减量使用。③糖皮质激素：非甾体消炎药和秋水仙碱治疗无效或不耐受者，以及肾功能不全的患者，可考虑短期单用常规剂量的糖皮质激素，如泼尼松等。

（2）发作间歇期和慢性期的治疗：在急性发作缓解2周后，从小剂量开始应用降尿酸药。应将患者血尿酸水平稳定控制在360μmol/L以下。单一药物疗效不好、血尿酸升高明显、痛风石大量形成时可合用两类降尿酸药物。

3. 伴发疾病的治疗　痛风患者常伴有代谢综合征的其他临床问题，包括高血压等，应加以良好控制。

4. 手术治疗　必要时可手术剔除痛风石，矫正残毁关节等。

（三）预防

原发性高尿酸血症及痛风的预防，以改善生活方式、改善饮食结构、保证每日饮水量及排尿量为主。继发性高尿酸血症及痛风以明确导致高尿酸血症及痛风的原发病或药物，明确诱发急性关节炎的诱因，加以积极治疗控制，避免服用影响尿酸代谢药物。

高频考点速递

1. 甲亢最常见病因是弥漫性毒性甲状腺肿（Graves病）。

2. 患者消瘦、多汗、多食是高代谢的表现，且易激动，而查体可见甲状腺肿大并震颤，是甲状腺功能亢进的典型表现。

3. 甲状腺功能检查的指标中，最敏感的是 TSH，即促甲状腺激素。
4. 抗甲状腺药物的不良反应是粒细胞减少。
5. 糖尿病最重、常见的急性并发症是糖尿病酮症酸中毒。
6. 诊断糖尿病的血糖值为 FPG ≥ 7mmol/L，或者 OGTT 2hPG 或随机血糖≥ 11.1mmol/L。
7. 注射胰岛素不良反应，以低血糖反应最为常见。

第七单元　结缔组织病

考试分值

节	年份 / 级别	2019	2020	2021	2022	2023
类风湿关节炎	执业	1	1	0	2	2
	助理	1	0	2	0	2
系统性红斑狼疮（助理不考）	执业	0	1	0	0	1

第一节　类风湿关节炎

一、概念

类风湿关节炎（RA）是以对称性多关节炎为主要临床表现的异质性、系统性、自身免疫性疾病。多发生于中年女性，男女之比为 1∶3。

二、病因与发病机制

1. 病因　为一种抗原驱动、T 淋巴细胞介导及与遗传相关的自身免疫病。

2. 发病机制（助理不考）　遗传易感性和环境因素与发病密切相关，主要发病机制为免疫功能紊乱，滑膜关节组织的某些特殊成分或体内产生的内源性物质作为自身抗原，启动特异性免疫应答，导致相应的关节炎症状。

三、病理（助理不考）

RA 的基本病理改变是滑膜炎，急性期滑膜表现为渗出性和细胞浸润性。进入慢性期，滑膜增厚，形成绒毛样突起，突向关节腔或侵入软骨和软骨下骨质。绒毛又名血管翳，有很强的破坏性，是造成关节破坏、畸形、功能障碍的病理基础。类风湿关节变化示意图见图 7-1。

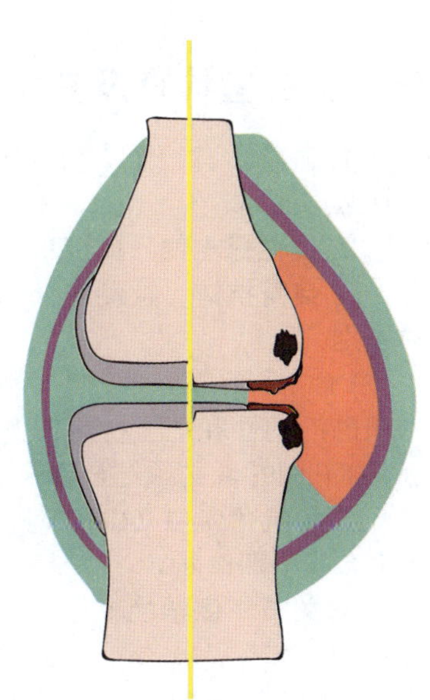

图 7-1　类风湿关节变化示意图

四、临床表现

流行病学资料显示，RA 发生于任何年龄，80% 发生于 35 ～ 50 岁，女性患者约为男性患者的 3 倍。

1. 关节表现

（1）晨僵：指受累关节静止一段时间后，尤其是晨起后，开始活动时出现僵硬感，活动一段时间后缓解的现象。

（2）关节疼痛与压痛：关节疼痛往往是 RA 的首发症状，最常受累部位为腕关节、掌指关节、近端指间关节，多呈对称性、持续性，但时轻时重。疼痛的关节往往伴有压痛，受累关节的皮肤出现褐色色素沉着。

（3）关节肿胀：呈对称性，以腕、掌指关节，近端指间关节，膝关节最常受累。

（4）关节畸形：见于晚期患者，关节周围肌肉的痉挛、萎缩可使畸形更为加重。常见“天鹅颈样”和“纽扣花样”表现。

（5）关节功能障碍：分为4级。

① Ⅰ级：能照常进行日常生活和工作。

② Ⅱ级：能生活自理，并可以参加一定的工作，但是活动受到限制。

③ Ⅲ级：仅能生活自理，不能参加工作和其他活动。

④ Ⅳ级：生活不能自理。

（6）特殊关节：颈，肩、髋关节，颞颌关节有疼痛、活动受限表现。

2. 关节外表现

（1）类风湿结节：是最常见的关节外表现。结节大小不一，质硬，无压痛，多对称性分布。结节不仅是RA的特异性皮肤表现，也是疾病处于活动期的表现。

（2）类风湿血管炎：引起皮肤缺血溃疡、眼巩膜炎等。

（3）肺脏受累表现：最常见的并发症是肺间质病变。此外可以并发肺内结节、胸膜炎、Caplan综合征等。

（4）血液系统表现：贫血和血小板增多在病情活动期RA患者中十分常见。

（5）干燥综合征：口干、眼干是主要表现。

（6）其他：如心包炎、神经系统受累表现等，但肾脏受累少见。

命题趋势 临床表现是类风湿的高频考点，近些年多以A1、B1型题出现。

金题直击

（1～2题共用备选答案）

A. 关节疼痛　　B. 晨僵

C. 关节肿胀　　D. 关节畸形

E. 类风湿结节

1. 类风湿关节炎最早出现的临床表现是 【答案】A

2. 类风湿关节炎活动期的标志性表现是 【答案】E

【解题思路】

类风湿关节炎最早出现的症状为关节疼痛；类风湿关节炎活动期的标志性表现之一是类风湿结节。

【易错点】

晨僵虽然是类风湿关节炎特征性的症状，但却不是首发症状。

五、实验室检查及其他检查

1. 血象　有轻至中度贫血，多呈正细胞正色素性贫血。活动期，患者的血小板计数可增高，白细胞及分类计数多正常。

2. 炎性标志物　血沉和C反应蛋白（CRP）常升高，并且和疾病的活动度相关。

3. 自身抗体　检测自身抗体有利于RA与其他炎性关节炎如银屑病关节炎、反应性关节炎和退行性关节炎的鉴别。

（1）类风湿因子（RF）：在常规临床工作中主要检测IgM型RF，见于约70%的患者血清，其滴度一般与本病的活动性和严重性呈比例。但RF并非RA的特异性抗体，甚至在5%的正常人也可以出现低滴度的RF，因此RF阳性者必须结合临床表现诊断本病。

（2）抗角蛋白（CCP）抗体：在此抗体谱中对RA的诊断敏感性和特异性高，已在临床中普遍使用。有助于RA的早期诊断。

4. 关节影像学检查

（1）X线片检查：对RA诊断、关节病变分期、病变演变的监测均很重要。初诊至少应选手指及腕关节做X线片检查。早期可见关节周围软组织肿胀影、关节端骨质疏松（Ⅰ期）；进而关节间隙变窄（Ⅱ期）；关节面出现虫蚀样改变（Ⅲ期）；晚期可见关节半脱位和关节破坏后的纤维性和骨性强直（Ⅳ期）。诊断应有骨侵蚀或肯定的局限性或受累关节近旁明显脱钙。

（2）其他：包括关节 X 线数码成像、CT 及 MRI，它们对诊断早期 RA 有帮助。MRI 可以显示关节软组织早期病变。CT 可以显示在 X 线片上尚看不出的骨破坏。

5. 关节滑液检查 滑液增多，微浑浊，黏稠度降低，呈炎性特点，滑液中白细胞升高。

6. 关节镜及针刺活检 关节镜对诊断及治疗均有价值，针刺活检操作简单、创伤小。

检查手段是类风湿关节炎的常见考点，近些年多以 A1、B1 型题出现。

金题直击

3. 诊断类风湿关节炎首选的检查方式是

A. 血常规　　B. 炎性标志物

C. 手部 X 线片检查　　D. 关节滑液检查

E. 关节针刺活检

【答案】C

【解题思路】

X 线片检查对类风湿关节炎的诊断、关节病变分期、病变演变的监测均很重要，初诊至少应选手指及腕关节做 X 线片检查。

六、诊断与鉴别诊断

（一）诊断

目前 RA 的诊断仍沿用美国风湿病学会（ACR）1987 年修订的分类标准。

（1）关节内或周围晨僵持续至少 1h。

（2）至少同时有 3 个关节区软组织肿或积液。

（3）腕、掌指、近端指间关节区中，至少 1 个关节区肿胀。

（4）对称性关节肿。

（5）有类风湿结节。

（6）血清 RF 阳性（所用方法正常人群中不超过 5% 阳性）。

（7）X 线片改变（至少有骨质疏松和关节间隙狭窄）。

符合以上 7 项中 4 项者可诊断为 RA［第（1）至第（4）项病程至少持续 6 周］。

（二）鉴别诊断（助理不考）

1. 骨关节炎 与 RA 的主要不同点：①发病年龄多在 50 岁以上；②主要累及膝、髋等负重关节和手指远端指间关节；③关节活动后疼痛加重，经休息后明显减轻；④血沉轻度增快，RF 阴性；⑤ X 线检查显示关节边缘呈唇样骨质增生或骨抚形成。

2. 痛风性关节炎 与 RA 的主要不同点：①患者多为成年男性；②关节炎的好发部位为第一跖趾关节；③伴有高尿酸血症；④关节附近或皮下可见痛风结节；⑤血清自身抗体阴性。

3. 强直性脊柱炎 与 RA 的主要不同点：①青年男性多见，起病缓慢；②主要侵犯骶髂关节及脊柱，或伴有下肢大关节的非对称性肿胀和疼痛；③ X 线片可见骶髂关节侵蚀、破坏或融合；④ 90% ～ 95% 患者 HLA-B27 阳性而 RF 为阴性；⑤有家族发病倾向。

4. 系统性红斑狼疮 与 RA 的主要不同点：① X 线检查无关节骨质改变；②患者多为女性；③常伴有面部红斑等皮肤损害；④多数有肾损害或多脏器损害；⑤血清抗核抗体和抗双链 DNA 抗体显著增高。

七、病情评估

RA 早期诊断对于及时治疗、预防肢体功能残疾很重要。病情反复活动进行性加重的患者，可导致不同程度的关节损害，确诊的患者应对其受累关节功能进行评估，以指导治疗。

美国风湿病学会将关节功能障碍分为四级。

Ⅰ级：能照常进行日常生活和各项工作。

Ⅱ级：可进行一般的日常生活和某种职业工作，但参与其他项目活动受限。

Ⅲ：可进行一般的日常生活，但参与某种职业工作或其他项目活动受限。

Ⅳ：日常生活的自理和参与工作的能力均受限。

八、治疗与预防

（一）治疗

治疗措施包括：一般治疗、药物治疗、手术治疗，其中以药物治疗最为重要。

1. 一般治疗 强调患者教育及整体和规范治疗的理念，包括营养支持、适度休息、急性期关节制动、恢复期关节功能锻炼、配合适当物理治疗等。

2. 药物治疗

（1）非甾体抗炎药：具有抗炎、镇痛作用，起效快，但不能控制病情进展，必须与改变病情的抗风湿药同服。常用的有塞来昔布、美洛昔康、双氯芬酸等。

（2）糖皮质激素：可以迅速缓解关节肿痛症状，对抑制骨质破坏可能有一定作用。关节腔注射激素适用于单关节炎症明显的 RA 患者，但一年内注射不宜超过 4 次。

（3）抗风湿药物：有延缓疾病进展的作用，一般首选甲氨蝶呤，并将它作为联合治疗的基本药物。

（4）生物制剂：肿瘤坏死因子、TNF-α 拮抗剂、CD20 单克隆抗体（美罗华），这些药物不仅可以减轻炎症，而且抑制骨质破坏，阻止疾病的进展，因此是治疗 RA 最有效的药物。

3. 手术治疗 早期可做受累关节滑膜切除术；至晚期，可做关节成形术或关节置换术。

（二）预防

1. 预防发病 RA 的发病与遗传易感因素、环境因素及免疫系统失调密切相关。RA 的预防重点对象是家系调查发现RA先症者的一级亲属，应注意生活方式，规律饮食起居，减少各种机会性感染。一旦出现感染症状，及时就诊治疗、抗炎治疗，必要时进行免疫辅助治疗。

2. 预防肢体功能残疾 确诊的 RA 患者应进行个体化规范治疗，严格执行联合治疗方案及减药原则，注重一般治疗。已经出现关节畸形的患者，结合中西医康复治疗，维护关节基本功能。

命题趋势 治疗是类风湿的常见考点，近些年多以 A1、B1 型题出现。

金题直击

（4 ～ 5 题共用备选答案）

A. 糖皮质激素　　B. 肿瘤坏死因子

C. 非甾体抗炎药　　D. 甲氨喋呤

E. 细胞单克隆抗体

4. 类风湿关节炎缓解症状首选的用药是 【答案】C

5. 可以迅速缓解症状并阻止类风湿关节炎骨质破坏的药物是 【答案】A

【解题思路】

类风湿关节炎首选控制症状的药物是非甾体抗炎药，起效快，但不能控制病情进展，需联合抗风湿药物同用；可以迅速缓解症状又能抑制骨质破坏的药物是糖皮质激素，但不能常规及长期应用。

第二节　系统性红斑狼疮（助理不考）

一、概念

系统性红斑狼疮（SLE）是多系统损害的慢性系统性自身免疫疾病，其血清中出现以抗核抗体为代表的多种自身抗体。病程以病情缓解和急性发作交替为特点，有肾及中枢神经系统损害者预后较差。

二、病理

基本病理改变是炎症反应和血管异常，坏死性血管炎。

三、临床表现

青年女性生育龄妇女占患者的 90% ～ 95%，育龄期男女之比为 1∶9。临床表现复杂多样无固定模式，病程迁延，反复发作，起病形式多样，可为暴发性、急性或隐匿性；可仅有单一器官受累，也可多个系统同时受累。发病诱发因素有日晒、感染、妊娠、分娩、药物、手术等。系统性红斑狼疮的临床表现见表 7-1。

表 7-1　系统性红斑狼疮的临床表现

部位	表现
全身	多数有发热、乏力、消瘦等全身症状
皮肤与黏膜	鼻梁和双颧颊部有呈蝶形分布的红斑；皮肤损害包括光敏感、脱发、手足掌面和甲周红斑、盘状红斑、结节性红斑、脂膜炎、网状青斑、雷诺现象等。口或鼻黏膜溃疡常见
关节与肌肉	85% 有关节受累，多数有关节痛，部分伴关节炎。常见部位为近端指间关节、腕、足、膝、踝等，对称分布，多无骨质破坏与畸形
浆膜	1/3 病例有单或双侧胸膜炎、心包炎，或腹膜炎
肾	几乎所有患者的肾组织均有病理变化，有临床表现者约 75%，因此肾脏损伤造成尿毒症是 SLE 的常见死亡原因
其他	心血管、肺、消化系统与神经系统均可受累；周围血象可见一系至三系减少，其中白细胞和血小板下降，自身免疫性的贫血对诊断有意义

命题趋势 临床表现是系统性红斑狼疮的常见考点，近些年多以 A1、B1 型题出现。

金题直击

1. 下列描述中哪项是系统性红斑狼疮最具特征的临床表现

A. 多发性口腔溃疡　　B. 蝶形红斑

C. 雷诺现象　　D. 光过敏

E. 肾小管酸中毒

【答案】B

【解题思路】

SLE 最具特征性的表现为鼻梁和双颧颊部呈蝶形分布的红斑。

四、实验室检查及其他检查

1. 一般检查　血常规检查可有贫血、白细胞减少和 / 或血小板减少。尿常规检查可有蛋白、红细胞和各种管型。血沉在活动期常增快。

2. 自身抗体

（1）抗核抗体（ANA）：约 95%SLE 患者呈阳性，特异性较差，不能作为 SLE 和其他结缔组织疾病的鉴别依据。

（2）抗双链 DNA（dsDNA）抗体：标记性抗体之一。活动期患者阳性率可达 95%，特异性强，对确诊 SLE 和判断其活动性有较大参考价值。抗体滴度高，常提示有肾损害。

（3）抗 Sm 抗体：标记性抗体之一。阳性率约 25%，特异性强，阳性患者病情缓解后继续呈阳性，故可作为回顾性诊断的依据。

（4）抗磷脂抗体：阳性率为 30% ～ 40%，阳性患者容易发生动、静脉血栓、习惯性流产、血小板减少等，称为抗磷脂综合征。

（5）抗核糖体 P 蛋白抗体：阳性率约为 15%，阳性患者常有神经系统损害。

（6）其他自身抗体：如抗 SSA 抗体、抗 SSB 抗体、抗 U_1RNP 抗体等。20% ～ 40% 患者类风湿因子阳性。

3. 补体　血清补体 C3、C4 水平低下有助于 SLE 的诊断，并提示 SLE 处于活动期。

4. 狼疮带试验　70% ～ 90% 患者可见在真皮与表皮连接处有荧光带，为免疫球蛋白（主要为 IgG，也有 IgM 和 IgA）与补体沉积所致。

5. 肾活检　对狼疮肾炎的分型诊断、治疗、估计预后均有一定价值。

6. 其他检查　检查X线、CT、超声心动图、心电图、眼底检查、肝肾功能、心肌酶谱等有利于早期发现SLE对各系统的损害。

五、诊断与鉴别诊断

（一）诊断

普遍采用美国风湿病学会（ACR）1997年推荐的SLE分类标准，共11项。

（1）颊部红斑：固定红斑，扁平或高起，在两颧突出部位。

（2）盘状红斑：片状隆起于皮肤的红斑，有角质脱屑和毛囊栓；陈旧病变可见萎缩性瘢痕。

（3）光过敏：对日光有明显的反应，引起皮疹，从病史中得知或医生观察到。

（4）口腔溃疡：经医生观察到的口腔或鼻咽部溃疡，一般为无痛性。

（5）关节炎：非侵蚀性关节炎，累及两个或更多的外周关节，有压痛、肿胀或积液。

（6）浆膜炎：胸膜炎或心包炎。

（7）肾脏病变：尿蛋白定量＞0.5g/24h或（+++），或管型。

（8）神经病变：癫痫发作或精神病，除外药物或已知的代谢紊乱。

（9）血液学疾病：溶血性贫血，或白细胞减少，或淋巴细胞减少，或血小板减少。

（10）免疫学异常：抗dsDNA抗体阳性，或抗Sm抗体阳性，或抗磷脂抗体阳性（后者包括抗心磷脂抗体，或狼疮抗凝物，或至少持续6个月的梅毒血清试验假阳性，三者中具备1项阳性）。

（11）抗核抗体：在任何时候和未用药物诱发“药物性狼疮”的情况下，抗核抗体滴度异常。

上述11项中，符合4项或4项以上者，在除外感染、肿瘤和其他结缔组织病后，即可诊断为SLE。

（二）鉴别诊断

SLE应与类风湿性关节炎、癫痫病、特发性血小板减少性紫癜及原发性肾小球肾炎等相鉴别。

六、治疗与预防

（一）治疗

强调早期诊断和早期治疗，以避免或延缓不可逆的组织脏器的病理损害。

1. 一般治疗　急性活动期卧床休息，缓解期病情稳定患者可适当工作，但应避免过劳、日晒或其他紫外线照射；预防感染，及时发现和治疗感染；注意避免可能诱发狼疮的药物或食物；正确认识疾病，调节不良情绪。

2. 药物治疗

（1）轻型SLE：为可使用非甾体抗炎药、抗疟药、小剂量激素如泼尼松，也可短期局部应用激素治疗皮疹，权衡利弊，必要时可用硫唑嘌呤、甲氨蝶呤等免疫抑制剂。

（2）重型SLE：分两个阶段，即诱导缓解和巩固治疗。诱导缓解目的在于迅速控制病情，阻止或逆转内脏损害，力求疾病完全缓解。

①糖皮质激素：为治疗SLE的基础药物。根据病情轻重，泼尼松每日0.5～1mg/kg口服，晨起1次服用。病情好转，以每1～2周减10%的速度逐渐减量，如果病情允许，维持治疗剂量应＜10mg/d。

②环磷酰胺：为重症SLE的有效治疗药物之一。标准环磷酰胺冲击疗法每月1次，多数患者6～12个月后病情缓解。

③环孢素：对狼疮肾炎（特别是Ⅴ型）有效。

④硫唑嘌呤：控制肾脏和神经系统病变效果不及环磷酰胺冲击疗法，而对浆膜炎、血液系统表现、皮疹等疗效较好。

3. 免疫球蛋白治疗　静脉注射大剂量免疫球蛋白用于病情严重和（或）并发全身严重感染患者。

4. 狼疮危象治疗　目的在于挽救生命、保护受累脏器、防止出现后遗症。通常需要大剂量甲泼尼龙冲击治疗，针对受累脏器的对症治疗和支持治疗，以帮助患者渡过危象。

5. 妊娠生育　患者无重要脏器损害，病情稳定1年以上，细胞毒免疫抑制剂停用半年以上，泼尼松维持量＜10mg/d，可以妊娠。

6. 其他治疗　包括血浆置换、人造血干细胞移植、生物制剂治疗等。

（二）预防

1. 预防发病 系统性红斑狼疮发病与遗传因素、内分泌因素和环境因素有关。SLE 的预防措施主要是针对有家族史的婚育期女性的保护性措施，包括维持正常激素水平，加强紫外线防护，尽量减少药物、化学试剂的暴露，增强机体抗病能力，预防各种感染等。

2. 预防狼疮危象 对已经确诊的患者，尽早进行病情评估，进行个体化治疗，预防狼疮危象的发生。

治疗是系统性红斑狼疮的常见考点，近些年多以 A1、B1 型题出现。

金题直击

2. 系统性红斑狼疮的首选治疗药物是

A. 肾上腺糖皮质激素　　B. 细胞毒药物

C. 环孢素　　D. 雷公藤总苷

E. 免疫球蛋白

【答案】A

【解题思路】

SLE 治疗的基础药物是糖皮质激素。

高频考点速递

1. 类风湿关节炎的基本病理改变是滑膜炎。
2. 类风湿关节炎的首发症状是关节疼痛。
3. 类风湿关节炎的最常见关节外表现是类风湿结节。
4. 系统性红斑狼疮的基本病理改变是炎症反应和血管异常、坏死性血管炎。

第八单元　神经系统疾病

考试分值

节	年份/级别	2019	2020	2021	2022	2023
癫痫（助理不考）	执业	1	1	2	2	0
短暂性脑缺血发作	执业	—	—	—	—	—
	助理	—	—	—	—	—
脑梗死	执业	1	1	2	2	2
	助理	2	2	2	2	2
脑出血	执业	0	1	2	2	2
	助理	2	0	2	2	1
蛛网膜下腔出血（助理不考）	执业	1	1	1	1	1

第一节　癫痫（助理不考）

一、概念

癫痫是不同病因引起的，以脑部神经元高度同步化异常放电导致的临床综合征，是以脑部功能可逆性异常发作为特点的慢性脑部疾病。每次发作及每种发作的过程，称为痫性发作。一组具有相似症状与体征特点所组成的特定癫痫临床现象，称为癫痫综合征。

二、病因

1. 症状性癫痫 由各种已知的中枢神经系统结构或功能异常导致的癫痫。常见病因有颅脑外伤、脑血管瘤、颅内肿瘤、中枢神经系统感染、脑寄生虫病、神经系统变性疾病、代谢异常、药物和毒物导致的脑损伤等。

2. 特发性癫痫 病因不明，与遗传关系密切。发病有年龄特征，并具有特征性的临床表现及脑电图改变，如良性儿童癫痫、家族性颞叶癫痫等。

3. 隐源性癫痫 临床表现为症状性癫痫，但相关检查未查明中枢神经系统结构与功能异常，是一类最常见的癫痫，占全部癫痫的 60% ～ 70%。

三、常见癫痫发作的临床表现

（一）部分性发作

1. 单纯部分性发作 发作一般不超过 1min，无意识障碍，表现为简单的运动、感觉、自主神经或精神症状。见于继发性癫痫，大多脑部有器质性病变，根据痫性发作的起始症状可推断出痫性病灶在对侧的脑部。

（1）部分运动性发作：局部肢体抽动，多见于一侧口角、眼睑、手指或足趾，也可累及一侧肢体，有时表现为言语中断。发作时头眼突然向一侧偏转，也可伴躯干的旋转，称旋转性发作，常可发展成全面性强直 - 阵挛发作。

（2）体觉性发作或特殊感觉性发作：体觉性发作为多发生在口角、舌、手指或足趾的发作性麻木感、针刺感、冷感、触电感等；特殊感觉性发作，如视觉性（如闪光、暗点、黑影）、听觉性（如嗡嗡声、滴嗒声）、嗅觉性（如焦味）等。特殊感觉性发作均可作为复杂部分性发作或全面性强直 - 阵挛发作的先兆。

（3）自主神经发作：发作性自主神经功能紊乱，表现为皮肤发红或苍白、血压升高、心悸、多汗、恶心、呕吐、腹痛、大便失禁、头痛、嗜睡等。以头痛为主要表现者称头痛型癫痫；以腹痛为主要表现者称为腹型癫痫。

（4）精神性发作：各类型的遗忘症，如似曾相识、似不相识、快速回顾往事、强迫思维等；情感异常，如无名恐惧、愤怒、忧郁和欣快等；错觉，如视物变大或变小、感觉本人肢体变化等。

2. 复杂部分性发作 又称精神运动性发作，病灶多在颞叶及边缘系统，故又称颞叶 - 边缘发作。本型发作特征为发作起始出现各种精神症状或特殊感觉症状，随后出现意识障碍、自动症和遗忘症，有时发作开始即为意识障碍。其先兆或始发症状可包括上述单纯部分性发作中的各种症状和体征，特别是错觉、幻觉等精神症状以及特殊感觉症状。

（1）仅有意识障碍的发作：表现为意识突然中断、两眼凝视、面色苍白、全身呈虚脱状，持续数分钟至数十分钟，或入睡短时而恢复。

（2）伴有自动症的发作：患者往往先瞪视不动，然后做出无意识动作，如机械性重复原来的动作，或出现吮吸、咀嚼、清喉、搓手、抚面、解扣、脱衣等动作，有的表现为精神运动性兴奋，如游走、奔跑、乘车上船，也可自动言语或叫喊、唱歌等。每次发作持续数分钟或偶见持续数天甚至数月。神志逐渐清醒，对发作情况完全不能回忆。

3. 部分性发作继发为全面性发作

（二）全面性发作

1. 失神发作 典型失神发作通常称小发作。多见于儿童或少年。患者突然短暂的意识丧失，停止当时的活动，呼之不应，两眼瞪视不动 5 ～ 30s，无先兆和局部症状；可伴有简单的自动性动作，如擦鼻、咀嚼、吞咽等。手中持物可坠落，一般不会跌倒。事后对发作不能回忆，每天可发作数次至数百次。

2. 全面性强直 - 阵挛发作（GTCS） 通常称大发作（图 8-1），以意识丧失和全身对称性抽搐为特征。少数患者有上腹不适、眩晕、情绪不稳、感觉异常等先兆，发作可分 3 期。典型表现为咬破舌尖、角弓反张、头往上抬、口吐白沫。

（1）强直期：突然意识丧失，摔倒在地，全身骨骼肌持续性收缩；上睑抬起，眼球上翻，喉部痉挛，发出叫声；口先强张，而后突闭，可咬破舌；颈部和躯干先屈曲后反张，上肢先上举后旋再内收旋前，双手握拳，拇指内收，下肢自屈曲转为强烈伸直。强直期持续 10 ～ 20s 后肢端出现微颤转入阵挛期。

图 8-1 癫痫大发作

（2）阵挛期：震颤幅度增大并延及全身，发作呈对称性、节律性四肢抽动，先快后慢。不同肌群强直和松弛交替出现，阵挛频率渐慢，松弛期逐渐延长，本期持续 0.5 ～ 1min；最后一次强烈阵挛后抽搐停止，所有肌肉松弛。

（3）痉挛后期：阵挛期后尚有短暂的强直痉挛，造成牙关紧闭和大小便失禁。呼吸先恢复，口鼻喷出泡沫或血沫，心率、血压、瞳孔等恢复正常，肌张力松弛，意识逐渐恢复。自发作至意识恢复需 5 ～ 10min。醒后感头昏、头痛、全身酸痛乏力，对抽搐全无记忆。

3. 阵挛性发作 为婴儿期一种常见癫痫综合征，多在出生后 1 年内发病，表现为快速点头状痉挛、双上肢屈曲上抬、下肢屈向腹部，常伴精神运动发育迟滞。本型多继发于先天性或代谢性疾病。

4. 强直性发作 肌肉强烈收缩，使身体固定于特殊体位，头眼偏斜，躯干角弓反张，呼吸暂停，瞳孔散大。

5. 肌阵挛发作 全身或某一肌群短暂闪电样肌肉收缩。

6. 失张力性发作 肌张力突然丧失，表现为头部和肢体下垂，或跌倒。

命题趋势 临床表现是癫痫的高频考点，考查方式灵活，各种题型均可见到，近些年多在 A2、A3 型题中以关键信息出现。

金题直击

1. 患者，男，40 岁。近年来反复发作全身强直，阵挛，昏睡，自身对发作过程无记忆，首先考虑

A. 癫痫大发作
B. 失神小发作
C. 精神运动性发作
D. 局限性发作
E. 癫痫持续状态

【答案】A

【解题思路】

全面性强直 - 阵挛发作常称大发作，以意识丧失和全身对称性抽搐为特征，患者对于发作过程无记忆，根据题干信息，符合癫痫大发作的表现。

四、诊断与鉴别诊断

（一）诊断

1. 病史 详细而又准确的病史是诊断的主要依据。

2. 脑电图 脑电图是诊断癫痫重要的辅助诊断依据。结合多种激发方法，如特殊电极、长程或录像脑电图（video-EEG），阳性率在 80% 以上。即使在发作间歇期，50% 以上的癫痫患者仍有异常的脑电图。

3. 影像学及实验室检查 脑部 CT、MRI、单光子发射计算机断层，及各种化验如血常规、血糖、血钙、大便虫卵、脑脊液等检查，有助于诊断病因。

（二）鉴别诊断

1. 癔症性发作 发作前多有明显情绪因素，通常有人在场时发作。抽搐形式多样，富有表演色彩，意识不完全丧失。发作时瞳孔反射存在，无摔伤、舌咬伤、尿失禁等，脑电图正常。

2. 晕厥 晕厥是由于脑部短暂缺血、缺氧引起的一过性意识丧失。因肌张力低而不能保持正常姿势，发作前常有头晕、胸闷、心慌、黑矇、出汗等，发作时面色苍白而无发绀，脉细缓，一般跌倒后无抽搐，平卧后大多能很快恢复，发作后亦无嗜睡。间歇期脑电图正常。

命题趋势 检查手段是癫痫的常见考点，近些年多以 A1、B1 型题出现。

金题直击

2. 下列哪项是诊断癫痫重要的辅助诊断依据

A. 神经系统检查
B. 脑血管造影
C. 脑电图检查
D.CT 扫描
E. 脑脊液检查

【答案】C

【解题思路】

癫痫重要的辅助诊断依据是脑电图。

【易错点】

癫痫诊断的主要依据是病史，而重要的辅助诊断依据是脑电图。

五、病情评估

1. 病因评估 根据发病年龄初步判断病因。

（1）0 ～ 2 岁患儿常见病因是围生期脑损伤、先天性疾病及先天性代谢障碍。

（2）2 ～ 12 岁患儿常见病因是各种严重感染、特发性癫痫、高热惊厥等。

（3）12 ～ 18 岁患者多为特发性癫痫、颅脑外伤、脑血管畸形等。

（4）18 ～ 35 岁患者多为颅脑外伤、颅内肿瘤、特发性癫痫等。

（5）35 ～ 65 岁患者多为颅内肿瘤、颅脑外伤、急性脑血管病、代谢异常等。

（6）超过 65 岁的患者多为急性脑血管病、颅内肿瘤、阿尔茨海默病等。

2. 癫痫持续状态的识别 评估时依据临床表现外，还要应明确是否有不恰当停用或减量抗癫痫药物情况，以及是否伴发急性脑血管病、颅脑损伤等疾病。

3. 难治性癫痫的识别 目前将难治性癫痫定义为：频繁的癫痫发作至少每月 4 次以上，适当的抗癫痫药正规治疗且达到药物治疗浓度，观察至少 2 年，仍不能控制且明显影响日常生活，除外进行性中枢神经系统疾病及颅内占位性病变。对于难治性癫痫应尽早识别，尽早采取更加积极的治疗措施，降低死亡率。

六、治疗与预防

（一）治疗

1. 发作时的治疗

（1）一般处理：对全面性强直 - 阵挛发作患者，要注意防止跌伤和碰伤，解松衣领及裤带，保持呼吸道通畅。抽搐时间偏长者可给苯巴比妥 0.2g 肌内注射。精神症状发作者应防止其自伤或伤及他人。

（2）癫痫持续状态的急救

① 迅速控制发作：安定类药物为首选药。成年患者用地西泮 10 ～ 20mg 缓慢静脉注射，15min 后如复发可重复给药。也可选用苯妥英钠、异戊巴比妥钠。

② 对症治疗：保持呼吸通畅，防止缺氧加重，必要时吸氧或人工呼吸。伴有脑水肿、感染、高热等应做相应处理。

③ 维持治疗：抽搐停止后，可给苯巴比妥肌内注射，每 8 ～ 12h 1 次维持控制。同时鼻饲或口服卡马西平或苯妥英钠，待口服药物达到有效血药浓度后可逐渐停用苯巴比妥。

2. 发作间歇期的治疗

治疗原则如下。

① 早期治疗。

② 选药与用药个体化：按癫痫的类型选用抗癫痫药物，优选单药治疗。

③ 观察药物的疗效及不良反应：及时定期检查血常规、尿常规、肝功能、药物浓度等，调整药量或逐渐更换抗癫痫药物。

④ 增减药物及停药：增药要快，减药要慢。失神发作应完全控制至少 1 年后才能停药，减量过程不少于半年。

⑤ 病因治疗：继发性癫痫应积极进行病因治疗。

⑥ 其他：应取得患者及家属的充分合作，说明癫痫治疗的长期性、药物毒副作用及生活中注意事项，严禁无故停药，以免导致癫痫持续状态。

3. 常用抗癫痫药物的选择 全面性强直 - 阵挛发作可用苯妥英钠；部分性发作首选卡马西平；广谱抗癫痫药丙戊酸；小儿癫痫首选苯巴比妥。

4. 手术治疗 主要是癫痫病灶切除术。对于因脑瘤、脑血管畸形等疾病引起的继发性癫痫，需要针对病因。择期手术治疗。

（二）预防

1. 预防症状性癫痫 癫痫婴幼儿及儿童按时进行计划免疫；注意饮食卫生；减少意外事故的发生，意外事故中注意保护头部等。

2. 避免诱发作的因素 已有发作史的患者应注意避免可诱发自身癫痫发作的已知诱因，如睡眠不足、情绪波动等；避免各种原因引起的电解质紊乱、内分泌失调及代谢异常。

3. 预防发生癫痫状态 全面性强直 - 阵挛发作患者防治持续时间延长出现癫痫状态，增加残疾及死亡风险。缓解期合理调整抗癫痫药物，达到有效控制癫痫发作的治疗目的。

命题趋势 治疗是癫痫的高频考点，考查方式灵活，各种题型均可见到，近些年多在 A2、A3 型题中以关键信息出现。

金题直击

3. 患者，男，40 岁。近年来反复发作全身强直，阵挛，昏睡，自身对发作过程无记忆，该患者首选的治疗用药是

A. 乙琥胺　　B. 氯硝西泮

C. 苯妥英钠　　D. 水合氯醛

E. 地西泮

【答案】C

【解题思路】

全面性强直 - 阵挛发作常称大发作，以意识丧失和全身对称性抽搐为特征，患者对于发作过程无记忆，根据题干信息，符合癫痫大发作的表现。癫痫大发作药物首选苯妥英钠。

4. 患者，男，40 岁。近年来反复发作全身强直，阵挛，昏睡，自身对发作过程无记忆，若今日发作持续已达 50min，首选的用药是

A. 乙琥胺　　B. 氯硝西泮

C. 苯妥英钠　　D. 水合氯醛

E. 安定

【答案】E

【解题思路】

全面性强直 - 阵挛发作常称大发作，以意识丧失和全身对称性抽搐为特征，患者对于发作过程无记忆，根据题干信息，符合癫痫大发作的表现。发作持续已达 50min，那么是癫痫持续状态，用药首选地西泮，安定是临床中最常见的地西泮。

第二节　短暂性脑缺血发作

一、概念

短暂性脑缺血发作（TIA）是指局部脑动脉血供不足引起局部脑组织或视网膜缺血，出现短暂的神经功能缺失的一组疾病，临床症状一般持续不超过 1h，24h 内完全恢复，无本次事件的责任病灶的证据。

二、病因与发病机制

1. 病因 主要为动脉粥样硬化，其他有动脉狭窄、器质性心脏病、血液成分异常等。

2. 发病机制

（1）血流动力学改变：各种原因导致颈内动脉系统或椎 - 基底动脉系统的相关动脉内径狭窄。

（2）微栓塞：动脉粥样硬化的不稳定斑块、附壁血栓、瓣膜性或心律失常性心源性栓子、胆固醇结晶等形成血液循环中的微栓子，随血流到达颈内动脉系统或椎 - 基底动脉系统的相关动脉，引发血管急性栓塞。

三、临床表现

1. 颈内动脉系统 TIA 较少见，但易引起完全性脑卒中。常见症状有一过性单眼失明或视觉障碍，发作性

偏身瘫痪或单肢瘫痪，发作性偏身感觉障碍或单肢感觉障碍，发作性偏盲或视野缺损。

2. 椎 - 基底动脉系统 TIA 多见，且易反复发作，持续时间较短。常见症状有发作性眩晕，常伴有恶心、呕吐，多数患者出现眼球震颤。可出现单眼或双眼皮质盲或视野缺损，或复视、共济失调、吞咽困难、构音障碍和交叉性瘫痪等。少数患者可有猝倒发作（双下肢突感无力而倒地，但意识清楚，常可立即站立，称为跌倒发作）、短暂性全面遗忘等。

四、实验室检查及其他检查

1. 颅脑 CT 或 MRI 个别患者发病早期显示有一过性缺血病灶。多数患者经 CTA 或 DSA 检查可发现动脉粥样硬化、血管狭窄等。

2. 血液生化检测 部分患者有血脂、血糖等代谢指标异常。

3. 颈动脉及椎 - 基底动脉 B 超 部分患者可发现颈动脉或椎 - 基底动脉形成粥样硬化斑块。

4. 血液一般检查 部分患者可有红细胞比容异常升高、血小板异常升高等改变。

五、诊断与鉴别诊断

（一）诊断

因绝大多数患者就诊时发作已缓解，因此诊断主要依据病史，中老年患者突然出现一过性局限性神经功能缺失的症状和体征，持续时间短暂，24h 内症状和体征消失，急诊 CT 或 MRI 检查未发现与症状相关的病灶，即可诊断为 TIA。

（二）鉴别诊断

1. 癫痫部分性发作 表现为发作性肢体抽搐或感觉异常，持续时间仅数秒至数分钟，脑电图多有典型改变，有助于鉴别诊断。

2. 梅尼埃病 表现为发作性眩晕、呕吐，但持续时间较长，多超过 24h，且常发生于年轻人，常有耳鸣和听力减退。

六、病情评估

TIA 患者不仅有发生脑梗死的风险，也有发生心肌梗死甚至猝死的风险，发病 2 ～ 7 天是发生卒中的高风险期，因此，对确诊的 TIA 患者，应进行伴发病的详细问诊，明确有无动脉粥样硬化症、冠心病、糖尿病、血脂异常等基础疾病，并进行相关实验室及其他检查，消除危险因素，避免进展为卒中。

TIA 短期进展为卒中的风险评估目前应用 $ABCD^2$ 风险评分系统（表 8-1）。

表 8-1 TIA 患者 $ABCD^2$ 风险评分系统

评估要素	临床特点	评分 / 分
年龄 / 岁	＞ 60	1
血压 /mmHg	SBP ＞ 140 或 DBP ＞ 90	1
临床表现	单侧肢体无力	2
	语言障碍但无肢体无力	1
症状持续时间 /min	＞ 60	2
	10 ～ 59	1
糖尿病史	有	1

七、治疗与预防

（一）治疗

1. 一般治疗 积极有效控制高血压、糖尿病、血脂异常、器质性心脏病，低脂饮食，戒烟戒酒，适量进行规律的有氧运动等。

2. 抗血小板聚集治疗 用于非心源性栓子为病因的患者，口服阿司匹林可预防卒中和降低死亡率，或口服氯吡格雷。

3. 抗凝治疗 心源性栓子如非瓣膜病性房颤、新近发生的心肌梗死、颅外供脑动脉内血栓等患者，在CT排除颅内出血或大面积脑梗死，患者无出血性倾向、肝肾功能正常时，应用抗凝药物治疗，常用低分子量肝素皮下注射，随后改为华法林口服。

4. 外科治疗 对于既往6个月内有TIA发作的患者，经颈动脉检查证实存在同侧动脉狭窄超过70%，评估围手术期并发症和死亡风险低于6%的患者，可行颈动脉内膜切除术，或颈动脉血管成形术及支架置入术。

（二）预防

TIA作为病情较轻的急性脑血管病，发作时也属临床急症，具有进展为卒中的风险，预防应以心脑血管疾病的一级预防措施为主，包括调节饮食、戒烟限酒、进行规律的有氧运动等，使其达到个体化目标值。对于反复发作的TIA患者，通过抗血小板聚集、抗凝治疗等，预防近期及远期卒中的发生。

第三节　脑梗死

一、概念

脑梗死，又称为缺血性脑卒中，是各种原因导致脑动脉供血严重障碍甚至中断，相应脑组织发生缺血、缺氧性坏死，从而出现相应神经功能缺失的一组急性脑血管，是最常见的急性脑血管病。

二、分型

（一）脑梗死的临床分型

目前采用牛津社区卒中研究（OCSP）分型法，分为完全性前循环梗死（TACI）、部分性前循环梗死（PACI）、后循环梗死（POCI）以及腔隙性脑梗死（LACI）。

（二）脑梗死的病因学分型

目前采用TOAST分型法。

（1）大动脉粥样硬化型。

（2）心源性脑栓塞型。

（3）小动脉闭塞型。

（4）其他病因型：除以上三种病因明确的类型外，其他少见的病因如凝血功能障碍性疾病、血液成分异常、血管炎、血管畸形、结缔组织病、大动脉夹层等导致的脑梗死。

（5）不明原因型：两种或多种病因，辅助检查阴性，未查明病因者。

（三）病理生理分型

可分为脑血栓形成、脑栓塞及血流动力学机制导致的脑梗死。

三、病因与发病机制

脑梗死病因及发病机制见表8-2。

表8-2　脑梗死病因及发病机制

分型	病因及发病机制
脉血栓形成	指脑动脉的主干或皮层支管腔狭窄或闭塞并形成血栓（图8-2），导致脑组织血流中断，出现缺血、缺氧性坏死。最常见的病因是动脉粥样硬化
脑栓塞	是指来自身体各部位的栓子随血流进入脑动脉引起脑动脉阻塞，导致相应动脉供血区脑组织缺血、坏死。最常见的病因是心源性脑栓塞

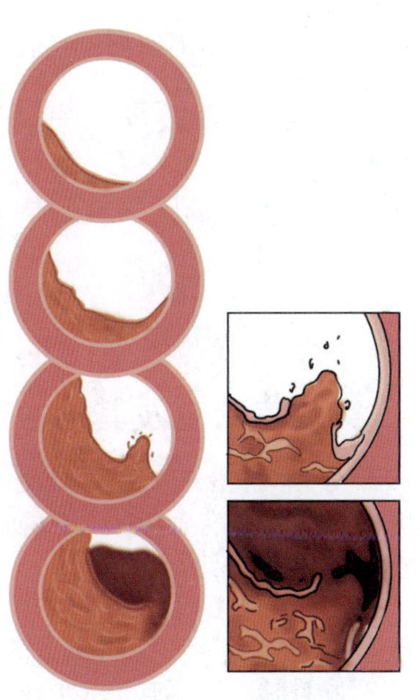

图8-2　血栓形成示意图

命题趋势 病因是脑梗死常见的考查点，近些年多以A1、B1型题出现。

金题直击

（1～2题共用备选答案）

A. 高血压性小动脉硬化　　B. 心源性脑栓塞

C. 肾病综合征　　D. 感染性心内膜炎

E. 动脉粥样硬化

1. 脑栓塞最常见的病因是　【答案】B

2. 动脉血栓性脑梗死最常见的病因是　【答案】E

【解题思路】

脑栓塞最常见的病因是心源性脑栓塞；动脉血栓性脑梗死最常见的病因是动脉粥样硬化。

四、临床表现

1. 一般表现

（1）常在安静或睡眠中发病，起病较缓，症状在数小时或1～2天内发展达高峰。

（2）多数无头痛、呕吐、昏迷等全脑症状，少数起病即有昏迷、抽搐，类似脑出血，多为脑干梗死。

2. 常见脑动脉闭塞的表现

（1）颈内动脉闭塞综合征：可有视力减退或失明、一过性黑矇、Horner综合征；病变对侧偏瘫、皮质感觉障碍；优势半球受累可出现失语、失读、失写和失认。

（2）大脑中动脉：出现典型的“三偏征”，即病变对侧偏瘫、偏身感觉障碍和同向偏盲，优势半球病变伴失语。

（3）大脑前动脉：病变对侧中枢性面、舌瘫；下肢重于上肢的偏瘫；对侧足、小腿运动和感觉障碍；排尿障碍；可有强握、吸吮反射、精神障碍。

（4）大脑后动脉：对侧同向偏盲及丘脑综合征。优势半球受累，有失读、失写、失用及失认。

（5）椎-基底动脉：可突发眩晕、呕吐、共济失调。并迅速出现昏迷、面瘫、四肢瘫痪、去脑强直、眼球固定、瞳孔缩小、高热。可因呼吸、循环衰竭而死亡。

（6）小脑后下动脉或椎动脉：①延髓背外侧综合征：突发头晕、呕吐、眼震；同侧面部痛，温觉丧失，吞咽困难，共济失调，Horner综合征；对侧躯干痛温觉丧失。②中脑腹侧综合征：病侧动眼神经麻痹、对侧偏瘫。③脑桥腹外侧综合征：病侧外展神经和面神经麻痹，对侧偏瘫。④闭锁综合征：意识清楚，四肢瘫痪，不能说话和吞咽。

（7）特殊类型脑梗死：包括大面积脑梗死、分水岭脑梗死等。

3. 临床分型

（1）完全性卒中：发病后神经功能缺失症状较重、较完全，常有完全性瘫痪及昏迷，于数小时内（＜6h）达到高峰。

（2）进展性卒中：发病后神经功能缺失症状在48h内逐渐进展或呈阶梯式加重。

（3）可逆性缺血性神经功能缺失：发病后神经缺失症状较轻，持续24h以上，但可于3周内恢复，不留后遗症。

五、实验室检查及其他检查

1. 颅脑CT检查　急性脑梗死通常在起病24～48h后可见与闭塞血管供血区一致的低密度病变区，并能发现周围水肿区，以及有无合并出血和脑疝。脑梗死CT影像见图8-3。

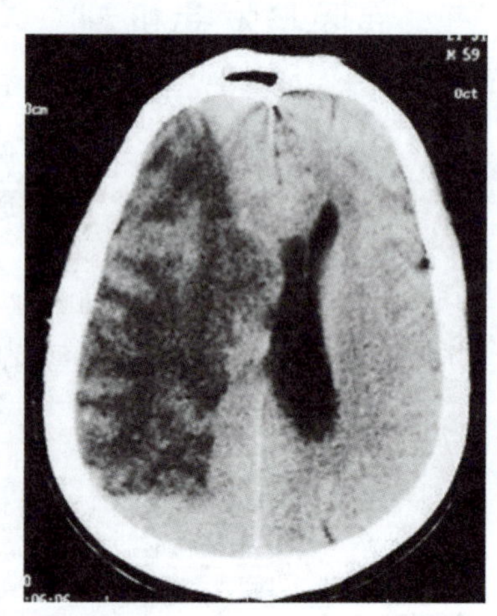
图8-3　脑梗死CT影像

2. 颅脑磁共振（MRI）　可于早期发现大面积脑梗死，特别是脑干和小脑的病灶，以及腔隙梗死。近年开发的弥散和灌注磁共振成像可发现超早期病灶。

3. 脑脊液　通常应在CT或MRI检查后才考虑是否进行腰椎穿刺。有颅内压增高的患者应慎做腰椎穿刺。一般脑梗死，脑脊液检查大多正常，但出血性梗死可含血液。

4. 其他检查 DSA、TCD、MRA 对脑血管畸形、脑动脉瘤、脑血管狭窄和闭塞的部位有诊断意义。心电图、TCD 频谱图、超声心动图、胸部 X 线等检查有助于查明栓子来源。

命题趋势 临床表现及实验室检查内容是脑梗死的高频考点，考查方式灵活，各种题型均可见到，近些年多在 A2、A3 型题中以关键信息出现。

金题直击

3. 患者，男，57 岁。风湿性关节炎病史 10 年，平素时有心慌心悸，近日来心慌自觉加重，脉律无规律。今日突发一侧肢体偏瘫、偏身感觉障碍和同向偏盲。脑 CT 检查未见异常，首先考虑

A. 动脉血栓性脑梗死　　B. 脑栓塞

C. 腔隙性脑梗死　　D. 脑出血

E. 蛛网膜下腔出血

【答案】B

【解题思路】

患者突发肢体活动不利，为急性脑血管病，考虑栓塞或出血，而患者的 CT 结果未见明显异常，排除出血疾病，首先考虑脑栓塞。

4. 患者，男，57 岁。风湿性关节炎病史 10 年，平素时有心慌心悸，近日来心慌自觉加重，脉律无规律。今日突发一侧肢体偏瘫、偏身感觉障碍和同向偏盲。脑 CT 检查未见异常。该患者最可能的病变位置是

A. 大脑中动脉　　B. 颈内动脉

C. 椎基底动脉　　D. 小脑

E. 椎动脉

【答案】A

【解题思路】

患者突发肢体活动不利，为急性脑血管病，考虑栓塞或出血，而患者的 CT 结果未见明显异常，排除出血疾病，首先考虑脑栓塞。患者此时出现了典型的三偏征，最可能的病变位置是大脑中动脉。

5. 下列疾病，起病最急的是

A. 动脉血栓性脑梗死　　B. 脑栓塞

C. 腔隙性脑梗死　　D. 脑出血

E. 蛛网膜下腔出血

【答案】B

【解题思路】

脑栓塞的疾病表现往往在数分或数秒就达到高峰了，起病最急。

六、诊断与鉴别诊断

（一）诊断

1. 脑血栓形成 ①有动脉硬化、高血压、糖尿病、心房颤动等病史。②常有短暂性脑缺血发作（TIA）病史，表现为发作性半身乏力、麻木、自主运动功能丧失或眩晕伴共济失调，持续数分钟至数小时，一般不超过 24h，可完全恢复。③突然起病，出现局限性神经缺失症状，并持续 24 h 以上；神经系统症状和体征可用某一血管综合征解释；意识常清楚或轻度障碍，多无脑膜刺激征。④脑部 CT、MRI 检查可显示梗死部位和范围，并可排除脑出血、肿瘤和炎症性疾病。腔隙性梗死诊断需依据 CT 或 MRI 检查。

2. 脑栓塞 ①有冠心病心肌梗死、心脏瓣膜病、心房颤动等病史。②体力活动中骤然起病，迅速出现局限性神经功能缺失症状，症状在数秒钟到数分钟达到高峰，并持续 24h 以上。神经系统症状和体征可用某一血管综合征解释。③意识常清楚或轻度障碍，多无脑膜刺激征。④脑部 CT、MRI 检查可显示梗死部位和范围，并可排除脑出血、肿瘤和炎症性疾病。

（二）鉴别诊断（助理不考）

1. **颅内占位病变** 病程长，有进行性颅内压升高和局限性神经体征，造影可有脑血管移位，CT、MRI 可发现占位病灶。

2. **中枢性面瘫与周围性面瘫** 脑卒中引起的面瘫是中枢性面瘫，表现为病灶对侧眼裂以下面瘫，但闭眼、皱眉动作正常，常常伴有舌瘫和偏瘫；周围性面瘫则表现为同侧的表情肌瘫痪、额纹减少或者消失，眼睑闭合不全，但无偏瘫。

七、治疗与预防

（一）治疗

1. **一般治疗** 保持呼吸道通畅；控制血压，如血压 200/120mmHg 者给予温和降压；血糖＞ 10mmol/L 给予胰岛素治疗；大面积脑梗死可选用 20% 甘露醇、呋塞米或白蛋白。并注意维持水、电解质平衡，预防各种感染。

2. **溶栓治疗** 溶栓治疗目前尚不能成为常规治疗方法。常用的溶栓药物有尿激酶和重组组织型纤溶酶原激活剂（rt-PA）。

3. **降纤治疗** 脑梗死早期可选用降纤治疗，尤其适用于合并高纤维蛋白原血症患者。常用巴曲酶，应用中注意出血倾向。

4. **抗凝治疗** 脑栓塞者，如无出血倾向，可考虑抗凝治疗。常用低分子肝素 1 ～ 2 次 / 天皮下注射。

5. **抗血小板聚集治疗** 常用阿司匹林、氯吡格雷等。

6. **神经保护治疗** 可减少细胞损伤，加强溶栓效果，改善脑代谢，常用胞磷胆碱等。

7. **减轻脑的缺血性损伤** 亚低温（32 ～ 35℃）对脑缺血有保护作用；可选用口服尼莫地平作为神经保护剂。脑血管扩张剂一般仅用于不完全性脑梗死，禁用于脑水肿和低血压者。

8. **恢复期的治疗** 包括早期进行功能锻炼、预防复发、控制危险因素、针灸、理疗等方面。

（二）预防

脑卒中是最常见的急性脑血管病，具有发病率高、致残率高、死亡率高的流行病学特点，应积极按照规范的慢性病三级预防措施，进行个体化预防。

1. **一级预防** 为针对首次脑血管病发病的预防对有卒中风险但尚无卒中病史的人群，预防措施：①积极控制血压使血压达标，一般人群血压不超过 140/90mmHg，低于 60 岁、合并糖尿病或肾功能不全者不超过 130/80mmHg；②戒烟；③纠正血脂异常；将 LDL-C 控制在 2.59 mmol/L 以下或较基线值下降 30% ～ 40%，合并糖尿病、高血压者应控制在 2.07mmol/L 以下；④控制糖尿病，使各项指标达到中国 2 型糖尿病控制目标的综合目标水平；⑤心房颤动者，进行抗凝治疗，使 INR 维持在理想范围；⑥其他，包括合理膳食、限酒、适当锻炼、随访颈动脉超声及血同型半胱氨酸水平等。

2. **二级预防** 是针对再次卒中的预防，包括对短暂性脑缺血发作的治疗。预防措施：①控制可调控的易患因素。将 LDL-C 控制在 81mmol/L 以下，有症状的颈动脉狭窄超过 50% 者行颈动脉内膜剥脱术，规范治疗短暂性脑缺血发作等。②抗血小板聚集治疗。非心源性栓塞患者使用阿司匹林或氯吡格雷常规剂量治疗。③抗凝治疗。已确诊的心源性栓塞或有慢性房颤的患者，应用华法林治疗，使 INR 维持在达标范围。

3. **三级预防** 针对卒中急性期患者，预防严重并发症及脑水肿、脑疝等致死性因素伤害。主要预防措施：①通过高危人群的健康教育，使患者掌握就诊时机的把握；②尽早对可疑患者作出诊断，制定并实施个体化的最佳治疗方案；③及时处理各种并发症；④重视脑保护措施及早期康复的应用，降低残疾率与死亡率。

命题趋势 临床表现及实验室检查内容是脑梗死的高频考点，考查方式灵活，各种题型均可见到，近些年多在 A2、A3 型题中以关键信息出现。

金题直击

6. 患者，男，57 岁。风湿性关节炎病史 10 年，平素时有心慌心悸，近日来心慌自觉加重，脉律无规律。今日突发一侧肢体偏瘫、偏身感觉障碍和同向偏盲。脑 CT 检查未见异常。该患者首选的治疗用药是

A. 甘露醇　　B. 阿司匹林
C. 肝素　　D. rt-PA
E. 胞磷胆碱钠

【答案】D

【解题思路】

患者突发肢体活动不利，为急性脑血管病，考虑栓塞或出血，而患者的 CT 结果未见明显异常，排除出血疾病，首先考虑脑栓塞，此时患者需要及时溶栓治疗，故选用 rt-PA 即重组组织型纤溶酶原激活剂。

第四节　脑出血

一、概念

脑出血是指由于脑内血管破裂导致的非外伤性脑实质内的出血。

二、病因与发病机制

1. 病因　脑出血最主要的病因是高血压性动脉硬化。其他病因包括血液病、动脉瘤、脑血管畸形、脑动脉炎、脑肿瘤、抗凝或溶栓治疗等。绝大多数高血压性脑出血发生在基底节的壳核及内囊区，最主要受累的血管是大脑中动脉的豆纹动脉。

2. 高血压性脑出血的发病机制（助理不考）　长期高血压可引起脑内小动脉壁纤维素样坏死或脂质透明变性，易形成微动脉夹层动脉瘤，当血压骤升时易破裂造成脑出血。血肿压迫周围组织和脑血液循环障碍、代谢紊乱、血管活性物质释放可引起脑血管痉挛，导致继发性脑水肿及脑缺血发生。脑出血后可因血肿量的不断增大、周围组织水肿及继发性脑水肿使颅内压不断升高，脑组织移位，引发脑疝而致死。

命题趋势　病因和发病机制是脑出血的常见考点，近些年多以 A1、B1 型题出现。

金题直击

1. 脑出血最常见的原因是

A. 脑动脉炎　　B. 高血压性动脉硬化

C. 血液病　　D. 脑动脉瘤

E. 脑血管畸形

【答案】B

【解题思路】

脑出血最主要的病因就是高血压性动脉硬化。

三、临床表现

脑出血以 50 岁以上的高血压患者多见，通常在情绪激动和过度用力时急性起病。发病时血压明显升高，突然出现剧烈头痛、头晕、呕吐意识障碍和神经缺失症状。临床上根据出血部位不同可分为以下常见类型。

1. 壳核出血（内囊外侧型）　最为常见，可出现典型的“三偏征”，即对侧偏瘫、对侧偏身感觉障碍和对侧同向偏盲。部分病例双眼向病灶侧凝视，称为同向偏视。出血量大可有意识障碍，病灶位于优势半球可有失语。壳核出血的 CT 影像见图 8-4。

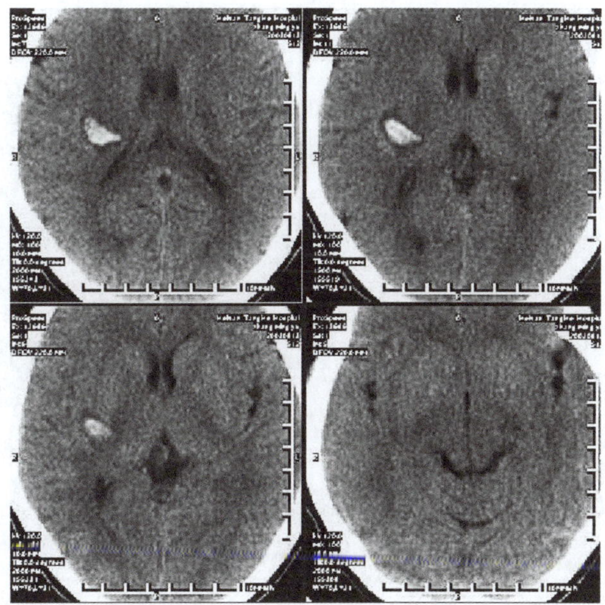
图 8-4　壳核出血的 CT 影像

2. 丘脑出血（内囊内侧型）　出现“三偏征”，以感觉障碍明显。上、下肢瘫痪程度基本均等；眼球上视障碍，可凝视鼻尖，瞳孔缩小，光反射消失。丘脑出血的 CT 影像见图 8-5。

3. 桥脑出血　表现为交叉性瘫痪（病侧周围性面瘫，对侧肢体中枢性瘫痪），双侧瞳孔针尖样缩小、四肢瘫痪和中枢性高热（持续 39℃以上，躯干热而四肢不热）的特征性体征，并出现中枢性呼吸障碍和去脑强直，多于数天内死亡。桥脑出血的 CT 影像见图 8-6。

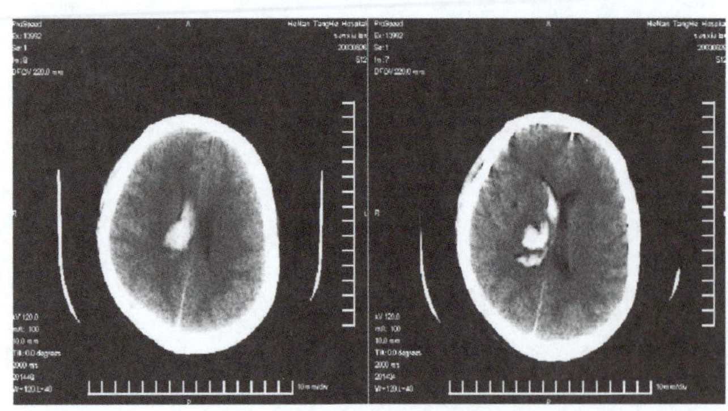

图 8-5　丘脑出血的 CT 影像

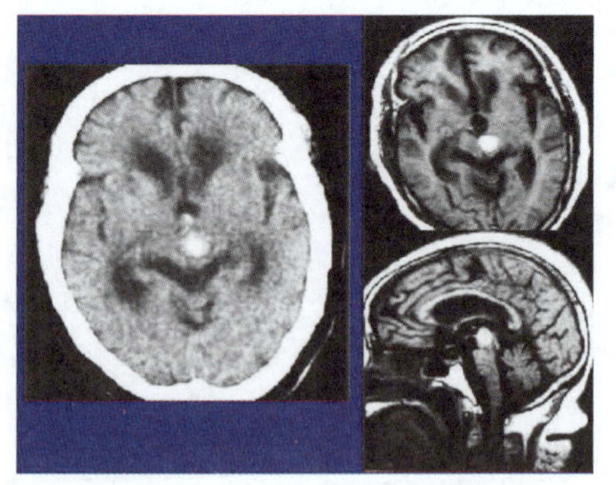

图 8-6　桥脑出血的 CT 影像

4. 小脑出血　体征有肢体共济失调和眼球震颤而无瘫痪。小脑出血的 CT 影像见图 8-7。

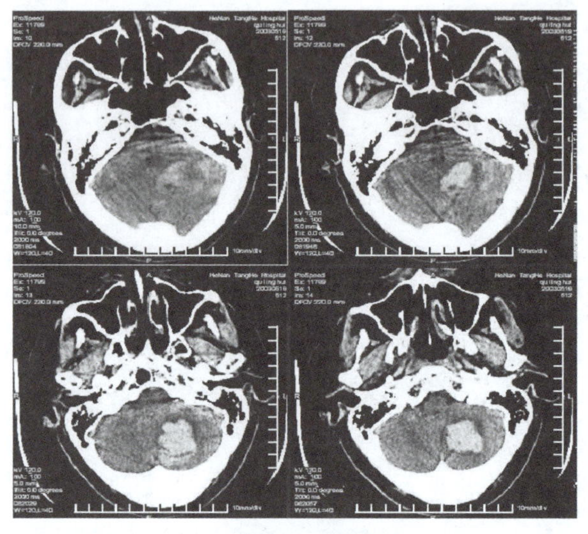

图 8-7　小脑出血的 CT 影像

5. 脑叶出血　为皮质下白质出血。老年人常因脑动脉硬化或淀粉样变引起，青壮年多由先天性脑血管畸形所致。表现为头痛、呕吐、脑膜刺激征及出血脑叶的定位症状。额叶可有对侧单肢瘫或偏身轻瘫、精神异常、摸索、强握；左颞叶可有感觉性失语、幻视、幻听；顶叶可有对侧单肢瘫或偏身感觉障碍、失用、空间构象障碍；枕叶为视野缺损。脑叶出血的 CT 影像见图 8-8。

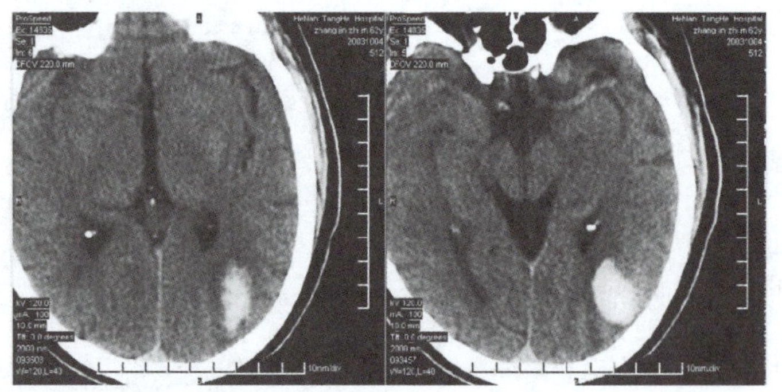

图 8-8　脑叶出血的 CT 影像

命题趋势　临床表现是脑出血高频考点，考查方式灵活，各种题型均可见到，近些年多在 A2、A3 型题中以关键信息出现。

金题直击

2. 患者，男，60 岁。高血压病史 20 年，最高曾达 190/112mmHg。今日与人争执时突发肢体活动不利，左侧肢体偏瘫、偏身感觉障碍伴同向偏盲，双目右侧凝视。查体：T 36.9℃，P 88 次 / 分，BP 168/100mmHg，巴宾斯基征（+），首先考虑

A. 动脉血栓性脑梗死　　B. 脑栓塞

C. 腔隙性脑梗死　　D. 脑出血

E. 蛛网膜下腔出血　　【答案】D

【解题思路】

患者有高血压病史，情绪激动时突然起病，首先考虑高血压引发脑出血。选项 A 起病缓慢，进展性。选项 B 多来自心源性因素，题干中无相关信息。选项 C 多无症状。选项 E 表现主要为剧烈头痛、呕吐伴脑膜刺激征，与题干不符。

3. 患者，男，60 岁。高血压病史 20 年，最高曾达 190/112mmHg。今日与人争执时突发肢体活动不利，左侧肢体偏瘫、偏身感觉障碍伴同向偏盲，双目右侧凝视。查体：T 36.9℃，P 88 次 / 分，BP 168/100mmHg，巴宾斯基征（+）。该患者可能的病变部位是

A. 大脑中动脉　　B. 内囊外侧部

C. 椎基底动脉　　D. 脑桥

E. 小脑　　【答案】B

【解题思路】

患者有高血压病史，情绪激动时突然起病，首先考虑高血压引发脑出血。患者有三偏征，是内囊区受损的表现。

四、实验室检查及其他检查

1. **颅脑 CT 检查**　颅脑 CT 的检查是脑出血首选的检查方法、确诊的主要依据。可显示血肿的部位和形态以及是否破入脑室。血肿灶为高密度影，边界清楚，血肿被吸收后显示为低密度影。对进展型脑出血病例进行动态观察，可显示血肿大小变化、血肿周围的低密度水肿带、脑组织移位和梗阻性脑积水，对脑出血的治疗有指导意义。

2. **MRI**　也可明确部位、范围、脑水肿和脑室情况，除高磁场强度条件下，急性期脑出血不如 CT 敏感，但对脑干出血、脑血管畸形、脑肿瘤比 CT 更为敏感。

3. **其他**　脑脊液检查压力增高，呈均匀血性，但血肿未破入脑室和蛛网膜下腔则不含血性。腰椎穿刺有诱发脑疝的危险，有 CT 条件则不宜列为常规检查，尤其疑诊小脑出血应列为禁忌。

命题趋势　检查手段是脑出血高频考点，考查方式灵活，各种题型均可见到，近些年多以 A2、A3 型题出现。

金题直击

4. 患者，男，60 岁。高血压病史 20 年，最高曾达 190/112mmHg。今日与人争执时突发肢体活动不利，左侧肢体偏瘫、偏身感觉障碍伴同向偏盲，双目右侧凝视。查体：T 36.9℃，P 88 次 / 分，BP 168/100mmHg，巴宾斯基征（+）。为求确诊，该患者首选的检查方式是

A. 脑部 MRI　　B. 脑 CT

C. 脑脊液检查　　D. 脑超声

E. 凝血四项　　【答案】B

【解题思路】

患者有高血压病史，情绪激动时突然起病，首先考虑高血压引发脑出血。脑出血的首选检查为颅脑 CT，可见高密度影。

五、诊断与鉴别诊断

（一）诊断

多数为 50 岁以上高血压患者，在活动或情绪激动时突然发病；突然出现头痛、呕吐、意识障碍和偏瘫、

失语等局灶性神经缺失症状，病程发展迅速；颅脑 CT 检查可见脑内高密度区。

（二）鉴别诊断（助理不考）

常见脑卒中鉴别诊断见表 8-3。昏迷患者缺乏脑局灶症状，应与糖尿病、低血糖、药物中毒引起的昏迷相鉴别。鉴别主要依据原发病病史、实验室检查及颅脑 CT 检查。

表 8-3　常见脑卒中鉴别诊断

鉴别要点	动脉血栓性脑梗死	脑栓塞	脑出血	蛛网膜下腔出血
发病年龄	60 岁以上多见	青壮年多见	50 ～ 60 岁多见	不定
常见病因	动脉粥样硬化	心脏病、房颤	高血压及动脉粥样硬化	动脉瘤、血管畸形
起病状态	多在安静时、血压下降时	不定	情绪激动，血压升高时	活动、激动时
起病速度	较缓（小时、天）	最急（秒、分）	急（分、小时）	急（分）
意识障碍	较少	少、短暂	常有，进行性加重	少、轻、谵妄
头痛、呕吐	少有	少有	常有	剧烈
偏瘫等	有	有	多有	多无
脑膜刺激征	无	无	偶有	明显
脑脊液	多正常	多正常	血性，压力高	均匀血性
头颅 CT	脑内低密度灶	脑内低密度灶	脑内高密度灶	蛛网膜下腔高密度影
数字减影血管造影（DSA）	可见阻塞的血管	可见阻塞的血管	可见破裂的血管	可见动静脉畸形或动脉瘤

六、治疗与预防

（一）治疗

1. 内科治疗

（1）一般治疗：保持安静，避免不必要的搬动。保持气道通畅、吸氧；维持水、电解质平衡等。

（2）减轻脑水肿，降低颅内压：脑出血患者大多在早期即有颅内压增高，起病第 1 周的死亡原因主要是脑疝。主要治疗措施有：①适当控制液体输入，抬高床头（20°～ 30°），吸氧并控制躁动、疼痛。②必要时予气管插管，高流量给氧降低动脉血二氧化碳分压至 30 ～ 35mmHg。③依病情选择脱水剂，如 20% 甘露醇 125 ～ 250mL 静脉滴注，每隔 6h 重复使用；呋塞米 20 ～ 40mg 静脉滴注；10% 复方甘油 500mL 静脉滴注，每天 1 ～ 2 次，或使用白蛋白。一般不主张常规使用激素。

（3）控制血压：如血压显著升高（＞ 200/110mmHg），在降颅压同时可慎重平稳降血压治疗。血压过低者应升压治疗，以保护脑灌注压。

（4）亚低温治疗：具有脑保护作用。

（5）并发症的处理：控制抽搐，首选静脉注射苯妥英钠 15 ～ 18mg/kg，或地西泮每次 5 ～ 10mg 静脉注射，可重复使用。同时使用长效抗癫痫药物，及时处理上消化道出血，注意预防肺部、尿路及皮肤感染等。

（6）止血治疗。

2. 外科治疗　脑出血后出现颅内高压和脑水肿并有明显占位效应者，外科清除血肿、制止出血是降低颅高压、挽救生命的重要手段。

3. 康复治疗

（二）预防

1. 一级、二级预防基本同脑卒中的预防措施。
2. 关键预防措施是良好地控制血压使血压持续达标，延缓脑动脉粥样硬化及微动脉夹层动脉瘤的形成。
3. 避免一些引起血压显著波动的因素，如用力抬举重物、情绪波动、大量饮酒等。
4. 合理应用抗凝、溶栓、活血化瘀治疗，避免医源性因素引起脑出血。

命题趋势　治疗是脑出血高频考点，考查方式灵活，各种题型均可见到，近些年多以 A2、A3 型题出现。

金题直击

5. 患者，男，60 岁。高血压病史 20 年，最高曾达 190/112mmHg。今日与人争执时突发肢体活动不利，左侧肢体偏瘫、偏身感觉障碍伴同向偏盲，双目右侧凝视。查体：T 36.9℃，P 88 次 / 分，BP 168/100mmHg，巴宾斯基征（+）。该患者首选的治疗用药是

A. 地塞米松　　B. 苯妥英钠
C. 甘露醇　　D. 氢氯噻嗪
E. 安定

【答案】C

【解题思路】

患者有高血压病史，情绪激动时突然起病，首先考虑高血压引发脑出血。脑出血应积极缓解脑水肿，降低颅内压，首选甘露醇。

第五节　蛛网膜下腔出血（助理不考）

一、概念

颅内血管破裂，血液直接流入蛛网膜下腔，称为蛛网膜下腔出血（SAH）。脑表面血管破裂后，血液直接流入蛛网膜下腔，称为原发性蛛网膜下腔出血；脑出血破入蛛网膜下腔，称为继发性蛛网膜下腔出血。

二、病因与发病机制

1. 病因　最常见的病因是脑底囊性动脉瘤破裂，占 85% 以上，其次为脑动静脉畸形，其他病因有高血压脑动脉硬化、脑动脉炎、结缔组织病、颅内肿瘤、血液病、溶栓或抗凝治疗后等。动脉瘤好发于脑底 Wllisi 动脉环。

2. 发病机制　当血管破裂以后，血流入脑蛛网膜下腔后，颅腔内容物增加，致压力增高。外溢血液中含有多种血管活性物质，刺激血管和脑膜，并继发脑血管痉挛，严重者发生脑梗死以及继发性脑缺血。颅内出血性疾病示意图见图 8-9。

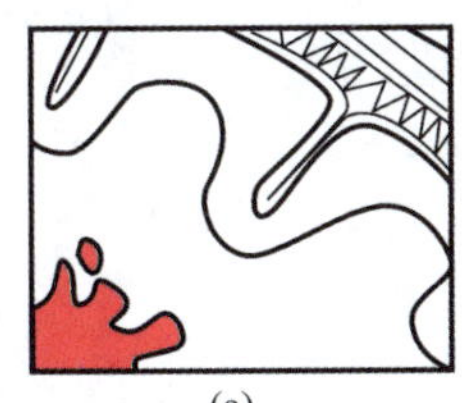
(a)
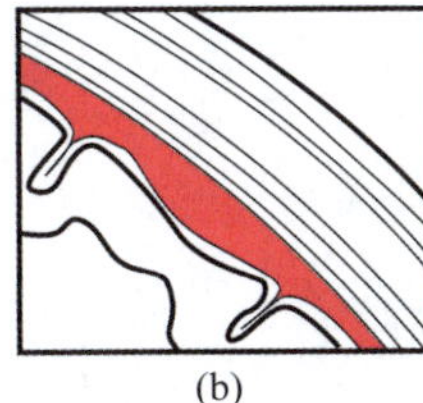
(b)
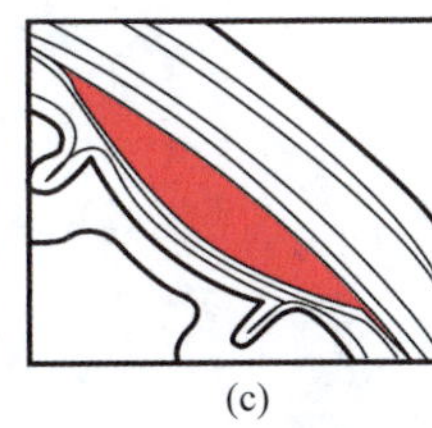
(c)
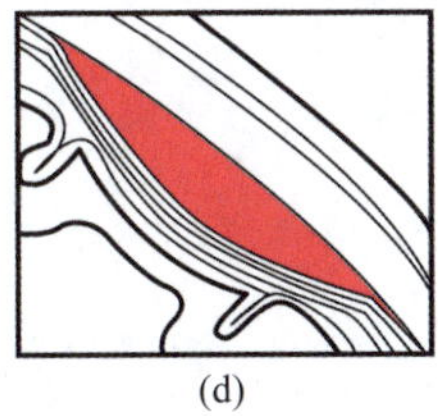
(d)

图 8-9　颅内出血性疾病示意图

命题趋势　病因和发病机制是蛛网膜下腔出血的常见考点，近年多以 A1、B1 型题出现。

金题直击

1. 蛛网膜下腔出血最常见的病因是

A. 高血压脑动脉硬化　　B. 脑动静脉畸形
C. 脑底囊性动脉瘤破裂　　D. 脑动脉炎
E. 颅内肿瘤

【答案】C

【解题思路】

蛛网膜下腔出血最常见的病因是脑底囊性动脉瘤破裂，其次为脑动静脉畸形，其他病因有高血压脑动脉硬化、脑动脉炎、结缔组织病、颅内肿瘤、血液病、溶栓或抗凝治疗后等。

三、临床表现

起病前数天或数周有头痛、恶心症状，常在剧烈运动和活动中突然起病，爆裂样发作剧烈头痛，可放射至

枕后或颈部，伴喷射性呕吐。体检脑膜刺激征明显。早期出现明显颈强直者，应警惕枕骨大孔疝的发生。部分患者有局灶性体征，一侧后交通动脉瘤破裂时，可有同侧动眼神经麻痹，短暂或持久的单瘫、偏瘫、失语等。少数大出血的病例，病情凶险，起病后迅速进入深昏迷，出现去脑强直，因呼吸停止而猝死。

蛛网膜下腔出血的严重并发症有：①再出血，常在2周内发生。②迟发性脑血管痉挛，发生于出血后4～15天，7～10天为高峰期，可继发脑梗死，出现意识障碍和神经定位体征。③脑积水。

四、实验室检查及其他检查

蛛网膜下腔出血实验室检查及其他检查见表8-4。

表8-4　蛛网膜下腔出血实验室检查及其他检查

检查项目	要点
颅脑CT检查	是确诊蛛网膜下腔出血的首选诊断方法。CT可显示脑基底部脑池、脑沟及外侧裂的高密度影，对梗阻性脑积水及脑血管痉挛引起的脑梗死也有诊断意义
脑脊液检查	腰穿脑脊液检查是诊断经影像学检查呈阴性患者的重要方法。脑脊液在起病12h后呈特征性改变，为均匀血性，压力增高，离心后呈淡黄色。但腰穿有诱发脑疝危险，病情允许的时候，才能考虑做此项检查
脑血管造影	脑血管造影正逐渐被CT血管造影（CTA）、MRA所取代，可明确动脉瘤、脑血管畸形的部位、大小，但急性期可能诱发再出血。DSA还可发现脑血管痉挛、动静脉畸形、血管性肿瘤等
其他	眼底检查可有视乳头水肿，玻璃体下片状出血可在1h内出现，具有诊断意义。血常规、凝血功能、肝功能及免疫学等检查有助于寻找出血的其他原因

命题趋势　临床表现及检查手段是蛛网膜下腔出血的常见考点，考查方式灵活，近些年多以A1、B1型题出现。

金题直击

2. 蛛网膜下腔出血的主要体征是

A. 昏迷　　B. 心脏病

C. 脑膜刺激征　　D. 三偏征

E. 血性脑脊液

【答案】C

【解题思路】

蛛网膜下腔出血最主要的体征是脑膜刺激征，包括颈强直、布鲁津斯基征、凯尔尼格征。

3. 蛛网膜下腔出血的首选检查手段是

A. 脑CT　　B. 脑部MRI

C. 脑脊液穿刺　　D. 脑超声

E. 凝血四项

【答案】A

【解题思路】

蛛网膜下腔出血的首选检查是颅脑CT，可见高密度影。

【易错点】

脑脊液穿刺虽然有很好的确诊意义，但是因为有创并且有可能引起脑疝，不可作为首选。

五、诊断与鉴别诊断

（一）诊断

1. 突发剧烈头痛伴脑膜刺激征阳性，眼底检查可见出血，尤其是玻璃体膜下出血。
2. 颅脑CT检查阳性，脑脊液呈均匀血性。

3. 有条件可选择 DSA、MRA、CTA 等脑动脉造影，有助于明确病因。

（二）鉴别诊断

本病应与急性脑膜炎鉴别；与其他脑卒中的鉴别见脑出血节。

六、治疗与预防

（一）治疗

1. 一般处理 绝对卧床 4 ～ 6 周。避免用力；保持大便通畅；注意水、电解质平衡；预防迟发性脑梗死。可选用罗通定、地西泮及抗精神病药物氟奋乃静等镇痛、镇静、控制精神症状。

2. 降低颅压 对脑血管痉挛引起的脑水肿和颅内高压症者，可选用甘露醇、呋塞米、复方甘油等。因颅内血肿而病情加重者，可采用减压术或脑室引流术。

3. 预防再出血 抗纤溶药物以延迟动脉瘤破裂后凝血块的溶解，有利于血管内皮的修复，降低再出血率。常用药物有：氨基己酸 4 ～ 6g，溶于生理盐水或 5% 葡萄糖液 100mL 静脉滴注，30min 内滴完，以后每天 20g，持续 7 ～ 10 天后减量，并依病情需要决定停药时间，一般需用药 2 ～ 3 周；氨甲苯酸 0.2 ～ 0.4g 加入生理盐水 500mL 静脉滴注，每天 2 次，维持 2 ～ 3 周。

4. 防治脑血管痉挛 钙离子拮抗剂尼莫地平 30 ～ 60mg，每 4h 1 次，口服；或尼莫地平 10mg/d，静脉滴注。

5. 手术治疗 主要目的在于去除病灶，防止再出血。应在起病早期 24 ～ 72h 依病情选择手术或血管内介入治疗方法。动脉瘤可选择瘤颈夹闭术或弹簧线圈栓塞术，脑血管畸形可选择全切术等。

（二）预防

有效控制蛛网膜下腔出血的危险因素。筛查高危人群，有脑动脉瘤破裂病史者行影像学检查，必要时进行干预治疗。发病后立即进行病情评估，尽早决定是否给予手术或介入治疗，降低死亡率及残疾率。

高频考点速递

1. 癫痫持续状态是指一次癫痫发作持续 30min 以上或连续多次发作，发作间歇期意识或神经功能未恢复至通常水平。

2. 病史是诊断癫痫的主要依据。脑电图是诊断癫痫重要的辅助诊断依据。

3. 癫痫继发大发作的治疗可用卡马西平、苯妥英钠、苯巴比妥、丙戊酸钠、扑米酮、氯硝西泮；失神发作可用丙戊酸钠、乙琥胺、氯硝西泮。

4. 脑出血最主要的病因是高血压性动脉硬化。

第九单元 常见急危重症

考试分值

节	级别＼年份	2019	2020	2021	2022	2023
休克	执业	0	0	0	0	0
	助理	0	0	0	0	0
急性上消化道出血	执业	0	1	1	0	2
	助理	0	0	0	0	1
急性中毒	执业	0	1	0	0	2
	助理	0	1	0	0	2
中暑（助理不考）	执业	0	0	0	0	0

第一节 休 克

一、概念

休克是机体遭受强烈的致病因素侵袭后，有效循环血量显著下降，不能维持机体脏器与组织的正常灌注，继而发生全身微循环功能障碍的一种危急重症。

二、病因与分类

（一）按病因分类

休克的病因分类见表 9-1。

表 9-1 休克的病因分类

病因分类	常见原发病
失血性休克	消化道大出血、异位妊娠破裂、产后大出血、动脉瘤及血管畸形破裂等
失液性休克	严重烧伤、急性腹膜炎、肠梗阻、严重呕吐及腹泻等
创伤性休克	严重骨折、挤压伤、大手术等
心源性休克	急性心肌梗死、肺栓塞、急性重症心肌炎、严重二尖瓣狭窄伴心动过速、严重心律失常等
心脏压塞性休克	大量心包积液、心包内出血、张力性气胸等
感染性休克	重症肺炎、中毒性菌痢、化脓性胆管炎、创面感染、流行性脑脊髓膜炎、流行性出血热等
过敏性休克	药物、食物、异种蛋白等过敏
神经源性休克	创伤、剧痛、脊髓损伤、麻醉、神经节阻滞剂、大量放胸腹水等
细胞性休克	氰化物、杀虫剂、生物素中毒、缺氧、低血糖等

（二）按休克发生的起始原因分类

1. 低血容量性休克 由于血容量减少引起的休克称为低血容量性休克，见于失血、失液、烧伤、创伤等情况。

2. 血管源性休克 由于微血管扩张，开放的毛细血管数增加，血管床容量增大，导致有效循环血量减少，血压下降所引起的休克。如过敏性休克和神经源性休克。

3. 心源性休克 由于急性心泵功能障碍或严重的心律失常所导致的休克。发病急骤，死亡率高，预后差。发病环节是心输出量迅速降低，血压显著下降。

三、病理生理与临床表现

休克按病理生理改变，分为休克早期（微血管痉挛期）、休克期（微血管扩张期）、休克晚期（微循环衰竭期），各期病理生理变化及临床表现不同。

1. 休克早期（微血管痉挛期） 由于血液重分配，此期心脑灌注可正常，患者神志一般清楚。该期为休克的可逆期，应尽早消除休克的病因，控制病变发展的条件，及时补充血容量，恢复循环血量，防止向休克期发展。常见临床表现如下。

（1）面色苍白，四肢冰凉，出冷汗，口唇或四肢末梢轻度发绀。

（2）神志清，伴有轻度兴奋、烦躁不安。

（3）血压大多正常，脉搏细速，脉压可有明显减小，也可骤降（见于大失血），所以血压下降并不是判断早期休克的指标。

（4）呼吸深而快。

（5）尿量减少。

2. 休克期（微血管扩张期） 此期微血管扩张，血液淤积加重组织缺氧，皮肤黏膜出现花斑样改变甚至发绀，病情进一步加重。常见临床表现如下。

（1）全身皮肤青紫、发凉，口干明显。

（2）表情淡漠，反应迟钝。
（3）体温正常或降低。
（4）脉搏细弱，浅静脉萎陷，收缩压进行性下降至 60 ～ 80mmHg，心音低钝。
（5）可出现呼吸衰竭。
（6）出现少尿甚至无尿。

3. 休克晚期（微循环衰竭期） 由于血液浓缩，血液黏度增高，血液处于高凝状态；酸中毒以及感染性休克毒素的作用最终形成弥散性血管内凝血（DIC），病情恶化，并对微循环和各器官功能产生严重影响，甚至发生多系统器官功能障碍综合征。常见临床表现如下。

（1）全身静脉塌陷，皮肤发绀甚至出现花斑，四肢厥冷，冷汗淋漓。
（2）意识不清甚至昏迷。
（3）体温不升。
（4）脉搏细弱，血压极低甚至测不到，心音呈单音。
（5）呼吸衰竭，严重低氧血症，酸中毒。
（6）无尿，出现急性肾衰竭。
（7）全身出血倾向：上消化道、泌尿道、肺、肾上腺等出血。
（8）多器官功能衰竭：急性心力衰竭、呼吸衰竭、肾衰竭、肝衰竭、脑功能障碍等。

四、诊断

1. 诊断要点 各类休克均具有低血压、微循环灌注不良、交感神经代偿性亢进等主要临床表现，故为临床诊断依据。休克诊断标准为：①有诱发休克的病因。②意识异常。③脉搏细速，＞ 100 次 / 分或不能触知。④末梢循环灌注不足：四肢湿冷，胸骨部位皮肤指压阳性（压后再充盈＞ 2s），皮肤呈花斑样，黏膜苍白或发绀等，尿量＜ 30mL/h 或尿闭。⑤收缩压＜ 80mmHg。⑥脉压差＜ 20mmHg。⑦原有高血压者，收缩压较原水平下降 30% 以上。

凡符合上述第①条及②、③、④条中的两项，和⑤、⑥、⑦条中的一项，可诊断为休克。

2. 分期诊断 休克分期及指标变化见表 9-2。

表 9-2 休克分期及指标变化

指标	休克早期	休克期	休克晚期
神志	清楚、不安	淡漠	模糊、昏迷
口渴	有	较重	严重
肤色	稍白	苍白、发绀	青紫、花斑样
肢温	正常或湿冷	发凉	冰冷
血压	正常、脉压小	收缩压低、脉压更小	血压更低或测不出
脉搏	增快、有力	更快	细速或摸不清
呼吸	深快	浅快	表浅、不规则
压甲	1s 恢复	迟缓	更迟缓或不能恢复
颈静脉	充盈	塌陷	空虚
尿量	正常或减少	少尿	少尿或无尿

五、病情评估

（一）临床监测内容

1. 临床表现

（1）精神状态：反映脑组织灌注情况。患者神志淡漠或烦躁、头晕、眼花，或从卧位改为坐位时出现晕厥，常表示循环血量不足。

（2）肢体温度、色泽：反映体表灌注情况。四肢皮肤苍白、湿冷，轻压指甲或口唇时颜色变苍白，而松压后恢复红润缓慢，表示末梢循环不良。

（3）脉搏：休克时脉搏细速出现在血压下降之前。休克指数是临床常用观察休克进程的指标，是脉率与收缩压之比。休克指数小于 0.5 表示无休克，1.0 ～ 1.5 表示存在休克，超过 2 表示休克严重。

2. 血流动力学改变

（1）血压：是休克诊断及治疗中最重要的观察指标之一。休克早期，血压接近正常，随后血压下降。收缩压低于 80mmHg，脉压低于 20mmHg，是休克存在的依据。血压回升，脉压增大，表示休克转好。

（2）中心静脉压：中心静脉压受血容量、静脉血管张力、右心排血功能、胸腔和心包内压力及静脉回心血量等因素的影响，正常值 5 ～ 12cmH_2O。在低血压的情况下，中心静脉压低于 5cmH_2O 时，表示血容量不足。

（3）肺动脉楔压：有助于了解肺静脉、左心房和左心室舒张末期的压力，反映肺循环阻力情况。正常值 6 ～ 15mmHg，肺水肿时超过 30mmHg。肺动脉楔压升高，即使中心静脉压无增高，也应避免输液过多，以防引起肺水肿。

3. 心电图 心电图改变显示心脏的即时状态。在心脏功能正常的情况下，血容量不足及缺氧均会导致心动过速。

4. 肾功能 动态监测尿量、尿比重、血肌酐、血尿素氮、血电解质等。尿量是反映肾灌注情况的指标，同时也反映其他器官灌注情况，是临床补液及应用利尿、脱水药物是否有效的重要指标。休克时应留置导尿管，动态观察每小时尿量，抗休克时尿量应超过 20mL/h。尿量稳定在 30mL/h 以上时，表示休克已纠正。

5. 呼吸功能 包括呼吸的频率、幅度、节律，动脉血气指标等。

6. 生化指标 休克时应监测血电解质、血糖、丙酮酸、乳酸、血清转氨酶、氨等血液生化指标。此外，还应监测 DIC 的相关指标。

7. 微循环灌注 ①体表温度与肛温：正常时二者之间相差约 0.5℃，休克时增至 1 ～ 3℃，二者相差值愈大，预后愈差；②红细胞比容：末梢血比中心静脉血的红细胞比容大 3% 以上，提示有周围血管收缩，应动态观察其变化幅度；③甲皱微循环：休克时甲皱微循环的变化为小动脉痉挛、毛细血管缺血，甲皱苍白或色暗红。

（二）休克程度分级

1. 轻度休克 有效循环血容量减少 10% ～ 20%。患者神志尚清，烦躁不安，面色苍白，出汗多而稀薄，四肢寒凉，脉速有力，尿量减少，心率超过 100 次 / 分，收缩压多在 80mmHg 或以上，脉压低于 30mmHg。

2. 中度休克 有效循环血容量减少 20% ～ 30%。患者神志恍惚，反应迟钝，面色苍白，口干，出汗多而黏稠，脉速无力，四肢凉，尿量减少甚至无尿，心率超过 120 次 / 分，收缩压 60 ～ 80mmHg，脉压低于 20mmHg。

3. 重度休克 有效循环血容量减少 30% ～ 40%。患者神志不清甚至昏迷，面色苍白伴有发绀呈大理石花纹样改变，脉速弱不易触及，四肢厥冷发绀，无尿，心率超过 120 次 / 分，心音低钝，收缩压在 40 ～ 60mmHg 甚至更低。

4. 极重度休克 有效循环血容量减少超过 40%。患者进入昏迷状态，呼吸浅而不规则，全身皮肤黏膜发绀，四肢厥冷，脉搏极弱不易触及，心音低钝呈单音律，收缩压低于 40mmHg，尿闭，可见广泛皮肤黏膜出血，伴有重要脏器功能衰竭的表现。

（三）休克指数的应用

常用来粗略判断休克是否存在以及休克的轻重程度。

休克指数 = 脉率（次 / 分）/ 收缩压（mmHg）

休克指数正常值为 0.5，≥ 1.0 提示发生休克，1.0 ～ 1.5 提示为轻度休克，1.5 ～ 2.0 提示为中度休克，≥ 2.0 提示为重度休克。

六、治疗与预防

（一）治疗

尽早去除引起休克的原因，尽快恢复有效循环血量，纠正循环障碍，增进心脏功能和恢复人体的正常代谢。

1. 一般紧急措施 尽快控制大出血；休克服（裤），可起到自体输血的作用；保持呼吸道通畅；保持患者安静；避免过多搬动；一般应采取头和躯干部抬高 20°～ 30°，下肢抬高 15°～ 20°的体位；保暖但不加温；间歇给氧（6 ～ 8L/min）；适当给予镇痛剂。

2. 补充血容量 不仅要补充已丧失的血容量，还要补充扩大的毛细血管床；必要时，测定中心静脉压，根据其变化调节补液量。积极处理原发病：积极进行抗休克的同时，及早进行手术。尿量、血压和脉搏等指标，可作为监护输液量多少的参考指标。有条件时应动态监测中心静脉压（CVP）和肺动脉楔压（PAWP）。血容量扩充剂分胶体液与晶体液两种。晶体液常用平衡盐液、0.9% 氯化钠溶液；胶体液包括全血、血浆、白蛋白、代血浆、右旋糖酐等。开始用晶体液 1000 ～ 2000mL，然后补充胶体液，晶体液与胶体液之比为 3∶1，胶体液输入量一般不超过 1500 ～ 2000mL。中度和重度休克应输部分全血。

3. 纠正酸碱平衡失调 休克中都存在不同程度的酸中毒，早期不必处理；休克严重时，经检验确有酸中毒，可考虑输注碱性药物，以减轻酸中毒和减少酸中毒对机体的损害。常用的碱性药物为 4% 或 5% 碳酸氢钠溶液。

4. 心血管药物的应用 患者经紧急抢救和扩容治疗后，如周围循环仍未能改善，血压不稳定，可考虑应用血管活性药物。一般在外周血管扩张（高排低阻型休克）时可酌情选用血管收缩剂；而在外周血管痉挛（低排高阻型休克）时宜用血管扩张剂；对于不明休克类型者常在补足血容量后试用血管扩张剂或二者联用。休克早期小动脉痉挛，后期则小静脉痉挛，上述两类药物交替或联合使用，以提高血压并维持、改善微循环，增强心肌收缩力和心排血量，改善器官灌注。

（1）拟肾上腺素类

① 多巴胺：小剂量时选择性扩张肾、肠系膜、冠状动脉和脑部血管，保障重要脏器供血；大剂量时周围血管收缩而升压。

② 多巴酚丁胺：增加心肌收缩力及心排血量，常用于心源性休克。

③ 异丙肾上腺素：增强心肌收缩力，加快心率，适用于脉搏细弱、少尿、四肢冷的患者或心率减慢的暂时治疗。

④ 肾上腺素：用于过敏性休克。禁用于心源性休克。

⑤ 去甲肾上腺素：用于极度低血压或感染性休克。

⑥ 间羟胺：作用较弱而持久，目前较常用于升压治疗。

（2）肾上腺素能 α 受体阻滞剂

① 酚妥拉明：显著扩张小静脉，可增强心肌收缩，常用于心血管急症。

② 酚苄明：常用于出血性、创伤性和感染性休克。

（3）莨菪类（抗胆碱类）：包括阿托品、东莨菪碱和 654-2（山莨菪碱）等，主要用于感染性休克。

（4）其他

① 硝普钠：用于急性心肌梗死合并心源性休克。

② 氯丙嗪：用于感染性、创伤性休克。

③ 血管紧张素胺：升压作用强而短暂。

④ 糖皮质激素：用于感染性休克、过敏性休克和急性心肌梗死合并心源性休克者。

5. 改善微循环 通过扩充血容量和应用血管扩张剂，微循环障碍一般可以得到改善；出现弥散性血管内凝血的征象时，应即用肝素治疗；必要时，尚可应用抗纤维蛋白溶解药物，阻止纤维蛋白溶酶的形成。

6. 皮质类固醇的应用 皮质类固醇一般用于感染性休克和严重休克；主张应用大剂量，如甲泼尼龙或地塞米松，静脉滴注。

（二）预防

1. 从病因预防 休克是各种强烈的致病因素导致的以有效循环血容量显著减少为主要病理改变的临床急危重症，其病因复杂，涉及临床各科。休克的预防以病因预防为主，另外，尽早诊断，及时有效地治疗，是改善患者预后，降低死亡率的重要路径。

（1）积极预防与治疗各类各部位急性感染。

（2）对于创伤患者，强调现场急救技术的应用，尤其是有效地进行现场止血。

（3）血液系统疾病、消化性溃疡等均可引发机体的出血倾向及局部出血性并发症，疾病诊疗过程中应加以防治，积极治疗原发病，防治出血性并发症。

（4）具有过敏体质的患者，应注意避免接触可疑的致敏物质包括药物。

（5）防治急性心肌梗死、急性重症心肌炎及严重心律失常等，预防心源性休克。

2. 从病理分期预防 休克早期机体处于代偿期，及时识别、有效处理，可以阻止休克的病理进程，阻止患者进入休克失代偿期，从而改善患者的预后。

命题趋势 治疗是休克的高频考点，考查方式灵活，各种题型均可见到，近些年多以 A1、B1 型题出现。

金题直击

（1 ～ 2 题共用备选答案）

A. 多巴胺　　B. 多巴酚丁胺

C. 异丙肾上腺素　　D. 肾上腺素

E. 去甲肾上腺素

1. 过敏性休克首选用药是　【答案】D

2. 心源性休克首选用药是　【答案】B

【解题思路】

过敏性休克的首选用药是肾上腺素；心源性休克的首选用药是多巴酚丁胺。

第二节　急性上消化道出血

一、概念

上消化道出血是指屈氏韧带以上的消化道，包括食管、胃、十二指肠、上段空肠以及肝、胰、胆病变引起的出血，是消化系统最常见的急危症。上消化道大出血是指在短时期内的失血量超过 1000mL 或循环血容量的 20%。

二、病因

上消化道出血最常见的病因为消化性溃疡，其次是肝硬化门静脉高压导致的食管胃底静脉曲张破裂。有 8 种疾病占发病率 90% 以上：十二指肠溃疡病、胃黏膜糜烂、胃溃疡、食管静脉曲张、食管溃疡、食管贲门黏膜撕裂综合征、十二指肠糜烂、赘生物。临床也应考虑一些少见病因，以免误诊。现分述如下。

1. 消化系统疾病

（1）食管疾病：食管静脉曲张破裂、炎症、溃疡、癌，食管贲门黏膜撕裂，食管异物及化学损伤等。

（2）胃疾病：胃炎症、溃疡、肿瘤、胃内结石、胃黏膜脱垂、胃憩室、胃扭转等。

（3）十二指肠疾病：十二指肠炎症、溃疡、憩室、肿瘤、重度钩虫病等。

（4）胆管、胰腺疾病：胆管蛔虫、结石、炎症、肿瘤和创伤。出血坏死性胰腺炎和胰腺肿瘤。此外，壶腹周围癌亦可引起上消化道出血。

2. 全身性疾病

（1）血液病：如血友病、白血病、血小板减少性紫癜、再生障碍性贫血等。

（2）急性感染：如败血症、流行性出血热、重症肝炎等。

（3）尿毒症。

（4）应激性溃疡：见于重度烧伤、脑血管意外等。

（5）血管性疾病：过敏性紫癜、动脉粥样硬化等。

（6）结缔组织疾病：系统性红斑狼疮等。

命题趋势 病因是上消化道出血的高频考点，近些年多以 A1、B1 型题出现。

金题直击

1. 上消化道出血最常见的病因是

A. 消化性溃疡　　B. 胆道疾病

C. 急性糜烂性胃炎　　D. 食管贲门黏膜撕裂综合征

E. 肝硬化食管静脉曲张破裂　【答案】A

【解题思路】

上消化道出血最常见的病因为消化性溃疡，其次是肝硬化门静脉高压导致的食管胃底静脉曲张破裂。

【易错点】

上消化道出血两大常见病因，最常见的是消化性溃疡，其次是肝硬化门静脉高压导致的食管胃底静脉曲张破裂。

三、临床表现

1. **呕血与黑便** 是上消化道出血的特征性表现。上消化道大量出血之后，均有黑便。出血部位在幽门以上者常伴有呕血。一般情况下，幽门以上大量出血表现为呕血，幽门以下出血表现为黑便。

2. **失血性周围循环衰竭** 急性大量出血由于循环血容量迅速减少而导致周围循环衰竭。一般表现为头昏、心慌、乏力，突然起立发生晕厥、肢体冷感、心率加快、血压偏低等。严重者呈休克状态。

3. **贫血和血象变化** 急性大量出血后均有失血性贫血，血红蛋白浓度、红细胞计数与红细胞比容下降，但在出血的早期可无明显变化。在出血后，组织液渗入血管内，使血液稀释，一般须经 3 ～ 4h 才出现贫血，出血后 24 ～ 72h 血液稀释到最大限度。急性出血患者为正细胞正色素性贫血，在出血后骨髓有明显代偿性增生，可暂时出现大细胞性贫血；慢性失血则呈小细胞低色素性贫血。出血 24h 内网织红细胞即见增高，至出血后 4 ～ 7 天可高达 5% ～ 15%，以后逐渐降至正常。

4. **发热** 上消化道大量出血后可出现低热，持续 3 ～ 5 天降至正常。引起发热的原因尚不清楚，可能与周围循环衰竭，导致体温调节中枢的功能障碍等因素有关。

5. **氮质血症** 在上消化道大量出血后，由于大量血液蛋白质的分解产物在肠道被吸收，血中尿素氮浓度可暂时增高，称为肠源性氮质血症。一般于一次出血后数小时血尿素氮开始上升，24 ～ 48h 达高峰，大多不超出 14.3mmol/L（40mg/dL），3 ～ 4 天后降至正常。

四、诊断

（一）上消化道出血的诊断

根据呕血、黑便和失血导致的全身表现，呕吐物或大便隐血试验呈强阳性，血红蛋白浓度、红细胞计数及血细胞比容下降，可作出上消化道出血的诊断，但应排除来自呼吸道的出血（咯血），来自口、鼻、咽喉部的出血，进食含铁食物引起的黑便等。

（二）上消化道大出血的诊断

根据呕血、黑便伴有明确的失血性周围循环衰竭的临床表现，以及快速出现的失血性贫血、肠源性氮质血症等，可作出上消化道大出血的诊断。

（三）病因诊断

病因诊断除根据病史、症状与体征外，还应进行必要的检查，以确定其病因及部位。

1. **胃镜** 是目前诊断上消化道出血病因的首选检查方法，可以判断出血部位、病因及出血量，还可获得活组织检查和细胞学检查标本，提高诊断的准确度。必要时应在发病 24h 内进行。

2. **选择性腹腔动脉造影** 是发现血管畸形、血管瘤等血管病变致消化道出血的唯一方法，一般不作为首选，主要用于消化道急性出血而内镜检查无阳性发现者。本检查须在活动性出血时进行。

3. **X 线钡餐检查** 主要用于患者有胃镜检查禁忌，或不愿进行胃镜检查者，对经胃镜检查出血原因不明，而病变在十二指肠降段以下小肠段者，则有特殊诊断价值。主张在出血停止 2 周以上和病情基本稳定数天后进行。

五、病情评估

1. **估计出血量** ①成人每天消化道出血量达 5 ～ 10mL，粪便隐血试验阳性；②每天出血量超过 50mL，出现黑便；③胃内积血量达 250 ～ 300mL，可引起呕血；④一次性出血量超过 400mL，可引起全身症状，如烦躁、心悸、头晕、出汗等；⑤数小时内出血量超过 1000mL（循环血容量 20%），可出现周围循环衰竭表现；⑥数小时内出血量超过 1500mL（循环血容量 30%），发生失代偿性休克。

根据收缩压可估计失血量，血压降至 90 ～ 100mmHg 时，失血量约为总血量的 20%；血压降至 60 ～ 80mmHg 时，失血量约为总血量的 30%；血压降至 40 ～ 50mmHg 时，失血量超过总血量的 40%。

提示严重大出血的征象是：收缩压低于 80mmHg，或较基础压降低超过 30%；心率超过 120 次 / 分，血红蛋白低于 70g/L。

2. **判断是否继续出血** 临床上出现下列情况应考虑继续出血：①反复呕血，或黑便次数增多，甚至呕血转为鲜红色，黑便转为暗红色，伴肠鸣音亢进。②虽经补液、输血，周围循环衰竭的表现未见明显改善，或暂时好转后又恶化。③血红蛋白浓度、红细胞计数与红细胞比容继续下降，网织红细胞计数持续升高。④在体液与尿量足够的情况下，血尿素氮持续或再次增高。

3. 预后判断 提示患者预后不良的主要因素：①高龄（超过 60 岁）；②有严重伴发病如心、肺、肝、肾等脏器功能不全及脑卒中等；③本次出血量大或短期内反复出血；④特殊病因和部位的出血如食管胃底静脉曲张破裂出血；⑤消化性溃疡伴有内镜下活动性出血，或近期出血征象如暴露血管或溃疡面上有血痂。

临床表现尤其是出血量是上消化道出血的高频考点，各种题型均可见到，近些年多以 A2、A3 型题出现。

金题直击

2. 患者，男，60 岁。平时常自觉恶心、乏力、厌油腻。今日突发呕血、黑便，伴心悸、头晕、汗出、不安。查体：T 36.0℃，P 120 次 / 分，R 20 次 / 分，BP 80/60mmHg；皮肤湿冷，四肢不温；腹壁静脉曲张，脾肋下 3cm，移动性浊音（+）。首先考虑

A. 急性肝坏死　　B. 肝硬化上消化道出血

C. 消化性溃疡出血　　D. 消化性溃疡急性穿孔

E. 出血性胃炎

【答案】B

【解题思路】

患者出现呕血及黑便，是上消化道出血的典型表现，起病急，伴随脾大、腹水等门静脉高压表现，考虑为肝硬化引起食管胃底静脉破裂出血。选项 A 不伴随门静脉高压表现，以黄疸及中毒表现为主。选项 C 同样没有门静脉高压表现。选项 D 表现以急性腹膜刺激征为主，可伴有膈下游离气体。选项 E 同样没有门静脉高压表现。

六、治疗与预防

（一）一般治疗

患者应卧床休息，防止窒息。吸氧，大量出血时应禁食，烦躁不安者可给予适量镇静剂。加强护理，严密监测心率、血压、呼吸、尿量及神志变化，观察呕血及黑便情况，定期复查血红蛋白浓度、红细胞计数、红细胞比容与血尿素氮。必要时进行心电监护。

（二）补充血容量

尽快建立有效的静脉输液通道，立即配血。可先输用葡萄糖氯化钠溶液，开始输液宜快。改善急性失血性周围循环衰竭的关键是输足量全血，紧急输血指征是：①患者改变体位时出现晕厥、血压下降和心率加快。②收缩压＜ 90mmHg（或较基础压下降＞ 25%）。③血红蛋白＜ 70g/L，或红细胞比容＜ 25%。对于肝硬化食管胃底静脉曲张破裂出血者，应输入新鲜血，且输血量适中，以免门静脉压力增高导致再出血，或诱发肝性脑病。

（三）止血治疗

1. 食管胃底静脉曲张破裂大出血

（1）药物止血：常用垂体后叶素静脉注射，止血后逐渐减量维持 12 ～ 14h；生长抑素用于治疗食管胃底静脉曲张出血。为防止食管静脉曲张出血停止后再次出血，需加用预防食管静脉曲张出血药物如硝苯地平、硝酸甘油等。

（2）气囊压迫止血：压迫胃底食管曲张静脉而止血，止血效果肯定，适用于药物治疗失败或无手术指征者，但患者痛苦大，并发症较多。

（3）内镜治疗

① 硬化栓塞疗法：是控制食管静脉曲张破裂出血的重要方法，但要严格掌握适应证及禁忌证。

② 食管静脉曲张套扎术：是治疗食管静脉曲张破裂出血的重要手段。

（4）经皮经颈静脉肝穿刺肝内门体分流术：在 B 超或 CT 引导下的介入治疗技术。

（5）手术治疗：在大出血期间采用各种非手术治疗不能止血者，可考虑进行外科手术治疗。

2. 非静脉曲张破裂大出血 最常见于消化性溃疡。

（1）提高胃内 pH 值：胃内 pH 值下降可抑制血小板聚集，使形成的血栓溶解，并抑制凝血酶活性，不利于止血。静脉使用抑制胃酸分泌的药物如西咪替丁、雷尼替丁或质子泵抑制剂奥美拉唑等，升高胃内 pH 值，可有

效止血。

（2）局部止血措施：①冰盐水洗胃。②胃内注入去甲肾上腺素溶液，老年患者不宜使用。

（3）内镜下止血：在出血部位附近注射高渗盐水、无水乙醇、1∶10000肾上腺素溶液或凝血酶溶液等；也可选择在内镜下用激光、高频电灼、热探头或微波等热凝固方法进行止血。

（4）手术治疗：经积极内科治疗仍有活动性出血者，应掌握时机进行手术治疗。指征是：①年龄＞50岁并伴动脉硬化、经治疗24h后出血不止。②严重出血经内科积极治疗后仍不止血。③近期曾有多次反复出血。④合并幽门梗阻、胃穿孔或疑有癌变者。

（四）预防

1. 针对病因的预防 急性上消化道出血的常见病因以消化性溃疡、急性胃黏膜病变、食管胃底静脉曲张破裂、胃癌为常见。积极治疗原发病，是预防并发上消化道出血的关键环节。

2. 预防药源性出血 近年来抗血小板聚集、抗凝、活血化瘀治疗应用广泛，治疗不当、个体差异及不恰当联合用药，应强调合理用药，向患者讲明用药注意事项。

治疗是上消化道出血的常见考点，各种题型均可见到，近些年多以A2、A3型题出现。

金题直击

3. 患者，男，60岁。平时常自觉恶心、乏力、厌油腻。今日突发呕血、黑便，伴心悸、头晕、汗出、不安。查体：T 36.0℃，P 120次/分，R 20次/分，BP 80/60mmHg；皮肤湿冷，四肢不温；腹壁静脉曲张，脾肋下3cm，移动性浊音（+）。如果患者出血不止达到1000mL时，此时首选的治疗方式是

A. 补充血容量　　B. 应用生长抑素
C. 气囊加压止血　　D. 使用抑制胃酸药
E. 内镜下止血

【答案】A

【解题思路】

患者出血量达1000mL时已是大出血，此时必须紧急输血，其次才是止血治疗。

第三节　急性中毒

一、概述

有毒化学物质进入人体，达到中毒量而产生损害的全身性疾病称中毒。短时间内进入大量毒物，迅速引起严重症状称急性中毒。

（一）病因

一定量的毒物短时间内进入机体，产生相应的毒性损害，起病急、病情重，甚至危及生命，称为急性中毒。急性中毒的病因如下。

1. 职业性中毒 有毒物质的生产、包装、运输、使用过程中，因防护不当或发生意外，毒物经消化道、呼吸道、皮肤黏膜等进入机体而发病，可以导致急性或慢性中毒。

2. 生活性中毒 由于生活中误食、意外接触、用药过量等，毒物进入机体而发生中毒，多数情况下造成急性中毒。

（二）中毒机制

不同性质的毒物具有不同的中毒机制，部分毒物多机制、多途径导致急性中毒。

1. 局部刺激腐蚀作用 如强酸、强碱中毒，导致毒物接触部位损伤。

2. 缺氧 通过阻碍氧的吸收、转运、利用，导致机体严重缺氧，如一氧化碳、硫化氢、氰化物等。

3. 抑制体内酶的活性 毒物本身或其代谢产物抑制体内某些酶的活性，导致中毒，如有机磷杀虫药抑制胆碱酯酶、氰化物抑制细胞色素氧化酶、重金属抑制含巯基的酶类等。

4. 干扰细胞功能 某些毒物可导致细胞的重要结构发生异常，甚至导致细胞死亡，如四氯化碳、棉酚等可导致脏器细胞线粒体损害。

5. **与受体竞争** 如阿托品可阻断毒蕈碱受体。

6. **麻醉作用** 亲脂性毒物可透过血脑屏障并与脑组织及其细胞膜上的脂质结合，从而损害脑功能。

（三）诊断原则

1. **采集病史** 向现场目击者了解起病经过，获取有关中毒的信息。
2. **体格检查** 发现特异性中毒体征，并明确患者生命体征情况，判定是否立即实施救治。
3. **辅助检查** 留取可疑毒物及呕吐物、血液、尿液等含毒物，快速送检，获取确切的诊断依据。
4. **诊断性治疗** 结合患者对特异性解毒剂试验性治疗的反应，协助诊断。

（四）治疗

治疗原则是：终止接触毒物，迅速清除干净被吸收和尚未吸收的毒物。

1. **一般处理**

（1）边实施救治，边采集病史，留取含毒物或采血送检。

（2）给患者取恰当的体位，保持呼吸道通畅，及时清除口咽、鼻腔内分泌物，给氧。

（3）及时向患者家属交代病情及可能发生的病情变化。

2. **清除未吸收的毒物** 根据中毒途径选择。

（1）口服中毒

① 催吐：用于神志清醒患者。最简单的方法为用压舌板等刺激咽后壁或舌根催吐，也可服用土根糖浆。意识障碍者禁止催吐。

② 洗胃：应尽早、反复、彻底洗胃。

③ 导泻：于洗胃后进行。常用导泻剂有硫酸钠、硫酸镁、甘露醇等。

④ 灌肠：用于中毒时间较长（＞6h）的患者。常用微温肥皂水高位连续灌肠。

（2）皮肤、黏膜吸收中毒：多为各种农药制造、使用过程中发生中毒。立即应用清水或能溶解毒物的溶剂彻底洗涤接触毒物部位。

（3）吸入中毒：立即将患者移离中毒现场，吸氧。严重患者应用呼吸兴奋剂或进行人工呼吸。

（4）注射中毒：中毒早期应用止血带或布条扎紧注射部位上端，或于注射部位放射状注射肾上腺素，减缓毒物吸收。

3. **促进吸收的毒物排出**

（1）利尿：促进毒物由肾脏排泄。快速输液并应用呋塞米静脉注射，或应用20%甘露醇静脉滴注。合并肺水肿患者慎用或禁用。

（2）吸氧：用于有毒气体中毒。

（3）改变尿液酸碱度：应用碳酸氢钠碱化尿液，用于巴比妥类、异烟肼等中毒；应用维生素等酸化尿液，用于苯丙胺等中毒。

（4）其他：血液透析、血浆置换等。

4. **应用特效解毒剂** 特效解毒剂指对某种毒物有特异性解毒作用的药物，明确诊断后应尽早使用，根据病情选择应用剂量与给药途径。

5. **对症治疗** 针对中毒后出现的症状、体征及并发症，给予相应的急救处理。快速纠正危及生命的毒性效应如呼吸心跳骤停、心肺功能衰竭、休克、肺水肿、脑水肿、严重心律失常、弥漫性血管内凝血、急性肾衰竭等。

二、急性一氧化碳中毒（助理不考）

（一）中毒机制

CO属窒息性毒气，中毒后主要引起组织细胞缺氧。CO吸入体内后，85%与血液中红细胞的血红蛋白（Hb）结合，形成稳定的COHb。CO与Hb的亲和力比氧与Hb的亲和力大240倍。血氧不易释放给组织而造成细胞缺氧。同时能与体内还原型细胞色素氧化酶的二价铁结合，抑制此酶的活性，影响细胞呼吸和氧化过程，阻碍细胞对氧的利用。

CO中毒时，体内血管吻合支少而代谢旺盛的器官如脑和心最易遭受损害。

（二）临床表现

1. **急性中毒分级** 急性CO中毒病情与血液COHb浓度以及患者中毒前健康状况有关。急性CO中毒分级及临床表现见表 9-3。

表 9-3　急性 CO 中毒分级及临床表现

分级	临床表现
轻度中毒	患者有剧烈的头痛、头晕、四肢无力、恶心、呕吐、嗜睡、意识模糊。原有冠心病的患者可出现心绞痛。血液 COHb 浓度可高于 10%。脱离中毒环境，吸入新鲜空气以后，症状很快消失
中度中毒	患者浅、中度昏迷，对疼痛刺激可有反应，瞳孔对光反射和角膜反射可迟钝，腱反射减弱，呼吸、血压和脉搏可有改变。皮肤、黏膜呈樱桃红色。血液 COHb 浓度可高于 30%。经治疗可恢复且无明显并发症
重度中毒	深昏迷，各种反射消失。患者可呈去大脑皮质状态。常有脑水肿而伴有惊厥、呼吸抑制。血液 COHb 浓度可高于 50%

2. 神经系统后遗症　急性 CO 中毒患者在意识障碍恢复后，经过 2 ～ 60 天的“假愈期”，可出现以下表现。

（1）精神意识障碍：呈现痴呆状态、谵妄状态或去大脑皮质状态。

（2）锥体外系神经障碍：出现震颤麻痹综合征。

（3）锥体系神经损害：如偏瘫、病理反射阳性或小便失禁等。

（4）大脑皮质局灶性功能障碍：如失语、失明等，或出现继发性癫痫；周围神经炎，皮肤感觉障碍或缺失，球后神经炎和颅神经麻痹。

临床表现是一氧化碳中毒常见的考查点，近些年多以 A1、B1 型题出现。

金题直击

1. 可见到皮肤、黏膜呈樱桃红色的是

A. 有机磷中毒　　B. 一氧化碳中毒

C. 心脏骤停　　D. 中暑

E. 肝硬化

【答案】B

【解题思路】

皮肤、黏膜呈樱桃红是一氧化碳中毒的典型表现。

（三）诊断

有导致急性 CO 中毒的情况存在，结合临床表现以及血碳氧血红蛋白测定＞ 10%，可以确定诊断。应注意排除急性脑血管病、其他急性中毒等导致中枢神经功能障碍的疾病与情况。

（四）治疗

1. 一般处理　立即将患者搬移至空气新鲜处，松解衣服，平卧位休息，注意保暖，保持呼吸道通畅。发生呼吸、心跳停止，立即进行心肺复苏术。向患者家属交代病情。

2. 纠正吸氧　为关键性治疗。应用面罩吸入纯氧，条件允许吸入含 5% 二氧化碳的氧气，可刺激呼吸中枢，加速 CO 解离。高压氧舱治疗可增加血液中溶解氧，提高动脉血氧分压，促进氧气向组织弥散，从而迅速纠正缺氧，为最有效的治疗方法。

3. 防治脑水肿　脑水肿于发病后 24 ～ 48h 达高峰，尤其有意识障碍的中、重度中毒患者，应用 25% 甘露醇和（或）糖皮质激素、利尿剂治疗。昏迷患者头部可用冰敷降温。

4. 对症处理　高热者给予物理降温及药物降温；抽搐患者适当应用镇静剂，严重发作的患者可考虑应用人工冬眠；纠正水、电解质失衡，防治感染、肺水肿与急性肾衰竭。

（五）预防

（1）急性一氧化碳中毒最常见的病因是生活性原因，其预防重点如下。

① 对居民进行健康教育与科普知识宣传，培养居民对急性一氧化碳中毒的防范意识。

② 进行急性一氧化碳中毒现场自救与互救的培训，包括急性一氧化碳中毒的识别、现场心肺复苏技术等。

（2）经现场评估，初步诊断为急性一氧化碳中毒的患者，立即进行现场心肺复苏术等急救处置，快速转院，转向医院应具备高压氧舱医疗单位，确保患者能接受有效的后续治疗。

命题趋势 诊疗方式是一氧化碳中毒常见的考查点，近些年多以 A1、B1 型题出现。

金题直击

2. 确诊一氧化碳中毒最有价值的检查是

A. 血常规　　B. 血液生化检查

C. 动脉血气分析　　D. 心电图

E. 碳氧血红蛋白测定

【答案】E

【解题思路】

一氧化碳中毒后，体内血红蛋白与一氧化碳发生结合，形成碳氧血红蛋白，对其进行检测可以诊断一氧化碳中毒且可知中毒程度。

3. 一氧化碳中毒最有效的治疗手段是

A. 人工冬眠　　B. 降低颅内压

C. 高压氧舱　　D. 营养支持

E. 使用镇静剂

【答案】C

【解题思路】

高压氧舱是一氧化碳中毒最有效的治疗手段。

三、急性有机磷杀虫药中毒

（一）病因与中毒机制

1. 病因　有机磷杀虫药品种繁多，为农业生产过程中最常用的杀虫剂。有机磷杀虫药按其对于大鼠急性经口进入体内的半数致死量（LD_{50}），分为剧毒类（甲拌磷、内吸磷、对硫磷等），高毒类（甲胺磷、氧乐果、敌敌畏等），中毒类（乐果、敌百虫等），低毒类（马拉硫磷、氯硫磷等）。有机磷杀虫药易挥发而具有一种刺激性蒜味。

（1）职业性中毒：主要原因是生产设备不够完善或生产管道发生故障，以及制造、包装、运输、保管时防护不严格，杀虫剂通过皮肤、呼吸道吸收所致。

（2）使用性中毒：其常见的原因是配药或施药时，药液污染皮肤或湿透衣服由皮肤吸收，以及吸入空气中杀虫药所致。

（3）生活性中毒：主要由于误服、自服，或摄入被杀虫药污染的水源和食物；也有因滥用有机磷农药灭蚤、治癣等而引起中毒者。

2. 中毒机制　有机磷杀虫药进入人体以后，以其磷酸根与胆碱酯酶的活性部分紧密结合，形成稳定的磷酰化胆碱酯酶，使胆碱酯酶失去水解乙酰胆碱的能力，从而导致体内胆碱能神经末梢释放的乙酰胆碱蓄积过多，作用于胆碱能受体，使其先过度兴奋，而后抑制，最终衰竭，从而产生一系列中毒症状，严重时可因昏迷、呼吸衰竭而发生死亡。

（二）临床表现

中毒发病时间与毒物种类、剂量和侵入途径密切相关。经皮肤吸收中毒，一般在接触后 2 ～ 4h 发病，口服中毒症状常在 5 ～ 30min 内发生。一旦中毒症状出现后，病情可迅速发展。

1. 毒蕈碱样症状（M 样症状）　中毒后最早出现，主要为副交感神经末梢兴奋引起脏器平滑肌痉挛（过度兴奋）使腺体分泌增多，临床可见：恶心、呕吐、腹痛、腹泻，瞳孔缩小，流涎、流泪、多汗或大汗淋漓，心率减慢，尿频、二便失禁，支气管痉挛和分泌物增多、气急、肺部湿啰音，甚至肺水肿、呼吸衰竭。

2. 烟碱样症状（N 样症状）　面部、四肢甚至全身肌肉颤动，严重时出现肌肉强直性痉挛、抽搐。表现为牙关紧闭、颈项强直，伴有脉搏加速、血压升高、心律失常等，随后出现肌力减退、瘫痪，严重时因呼吸肌麻痹而出现周围性呼吸衰竭，部分患者出现意识障碍。

3. 中枢神经系统（CNS）症状　为 ACH 参与 CNS 冲动传递而引起头晕、头痛、乏力、烦躁不安、共济失调，可出现脑水肿、呼吸衰竭，部分患者出现意识障碍。

4. 其他 经皮肤黏膜吸收中毒，接触毒物部位可出现过敏性皮炎，并可发生水疱与剥脱性皮炎。少数重度急性有机磷杀虫药中毒患者，在发病后 2 ～ 3 天出现指端麻木、疼痛，逐渐加重可出现肢体乏力，甚至四肢瘫痪、肌肉萎缩等，称为迟发性脑病，多见于甲胺磷中毒。

5. 中间综合征 在急性中毒症状缓解后 1 ～ 4 天发生。表现为肌无力，累及肢体近端肌群、颈部和呼吸肌，甚至瘫痪及脑神经麻痹，因而致死；其发生与胆碱酯酶受到长期抑制，影响神经 - 肌肉接头处突触后的功能有关。

（三）诊断

1. 诊断要点

（1）病史：有机磷杀虫药接触史，多在接触后 0.5 ～ 12h 内出现中毒症状，多不超过 24h。

（2）临床特点：呼出气、呕吐物有刺激性蒜臭味，以出现毒蕈碱样症状、烟碱样症状及中枢神经系统症状为临床特点。

（3）辅助检查：测定全血胆碱酯酶活力＜ 70%，为诊断有机磷杀虫药中毒的特异性指标，常作为判断中毒程度、估计预后、评价疗效的重要依据。

2. 分级诊断 依据病情及临床特点、全血胆碱酯酶活力测定，将有机磷杀虫药中毒分为轻、中、重三级。

（1）轻度中毒：有头昏、头痛、无力、呕吐、流涎、多汗、视力模糊、瞳孔可略缩小，全血胆碱酯酶活力为正常值的 50% ～ 70%。

（2）中度中毒：除上述症状加重外，有肌束颤动、瞳孔明显缩小呈针尖样、轻度呼吸困难、腹痛、腹泻、步态蹒跚、轻度意识障碍。全血胆碱酯酶活力为正常值的 30% ～ 50%。

（3）重度中毒：除上述症状外，瞳孔小于针尖，出现呼吸极度困难，有发绀、肺水肿、抽搐、昏迷、呼吸麻痹，少数患者可发生脑水肿，全血胆碱酯酶活力为正常值的 30% 以下。

命题趋势 临床表现是有机磷杀虫药中毒的高频考点，考查方式灵活，各种题型均可见到，近些年多在 A2、A3 型题中以关键信息出现。

金题直击

4. 患者，女，25 岁。1h 前被发现昏迷于家中，急诊入院。查体见患者面色苍白，大汗淋漓，肺部啰音明显，心率减慢，瞳孔针尖样，呼气伴有大蒜味，四肢抽搐。首先考虑

A. 糖尿病酮症昏迷　　B. 有机磷中毒

C. 一氧化碳中毒　　D. 低血糖昏迷

E. 肝昏迷

【答案】B

【解题思路】

患者于家中被发现昏迷，有针尖瞳、呼气大蒜味，且伴有 M 样及 N 样症状，首先考虑有机磷中毒。选项 A 的特征性表现是呼出气体有烂苹果味，与题干不符。选项 C 呼气味多无改变，特征性表现是皮肤、黏膜樱桃红色。选项 D 呼气味也没有明显变化，且会出现瞳孔散大。选项 E 呼气会有腥臭味，与题干不符。

5. 患者，女，25 岁。1h 前被发现昏迷于家中，急诊入院。查体见患者面色苍白，大汗淋漓，肺部啰音明显，心率减慢，瞳孔针尖样，呼气伴有大蒜味，四肢抽搐。该患者目前最有价值的检查手段是

A. 血碳氧血红蛋白测定　　B. 胆碱酯酶活力测定

C. 动脉血气分析　　D. 脑电图检测

E. 脑部 CT

【答案】B

【解题思路】

患者于家中被发现昏迷，有针尖瞳、呼气大蒜味，且伴有 M 样及 N 样症状，首先考虑有机磷中毒。有机磷中毒时，人体内的胆碱酯酶受到抑制，乙酰胆碱无法水解，从而引发一系列症状，所以最有价值的检查是胆碱酯酶活力测定，还可用于判定中毒程度。

（四）治疗

1. 一般处理 立即使患者脱离中毒现场，脱去被污染的衣物鞋袜及首饰、佩戴物，保持呼吸道通畅。

2. 清除毒物 经皮肤、毛发中毒者，应用肥皂水或清水彻底清洗。经口中毒者，立即刺激咽喉部催吐，并经胃管洗胃。选择洗胃液应注意：内吸磷、对硫磷、甲拌磷、乐果等中毒禁用高锰酸钾溶液洗胃；敌百虫中毒禁用2%碳酸氢钠洗胃；洗胃后给予硫酸镁或硫酸钠经胃管或口服导泻；深昏迷患者禁用硫酸镁导泻。禁用油类导泻剂。

3. 应用特效解毒药物

（1）抗胆碱能药物：可阻断乙酰胆碱的作用，缓解毒蕈碱样症状（M样症状）及中枢神经系统症状，对烟碱样症状（N样症状）无效，不能恢复胆碱酯酶活力。常用阿托品，以早期、足量、反复、持续快速阿托品化为原则，但应注意剂量个体化，尽早达“阿托品化”，即应用阿托品后患者出现意识好转、皮肤干燥、颜面潮红、肺部湿啰音消失、瞳孔较前扩大、心率较前增快等表现。治疗过程中患者出现瞳孔扩大、烦躁不安、神志不清、抽搐、尿潴留，甚至昏迷，提示发生阿托品中毒，应立即停用。

（2）胆碱酯酶复能剂：可恢复被抑制的胆碱酯酶的活性，并可缓解烟碱样症状。常用药物有碘解磷定、氯磷定、双复磷等。胆碱酯酶复能剂应与阿托品联合应用，两种药物同时应用时，应减少阿托品的剂量，以免发生阿托品中毒。目前临床上已广泛应用复方解毒剂，常用解磷注射液。

4. 对症治疗 针对呼吸抑制、心律失常、肺水肿、休克、脑水肿、抽搐等严重表现，积极采取相应的有效急救措施治疗。必要时适量应用糖皮质激素，及时给予呼吸机治疗。

（五）预防

1. 有机磷杀虫药中毒原因复杂，可以是职业性中毒，也可以生活性中毒，包括服毒自杀，用来杀蚊虫时接触中毒及婴幼儿误触误服中毒等，预防措施以健康教育、科普宣传为主，对有机磷杀虫药生产、运输、贮存、使用的相关人员，进行反复防毒和规范操作的培训，对有精神状态异常的居民及时进行心理疏导，避免中毒事件的发生。另外，对于有机磷杀虫药使用较多的季节和地区，应进行农药规范使用与保管的科普教育，严防意外中毒事故，尤其是婴幼儿误食误触事件的发生。

2. 对于已明确诊断的患者，应尽早快速送诊，转送途中注意保持呼吸道通畅，防止气道阻塞发生窒息。

治疗是有机磷杀虫药中毒的高频考点，考查方式灵活，各种题型均可见到，近些年多以A2、A3型题出现。

金题直击

6. 患者，女，25岁。1h前被发现昏迷于家中，急诊入院。查体见患者面色苍白，大汗淋漓，肺部啰音明显，心跳减慢，瞳孔针尖样，呼气伴有大蒜味，四肢抽搐。该患者首选的治疗用药是

A. 阿托品＋肾上腺素　　B. 糖皮质激素＋肾上腺素

C. 阿托品＋氯磷定　　D. 氯磷定＋糖皮质激素

E. 氯磷定＋肾上腺素

【答案】C

患者于家中被发现昏迷，有针尖瞳、呼气大蒜味，且伴有M样及N样症状，首先考虑有机磷中毒。有机磷解救首选阿托品联合胆碱酯酶复能剂即氯磷定，尽早使用。

四、急性酒精中毒

急性酒精（乙醇）中毒是指由于短时间内饮入大量的白酒或含酒精的饮料所导致的，以中枢神经系统先兴奋后抑制为特征的急性中毒性疾病，为急诊科常见的急症，具有节假日集中发病的特点。

（一）病因与中毒机制

1. 病因 一次性大量饮用含酒精的酒类饮品是中毒的主要原因。含酒精的酒类饮品主要为白酒及酒类饮料。

2. 中毒机制 人体摄入酒精后，少部分在胃内吸收，约80%由十二指肠及空肠吸收，2%～10%由呼吸道、尿液和汗腺以原形排出。酒精进入消化道，空腹状态下约2.5h后全部被吸收入血，随血液循环分布于全身所有含水的组织和体液中，其中肝脏、脾脏、肺脏中含量较高。酒精在体内代谢缓慢，约90%经肝脏分解、

代谢，在肝内由醇脱氢酶氧化为乙醛，乙醛经醛脱氢酶氧化为乙酸，乙酸转化为乙酰辅酶 A 进入三羧酸循环，最终代谢产物为水与二氧化碳。

酒精的急性中毒机制如下。

（1）中枢神经系统抑制作用：当酒精进入体内，超过了肝脏的氧化代谢能力，在体内蓄积，透过血脑屏障及脑细胞膜，通过影响细胞膜酶类的功能而影响细胞的功能。

（2）耐受性、依赖性和戒断综合征

① 耐受性：饮酒后产生轻松、兴奋的欣快感，继续饮酒后产生耐受性，效力降低，需要增加饮酒量才能达到原有的效果。

② 依赖性：为了获得饮酒后的特殊快感，渴望饮酒，这是心理依赖。躯体依赖是指反复饮酒使中枢神经系统发生某种生理、生化变化，以致需要酒精持续地存在于体内，以避免发生戒断综合征。

③ 戒断综合征：长期饮酒形成躯体依赖，一旦停止饮酒或减少饮酒量，可出现与酒精中毒相反的症状。

（3）代谢异常。

（二）临床表现

1. 兴奋期 中毒早期出现头痛、乏力、欣快、兴奋、言语增多、喜怒无常等，有时粗鲁无礼，易感情用事，面色潮红或苍白，呼出气带酒味。

2. 共济失调期 随后患者进入共济失调期，出现动作不协调、步态不稳、动作笨拙、言语含糊不清，可伴有眼球震颤、复视、躁动、精神错乱等表现。消化系统的临床表现主要为恶心、呕吐、肝区疼痛等。

3. 昏迷期 病情进一步加重，出现恶心、呕吐、倦怠而进入昏迷期，表现为昏睡、面色苍白、皮肤湿冷、口唇发绀、瞳孔散大、体温下降、脉搏细弱，严重者发生呼吸、循环功能衰竭而死亡。患者呼出气及呕吐物有浓烈酒味。因酒精抑制肝脏糖原异生，引起低血糖，可加重昏迷。

（三）诊断

血清中有乙醇且含量明显增加，为诊断的重要依据。动脉血气分析显示代谢性酸中毒，血生化检测出现血糖降低、低钾血症、低镁血症、低钙血症等有助于诊断。应注意与其他急性中毒、糖尿病酮症酸中毒等相鉴别。

（四）治疗

1. 兴奋期及共济失调期 多无须特殊处理，可给予刺激咽喉部催吐，注意保暖，保持呼吸道通畅，避免呕吐物吸入性窒息，加强护理，避免发生意外伤害。

2. 昏迷期

（1）一般处理：保持呼吸道通畅，及时清除咽喉部分泌物，加强护理，防止发生窒息，鼻导管吸氧。

（2）促进酒精排出：体外中毒症状较重者，可予以催吐（禁用阿扑吗啡），必要时用 1% 碳酸氢钠洗胃。严重中毒时可用腹膜透析或血液透析。

（3）促进酒精氧化：应用 50% 葡萄糖注射液 100mL 加入普通胰岛素 20U 静脉注射，同时静脉注射维生素 B_1、维生素 B_6 及烟酸各 100mg，促进酒精氧化。

（4）应用纳洛酮：可予纳洛酮 0.4 ～ 0.8mg 静脉注射，半小时 1 次，直至患者清醒；重度中毒患者可将纳洛酮 0.8 ～ 1.2mg 加入 10% 葡萄糖注射液中持续静脉滴注。

（5）对症治疗：静脉补液维持水、电解质和酸碱平衡；积极防治休克；烦躁或过度兴奋患者可用小剂量地西泮，避免使用吗啡、氯丙嗪、苯巴比妥类镇静药；发生脑水肿者可应用脱水剂或高渗葡萄糖注射液治疗；发生呼吸衰竭时，给予人工辅助呼吸，以维持患者的呼吸功能。

（五）预防

急性酒精中毒属于可有效预防的疾病，积极响应世界卫生组织《减少有害使用酒精的全球战略》的精神，根据个体能力适度饮酒，尽量不饮用含酒精的饮料。同时，应注意将酒类及含酒精的饮料放置在儿童不易接触获得的地方，杜绝婴幼儿、儿童的意外酒精中毒。

第四节　中暑（助理不考）

一、概念

中暑是指人体长时间暴露于高温或强烈热辐射环境中，引起以体温调节中枢功能障碍、汗腺功能衰竭及水、电解质紊乱等对高温环境适应不全的表现为特点的一组疾病。

二、病因

中暑的病因见表 9-4。

表 9-4　中暑的病因

病因	要点
环境温度过高	环境温度＞35℃且湿度＞80%，或工作环境有产热源，长时间工作，无充分降温措施
机体产热增加	高温环境中从事重体力劳动、发热、甲状腺功能亢进症或应用苯丙胺等药物
机体散热减少	环境湿度过高、过度肥胖、衣物透气性差等致机体散热障碍
汗腺功能障碍	先天性汗腺缺乏症、硬皮病、广泛皮肤烧伤后瘢痕形成等
其他	年老体弱、过度疲劳、肥胖、饮酒、饥饿、失水失盐、应用阿托品影响汗腺分泌等

三、发病机制

中暑依据发生机制及临床特点，分为热射病、热痉挛、热衰竭（表 9-5）。

表 9-5　中暑分型及发病机制

类型	发病机制
热射病	由于人体受外界环境中热源的作用，体内热量不能通过生理性散热以达到热平衡，致使体内热蓄积而体温升高，体温调节中枢失控，汗腺功能衰竭，使散热量减少，体温骤增。当体温＞42℃时，蛋白质变性；体温＞50℃时数分钟内细胞即可发生死亡
热痉挛	汗液中含有 0.3%～0.5% 氯化钠，高温环境中大量出汗，导致失水失钠，进而仅补充水分，出现低钠血症，表现为肌肉痉挛、疼痛
热衰竭	由于人体对高温环境不适应，引起周围血管扩张，循环血容量不足，发生虚脱；亦可伴有过多出汗而失水和失钠

四、临床表现

中暑的临床表现见表 9-6。

表 9-6　中暑的临床表现

类型	临床表现
热射病	典型临床表现为高热，体温常＞41℃、无汗和意识障碍。先有全身软弱、乏力、头昏、头痛、恶心、出汗减少，继而体温迅速上升，出现嗜睡、谵妄甚至昏迷。心电图可出现心律失常和心肌损害表现
热痉挛	常发生在高温环境中强体力劳动后，患者常先有大量出汗，随后四肢肌肉、腹壁肌肉甚至胃肠道平滑肌发生阵发性痉挛和疼痛。实验室检查多有血钠和血氯降低，尿肌酸增高
热衰竭	先有头痛、头晕、恶心，继之口渴、胸闷、面色苍白、冷汗淋漓、脉搏细弱或缓慢、血压偏低。可有晕厥、手足抽搐。危重者有周围循环衰竭表现。实验室检查多有低钠血症和低钾血症

命题趋势 临床表现是中暑的常见考点，近些年多以 A1、B1 型题出现。

金题直击

热射病典型临床表现为

A. 高热、无汗　　B. 循环衰竭

C. 恶心、呕吐　　D. 大汗、痉挛

E. 冷汗淋漓、脉搏细弱

【答案】A

【解题思路】

热射病因为体温调节中枢功能异常，导致患者无法正常排汗降温，从而导致体温骤升但无汗，病情凶险。

五、诊断与鉴别诊断

（一）诊断

中暑可根据在高温环境中劳动和生活时出现体温升高、肌肉痉挛和（或）晕厥，并排除其他症状相似的疾病后，即可以诊断。根据我国《职业性中暑诊断标准》（GB 11508—89），将中暑分为以下 3 级。

1. 先兆中暑 在高温环境中劳动一定时间后，出现头昏、头痛、口渴、多汗、全身疲乏、心悸、注意力不集中、动作不协调等症状，体温正常或略有升高。

2. 轻症中暑 除有先兆中暑的症状外，出现面色潮红、大量出汗、脉搏快速等表现，体温升高至 38.5℃以上。

3. 重症中暑 包括热射病、热痉挛和热衰竭 3 型。

（二）鉴别诊断

热射病应与脑炎、有机磷杀虫药中毒、中毒性肺炎、菌痢、疟疾等疾病鉴别；热衰竭应与消化道出血、异位妊娠、低血糖症等鉴别；热痉挛伴腹痛应与各种急腹症鉴别。

六、治疗

1. 紧急处理 应迅速将患者转移至阴凉通风处休息或静卧，口服凉盐水、清凉含盐饮料。

2. 补充水、电解质 有周围循环衰竭者应立即开通静脉通路，静脉滴注 0.90% 氯化钠溶液、葡萄糖和氯化钾溶液。一般患者经治疗后 30min 至数小时内即可恢复。热射病患者预后严重，死亡率高。

3. 降温治疗 为热射病的关键性治疗措施。

（1）物理降温。

（2）药物降温：氯丙嗪是协助物理降温的常用药物。

4. 对症治疗 保持呼吸道通畅，吸氧；纠正电解质紊乱及酸中毒；休克者应用升压药；发生心力衰竭时应用洋地黄制剂；疑有脑水肿者给予甘露醇；急性肾衰竭患者可进行血液透析；发生弥散性血管内凝血时应用肝素，必要时加用抗纤维蛋白溶解药物。

5. 应用糖皮质激素 糖皮质激素对高温引起机体的应激和组织反应以及防治脑水肿、肺水肿均有一定的效果，可用于热射病。

6. 其他 加强日常护理，特别是热射病昏迷患者。提供营养丰富的食物及 B 族维生素和维生素 C，以促使患者早日恢复健康。

高频考点速递

1. 血压是休克诊断及治疗中最重要的观察指标之一。休克早期，血压接近正常，随后血压下降。收缩压低于 80mmHg，脉压差低于 20mmHg，是休克存在的依据。

2. 抗休克治疗中，除心源性休克外，补充血容量是提高心输出量和改善组织灌流的根本措施。输液强调及时和尽早。

3. 上消化道出血最常见的病因是消化性溃疡，其次是食管胃底静脉曲张破裂、急性胃黏膜病变及胃癌等。

4. 呕血和黑便为上消化道出血的基本表现及特征性表现。

5. 急性一氧化碳中毒的机制是一氧化碳与血液中血红蛋白结合，形成稳定不易解离的碳氧血红蛋白，使血红蛋白丧失正常的携氧能力，导致机体组织器官缺氧。